D1366816

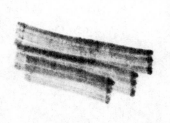

RETOUR SUR LA LANDE

DU MÊME AUTEUR
CHEZ LE MÊME ÉDITEUR

Retour en Cornouailles
Retour au pays
Retour en Ecosse

Rosamunde Pilcher

RETOUR SUR LA LANDE

Presses
DE LA CITÉ

Titres originaux : *Another View*; *The Carousel*; *Voices in Summer*.
Traduction : *La Vie et rien d'autre*, par Jacques Guiod; *Carrousel*, par Hubert Tézenas; *Des voix en été*, par Henri Walter.

Le Code de la propriété intellectuelle n'autorisant, aux termes de l'article L. 122-5, 2° et 3° a), d'une part, que les « copies ou reproductions strictement réservées à l'usage privé du copiste et non destinées à une utilisation collective » et, d'autre part, que les analyses et les courtes citations dans un but d'exemple et d'illustration, « toute représentation ou reproduction intégrale ou partielle faite sans le consentement de l'auteur ou de ses ayants droit ou ayants cause est illicite » (art. L. 122-4).
Cette représentation ou reproduction, par quelque procédé que ce soit, constituerait donc une contrefaçon sanctionnée par les articles L. 335-2 et suivants du Code de la propriété intellectuelle.

Another View : © Rosamunde Pilcher, 1968; © Presses de la Cité, 1995, pour la traduction française, et 1999, pour la présente édition. *The Carousel* : © Rosamunde Pilcher, 1982; © Presses de la Cité, 1999, pour la traduction française. *Voices in Summer*; © Rosamunde Pilcher, 1984; © Presses de la Cité, 1999, pour la traduction française.

ISBN 2-258-05293-9

LA VIE ET RIEN D'AUTRE

1

C'était à Paris, en février, vers la fin des années soixante. A l'aéroport du Bourget, le soleil étincelait comme un diamant froid dans un ciel bleu glacier et se reflétait sur les pistes encore humides après une nuit de crachin. Ce temps donnait envie de se promener, et ils étaient sortis sur la terrasse pour se rendre compte aussitôt que le soleil brillait sans chaleur et que le vent qui gonflait les manches à air était aussi tranchant qu'une lame de couteau. Vaincus, ils avaient battu en retraite dans un restaurant en attendant le départ de l'avion d'Emma. Ils étaient maintenant assis à une petite table, et buvaient du café noir tout en fumant les Gauloises de Christopher.

Nullement gênés, tout entiers l'un à l'autre, ils formaient un couple saisissant qui ne manquait pas d'attirer l'attention. Emma était grande et très brune. Elle avait le front dégagé et ses cheveux mi-longs, rejetés en arrière, étaient maintenus par un serre-tête en écaille de tortue. Son visage n'était pas beau — son ossature solide, son nez droit et son menton volontaire ne correspondaient pas aux critères de beauté en usage. Mais cette apparente dureté était compensée par de grands yeux d'un incroyable bleu-gris et par une bouche sensuelle qui pouvait tour à tour s'affaisser quand Emma n'obtenait pas ce qu'elle voulait, ou s'étirer d'une oreille à l'autre quand elle était heureuse. Ce qui était le cas aujourd'hui. Elle portait un tailleur-pantalon vert amande et un polo blanc qui faisait ressortir son teint hâlé. Son apparence sophistiquée était cependant atténuée par les nombreux bagages éparpillés autour d'elle, comme si elle venait d'échapper à quelque terrible cataclysme.

Ils représentaient six années de vie à l'étranger, mais qui l'aurait deviné? Trois valises pleines à craquer étaient déjà enregistrées, mais il y avait encore un chevalet, un grand sac en toile, un sac en papier de Prisunic d'où dépassaient des baguettes de pain, un panier rempli de livres et de disques, un imperméable, des chaussures de ski et un immense chapeau de paille.

Christopher regardait cet amoncellement en se demandant comment elle allait s'y prendre pour tout porter jusqu'à l'avion.

— Tu pourrais mettre le chapeau, l'imperméable et les bottes, cela te ferait déjà trois choses en moins sur les bras.

— J'ai déjà des chaussures, et le chapeau s'envolerait. L'imperméable, lui, est dégoûtant, et j'aurais l'air d'une clocharde. Je me demande pourquoi j'ai emporté tout ça.

— Je vais te le dire, moi. Parce qu'il va pleuvoir à Londres.

— Peut-être pas.

— Il y pleut tout le temps.

Il alluma une Gauloise au mégot de la précédente.

— C'est d'ailleurs une bonne raison pour rester à Paris avec moi.

— On en a parlé des centaines de fois. Je rentre en Angleterre.

Il sourit, sans rancune. Il plaisantait. Quand il souriait, le coin de ses yeux mouchetés d'or remontait légèrement, ce qui, ajouté à la souplesse de son corps, lui donnait l'allure d'un félin. Il était vêtu un peu n'importe comment, dans le style bohème : un pantalon moulant, des bottes éculées, une chemise de coton bleue sur un pull-over jaune et une vieille veste de daim élimée aux coudes et au col. Il avait l'air on ne peut plus français, mais était en fait aussi anglais qu'Emma. Un vague lien familial les unissait : quand elle avait six ans et lui dix, Ben Litton, le père d'Emma, avait épousé Hester Ferris, la mère de Christopher. Cet arrangement avait duré tant bien que mal pendant dix-huit mois. Pour Emma, c'était la seule époque de son existence où elle avait connu quelque chose qui ressemblait de près ou de loin à une vie de famille.

C'était Hester qui avait insisté pour acheter une propriété dans la petite ville de Porthkerris. Depuis longtemps, bien avant la guerre, Ben y possédait un atelier d'artiste dénué de tout confort. Hester, refusant de vivre comme une miséreuse, avait fait l'acquisition de deux maisons de pêcheur qu'elle avait réunies et installées avec beaucoup de goût. Ben se désintéressait totalement de ce genre de choses, et cela devint tout naturellement la maison de Hester; ce fut elle qui insista pour avoir une cuisine équipée, une chaudière pour l'eau chaude, et une grande cheminée dont le feu de bois devait servir de point de ralliement à toute la famille.

Ses intentions étaient excellentes, mais elle se heurtait toujours à des obstacles. Elle essaya de se montrer indulgente envers Ben. Ayant épousé un génie, elle connaissait sa réputation et était prête à fermer les yeux sur ses conquêtes amoureuses, ses compagnons peu fréquentables et son attitude à l'égard de l'argent. Mais en fin de compte, comme cela survient si souvent dans les mariages ordinaires, elle fut vaincue par de petites choses : des repas que l'on oublie de prendre, des factures insignifiantes que l'on néglige de payer, le fait que Ben préférait boire un verre au pub du coin plutôt qu'à la maison, en sa compagnie. Elle fut vaincue par son refus d'avoir le téléphone et d'acheter une voiture, par le défilé d'épaves humaines qui terminaient la nuit sur son canapé; mais surtout par sa totale incapacité à lui manifester la moindre affection.

Elle le quitta en emmenant Christopher avec elle, et demanda immédiatement le divorce. Si Ben fut heureux de le lui accorder, il le fut plus encore de voir partir le petit garçon car ils n'avaient jamais pu s'entendre. Ben était jaloux et désirait être le seul mâle de la maisonnée; du haut de ses dix ans, Christopher refusait d'être ignoré. Malgré tous les efforts déployés par Hester, cet antagonisme avait perduré. Hester croyait sincèrement que le beau visage de l'enfant charmerait l'œil de l'artiste qu'était Ben, mais quand elle lui avait demandé de faire le portrait de son fils il avait refusé sèchement.

Après leur départ, la vie à Porthkerris retomba dans la routine. Emma et Ben vécurent entourés de créatures féminines, modèles ou étudiantes en peinture, qui passaient dans la vie de Ben Litton avec la régularité monotone d'une file d'attente. Leurs seuls points communs étaient l'adoration qu'elles vouaient à Ben et leur profond mépris pour les soins du ménage. Elles s'occupaient le moins possible d'Emma, laquelle, contrairement à toute attente, ne regrettait pas vraiment Hester. Elle ne supportait plus — comme son père — de tout voir bien rangé autour d'elle, et de devoir porter des vêtements soigneusement boutonnés; en revanche, le départ de Christopher laissait dans sa vie un grand vide qu'elle ne parvenait pas à combler. Pendant un temps, elle le pleura et s'efforça de lui écrire, mais sans oser demander son adresse à Ben. Un jour, se sentant seule et désespérée, elle avait même résolu de s'enfuir pour le rejoindre. A la gare, elle avait voulu acheter un billet pour Londres — c'était un endroit comme un autre pour le retrouver. Mais elle n'avait que très peu d'argent et le chef de gare, qui la connaissait, l'avait emmenée dans son bureau qui sentait la paraffine des lampes et le charbon brûlant dans l'âtre ; là, il lui avait donné un peu de thé chaud avant de la raccompagner chez elle. Ben, plongé dans son travail, n'avait pas remarqué son absence. Elle n'avait plus jamais cherché à revoir Christopher.

Quand Emma eut treize ans, Ben se vit proposer un poste d'enseignant, pour deux ans, à l'université du Texas. Il s'empressa d'accepter sans penser à Emma. Il y eut tout de même un hiatus quand se posa le problème de l'avenir de sa fille. Ben annonça qu'il l'emmènerait au Texas, mais quelqu'un — Marcus Bernstein probablement — lui fit comprendre qu'elle serait mieux loin de lui, et on l'envoya en pension en Suisse. Emma séjourna trois ans à Lausanne sans revenir en Angleterre, puis passa une année à Florence, où elle étudia l'italien et l'art de la Renaissance. Ben se trouvait alors au Japon. Quand elle lui proposa de le rejoindre, il lui répondit par un simple télégramme : LIT DE CAMP OCCUPÉ PAR CHARMANTE GEISHA. STOP. TE SUGGÈRE D'ALLER VIVRE À PARIS. STOP.

Philosophe — elle avait maintenant dix-sept ans et plus rien ne la surprenait —, Emma obéit. Elle se trouva un job de jeune fille au pair dans une famille, les Lecourt, qui habitait une belle maison à Saint-Germain-des-Prés. Le père était médecin, et la mère enseignante. Emma s'occupait des trois enfants ; elle leur apprenait l'anglais et l'italien, et les emmenait au mois d'août dans la modeste maison familiale des Sables-d'Olonne. Pendant tout ce temps, elle attendit patiemment que Ben revînt en Angleterre. Après dix-huit mois au Japon, il fit escale aux Etats-Unis, et séjourna un mois à New York, où Marcus Bernstein alla le rejoindre. Emma découvrit la raison de ces retrouvailles non pas grâce à Ben, ni même à Leo, son habituelle source d'informations, mais en lisant un long article richement illustré que le magazine *Réalités* consacrait à l'ouverture du musée des Beaux-Arts de Queenstown, en Virginie. Ce musée était l'hommage d'une veuve à son mari, un riche Virginien du nom de Kenneth

Ryan, et la section artistique ouvrait avec une rétrospective de l'œuvre de Ben Litton, allant de ses paysages d'avant-guerre à ses récentes œuvres abstraites.

Une telle exposition était un honneur, et un hommage à un peintre que chacun se devait de révérer. Emma étudia l'une des photographies de Ben, tout en angles et en contrastes, avec sa peau bronzée, son menton volontaire et ses cheveux blancs, en se demandant comment il réagissait devant tant de vénération. Tout au long de sa vie, en effet, il s'était rebellé contre les conventions, et elle ne parvenait pas à l'imaginer ainsi porté aux nues.

— Quel bel homme! s'écria Mme Lecourt quand Emma lui montra la photo. Il a beaucoup de charme!

— Oh oui! fit Emma en soupirant, parce que c'était bien là le problème.

Marcus le ramena à Londres en janvier, et il rentra directement à Porthkerris pour se remettre à peindre. Emma l'apprit par une lettre de Marcus, et le jour même alla trouver Mme Lecourt pour lui annoncer son départ. Ils essayèrent de la cajoler pour la convaincre de revenir sur sa décision, mais rien n'y fit. Elle n'avait pratiquement pas vu son père depuis six ans. Il était temps qu'ils fassent à nouveau connaissance. Elle rentrait à Porthkerris pour vivre avec lui.

Les Lecourt n'avaient pas le choix, et ils durent se résigner. Emma réserva son billet d'avion et commença à faire ses bagages, jetant les babioles inutiles accumulées depuis six années et entassant le reste dans des valises déjà fatiguées. Elle décida d'acheter un immense panier à provisions capable d'accueillir les objets hétéroclites qui ne trouvaient leur place nulle part.

C'était un après-midi froid et gris, deux jours avant la date de son départ. Mme Lecourt était à la maison et Emma lui laissa les enfants pour sortir seule. Elle erra sous une petite pluie froide. Les pavés de la rue étroite étaient luisants, les façades des immeubles ressemblaient à des visages renfermés. Sur le fleuve, un remorqueur fit mugir sa sirène, à laquelle répondit une mouette solitaire. Le souvenir de Porthkerris fut soudain plus fort que la réalité parisienne. Sa décision de revenir au pays, ancrée depuis si longtemps dans un recoin de son esprit, se cristallisait enfin dans cette impression d'y être déjà.

Non, cette rue ne débouchait pas sur le boulevard Saint-Germain, mais sur la route du port : c'était marée haute, le port était rempli d'une eau grise où ballottaient les bateaux, les rouleaux s'écrasaient sur la jetée, au nord, et les vagues de l'Atlantique étaient surmontées de moutons blancs. Des odeurs familières flottaient dans l'air : les poissons du marché, les petits pains au safran du boulanger. Les échoppes de souvenirs étaient fermées pour la saison. Dans son atelier, Ben travaillait avec des mitaines pour se protéger du froid, et l'éclat de sa palette explosait comme un cri de couleur sur les nuages gris que laissait entrevoir la baie vitrée donnant au nord.

Elle rentrait chez elle. Dans deux jours, elle serait là-bas. La pluie tombait sur son visage, et elle sentait bien qu'elle ne pouvait plus attendre. Ce sentiment d'urgence la poussa à courir, et c'est ainsi qu'elle arriva en peu de temps dans la petite épicerie italienne de la rue de Buci où, elle le savait, elle trouverait son panier.

C'était une minuscule boutique qui fleurait bon le pain de campagne et la chair à saucisse ; il y avait des chapelets d'oignons pendus au plafond et des tonnelets emplis d'un vin rouge que les ouvriers du coin achetaient à la tireuse. Les paniers étaient accrochés à l'extérieur, près de la porte, à une corde unique. N'osant pas tirer dessus de peur de les faire tomber, Emma entra. Elle n'aperçut que la patronne, une grosse femme avec une verrue sur la joue. Elle s'occupait d'un client et Emma attendit. Le client était un jeune homme blond dont l'imperméable ruisselait. Il achetait un pain et un paquet de beurre demi-sel. Emma le regarda et se dit que, de dos tout au moins, il avait l'air sympathique.

— Ça fait combien ? demanda-t-il.

La grosse femme effectua une addition à l'aide d'un bout de crayon tout mâchonné. L'homme fouilla dans sa poche et paya avant de se retourner, de sourire à Emma et de se diriger vers la sortie.

Là, il s'arrêta soudain. La main sur le bouton de la porte, il se tourna lentement. Elle vit ses yeux couleur d'ambre, son sourire incrédule.

C'était bien le même visage, une tête d'enfant sur un corps d'homme, à présent. L'illusion de se trouver à Porthkerris était encore si vive qu'elle crut un instant qu'il n'était pas réel. Non, ce n'était pas lui, c'était impossible...

Elle s'entendit articuler « Christo », et prononcer ce diminutif qu'elle était la seule à utiliser fut la chose la plus naturelle du monde.

— Je n'arrive pas à y croire, dit-il simplement.

Et il lâcha ses paquets pour ouvrir les bras. Emma s'y précipita et se serra contre son imperméable mouillé.

Ils avaient deux jours à passer ensemble. Emma dit à Mme Lecourt que son frère était à Paris, et comme cette femme avait bon cœur et qu'elle s'était résignée à perdre la compagnie de la jeune fille, elle la laissa passer ce temps en compagnie de Christopher. Deux jours durant, ils déambulèrent dans les rues de la capitale, flânèrent sur les ponts pour voir les péniches qui faisaient route vers la mer; ils burent des cafés aux terrasses des bistrots sans se soucier de la température. Quand il pleuvait trop, ils se réfugiaient à Notre-Dame ou au Louvre : assis dans les escaliers, à l'ombre de la *Victoire de Samothrace*, ils ne cessaient de bavarder. Ils avaient tant de questions à se poser, tant de choses à se dire. Elle apprit que Christopher, après un certain nombre de faux départs dans la vie, avait décidé d'être acteur. Cela allait à l'encontre des souhaits de sa mère — après dix-huit mois au côté de Ben Litton, elle ne pouvait plus supporter les tempéraments artistiques — mais il avait travaillé ferme et était entré au conservatoire d'Art dramatique. Après avoir travaillé deux ans dans un petit théâtre en Ecosse, il avait tenté sa chance à Londres, sans grand succès, et joué quelques petits rôles à la télévision. Une relation de sa mère l'avait invité à passer quelque temps à Saint-Tropez.

— Saint-Tropez en hiver? fit Emma, très étonnée.

— C'était ça ou rien. J'aurais préféré y séjourner en été, naturellement.

— Il faisait froid?

— Atroce ! Et il n'a pas cessé de pleuvoir. Le vent secouait les volets, on se serait cru dans un film d'horreur.

En janvier, il était revenu à Londres consulter son agent, et s'était vu proposer un contrat d'un an dans un petit théâtre du sud de l'Angleterre. Ce n'était pas exactement ce qu'il recherchait, mais c'était mieux que rien car il n'avait plus d'argent; de toute façon, Londres n'était pas très loin. Comme on ne l'attendait pas avant début mars, il était passé par Paris. C'est ainsi qu'il avait rencontré Emma. Maintenant, cela l'irritait de la voir partir si vite en Angleterre, et il faisait tout son possible pour qu'elle change son billet d'avion. Mais elle demeurait inflexible.

— Tu ne comprends pas, il faut que je le fasse.

15

— Ton père ne te l'a même pas demandé. Tu vas traîner dans ses jambes et perturber sa vie amoureuse.

— Je ne l'ai jamais... perturbée, comme tu dis, fit-elle en riant de le voir aussi tenace. Et puis, je ne vois pas pourquoi je resterais là puisque tu reviens en Angleterre le mois prochain.

Il fit la grimace.

— Je m'en passerais bien. Ce petit théâtre minable de Brookford ! Des répétitions incessantes... Et puis ils ne m'attendent pas avant quinze jours. Si tu voulais rester à Paris...

— Non, Christo.

— On louerait une chambre de bonne. On passerait des soirées formidables...

— Non, Christo.

— Paris au printemps... le ciel bleu, les arbres en fleur, tout le tralala, quoi.

— On est encore en hiver.

— Tu pourrais faire un effort, non ?

Elle ne changea pas d'avis, et il dut se résigner.

— Très bien, puisque je n'arrive pas à te persuader de me tenir compagnie, je me conduirai en Britannique bien élevé et je t'accompagnerai à l'aéroport.

— Ce sera parfait.

— Cela me brisera le cœur, j'ai horreur des adieux.

Emma était d'accord avec lui sur ce point. Elle avait parfois l'impression d'avoir passé sa vie à dire au revoir à toutes sortes de gens. Le bruit d'un train qui quitte la gare, d'une voiture qui démarre ou d'un navire qui appareille lui mettait les larmes aux yeux.

— Cette fois c'est différent, dit-elle.

— Ah bon ? Et en quoi ?

— Cela n'a rien de définitif, c'est un au revoir entre deux bonjours, tu comprends ?

— Ma mère et ton père ne vont pas apprécier.

— Peu importe, dit Emma. Nous nous sommes retrouvés. Et, pour moi, c'est tout ce qui compte.

Les haut-parleurs crachotèrent, et l'on entendit une voix féminine annoncer le départ imminent du vol Air France à destination de Londres.

— C'est le mien, fit Emma.

Ils écrasèrent leurs cigarettes, se levèrent et se mirent à ramasser les bagages. Christopher prit le sac en toile, le sac Prisunic et le panier. Emma jeta l'imperméable sur ses épaules et s'empara tant bien que mal de son sac à main, de ses chaussures de ski et de son chapeau de paille.

— Tu devrais mettre ton chapeau, dit Christopher, ça compléterait le tableau.

— Non, j'aurais l'air ridicule.

Ils descendirent l'escalier et traversèrent le hall au dallage luisant jusqu'à la porte d'accès devant laquelle se formait déjà une petite file d'attente.

— Emma, tu vas tout de suite à Porthkerris?

— Je prends le premier train, oui.

— As-tu de l'argent? Des livres, des shillings et des pence, je veux dire : de l'argent anglais?

Elle n'avait pas songé à ce détail.

— Non, mais ça n'a pas d'importance. J'en retirerai à la banque.

Ils prirent la file, derrière un homme d'affaires qui n'avait qu'un passeport et un attaché-case. Christopher se pencha vers lui.

— Oh, monsieur, s'il vous plaît...

L'homme se retourna pour faire face à Christopher. Le jeune homme avait l'air profondément peiné.

— Je suis désolé, mais nous sommes plutôt embarrassés. Ma sœur rentre à Londres, elle n'a pas vu son père depuis six ans et elle a beaucoup de mal à porter tous ses bagages à main; elle vient de se faire opérer, vous savez...

Emma se rappela ce que Ben disait : Christopher faisait toujours des mensonges énormes parce que c'étaient ceux qui passaient le mieux. De toute évidence, il avait fait le bon choix en décidant d'être comédien.

L'homme d'affaires ne pouvait décemment pas refuser.

— Eh bien, je suppose que...

— C'est très aimable à vous...

Christopher coinça les deux sacs sous un bras du voyageur, le panier avec l'attaché-case sous l'autre. Emma se sentait un peu gênée.

— C'est seulement jusqu'à l'avion... C'est si gentil de votre part... Mon frère ne m'accompagne pas...

Emma était sur le point de franchir la porte d'embarquement.

— Au revoir, Emma chérie, dit Christopher.

— Au revoir, Christo.

Ils s'embrassèrent. Une main brune saisit son passeport, feuilleta les pages, apposa un tampon.

— Au revoir !

La file avança. Ils furent séparés par la douane, les formalités, les autres voyageurs.

— Au revoir.

Elle aurait aimé qu'il attende et s'assure qu'elle était bien montée dans l'avion, mais quand elle se retourna en agitant son chapeau de paille, elle le vit qui s'éloignait, la tête basse et les mains dans les poches de sa veste en daim.

2

C'était à Londres, en février, et il pleuvait. La pluie avait commencé de tomber à sept heures du matin et ne s'était pas arrêtée depuis. Vers onze heures, seules une demi-douzaine de personnes avaient visité l'exposition, et l'on pouvait se demander si elles n'étaient pas entrées uniquement pour se mettre un instant à l'abri.

A onze heures trente, un homme pénétra dans la galerie pour acheter une toile. C'était un Américain qui séjournait au Hilton. Il demanda à voir M. Bernstein. Peggy, la secrétaire, prit la carte qu'il lui tendait et le pria poliment de patienter un instant. Puis elle se rendit dans le bureau pour parler à Robert.

— Monsieur Morrow, il y a là un Américain du nom de... Lowell Cheeke, dit-elle en regardant la carte de visite. Il est déjà venu la semaine dernière et M. Bernstein lui a montré le petit Ben Litton, *Le Sous-bois aux cerfs*. Il croyait qu'il allait le prendre, mais l'homme est reparti en disant qu'il voulait réfléchir.

— Lui avez-vous dit que M. Bernstein était à Edimbourg?

— Oui, mais il ne peut pas attendre. Il repart après-demain aux Etats-Unis.

— Je vais le recevoir.

Robert se leva et, tandis que Peggy ouvrait la porte pour inviter l'Américain à entrer, il s'empressa de remettre de l'ordre sur son bureau et de vider le cendrier dans la corbeille à papiers.

— M. Cheeke, annonça la secrétaire.

Robert fit le tour du bureau pour lui serrer la main.

— Comment allez-vous, monsieur Cheeke? Je suis Robert

Morrow, l'associé de M. Bernstein. Je suis désolé, il est aujourd'hui à Edimbourg, mais si je peux vous être utile...

Lowell Cheeke était un petit homme trapu en imperméable et chapeau à bord étroit. Il ruisselait littéralement, et tout laissait croire qu'il n'était pas venu en taxi. Robert l'aida à se défaire, et posa l'imperméable trempé sur un dossier de chaise. M. Cheeke portait un costume bleu sombre et une chemise rayée. Il cachait de petits yeux froids derrière des lunettes cerclées d'acier, et il était impossible d'y discerner le moindre intérêt artistique ou financier.

— Merci beaucoup, dit M. Cheeke. Quel temps épouvantable...

— Oui, et je ne crois pas que cela va s'améliorer... Une cigarette, monsieur Cheeke?

— Non, merci, je ne fume plus, fit-il en se forçant à tousser. Ma femme m'a fait arrêter.

Les deux hommes affichèrent un bref sourire de complicité. M. Cheeke prit une chaise et s'assit en croisant les jambes. Il paraissait parfaitement à l'aise.

— Je suis déjà venu la semaine dernière, monsieur Morrow, et M. Bernstein m'a montré une toile de Ben Litton. Mais votre secrétaire vous en a certainement informé.

— Effectivement, *Le Sous-bois aux cerfs*...

— J'aimerais beaucoup revoir cette toile. Je rentre après-demain aux Etats-Unis et je dois prendre une décision.

— Naturellement!

Le tableau était toujours là où Bernstein l'avait placé, sur un chevalet que Robert avança au milieu de la pièce avant de le tourner doucement vers la lumière. C'était un tableau de taille moyenne, assez petit par rapport à ceux que Ben Litton peignait ordinairement. Trois cerfs se reposaient dans un sous-bois. La lumière filtrait à travers des branchages à peine suggérés, et l'artiste avait employé beaucoup de blanc pour donner à l'œuvre une atmosphère éthérée. Détail intéressant, le support n'était pas une toile ordinaire, mais du jute, et la rudesse du grain donnait une sorte de flou aux contours.

L'Américain avança sa chaise et remonta ses lunettes. Discrètement, Robert s'éloigna. Lui-même aimait bien cette œuvre, même s'il n'avait rien d'un inconditionnel de Ben Litton. Il trouvait son travail trop maniéré et souvent difficile à comprendre —

un reflet, peut-être, de la personnalité complexe de l'artiste. Mais l'impression que dégageait cette peinture sylvestre était si apaisante qu'on devait ne jamais s'en lasser.

M. Cheeke se leva et s'approcha du chevalet. Il examina attentivement le tableau avant de reculer jusqu'au bureau de Robert.

— A votre avis, monsieur Morrow, dit-il sans se retourner, pourquoi Litton a-t-il peint cela sur de la toile de jute ?

Certainement parce qu'un vieux sac à pommes de terre traînait dans son atelier, voilà ce que Robert avait envie de lui répondre, mais l'acheteur potentiel n'aurait peut-être pas apprécié. Ce Lowell Cheeke était là pour affaires, c'était évident. Ce tableau n'était pour lui qu'un investissement.

— Désolé, monsieur Cheeke, mais je n'en ai pas la moindre idée. Cependant, le résultat est tout à fait exceptionnel.

M. Cheeke tourna la tête pour adresser un sourire glacé à Robert.

— Vous n'êtes pas aussi bien informé que M. Bernstein.

— Je crains que non, en effet.

M. Cheeke retourna à sa contemplation. Le silence se fit pesant. Robert ne parvenait plus à se concentrer. Des bruits infimes prenaient des proportions démesurées : le tic-tac de sa montre, un murmure de l'autre côté de la porte, un roulement lointain, comme un bruit de vagues. En fait, le trafic habituel autour de Piccadilly.

L'Américain soupira. Il mit la main dans la poche de son veston. Il cherchait quelque chose. Un mouchoir, peut-être. De la monnaie pour prendre un taxi qui le ramènerait au Hilton. Il ne s'intéressait plus au tableau. Il allait bredouiller une excuse et s'en aller. Robert ne s'était pas montré assez convaincant.

Mais non, M. Cheeke cherchait tout simplement son stylo. Robert vit qu'il avait déjà le chéquier à la main.

L'affaire fut vite réglée, et M. Cheeke se détendit. Il devint plus humain, et alla même jusqu'à enlever ses lunettes et les ranger dans sa serviette. Il accepta un verre. Robert et lui bavardèrent quelques instants, devant un sherry, de Marcus Bernstein, de Ben Litton, ainsi que des deux ou trois peintures que M. Cheeke avait achetées lors d'un précédent séjour à Londres : avec sa toute nouvelle acquisition, ce devait être là l'embryon d'une collection privée. Robert le mit au courant de la rétrospective Ben Litton qui devait débuter en avril à Queenstown, et M. Cheeke nota l'information dans son calepin. Puis tous deux se levèrent, et Robert aida l'Américain à enfiler son imperméable.

— Heureux de vous avoir rencontré, monsieur Morrow.

— J'espère que vous passerez nous voir quand vous reviendrez à Londres.

— Je n'y manquerai pas.

Robert ouvrit la porte du bureau et ils sortirent dans la galerie. On présentait cette quinzaine-là un ensemble de peintures d'animaux et d'oiseaux, dues à un obscur Sud-Américain au nom imprononçable, un autodidacte d'origine modeste. Marcus l'avait rencontré l'année précédente à New York. Tout de suite très impressionné par son œuvre, il lui avait proposé d'exposer dans sa galerie londonienne. Ses toiles éclatantes ornaient maintenant une partie des cimaises, et la critique avait été enthousiaste. L'exposition s'était ouverte dix jours auparavant, et si les visiteurs avaient été nombreux, les acheteurs, eux, s'étaient montrés fort rares.

Outre Peggy, très occupée à corriger les épreuves du nouveau catalogue, il y avait deux personnes dans la galerie : un homme en chapeau noir, voûté comme un vautour, qui inspectait soigneusement chaque toile, et une jeune fille, assise sur le sofa disposé en face de la porte du bureau. Elle portait un ensemble vert amande et était entourée d'un nombre impressionnant de bagages, comme si la galerie Bernstein n'était autre qu'une vulgaire salle d'attente.

Robert fit un effort pour ignorer sa présence, et raccompagna M. Cheeke jusqu'à la porte en verre. Les deux hommes parlaient à voix basse. La porte s'ouvrit automatiquement et ils sortirent dans la lumière grise de cette fin de matinée.

— C'est M. Morrow? demanda Emma Litton.

— C'est bien lui, répondit Peggy en levant la tête.

Emma n'avait pas l'habitude d'être ignorée. Morrow l'avait vue, elle en était sûre. Quel dommage que Marcus fût à Edimbourg! Elle croisa les jambes et les décroisa aussitôt. Elle perçut le bruit d'un moteur qui démarrait au moment où la porte s'ouvrait à nouveau sur Robert Morrow. Il ne fit pas le moindre commentaire et se contenta de mettre les mains dans ses poches pour regarder calmement Emma et le déballage hétéroclite qui l'entourait.

De toute sa vie, elle n'avait jamais vu un individu qui ressemblât si peu à un marchand d'art. Son visage bronzé, mal rasé, était plutôt celui d'un marin qui vient d'accomplir le tour du monde en solitaire ou d'un alpiniste qui vient de gravir un pic jusque-là inviolé. Il jurait presque avec l'atmosphère feutrée de la galerie Bernstein. Morrow était très grand, avec de larges épaules et des jambes interminables, physique que mettait en valeur un costume gris anthracite d'excellente coupe. Jeune, il avait dû être roux, mais sa chevelure tirait aujourd'hui sur le fauve; par contraste, ses yeux gris semblaient froids comme l'acier. Il avait les pommettes saillantes et la mâchoire volontaire, et Emma trouva l'ensemble finalement assez attirant. Elle se souvint alors que Ben disait souvent que le caractère d'un homme se lit non pas à ses yeux, où les émotions sont fugaces et peuvent être dissimulées, mais à la forme de sa bouche. Or la bouche de Morrow, grande avec une lèvre supérieure un peu épaisse, frémissait maintenant comme s'il se retenait pour ne pas éclater de rire.

Le silence devenait gênant. Emma ébaucha un sourire.

— Bonjour, dit-elle.

Robert Morrow se tourna vers Peggy pour qu'elle l'éclaire un peu. La jeune femme semblait s'amuser de la situation.

— Cette jeune personne désire voir M. Bernstein.

— Je suis désolé, il est à Edimbourg, dit-il.

— C'est ce qu'on m'a dit. Le problème, c'est que je voulais qu'il me donne du liquide.

Morrow paraissait plus perplexe que jamais. Emma décida qu'il était temps de lui fournir quelques explications.

— Je suis Emma Litton, Ben est mon père.

— Mais pourquoi ne l'avez-vous pas dit plus tôt? Je suis désolé, je ne pouvais pas savoir. Comment allez-vous?

Emma se leva. Le chapeau de paille tomba de ses genoux, ajoutant au désordre qui régnait déjà sur le sol.

Ils se serrèrent la main.

— Vous... vous ne pouviez pas deviner qui j'étais. Je suis désolée pour tout ce désordre, mais je ne suis pas rentrée chez moi depuis six ans; on accumule beaucoup de choses, vous savez.

— Je vois, oui.

— Si vous aviez l'obligeance de me donner un peu de liquide, je disparaîtrais aussitôt avec mes paquets. Je voudrais de quoi rentrer à Porthkerris. J'ai oublié de prendre des livres sterling à Paris, et il ne me reste plus de traveller's cheques.

— Mais comment êtes-vous arrivée jusqu'ici? demanda-t-il, soucieux. Depuis l'aéroport, je veux dire.

— Oh, un monsieur charmant, qui, dans l'avion, m'avait déjà aidée à porter mes bagages, m'a prêté une livre. J'ai son adresse pour le rembourser...

Elle fouilla dans ses poches sans rien trouver.

— Enfin, je l'ai quelque part, ajouta-t-elle avec un sourire désarmant.

— Quand rentrez-vous à Porthkerris?

— Il y a un train à midi trente, je crois.

— N'y pensez plus, dit-il après un regard à sa montre. A quelle heure est le suivant?

Emma semblait perdue. Peggy intervint dans la conversation sur le ton courtois qui lui était coutumier.

— Je crois qu'il y en a un à deux heures et demie, monsieur Morrow. Je peux vérifier.

— Oui, volontiers. Deux heures et demie, cela vous convient?

— Oh, oui, mon heure d'arrivée n'a aucune importance.

— Votre père vous attend?

— Eh bien, je lui ai écrit une lettre, mais ça ne veut pas dire qu'il m'attend...

— Je vois...

Il regarda à nouveau sa montre. Il était plus de midi et quart. Peggy était au téléphone et se renseignait. Morrow porta les yeux sur l'amoncellement de valises. Un peu gênée, Emma ramassa son chapeau de paille.

— Je crois qu'il vaudrait mieux enlever tout ça. Nous allons tout ranger dans le bureau, ensuite... Avez-vous déjeuné?

— J'ai avalé un café au Bourget.

— Si vous prenez le train de deux heures et demie, je peux vous inviter au restaurant.

— Oh, ne vous donnez pas cette peine.

— Il n'y a pas de problème; je dois déjeuner, autant que vous veniez avec moi.

Il s'empara de deux valises qu'il porta dans le bureau. Emma ramassa tout ce qu'elle pouvait et le suivit. *Le Sous-bois aux cerfs* était encore sur le chevalet. Elle le vit dès qu'elle entra.

— C'est un tableau de Ben.

— Oui, je viens de le vendre.

— Au petit homme en imperméable? C'est beau, n'est-ce pas?

Elle continua d'admirer le tableau, tandis que Robert finissait de récupérer ses bagages.

— Pourquoi a-t-il choisi de la toile à sac?

— Demandez-le-lui quand vous le verrez ce soir.

— Croyez-vous que ce soit l'influence de l'école japonaise?

— C'est possible, fit Morrow. Tiens, j'aurais dû répondre ça à M. Cheeke. Alors, on va déjeuner?

Il prit un gigantesque parapluie noir et s'écarta pour laisser passer Emma. Il confia la galerie à Peggy, puis tous deux sortirent et se dirigèrent vers Kent Street.

Il l'emmena chez Marcello, où il déjeunait habituellement quand il n'était pas en compagnie d'un client important. Marcello était un Italien qui tenait un petit restaurant à deux rues de la galerie Bernstein. Une table y était toujours réservée pour Marcus ou Robert, voire pour les deux quand il leur arrivait de déjeuner ensemble. C'était une petite table dans un coin tranquille, mais, dès qu'il vit Robert et Emma dans l'escalier, Marcello résolut de les installer autre part, près de la fenêtre.

— Voulez-vous déjeuner près de la fenêtre? demanda Robert, amusé, à Emma.

— Quelle est votre table habituelle?

Il la lui désigna.

— Ça ira très bien.

Marcello était charmé par la jeune fille. Il tira la chaise pour qu'elle prenne place, puis leur apporta deux grands menus écrits à l'encre mauve ainsi que deux verres de Tio Pepe.

— Ma cote auprès de Marcello va baisser, je le sens, dit Robert. Je crois que je n'ai jamais amené de femme ici.

— Avec qui venez-vous d'habitude?

— A part Marcus, personne.

— Comment va-t-il?

— Bien. Il sera désolé de ne pas vous avoir vue.

— C'est ma faute, j'aurais dû lui écrire pour lui annoncer mon arrivée. Mais comme vous l'avez peut-être remarqué, chez les Litton on n'est pas très doué pour la communication.

— Vous saviez tout de même que Ben était rentré à Porthkerris?

— Oui, Marcus me l'a écrit. Et je suis au courant de la rétrospective parce que j'ai lu l'article de *Réalités*. On a quand même des compensations quand on est la fille d'un peintre célèbre, ajouta-t-elle avec un sourire. Même s'il se contente de m'envoyer des télégrammes, je sais quand même ce qu'il devient grâce à la presse spécialisée.

— Vous ne l'avez pas vu depuis longtemps?

— Oh, presque deux ans. J'étais à Florence, il s'y est arrêté alors qu'il partait au Japon.

— J'ignorais qu'on faisait escale à Florence pour aller à Tokyo.

— Si, quand on a une fille qui y vit.

Elle posa les coudes sur la table et le menton dans le creux de sa main.

— Vous saviez quand même que Ben avait une fille, non?

— Oui, bien sûr.

— Eh bien, moi, je ne savais rien de vous. Je veux dire que je ne savais pas que Marcus avait un associé. Il dirigeait seul son affaire quand Ben a été nommé au Texas et qu'on m'a expédiée en Suisse.

— C'est à ce moment-là que j'ai commencé à travailler avec Bernstein.

— Je n'ai jamais vu personne qui ressemble moins à un marchand d'art... Je parle de vous, naturellement.

— C'est peut-être parce que je ne suis pas un marchand d'art.

— Mais... vous venez cependant de vendre une toile de Ben, non?

— Non, rectifia-t-il, j'ai simplement reçu un chèque. Marcus l'avait déjà vendue la semaine dernière, mais ce M. Cheeke ne s'en était pas encore aperçu.

— Il faut quand même que vous vous y connaissiez en peinture !

— Maintenant, je m'y connais mieux. On ne fréquente pas Marcus tous les jours sans acquérir un peu de son immense culture. Mais, fondamentalement, je suis un homme d'affaires, et c'est pour cette raison que Marcus a fait appel à moi.

— Personne ne réussit aussi bien que lui!

— Exact, et il réussit si bien que cette galerie est devenue trop importante pour qu'il la gère seul.

Emma le regardait d'un air quelque peu dubitatif.

— D'autres questions?

Cela ne la décontenança pas.

— Oui. Vous avez toujours été un intime de Marcus?

— Ce que vous voulez savoir, c'est pourquoi il m'a demandé

de l'assister, n'est-ce pas? La réponse, c'est que Marcus n'est pas seulement mon associé : il est aussi mon beau-frère. Il a épousé ma sœur aînée.

— Vous voulez dire que Helen Bernstein est votre sœur?

— Vous vous souvenez de Helen?

— Bien sûr. Du petit David aussi. Comment vont-ils? Vous leur transmettrez mes amitiés! Vous savez, je séjournais toujours chez eux quand Ben montait à Londres et qu'il n'y avait personne pour me garder à Porthkerris. Quand je suis partie en Suisse, c'est Helen et Marcus qui m'ont mise dans l'avion parce que Ben était déjà en poste au Texas. Vous direz à Helen que je suis rentrée et qu'on a déjeuné ensemble?

— Je n'y manquerai pas.

— Ils ont toujours leur petit appartement de Brompton Road?

— Non. A la mort de mon père, ils sont venus vivre avec moi. Nous occupons tous la vieille demeure familiale, à Kensington.

— Vous voulez dire que vous vivez tous ensemble?

— Ensemble et séparément. Marcus, Helen et David occupent deux étages, la vieille bonne de mon père a le sous-sol, et moi, le grenier.

— Vous n'êtes pas marié?

— Euh, non, je ne le suis pas, dit-il après une seconde d'hésitation.

— J'étais certaine que vous l'étiez. Vous avez l'air d'un homme marié.

— Je ne sais pas trop comment je dois prendre ça.

— Oh, plutôt comme un compliment. J'aimerais tant que Ben ait cet air! Ça rendrait la vie plus facile pour tout le monde. Surtout pour moi.

— Ne voulez-vous pas retourner vivre avec lui?

— Bien sûr que si, plus que tout au monde, mais je ne veux pas que ce soit un échec. Je n'ai jamais vraiment réussi à m'entendre avec Ben, et je ne vois pas pourquoi les choses seraient plus faciles aujourd'hui.

— Dans ce cas, pourquoi rentrez-vous?

Il lui était difficile d'être cohérente sous le regard froid et gris de Morrow. De la pointe de sa fourchette, elle dessina des rails sur la nappe.

— Je ne sais pas trop... On n'a qu'une famille. Quand des gens sont attachés les uns aux autres, ils devraient au moins être capables de vivre ensemble. Je veux me faire des souvenirs. Quand je serai vieille, je veux pouvoir me rappeler qu'à une époque, même si cela n'a duré que quelques semaines, mon père et moi avons réussi à vivre ensemble. Cela vous paraît stupide?

— Non, pas du tout, mais vous semblez craindre d'être déçue.

— La déception, je sais ce que c'est depuis que je suis petite fille, et c'est un luxe dont je me passerais volontiers, croyez-moi. En fait, je compte repartir le jour où il sera évident que nous ne pouvons plus nous supporter.

— Ou qu'il préfère la compagnie d'une autre, ajouta doucement Robert.

Emma releva la tête, le regard plein de colère. En cet instant, elle ressemblait trait pour trait à son père. Mais cela ne provoqua aucune réaction de la part de Robert. Elle baissa les yeux et reprit ses dessins sur la nappe.

— Admettons, dit-elle seulement.

L'atmosphère un peu tendue se dissipa avec le retour de Marcello, venu prendre la commande. Emma opta pour une douzaine d'huîtres et du poulet rôti; Robert, plus classique, préféra un consommé et un steak. Il profita de cette interruption pour orienter la conversation sur un sujet moins épineux.

— Parlez-moi de Paris. C'était comment?

— Humide. Humide, froid et ensoleillé en même temps. Cela vous rappelle des souvenirs?

— Bien sûr.

— Vous connaissez Paris?

— J'y vais souvent pour affaires. J'y étais encore le mois dernier.

— Pour affaires? questionna-t-elle.

— Non, je revenais d'Autriche, où j'ai fait du ski pendant trois semaines.

— Où exactement?

— J'étais à Obergurgl.

— Voilà pourquoi vous êtes si bronzé. C'est d'ailleurs une des raisons pour lesquelles vous ne ressemblez pas à un marchand d'art.

— Peut-être, quand mon bronzage disparaîtra, paraîtrai-je plus authentique, et pourrai-je alors exiger des sommes plus élevées! Etes-vous restée longtemps à Paris?

— Deux ans. Ça me manque déjà. C'est si beau, surtout

depuis que les monuments ont été ravalés. De plus, l'atmosphère a quelque chose de spécial à cette époque de l'année, l'hiver est presque fini, mais le printemps n'est pas encore là...

Elle parla des bourgeons prêts à s'ouvrir, du cri des mouettes qui planent sur les eaux sombres de la Seine, des trains de péniches qui défilent lentement sous les ponts, de l'odeur du métro, de l'ail et des Gauloises. Et de la présence de Christopher.

Il lui était subitement très important de parler de lui, de prononcer son nom, de se persuader de son existence.

— Vous n'avez jamais rencontré Hester? demanda-t-elle alors. Ma belle-mère. Enfin, elle l'a été pendant dix-huit mois.

— J'ai entendu parler d'elle.

— Et Christopher, son fils? Vous connaissez Christopher? C'est tout à fait par hasard que nous nous sommes retrouvés à Paris. Nous ne nous sommes pas quittés pendant deux jours et il m'a accompagnée au Bourget.

— Vous voulez dire... que vous vous êtes retrouvés, comme ça?

— Mais oui, dans une épicerie! Il n'y a qu'à Paris que ce genre de chose peut arriver!

— Qu'est-ce qu'il y faisait?

— Oh, pas grand-chose. Il revenait de Saint-Tropez. Il doit rentrer en Angleterre en mars, pour travailler dans un théâtre.

— Il est comédien?

— Oui, je ne vous l'avais pas dit? Seulement... je ne dirai rien de cette rencontre à Ben. Vous savez, Ben n'a jamais vraiment apprécié Christopher, et je crois que Christopher le lui rendait bien. A dire vrai, ils étaient un peu jaloux l'un de l'autre. Mais ce n'est pas tout. Ben et Hester ne se sont pas quittés dans les meilleurs termes. Je n'ai pas envie de me disputer avec Ben à ce sujet.

— Je vois.

— Vous me regardez d'un drôle d'air, soupira-t-elle. Vous me trouvez sans doute un peu cachottière...

— Pas du tout. Mais arrêtez de dessiner sur la nappe, vos huîtres arrivent.

Quand ils eurent fini de déjeuner, il était une heure et demie. Ils se levèrent de table, dirent au revoir à Marcello, reprirent le grand parapluie noir et descendirent. Ils revinrent jusqu'à la galerie d'art et appelèrent un taxi.

— Je vous aurais bien accompagnée au train, mais Peggy doit aller déjeuner.

— Je me débrouillerai.

Il l'emmena dans le bureau et ouvrit le coffre.

— Vingt livres, ce sera suffisant?

Elle avait déjà oublié la raison de sa venue chez Bernstein.

— Pardon? Oh oui, bien sûr...

Elle voulut sortir son chéquier, mais Robert l'en empêcha.

— Ne vous inquiétez pas. Nous sommes en compte avec votre père. Il n'a jamais de liquide quand il vient à Londres. Nous mettrons ces vingt livres à son débit.

— Vous croyez?

— Oui. Ah, autre chose, Emma. Cet homme qui vous a prêté une livre, vous avez son adresse quelque part? Donnez-la-moi si vous la retrouvez, je le rembourserai.

Emma chercha la carte de visite dans ses poches et dans son sac. Elle la retrouva finalement, coincée entre des tickets d'autobus parisiens et une pochette d'allumettes.

Elle ne put s'empêcher de rire, et Robert lui demanda pourquoi.

— Vous, au moins, vous connaissez bien mon père! dit-elle.

3

Il cessa de pleuvoir à l'heure du thé, et l'atmosphère connut une subtile amélioration. L'air s'emplit de fraîcheur, un timide rayon de soleil parvint même à se frayer un chemin à l'intérieur de la galerie et, vers cinq heures trente, quand Robert ferma son bureau pour se joindre au flot de gens qui regagnaient leur domicile, il s'aperçut qu'une petite brise avait chassé les nuages et que la ville étincelait sous un ciel bleu pâle.

Comprenant qu'il ne pourrait supporter l'atmosphère étouffante du métro, il marcha jusqu'à Knightsbridge, où il prit le bus pour rentrer chez lui.

Située dans Milton Gardens, sa maison était séparée de cette artère tumultueuse qu'est Kensington High Street par un dédale de ruelles et de places : c'était un quartier charmant où les petites maisons de style victorien exhibaient leurs façades aux tons pastel et leurs portes aux couleurs vives. En été, les jardinets se paraient de lilas et de magnolias. Sur les larges trottoirs, les nounous poussaient des landaus, les enfants bien habillés s'en revenaient sagement de leurs écoles privées, et les chiens parfaitement éduqués jouaient calmement. Comparé à cela, Milton Gardens semblait un peu à l'abandon. C'était une rue bordée de grosses maisons sans style et le numéro 23, celle qu'habitait Robert, était la plus insignifiante de toutes, avec sa porte d'entrée toute noire, ses deux arbrisseaux desséchés dans des bacs et sa boîte à lettres en cuivre que Helen se promettait toujours d'astiquer. Les voitures de la famille étaient garées le long du trottoir : l'Alvis, un gros coupé vert bouteille, appartenait à Robert, la Mini rouge et poussiéreuse à Helen. Marcus ne conduisait pas parce qu'il n'avait jamais pris le temps d'apprendre.

Robert grimpa les marches, ouvrit avec sa clé, et entra. Le hall était spacieux et un escalier d'une largeur surprenante conduisait au premier étage. Sous l'escalier, un couloir étroit menait à une porte vitrée qui donnait sur le jardin, où la pelouse et les châtaigniers, caressés par le soleil, offraient un spectacle étonnant : on se serait cru en pleine campagne, et c'était bien là l'un des charmes les plus singuliers de cette maison.

La porte d'entrée se referma en claquant. De la cuisine, sa sœur l'appela.

— Robert !

— Bonjour !

Il déposa son chapeau sur la desserte de l'entrée et emprunta la porte de droite. Dans le temps, cette pièce qui dominait la rue servait de salle à manger familiale, mais, à la mort du père de Robert, Marcus, Helen et David avaient emménagé, et Helen en avait fait une sorte de cuisine à l'américaine. Il y avait là une vieille table de ferme, un vaisselier en pin qui débordait d'assiettes en porcelaine et un comptoir, une sorte de bar derrière lequel elle pouvait travailler. On découvrait une profusion de plantes en pot, de géraniums mal taillés, de balisanis rouge vif, de fines herbes et de bulbes ; des bottes d'oignons et des paniers à provisions étaient suspendus à des crochets ; sans oublier les livres de cuisine, les râteliers d'ustensiles en bois, et la gaieté des tapis et des coussins aux couleurs vives.

Helen portait un tablier bleu et blanc. Elle équeutait des champignons. L'air embaumait le citron, l'ail et le beurre frémissant. Helen était une cuisinière hors pair.

— Marcus a appelé d'Edimbourg, dit-elle. Il rentre ce soir. Tu étais au courant ?

— A quelle heure ?

— Il y avait un avion à cinq heures moins le quart. S'il a pu trouver une place, il devrait arriver à sept heures et demie.

Robert tira une chaise de bar et s'installa au comptoir.

— Il a demandé qu'on vienne le chercher à l'aéroport ?

— Non, il va prendre le car, mais je pensais que l'un de nous pourrait aller l'attendre au terminal. Tu dînes en ville ce soir ?

— Ça sent trop bon pour que je sorte !

Elle lui sourit. Ils se tenaient de part et d'autre du comptoir. Il y avait entre eux un air de famille évident. Helen était une femme de grande taille, bien charpentée, mais lorsqu'elle souriait, ses yeux s'illuminaient comme ceux d'une petite fille. Comme Robert, elle avait les cheveux roux, mais quelques mèches grises venaient en atténuer le flamboiement. Un chignon bas mettait en valeur ses oreilles finement ourlées dont elle était très fière. Elle portait toujours des boucles d'oreilles. Elle en possédait toute une collection dans le tiroir de sa table de chevet, pour la plupart offertes par des amis en mal d'inspiration. Ce soir, une pierre semi-précieuse de couleur verte qu'entourait une fine tresse d'or faisait ressortir tout l'éclat de ses yeux.

Elle avait quarante-deux ans, soit six de plus que Robert, et elle était depuis dix ans l'épouse de Marcus Bernstein. Avant, elle avait travaillé pour lui comme secrétaire, hôtesse d'accueil, comptable, mais aussi, quand les finances étaient plutôt en baisse, comme femme de ménage. C'était grâce à ses efforts et à sa confiance en Marcus que la galerie avait non seulement évité les premiers écueils, mais atteint la réputation internationale qui était désormais la sienne.

— Est-ce que Marcus t'a dit comment s'était passée sa rencontre? lui demanda-t-il.

— Pas en détail, il n'avait pas le temps. Je sais seulement que le vieux lord... dont j'ai oublié le nom possède trois Raeburn, un Constable et un Turner. Tu peux imaginer la suite.

— Il désire les vendre?

— Apparemment. Il dit qu'au prix actuel du whisky, il ne peut plus se permettre de les accrocher chez lui. On en saura plus dès que Marcus sera là. Et toi... tu as passé une bonne journée?

— Pas mauvaise. Un Américain du nom de Lowell Cheeke a fait un chèque pour un Ben Litton...

— Ah oui...

— Et puis, ajouta-t-il en regardant sa sœur dans les yeux, Emma Litton est revenue.

Helen avait commencé à hacher les champignons. Le couteau s'arrêta brusquement.

— Emma... la fille de Ben?

— Elle est rentrée de Paris. Elle est passée à la galerie, car il lui fallait de l'argent pour prendre le train de Porthkerris.

— Marcus savait qu'elle revenait?

— Non, certainement pas. A part son père, elle n'a dû prévenir personne.

— Et naturellement, Ben n'a rien dit, ajouta Helen d'un air un peu exaspéré. Parfois, j'ai envie de l'étrangler.

Robert avait l'air de s'amuser.

— Et qu'aurais-tu fait si tu avais été prévenue de son retour?

— Eh bien, je l'aurais attendue à l'aéroport, je l'aurais invitée à déjeuner...

— Si ça peut te rassurer, moi, je l'ai invitée.

— C'est bien, dit-elle en recommençant à couper les champignons. A quoi ressemble-t-elle?

— Elle est assez attirante, mais de manière peu classique.

— Peu classique, répéta Helen. Tu ne m'apprends pas grand-chose de neuf, tu sais!

Robert prit une lamelle de champignon qu'il mangea.

— Tu as entendu parler de sa mère?

— Bien entendu.

Helen éloigna l'assiette de champignons et la posa près de la cuisinière, où le beurre grésillait déjà dans une poêle. D'un geste rapide, elle jeta les lamelles dans le beurre, qui se mit à crépiter, et une odeur délicieuse envahit la pièce.

— Qui était-ce?

— Oh, une petite étudiante en art, qui avait la moitié de l'âge de Ben. Elle était très jolie.

— Il l'a épousée?

— Oui. Je crois qu'il tenait beaucoup à elle, à sa manière naturellement. Mais ce n'était qu'une gosse.

— Elle l'a quitté?

— Non, elle est morte à la naissance d'Emma.

— Et ensuite, il s'est remarié avec une certaine Hester.

Helen se tourna vers lui et fronça les sourcils.

— Comment sais-tu cela?

— Emma m'a tout raconté pendant le déjeuner.

— Eh bien! Oui, Hester Ferris... c'était il y a des années.

— Elle avait un fils, un certain Christopher.

— Ne me dis pas qu'il est revenu lui aussi!

— Tu sembles paniquée.

— Tu le serais aussi si tu avais connu l'époque où Ben Litton était marié avec Hester. Cela a duré dix-huit mois...

— Raconte-moi.

— C'était épouvantable. Pour Marcus, pour Ben... pour Hester également, et pour moi. Quand on ne demandait pas à Marcus

34

de trancher de sordides problèmes domestiques, il se retrouvait sous une avalanche de factures que Ben refusait de payer, au dire de Hester. Et puis, tu connais la phobie de Ben pour le téléphone ? Eh bien, Hester en avait fait installer un dans la maison et Ben a tout arraché. A partir de là, une sorte de blocage mental l'a empêché de travailler, et il passait tout son temps au pub. Hester demandait alors à Marcus de venir, car il était, paraît-il, le seul à pouvoir tirer quelque chose de Ben. C'était tout le temps comme ça. En tout cas, je peux t'assurer que Marcus a pris quelques années sous mes yeux.

— Je ne vois pas le rapport avec ce garçon.

— Christopher était l'une de leurs pommes de discorde. Ben ne pouvait pas le supporter.

— Emma dit qu'il était jaloux.

— Elle a dit ça ? Elle a toujours été une enfant très perspicace. Je suppose que Ben était jaloux de Christopher, d'une certaine façon, mais ce gosse était épouvantable. Il avait l'air d'un ange, mais sa mère l'avait pourri à force de le gâter.

Elle ôta du brûleur la poêle pleine de champignons et regagna le comptoir.

— Emma t'a-t-elle dit autre chose au sujet de Christopher ?

— Ils se sont rencontrés à Paris.

— Qu'est-ce qu'il y faisait ?

— Je ne sais pas, il devait être en vacances. Il fait du théâtre, tu étais au courant ?

— Non, mais ça ne m'étonne pas vraiment. En parlant de lui, avait-elle des étoiles plein les yeux ?

— On peut dire ça, oui. A moins que ce ne soit à l'idée de revenir vivre avec son père.

— Tu sais bien que non.

— C'est vrai. Quand j'ai commencé à le critiquer, j'aurais mieux fait de me mordre la langue.

— Oui, ils se sont toujours serré les coudes, dit-elle en lui tapotant la main. Ne te mêle pas de ça, Robert, je ne le supporterais pas.

— Cela m'intrigue, c'est tout.

— Si tu veux mon avis, ne t'intéresse pas trop à cette fille. Oh, à propos, Jane Marshall a téléphoné ; elle voudrait que tu la rappelles.

— Sais-tu pourquoi ?

— Non. Elle a seulement dit qu'elle serait chez elle après six heures. Tu n'oublieras pas ?

— Non, je n'oublierai pas, mais toi, n'oublie pas que Jane Marshall ne m'intéresse pas.

— Allons, qu'est-ce que tu racontes ? dit Helen, qui n'avait jamais mâché ses mots avec son frère. Elle est charmante, attirante et efficace.

Robert ne fit pas de commentaires. Exaspérée par son silence, Helen poursuivit, comme pour se justifier :

— Vous avez tout en commun, les amis, les goûts, le mode de vie. Et puis, un homme de ton âge devrait être marié. Il n'y a rien de plus pitoyable qu'un vieux garçon !

Robert laissa s'écouler quelques secondes.

— Tu as terminé ? dit-il enfin.

Helen poussa un soupir de découragement. Elle savait, elle avait toujours su, que rien ne pourrait pousser Robert à faire une chose que lui-même n'avait pas décidé de faire. On ne l'avait jamais contraint à quoi que ce soit. Et les éclats de Helen n'étaient que gaspillage d'énergie.

— Oui, j'ai terminé. Pardonne-moi. C'est ta vie et je n'ai pas le droit de m'en mêler. Mais j'apprécie beaucoup Jane et je voudrais te voir heureux. Franchement, Robert, je ne sais pas à quoi tu joues.

— Je ne le sais pas non plus.

Il sourit à sa sœur et se passa la main sur le haut du crâne puis sur la nuque, geste qui lui était familier quand il était fatigué ou perturbé.

— J'espère seulement que tu le découvriras avant d'être complètement gâteux !

Il la laissa à sa cuisine, prit son chapeau ainsi que le journal du soir et un paquet de lettres, puis monta jusqu'à son propre appartement. Son salon, installé dans ce qui avait jadis été la nursery, donnait sur la pelouse et les châtaigniers. C'était une pièce assez basse de plafond, aux murs couverts de livres et meublée avec tout ce qu'il avait pu récupérer chez son père. Il jeta sur une chaise le chapeau, le journal et le courrier, puis se dirigea vers l'armoire bombée en marqueterie où il rangeait les bouteilles et se servit un whisky-soda. Il prit une cigarette dans un coffret, l'alluma et s'installa à son bureau avant de décrocher le téléphone et de composer le numéro de Jane Marshall.

Elle mit un certain temps avant de répondre. Pendant qu'il attendait, il gribouilla sur son buvard, consulta sa montre et se dit qu'il prendrait un bain avant d'aller chercher Marcus au terminal de Cromwell Road. Pour faire la paix avec Helen, il descendrait une bouteille de bon vin, et ils dîneraient tous les trois dans la cuisine en parlant affaires, bien entendu. Il se sentait très las, et la perspective de cette soirée tranquille avait quelque chose de réconfortant.

Sa correspondante décrocha enfin.

— Jane Marshall, à qui ai-je l'honneur?

Elle répondait toujours ainsi au téléphone, et Robert ne pouvait s'empêcher de trouver cela assez réfrigérant, même s'il en connaissait la raison. Divorcée à vingt-six ans après un mariage désastreux, Jane avait dû gagner sa vie et avait créé une petite entreprise d'architecture d'intérieur qu'elle dirigeait de chez elle. Le même numéro de téléphone servait donc aussi bien aux appels privés que professionnels, ce qui, pour elle, justifiait son ton, comme elle l'avait un jour expliqué à Robert qui lui reprochait son manque de chaleur : que s'imaginerait un client potentiel si elle prenait une voix sexy?

— Jane?

— Oh, Robert.

Sa voix était redevenue normale, et elle semblait manifestement heureuse de l'entendre.

— Helen vous a fait la commission?

— Elle m'a suggéré de vous rappeler.

— Je me demandais... Voilà, j'ai deux billets pour *La Bayadère*, vendredi. Je me suis dit que vous aimeriez voir ce ballet. A moins que vous ne soyez déjà pris...

Il regarda sa main qui dessinait une série de boîtes en perspective sur le buvard. Il se souvint des propos de Helen : *Vous avez tout en commun, les amis, les goûts, le mode de vie.*

— Robert?

— Oui, excusez-moi. Non, je ne suis pas pris, et cela me ferait plaisir de venir.

— Nous dînerons chez moi d'abord?

— Non, nous irons au restaurant; je vais réserver une table.

— Je suis ravie que vous soyez libre, dit-elle, le sourire aux lèvres. Marcus est rentré?

— Non, pas encore; je pars le chercher.

— Faites-lui mes amitiés ainsi qu'à Helen.

— Je n'y manquerai pas.

— Bien, à vendredi. Au revoir.

— Au revoir, Jane.

Il reposa le combiné et mit la touche finale à la boîte qu'il dessinait. Quand il eut terminé, il reposa le stylo, prit son verre et contempla son œuvre : il n'aurait su dire pourquoi, mais cela lui faisait penser à un alignement de valises.

Marcus Bernstein franchit les portes vitrées du terminal. Ce soir-là, comme toujours d'ailleurs, il ressemblait à un réfugié ou à un saltimbanque. Son pardessus godaillait, son chapeau noir démodé rebiquait par-devant et son long visage était marqué par la fatigue. Il tenait à la main un attaché-case bondé et, quand Robert l'aperçut, il attendait patiemment de récupérer sa valise sur le tapis roulant circulaire.

Il arborait un air humble et découragé, et les passants auraient eu du mal à croire que cet individu modeste et falot était, en fait, l'un des personnages les plus importants du monde artistique occidental. Autrichien, il avait quitté sa Vienne natale en 1937 et, après les horreurs du conflit mondial, il s'était rapidement imposé dans l'univers des galeristes. Ses connaissances et sa perspicacité avaient vite attiré l'attention sur lui. Son choix en matière de jeunes artistes était un exemple que chacun cherchait à imiter. Mais son impact sur le grand public datait de 1949, année où il avait ouvert sa propre galerie dans Kent Street et présenté une série d'œuvres abstraites signées Ben Litton. Déjà célèbre pour les paysages et les portraits qu'il avait peints avant-guerre, Ben s'intéressait depuis quelque temps déjà à l'art abstrait, et l'exposition de 1949 avait marqué le début d'une amitié professionnelle qui devait résister à tous les orages. Elle marqua également la fin des années difficiles pour Marcus, et le commencement d'une suite ininterrompue de succès.

— Marcus !

Il sursauta, se retourna et reconnut Robert qui venait vers lui. Il avait l'air un peu surpris, comme s'il ne s'attendait pas que l'on vînt le chercher.

— Oh, Robert, c'est trop aimable.

Après trente années passées en Angleterre, son accent était encore prononcé, mais Robert n'y prêtait même plus attention.

— Je serais bien venu à l'aéroport, mais nous ne savions pas si tu avais eu ton avion. As-tu fait bon voyage?

— Il neigeait à Edimbourg.

— Eh bien ici, il a plu toute la journée. Tiens, voilà ta valise, dit-il en la ramassant sur le tapis roulant. Allez, viens...

Dans la voiture arrêtée au feu rouge de Cromwell Road, il parla à Marcus de ce Lowell Cheeke qui était revenu pour acheter *Le Sous-bois* de Litton. Marcus émit une sorte de grognement qui signifiait qu'il avait toujours su que cette vente se ferait et qu'il ne s'agissait que d'une question de temps. Le feu passa au vert et la voiture démarra.

— Emma Litton est revenue de Paris, dit Robert. Elle est arrivée ce matin et, comme elle n'avait pas de liquidités, elle est passée à la galerie pour que je lui en donne. Je l'ai invitée à déjeuner, et lui ai remis vingt livres avant de l'accompagner au train.

— Pour aller où?

— A Porthkerris, naturellement; elle doit y retrouver Ben.

— Je pense qu'il y est.

— Elle aussi le pense.

— Pauvre gosse, lâcha Marcus.

Robert ne fit pas de commentaire et le reste du trajet s'effectua en silence, laissant chacun à ses pensées. Une fois à Milton Gardens, Marcus descendit de voiture et grimpa les marches de la maison tout en cherchant sa clé dans sa poche. Il n'eut pas le temps de la trouver : la porte s'ouvrit sur Helen, et la silhouette plutôt comique de Marcus se découpa dans la lumière du hall.

Helen était plus grande que lui et elle dut se pencher un peu pour l'embrasser. Tout en sortant la valise de Marcus du coffre de l'Alvis, Robert se demanda pour la énième fois pourquoi ce couple si mal assorti physiquement n'avait jamais l'air ridicule.

Il devait faire nuit depuis un certain temps déjà. Pourtant, quand l'express de Londres s'arrêta à la gare où il lui fallait changer pour rejoindre Porthkerris, Emma constata qu'il ne faisait pas si sombre. Le ciel était parsemé d'étoiles et les derniers nuages avaient été chassés par une brise légère qui apportait des odeurs de marée. Une fois tous ses bagages descendus, elle attendit sur le quai le départ de l'express. Au-dessus d'elle, les feuilles d'un palmier s'agitaient doucement.

Le train s'éloigna et elle vit, sur l'autre quai, l'unique porteur de la gare qui se débattait avec une montagne de colis. Quand il l'eut enfin remarquée, il reposa son diable et lui cria :

— Vous voulez un coup de main?

— S'il vous plaît, oui.

Il sauta à bas du quai et traversa les rails pour la rejoindre. Il réussit à tout prendre en une seule fois et traversa la voie dans l'autre sens, suivi d'Emma, à qui il tendit la main pour l'aider à monter sur le quai.

— Où allez-vous?

— A Porthkerris.

— Vous prenez le train?

— Oui.

La navette stationnait sur l'unique voie d'embranchement, qui suivait le littoral jusqu'à Porthkerris. Emma semblait en être la seule passagère. Elle remercia le porteur, lui donna un pourboire et s'effondra sur une banquette. Elle était épuisée. Jamais une journée ne lui avait paru aussi longue. Au bout d'un certain temps, elle fut rejointe par une paysanne dont le chapeau brun ressemblait à un pot de fleurs. Sans doute était-elle venue faire des courses, car elle portait un gros sac en cuir tressé. Plusieurs minutes s'écoulèrent. Le seul bruit audible était celui du vent qui secouait les vitres du compartiment. Puis la motrice lança un sifflement et la navette s'ébranla.

Il était difficile de ne pas se sentir excité à la vue de ces paysages familiers qui se matérialisaient brièvement dans la nuit. Il n'y avait que deux brefs arrêts avant Porthkerris. On longeait ensuite le flanc d'une colline qui, au printemps, se couvrait de primevères, puis on passait sous le tunnel et enfin, en contrebas, on apercevait la mer à marée basse, noire comme de l'encre, et le sable luisant comme du satin. Porthkerris ressemblait à un nid de lumière, la courbe du port semblait ceinte d'un collier scintillant et les feux des navires de pêche se reflétaient dans un labyrinthe d'eaux sombres et dorées.

Le train ralentissait. Bientôt le quai apparut. Emma entrevit le panneau indicateur, et la navette s'arrêta finalement devant une publicité pour du cirage que la jeune fille connaissait depuis toujours. Sa compagne de voyage, qui n'avait pas dit un mot, se leva, ouvrit la portière et disparut dans la nuit. Emma descendit à son tour et chercha un porteur, mais l'employé se trouvait tout au bout du quai et s'époumonait à crier « Porthkerris! Porthkerris! ».

Elle le vit ensuite bavarder avec le conducteur de la motrice, mains sur les hanches et casquette en arrière.

Un chariot vide traînait devant le panneau publicitaire. Emma y empila toutes ses affaires, ne gardant avec elle qu'un petit nécessaire de voyage, puis se dirigea vers le bureau du chef de gare ; sur un banc, un homme lisait un journal. Emma passa devant lui en faisant claquer ses talons sur le pavage. L'homme baissa son journal et l'appela par son nom.

Emma s'arrêta et se retourna lentement. L'homme plia le journal et se leva : dans la lumière, sa chevelure blanche ressemblait à une auréole.

— Je croyais que tu n'arriverais jamais.

— Bonjour, Ben, dit Emma.

— Le train est en retard ou c'est moi qui me suis trompé ?

— On a peut-être pris du retard au changement. L'attente était interminable. Mais comment savais-tu par quel train j'allais arriver ?

— J'ai reçu un télégramme de chez Bernstein.

Robert Morrow, se dit Emma. Quelle délicate attention ! Ben regarda son petit sac de voyage.

— Tu n'as pas beaucoup de bagages.

— J'en ai un chariot plein sur le quai.

Il fit mine de se tourner dans la direction que lui indiquait Emma.

— Ce n'est pas grave, on les prendra une autre fois. Viens, on y va.

— Mais, protesta Emma, quelqu'un risque de les voler. Et puis, il peut pleuvoir ! On devrait prévenir le porteur.

Celui-ci avait fini de bavarder avec le conducteur. Ben l'interpella et lui expliqua le problème.

— Mettez-les à l'abri, dit-il, on viendra les chercher demain.

Et il lui donna cinq shillings.

— Comptez sur moi, m'sieur Litton, dit le porteur avant de s'éloigner en sifflotant.

Il ne proposa pas de prendre un taxi. Ils allaient donc rentrer à pied. Ils empruntèrent toute une série d'escaliers et de ruelles pentues avant de se retrouver sur la route du port vivement éclairée.

Emma trottinait à côté de son père et portait le nécessaire de voyage dont il n'avait pas eu l'idée de la débarrasser. Elle ne cessait de regarder Ben, qu'elle revoyait pour la première fois depuis deux ans, et se disait qu'il n'avait pratiquement pas changé. Il n'avait ni grossi ni maigri ; ses cheveux, qu'Emma avait toujours connus blancs comme neige, ne s'étaient pas clairsemés. Buriné par des années de travail dehors, au bord de la mer, son visage était fortement hâlé et sillonné par une infinité de petites rides. De lui, Emma avait hérité ses pommettes marquées et son menton carré, mais elle tenait ses yeux clairs de sa mère, car ceux de Ben, dissimulés sous des sourcils broussailleux, étaient si foncés que, sous certains éclairages, ils paraissaient noirs.

Même ses vêtements ne semblaient pas avoir changé : cette veste de velours un peu trop ample, ces pantalons serrés, ces vieilles chaussures de daim toujours élégantes, non, tout cela n'aurait pu appartenir à personne d'autre. Sa chemise de laine tirait sur l'orange fané et un mouchoir à carreaux lui servait de foulard. De sa vie, il n'avait jamais porté de costume digne de ce nom.

Ils arrivèrent à hauteur du pub préféré de Ben, Au Hérisson amoureux, un nom amusant qui lui allait plutôt bien, et Emma pensa un instant qu'il allait lui proposer d'entrer prendre quelque chose. Elle ne voulait pas boire, mais elle mourait de faim. Elle se demanda s'il y avait quelque chose à manger au cottage. Il était fort possible que Ben se fût installé dans son atelier, et qu'il demandât à Emma de s'y installer avec lui.

— Je ne sais même pas où on va, dit-elle d'un air timide.

— A la maison, naturellement. Qu'est-ce que tu croyais ?

— Je ne sais pas...

Le pub était déjà oublié.

— Je pensais que tu vivais dans ton atelier.

— Non, j'ai une chambre au Hérisson amoureux. C'est la première fois que je retourne à la maison.

— Oh ! fit Emma d'un air sinistre.

— Mais ne t'inquiète pas, lui dit-il. Quand elles ont su que tu revenais, toutes les femmes du pub m'ont proposé leurs services. Finalement, c'est la femme de Daniel, le barman, qui l'a emporté. Elle croyait qu'après toutes ces années, tout serait recouvert de moisissure bleue, comme le gorgonzola !

— Ce n'était pas le cas ?

— Eh bien, non. Il y avait bien quelques toiles d'araignée, mais c'était tout à fait habitable.

42

— C'est gentil de sa part, il faudra que j'aille la remercier.

— Oui, ça lui fera plaisir.

La route pavée qui partait du port était assez escarpée. Emma avait mal aux jambes. Soudain, sans un mot d'explication, Ben lui prit son sac de voyage.

— Qu'est-ce que tu trimballes là-dedans?

— Ma brosse à dents.

— Il pèse une tonne. Emma, quand es-tu partie de Paris?

— Ce matin, mais j'ai l'impression que ça fait une éternité.

— Et comment Bernstein était-il au courant de ton arrivée?

— Je suis passée à la galerie pour prendre un peu d'argent. Il m'a donné vingt livres sur ton compte, j'espère que cela ne te dérange pas.

— Je m'en fiche complètement.

Ils passèrent devant l'atelier. Les volets étaient fermés.

— Tu t'es remis au travail? lui demanda Emma.

— Naturellement, c'est pour ça que je suis revenu.

— Et ce que tu as fait au Japon?

— J'ai tout laissé en Amérique pour l'exposition.

L'air était empli du bruit des vagues qui mouraient sur la plage. Leur plage. Puis apparut le toit irrégulier de leur cottage, éclairé par le lampadaire près du portail bleu. Ben chercha la clé dans sa poche et, devançant Emma, poussa le portail. Il descendit les quelques marches avant de déverrouiller la porte et d'entrer dans la maison dont il alluma toutes les pièces.

Emma le suivait plus lentement. Il régnait un ordre et une propreté si étonnants qu'ils en paraissaient irréels. La femme de Daniel avait vraiment fait du bon travail. Les meubles reluisaient, les coussins avaient été retapés et le feu brûlait dans l'âtre. La maison sentait le phénol.

Ben renifla et fit la grimace.

— On se croirait à l'hôpital, grommela-t-il.

Il posa le sac d'Emma et disparut dans la cuisine. La jeune fille traversa le salon et se planta devant la cheminée pour se réchauffer les mains. Elle se sentait un peu rassurée. Elle avait craint de ne pas être bien accueillie, or Ben était venu l'attendre au train et un feu de bois crépitait dans l'âtre. Que pouvait-elle demander de mieux?

Le seul tableau de la maison était posé sur le manteau de la cheminée : c'était le portrait que Ben avait fait d'Emma quand elle avait six ans. C'était la première fois de sa vie — mais aussi la dernière, assurément — qu'elle était l'objet de toute son attention, et cela lui avait permis de supporter les longues heures d'immobilité, les crampes dans les muscles et la mauvaise humeur de Ben dès qu'elle rompait la pose. Sur le tableau, elle portait une couronne de fleurs, et chaque jour apportait le plaisir renouvelé de voir Ben tresser une nouvelle couronne de ses propres mains avant de la lui déposer sur le front, comme si elle était une reine.

Il revint dans la pièce.

— C'est une brave femme, la femme de Daniel. Je le lui dirai. Je lui ai demandé d'acheter quelques provisions.

Emma se retourna et vit qu'il tenait à la main une bouteille de whisky de la marque Haigs, ainsi qu'un verre.

— Emma, tu veux aller remplir un pichet d'eau? Prends aussi un verre, s'empressa-t-il d'ajouter. Tu as peut-être soif.

— Non, mais j'ai faim.

— J'ignore si elle a pensé à *ce genre* de provisions.

— Je vais regarder.

La cuisine, elle aussi, avait était nettoyée et rangée de fond en comble. Emma ouvrit le réfrigérateur et y trouva des œufs, du bacon et une bouteille de lait. Il y avait du pain dans la huche. Elle attrapa une carafe et la remplit d'eau avant de retourner au salon. Ben touchait à tout, essayant visiblement de trouver quelque chose à redire. Il n'avait jamais aimé cette maison.

— Veux-tu que je te fasse des œufs sur le plat? lui demanda-t-elle.

— Quoi? Oh non, je ne veux rien. Tu sais, ça me fait tout drôle d'être ici. J'ai l'impression que Hester va surgir d'un instant à l'autre pour nous dire de faire ceci ou cela.

Emma pensa à Christopher.

— La pauvre, dit-elle.

— La pauvre rien du tout. Une belle garce, oui!

Elle repartit dans la cuisine, trouva une jatte, un grand bol et du beurre. Dans l'autre pièce, Ben ne restait pas en place. Il ouvrait et refermait les portes, transportait des bûches, tirait les rideaux. Puis il vint dans la cuisine, son verre de whisky à la main. Il regarda Emma battre les œufs.

— Tu as grandi, non? dit-il.

— J'ai dix-neuf ans, mais je ne sais pas si j'ai grandi.

— C'est bizarre, tu n'es plus une petite fille.

— Tu t'y feras.

— Je suppose, oui. Tu comptes rester longtemps?

— Disons que je n'ai pas de projets immédiats.

— Tu veux dire que tu as l'intention de vivre ici?

— Pour l'instant, oui.

— Avec moi?

— C'est si horrible que ça?

— Je ne sais pas, fit Ben, je n'ai jamais essayé.

— C'est bien pour ça que je suis de retour. Je me suis dit que le moment était peut-être venu.

— Dois-je prendre cela comme un reproche?

— Un reproche? A quel propos?

— Je t'ai abandonnée, je suis parti au Texas, je ne suis jamais venu te voir en Suisse, je n'ai pas voulu que tu me rejoignes au Japon...

— Si je t'en voulais, je ne serais pas ici.

— Et si l'idée me prenait de repartir?

— En as-tu envie?

— Non, dit-il en contemplant son verre. Pas pour le moment, en tout cas. Je suis fatigué. J'ai besoin d'un peu de calme. Mais je ne resterai pas éternellement à Porthkerris, ajouta-t-il très vite.

— Moi non plus, je ne passerai pas ma vie ici.

Elle fit glisser les œufs sur une tranche de pain grillé et chercha des couverts dans un tiroir.

Ben observait toute cette agitation.

— Tu ne vas pas jouer les femmes d'intérieur, j'espère. Hester m'a suffi! Sinon, je te flanque à la porte!

— Même si je le voulais, j'en serais incapable. Si ça peut te rassurer, je suis du genre à rater les trains, à perdre mon argent, à faire tout tomber et à brûler les casseroles. Ce matin, à Paris, j'avais un chapeau de paille, eh bien je l'avais égaré avant même d'arriver à Porthkerris! Tu en connais, des gens qui perdent leur chapeau de paille dans ce pays, en plein mois de février?

Il n'était toujours pas convaincu.

— Tu n'auras pas envie de te promener en voiture?

— Je ne sais même pas conduire.

— La télévision, le téléphone, toutes ces foutaises...

— Elles n'ont jamais tenu une place très importante dans ma vie, je t'assure.

Il se mit à rire, et Emma se demanda si c'était normal de trouver son père aussi séduisant.

— Tu sais, dit-il, je dois te l'avouer, j'étais un peu inquiet; mais étant donné ce que tu viens de me dire, je suis content que tu sois là. Bienvenue à la maison!

Il leva son verre à la santé d'Emma et but d'un trait avant de prendre la bouteille de whisky et de se verser une nouvelle rasade.

4

Très ancienne, tout en panneaux de bois, la salle du Hérisson amoureux était sombre et exiguë, avec une minuscule fenêtre donnant sur le port. Un étranger, arrivant de la pleine lumière, n'aurait pas manqué de se croire plongé dans les ténèbres les plus profondes. Au fur et à mesure que les yeux s'habituaient à l'obcurité, ils discernaient d'autres particularités, et notamment l'absence totale de lignes parallèles dans la pièce. Au fil des siècles, le pub s'était lentement enfoncé sur ses fondations, comme un homme profondément endormi dans un lit confortable, et les nombreuses asymétries de l'architecture intérieure, telles des illusions d'optique, faisaient parfois tourner la tête aux clients avant même qu'ils aient bu leur premier verre d'alcool. L'inclinaison du plancher révélait une sinistre faille entre la pierre et le lambris; la poutre maîtresse du bar, toute noircie, penchait, elle, dans le sens contraire; et le plafond blanchi à la chaux avait une notion si curieuse de l'horizontalité que le maître des lieux avait cru bon d'apposer des panneaux d'avertissement du style « Baissez la tête! » ou « Attention aux poutres! ».

Mis à part ces détails, le temps semblait n'avoir aucune prise sur le Hérisson amoureux. Situé dans la partie la plus ancienne et la moins pittoresque de Porthkerris, l'établissement avait résisté aux hordes de touristes qui, chaque été, déferlaient sur la ville. Les habitués y venaient boire, tenir des propos souvent incohérents et jouer au palet de table. Il y avait aussi un jeu de fléchettes et un petit poêle noirâtre allumé été comme hiver. On retrouvait là Daniel, le patron, et Fred, un louchon au visage blême qui, durant la saison estivale, nettoyait la plage, et buvait, pendant le reste de l'année, l'argent qu'il avait gagné.

Et puis il y avait Ben Litton.

— C'est une question de priorité, avait dit Marcus quand Robert et lui étaient partis dans l'Alvis à la recherche de Ben.

Il faisait si beau que Robert n'avait pas mis la capote. En plus de son habituel pardessus noir, Marcus portait une casquette de tweed en forme de champignon, qui aurait convenu à n'importe qui sauf à lui.

— De priorité et d'emploi du temps. Le dimanche à midi, le Hérisson amoureux est l'endroit où nous devons nous rendre en premier. S'il n'y est pas, nous passerons à son atelier avant d'aller au cottage.

— Par une journée aussi belle, il pourrait aussi se promener dans la campagne.

— Je ne crois pas. C'est l'heure à laquelle il prend un verre, et je le vois mal en train de changer ses habitudes.

Pour un mois de mars, c'était effectivement une journée d'une exceptionnelle beauté. Le ciel était sans nuages. Ramenée dans la baie par un vent de nord-est, la mer, qui s'étalait devant eux, offrait toute la palette des bleus, de l'indigo le plus profond au turquoise le plus clair. Du sommet de la colline, le paysage s'étendait à l'infini et les promontoires lointains se fondaient dans une brume qui rappelait les chaleurs du mois d'août. Aux pieds des deux hommes, en contrebas des entrelacs de la route, se dressait la petite ville, avec ses ruelles pavées et ses maisons blanchies à la chaux regroupées autour du port.

Chaque année, pendant les trois mois d'été, Porthkerris devenait un véritable enfer. Les voitures engorgeaient ses rues étroites, ses trottoirs se couvraient d'une humanité dépenaillée, ses boutiques s'emplissaient de cartes postales, de chapeaux de paille et de sandalettes, d'épuisettes et de bouées. Sur la grande plage poussaient tentes et cabines de bain, tandis que les terrasses des cafés se hérissaient de parasols. Des bannières claquaient dans le vent pour vanter les vertus de toutes sortes de boissons pétillantes, et les marchands ambulants proposaient des crêpes et des gaufres.

Aux alentours de Whitsun, les établissements de jeux aux néons criards vibraient au rythme des juke-boxes et des billards électriques. Un nouveau projet d'urbanisme avait même planifié la destruction d'un pâté de maisons délabrées mais pleines de charme pour donner le jour à un nouveau parking. Les résidents, les artistes et tous ceux qui aimaient cette ville étaient horrifiés à l'idée d'un tel saccage. Ils se disaient : *C'est pire chaque année, cela ne ressemble plus à rien, nous ne reviendrons plus.* Mais chaque automne, quand le dernier train avait emporté les derniers envahisseurs au visage rougi par le soleil, Porthkerris retrouvait miraculeusement son charme. Les boutiques fermaient, les tentes étaient démontées, les tempêtes hivernales nettoyaient les plages. A nouveau, le linge séchait sur les fils tendus entre les maisons, et les pêcheurs pouvaient tranquillement ravauder leurs filets.

La magie du lieu s'exerçait à nouveau, et l'on comprenait alors pourquoi un homme comme Ben Litton aimait à y revenir, semblable à un pigeon qui retrouve son colombier. L'amour du peintre pour la lumière et la couleur y trouvait pleinement son compte.

Le Hérisson amoureux se trouvait de l'autre côté du port. Robert s'arrêta devant et coupa le moteur. Tout était paisible. La marée était basse. Les flots en se retirant avaient laissé la place au sable et aux algues, et les mouettes emplissaient l'air de leurs cris sonores. Des enfants venus profiter des premiers rayons du soleil faisaient des pâtés sous l'œil attentif de grands-mères bien emmitouflées qui passaient le temps en tricotant.

Marcus descendit de voiture.

— Je vais voir s'il est là. Attends-moi ici.

Robert prit une cigarette dans la boîte à gants et l'alluma en regardant distraitement un chat qui faisait sa toilette au bord du trottoir. Au-dessus de lui, l'enseigne du pub grinçait dans le vent. Une mouette vint s'y poser avant de lancer une œillade assassine à Robert et de pousser un cri strident. Sur la route s'avançaient deux hommes en caban bleu marine et casquette blanche.

Ils saluèrent Robert, qui hocha la tête à leur passage.

Marcus ne tarda pas à réapparaître.

— C'est bon, je l'ai trouvé.

— Et Emma ?

— Elle est à l'atelier. Elle fait le ménage.

— Veux-tu que j'aille la chercher ?

— Pourquoi pas ? Il est midi et quart, dit Marcus en consultant sa montre. Le temps de discuter un peu avec elle... nous pourrions déjeuner vers une heure et demie ?

— Parfait. Je vais marcher. Ça ne vaut pas le coup de prendre la voiture.

— Tu sais comment y aller?

— Bien sûr.

Robert était déjà venu deux fois à Porthkerris pour discuter affaires avec Ben, quand Marcus était trop occupé pour venir lui-même. La phobie que nourrissait Ben à l'encontre des téléphones, des voitures et de toute forme de communication posait parfois des problèmes quasi insolubles, et Marcus avait compris depuis longtemps qu'il valait mieux se rendre en train en Cornouailles pour débusquer le lion dans sa tanière, plutôt que d'attendre indéfiniment un hypothétique télégramme.

Robert claqua la portière.

— Veux-tu que je lui parle ou préfères-tu le faire toi-même?

— Je suis sûr que tu seras parfait.

Robert ôta sa casquette de tweed et la jeta sur le siège.

— Toi alors... dit-il avec un sourire entendu.

Emma lui avait adressé une lettre, environ deux semaines après son passage éclair à Londres.

Mon cher Robert,

Puisque j'appelle Marcus Marcus, je ne peux décemment pas vous appeler M. Morrow, n'est-ce pas? Non, c'est hors de question. J'aurais dû vous écrire plus tôt pour vous remercier de m'avoir invitée à déjeuner, de m'avoir avancé de l'argent et d'avoir prévenu Ben de mon arrivée. Il est venu me chercher à la gare. Tout va pour le mieux, nous ne nous sommes pas chamaillés et Ben travaille comme un fou sur quatre toiles à la fois.

J'ai récupéré tous mes bagages, à l'exception de mon chapeau de paille. Je suis sûre que quelqu'un me l'a volé.

Mes amitiés à Marcus et à vous-même.
Emma.

Il arpentait à présent le dédale de ruelles conduisant à l'autre plage. C'était une baie assez sinistre, jamais surveillée, dont le seul intérêt résidait dans les longs rouleaux qui se fracassaient bruyamment sur les rochers. L'atelier de Ben faisait face à la plage. C'était une ancienne boutique à laquelle on accédait par une rampe pavée qui descendait jusqu'à une porte noire à double battant, ornée d'une plaque au nom de Ben Litton. Robert fit résonner l'énorme heurtoir de fer en criant le nom d'Emma.

N'obtenant pas de réponse, il ouvrit la porte. Une bourrasque la lui arracha presque des mains en s'engouffrant dans l'atelier, avant de la claquer violemment derrière lui. L'atelier était vide et glacial. Pas la moindre trace d'Emma. Une échelle, une grosse éponge et un seau témoignaient néanmoins de sa récente visite. Elle avait terminé de lessiver un mur ; Robert le toucha du bout des doigts et constata qu'il était encore humide.

Au milieu du mur trônait un vieux poêle très laid flanqué d'un réchaud à gaz et d'une casserole cabossée ; dans une boîte étaient rangés des tasses dépareillées et un sucrier. Le plan de travail de Ben, de l'autre côté de la pièce, était jonché de dessins et de peintures, de tubes de couleur, de couteaux et de centaines de crayons et de brosses entassés dans des boîtes en carton. Au-dessus de cette table, le mur était sombre, sale, constellé de gouttelettes de peinture. Sur une étagère branlante s'amassaient toutes sortes d'objets qui, à un moment ou à un autre, avaient attiré l'attention de Ben. Un galet, une étoile de mer fossilisée, un petit pot bleu avec des herbes jaunies, la reproduction d'un Picasso en carte postale, une tête de Bouddha en lave, du bois de dérive blanchi par la mer et le vent... Il y avait également des photographies disposées en éventail dans un porte-menu en argent, une invitation à une projection privée vieille de dix ans, et une paire de jumelles d'un autre âge.

On ne voyait pas les plinthes, cachées par les nombreuses toiles. Le milieu de la pièce était occupé par un grand chevalet sur lequel l'une des œuvres en cours sommeillait sous une étoffe rose un peu passée. Un sofa avachi garni d'un tapis arabe faisait face au poêle froid. Sur la table basse — une table de cuisine aux pieds coupés — se trouvaient un cendrier plein à ras bord, un étui à cigarettes, une pile de magazines d'art et un bocal d'œufs en porcelaine décorée.

Côté nord, le mur avait fait place à une grande baie vitrée dont la partie inférieure seule pouvait coulisser. Sous l'immense canapé, on apercevait des bouteilles vides, des planches de surf, un mât de bateau... Deux gros crochets métalliques vissés dans le sol maintenaient une échelle de corde qui passait par la fenêtre et, comme Robert le constata, permettait d'accéder à la plage, quelque six mètres en contrebas.

La plage semblait vide. La marée avait découvert une large bande de sable immaculé qu'une ligne d'écume permettait de distinguer du ciel. Près du bord, au-dessus de rochers incrustés d'algues et de coquillages, planaient des mouettes et des goélands. Robert s'assit près de la fenêtre et alluma une cigarette. Il regarda à nouveau l'horizon, et aperçut, à la limite des flots, une silhouette vêtue d'une longue robe de style oriental, qui semblait traîner péniblement un objet rouge non identifiable.

Robert se rappela avoir vu des jumelles. Il s'en empara et constata que la silhouette n'était autre que celle d'Emma Litton. Ses longs cheveux flottaient dans le vent, et elle tirait une grosse planche de surf.

— Vous n'êtes tout de même pas allée vous baigner?

A cause du vent, Emma peinait sous le poids de sa planche. Elle sursauta de s'entendre ainsi interpeller et leva les yeux. Des mèches brunes et humides lui collaient au visage.

— Bien sûr que si! Mais vous m'avez fait vraiment peur! Vous êtes là depuis longtemps?

— Une dizaine de minutes. Dites, vous comptez remonter votre planche?

— Puisque vous êtes là, oui. Il y a une corde sous le divan, vous n'avez qu'à me la jeter. Je vais l'attacher à la planche et vous tirerez, d'accord?

Robert n'en eut pas pour longtemps à hisser la planche. Puis Emma arriva, le visage et les mains couverts de sable, les cils collés comme les branches d'une étoile de mer.

Elle s'agenouilla sur le rebord de la fenêtre et se mit à rire.

— Vous pouvez dire que vous tombez bien! Cette planche pèse des tonnes; j'ai déjà eu du mal à la tirer sur le sable, s'il avait fallu grimper à l'échelle avec...

Sous le sable, son visage paraissait bleu par le froid.

— Entrez vite et refermez la fenêtre, lui dit-il. Ce vent est glacial. Comment peut-on aller nager par un temps pareil? Vous voulez attraper une pneumonie?

— Mais non.

Elle sauta dans la pièce, le regarda enrouler l'échelle de corde puis ferma la fenêtre, ce qui n'empêcha pas complètement l'air de passer.

— J'ai l'habitude, vous savez. On venait toujours se baigner en avril quand on était gosses.

— Nous ne sommes pas en avril mais en mars, et c'est l'hiver. Que dirait votre père?

— Rien du tout, et puis il fait si beau! J'en avais assez de lessiver... Vous avez vu ce mur, comme il est propre? Le problème, c'est que le reste de l'atelier ressemble à un taudis. Par ailleurs, je ne nageais pas vraiment, je faisais du surf et cela donne plutôt chaud. Au fait, ajouta-t-elle, si vous êtes venu voir Ben, il est au Hérisson amoureux en ce moment.

— Oui, je sais.

— Ah bon? Et comment?

— Parce que j'ai laissé Marcus avec lui.

— Marcus? fit-elle en levant haut les sourcils. Seigneur, ce doit être vraiment important!

Elle frissonna.

— Enfilez quelque chose, lui dit Robert.

— Non, ça va.

Elle alla chercher une cigarette qu'elle alluma avant de s'effondrer sur le sofa.

— Avez-vous reçu ma lettre?

— Oui.

Emma occupait toute la place, et il posa à terre la pile de magazines avant de s'asseoir sur la table.

— Désolé pour votre chapeau.

— Mais content pour Ben, non? dit-elle en riant.

— Bien entendu.

— C'est incroyable que ça marche aussi bien. Il est vraiment heureux que je sois là.

— Je n'ai pas imaginé un seul instant qu'il pourrait en être autrement.

— Allons, pas de flatteries, je sais bien que vous aviez des doutes. Quand on a déjeuné ensemble, vous sembliez sceptique! En réalité, tout se passe à merveille et Ben est ravi de voir que je m'occupe bien de sa maison. Et comme entre nous il n'y a pas de problèmes de bulletin de salaire, de déclaration ou de jours de congé, ça lui laisse l'esprit libre. Pour lui, la vie n'a jamais été aussi simple!

— Avez-vous eu des nouvelles de Christopher?

— Vous connaissez Christopher? dit-elle en se tournant vers lui.

— C'est vous-même qui m'en avez parlé. Chez Marcello, souvenez-vous.

— C'est vrai. Non, je n'ai pas de nouvelles. Il doit être en train de répéter à Brookford, et n'a sûrement pas le temps d'écrire. C'est comme moi, je n'ai guère de loisirs non plus entre le ménage, les courses et la cuisine... Ne croyez pas ceux qui vous disent que les artistes ne mangent jamais : Ben est un ogre!

— Vous lui avez parlé de votre rencontre avec Christopher?

— Seigneur, non! Il piquerait une crise rien qu'en entendant son nom. Vous savez, ces vêtements de tweed vous vont bien mieux que ceux que vous portiez à Londres. Quand je vous ai vu la première fois, je me suis dit que vous n'étiez pas du genre à être engoncé dans un costume classique. Vous êtes ici depuis longtemps?

— On a fait la route hier après-midi, et nous avons dormi au Château.

— Au milieu des palmiers en pot et des femmes en cachemire? dit-elle avec une grimace. Brrr...

— C'est un endroit très confortable.

— Le chauffage central me donne le rhume des foins!

Elle écrasa sa cigarette à demi fumée dans le cendrier déjà trop plein, quitta le divan et se dirigea vers la fenêtre tout en dénouant la ceinture de sa robe. Elle prit une pile de vêtements sous un coussin et s'habilla en lui tournant le dos.

— Comment se fait-il que vous ayez accompagné Marcus? demanda-t-elle.

— Il ne sait pas conduire.

— Il y a des trains. Mais ce n'est pas ce que je voulais dire.

— Je comprends.

Il prit l'un des œufs en porcelaine et joua avec, comme un Oriental avec son chapelet.

— Nous sommes là pour essayer de persuader Ben de retourner aux Etats-Unis.

Une soudaine bourrasque claqua contre la baie vitrée avec la violence d'un coup de tonnerre. Les mouettes poussèrent des cris affolés, puis le calme revint.

— Pourquoi devrait-il y retourner? demanda Emma.

— Pour la rétrospective.

Elle avait enfilé un jean et un pull marin.

— Je croyais que Marcus et lui avaient tout mis au point quand ils s'étaient vus, en janvier.

— Moi aussi, je le pensais ; mais, voyez-vous, cette exposition est sponsorisée par un particulier.

— Je sais, dit-elle en faisant passer ses cheveux sombres par-dessus le col de son pull. J'ai lu tout ça dans *Réalités*. Mme Kenneth Ryan, la veuve d'un magnat de l'industrie dont le mémorial n'est autre que le musée des Beaux-Arts de Queenstown. Je suis bien informée, non ? J'espère que ça vous impressionne !

— Mme Kenneth Ryan souhaite la présence de l'artiste. Elle veut qu'il commente lui-même ses œuvres.

— Pourquoi ne l'a-t-elle pas dit plus tôt ?

— Parce qu'elle n'était pas à New York à l'époque, mais pro-bablement en train de se faire bronzer aux Bahamas ou à Palm Beach. Ni Marcus ni Ben ne l'ont jamais rencontrée. Ils n'ont vu que le conservateur.

— Et maintenant, Mme Ryan décide que Ben doit revenir pour qu'elle puisse donner une splendide réception et l'offrir en pâture à ses riches amis. Tout ça me dégoûte !

— Elle a fait plus que décider, Emma. Elle est venue le persua-der.

— Vous voulez dire... en Angleterre ?

— Oui, en Angleterre, chez Bernstein, et mieux, ici même, à Porthkerris. Elle nous a accompagnés et, en ce moment, elle sirote un Martini au bar du Château en attendant qu'on la rejoigne pour déjeuner.

— En tout cas, je n'irai pas.

— Si ! Vous êtes conviée, vous aussi. Nous ferions mieux de nous dépêcher, ajouta-t-il en regardant sa montre.

— Ben est au courant ?

— Maintenant, oui. Marcus doit le lui avoir annoncé.

Elle enfila une veste de marin.

— Il n'a peut-être pas envie d'y aller.

— Vous voulez dire que vous ne souhaitez pas qu'il y aille ?

— Il vient à peine de se réinstaller ici. Il ne traîne pas, vous savez, il est très actif et ne boit même pas. Il travaille comme un jeune homme, et c'est encore mieux que tout ce que vous avez pu voir de lui jusqu'à présent. Il a près de soixante ans, vous vous rendez compte ? Toutes ces pérégrinations ne vont-elles pas le fatiguer ?

Elle revint s'asseoir sur le sofa, face à Robert.

— Je vous en prie, s'il ne veut pas y aller, n'essayez pas de le convaincre.

Robert reposa l'œuf et le fixa intensément, comme si la solution allait surgir dans ses volutes de vert et de bleu.

— A vous entendre parler, dit-il, on croirait que c'est quelque chose de définitif; or ce n'est qu'une réception, il ne va pas s'absenter pendant des années, rassurez-vous.

Elle ouvrit la bouche pour protester, mais il l'en empêcha.

— Vous ne devez pas oublier que cette exposition est extrêmement importante pour Ben. Bien des artistes aimeraient se voir ainsi reconnus. De plus, des sommes considérables sont en jeu, et le moins qu'il puisse accepter...

— C'est de faire le paon pour une vieille Américaine, grosse et laide de surcroît, c'est ça? l'interrompit-elle violemment. Ce qui me rend malade, c'est qu'il adore ce genre de chose.

— Puisqu'il aime ça, il ira; je ne vois pas où est le problème.

Elle ne trouva rien à répliquer. Elle gardait les yeux baissés, comme un enfant pris en faute. Robert termina sa cigarette et se leva avant de lui dire sur un ton plus doux :

— Allez, venez, ou nous finirons par être en retard. Vous n'avez pas de manteau?

— Non.

— Vous avez au moins des chaussures, je suppose?

Elle sortit une paire de sandales à lanières de dessous le lit. Ses pieds étaient encore couverts de sable.

— Je ne peux pas déjeuner au Château dans cette tenue.

— Pensez-vous! fit-il d'un air enjoué. Les clients auront au moins un sujet de conversation. Vous allez ensoleiller leur journée.

— N'avons-nous pas le temps de repasser à la maison? Je n'ai même pas de peigne...

— Vous en trouverez un à l'hôtel.

— Mais...

— Inutile de discuter. Nous sommes déjà en retard, je vous assure. Allez, venez avec moi...

Ensemble, ils quittèrent l'atelier et se dirigèrent vers le port. Après la température glacée de la pièce, l'air paraissait brûlant. La brillance de la mer se réfléchissait sur les murs blancs des maisons et la réverbération leur faisait mal aux yeux.

Emma refusa d'entrer au Hérisson amoureux.

— Je vais vous attendre ici. Allez les chercher.

— D'accord.

Elle remarqua qu'il lui fallait baisser la tête pour passer sous le porche. La porte du pub claqua derrière lui. Emma s'approcha de la voiture de Robert et l'inspecta avec intérêt comme si elle pouvait lui livrer quelques informations sur son propriétaire, comme une collection de livres ou de tableaux. Mais, en dehors du fait qu'elle était vert bouteille, munie de phares antibrouillard et décorée de deux ou trois autocollants du Royal Automobile Club, l'Alvis ne lui apprit pas grand-chose. Une casquette de tweed était posée sur le siège du conducteur; dans la boîte à gants, Emma aperçut des cigarettes et deux cartes routières, et sur le siège arrière, soigneusement plié, un magnifique plaid écossais. Elle se dit que Robert était un homme confiant, peut-être même insouciant, en tout cas heureux, car il ne s'était pas fait voler sa couverture.

Le vent de la mer s'éleva et Emma frissonna. Après le surf et l'intermède dans l'atelier glacé, elle avait froid. Ses mains étaient engourdies et décolorées, ses ongles bleus. La carrosserie de la voiture était tiède et elle s'y appuya, bras en croix et doigts écartés pour jouir pleinement de cette chaleur opportune.

La porte du pub s'ouvrit et Robert Morrow baissa de nouveau la tête pour en ressortir, seul.

— Ils ne sont pas là?

— Non. Ils en avaient assez d'attendre et ont pris un taxi jusqu'à l'hôtel.

Il ouvrit la portière de droite, prit sa casquette et s'en coiffa, offrant un instant à Emma son étonnant profil.

— Allons-y...

Il se pencha et ouvrit l'autre portière. Emma s'arracha au capot et s'installa à côté de lui.

Ils quittèrent le quartier du port et empruntèrent les petites rues étroites. Les portes des maisons s'ornaient souvent de pancartes BED & BREAKFAST et, dans les jardinets, de pitoyables palmiers se balançaient sous les attaques du vent mauvais. Ils retrouvèrent la grand-route qui montait en lacet jusqu'à l'hôtel. Ils longèrent l'allée du Château, bordée d'hortensias et d'ormes, jusqu'à une petite colline qui dominait le parc, les courts de tennis et le golf miniature. Cet hôtel avait jadis été une résidence privée, et le maître des lieux tenait à en conserver l'atmosphère d'authenticité. Une chaîne tendue entre deux bornes blanches empêchait les voitures d'aller plus avant sur l'esplanade de gravier, où des clients paressaient dans des chaises longues, emmitouflés dans des couvertures, comme des rescapés de quelque paquebot transatlantique. Ils étaient plongés dans des livres ou des revues, mais, quand l'Alvis déboucha devant la bâtisse en faisant crisser le gravier, leur attention se détourna et certains remontèrent même leurs lunettes. Dès cet instant, les faits et gestes de Robert et d'Emma furent épiés comme s'il s'agissait de visiteurs venus de quelque planète lointaine.

— Nous constituons certainement le premier événement intéressant depuis que le directeur est tombé dans la piscine, dit Robert.

Ils franchirent la porte à tambour. A l'intérieur régnait une chaleur d'étuve. D'habitude, Emma méprisait ce genre de confort mais, aujourd'hui, il était bienvenu.

— Ils sont sûrement au bar, dit-elle. Allez-y, je vous rejoins dans un instant. Je vais essayer de me débarrasser de tout ce sable.

Dans les toilettes des dames, elle se lava le visage et les mains avant d'ôter le sable qui lui collait aux pieds en les frottant sur la toile de son pantalon. Un nécessaire assez prétentieux de brosses et de peignes était disposé sur une coiffeuse. Tant bien que mal, elle parvint à discipliner ses mèches collées par le sel de la mer. En se retournant, elle découvrit son image dans le miroir placé derrière la porte : pas de maquillage, un jean délavé, une veste mal repassée. On la prendrait sûrement pour une groupie de l'école des Beaux-Arts, pour un modèle, ou encore pour la maîtresse de Ben Litton. Peu importait. Comme le lui avait dit Robert Morrow, cela ferait au moins un sujet de discussion.

Elle sortit des toilettes et s'engagea dans le long couloir recouvert de moquette pour découvrir avec plaisir que Robert ne l'avait pas abandonnée. Il n'avait pas rejoint les autres, préférant l'attendre à la réception en lisant le journal du dimanche. En la voyant s'approcher de lui, il replia le journal et le posa sur une chaise avant de lui adresser un sourire d'encouragement.

— Quelle transformation!

— J'ai massacré le peigne de l'hôtel. Vous n'aviez pas besoin de m'attendre, vous savez, je suis déjà venue ici, je connais le chemin...

— Dans ce cas, allons-y.

Il était deux heures moins le quart et l'heure de l'apéritif était passée. Il ne restait plus au bar que quelques buveurs invétérés qui, l'œil rougi, contemplaient amoureusement leur gin-tonic. Ben Litton, Marcus Bernstein et Mme Kenneth Ryan étaient assis un peu plus loin, devant la grande baie vitrée. Avec le bleu du ciel et le golf miniature en arrière-plan, Mme Ryan semblait poser pour un catalogue d'agence de voyages. Les deux hommes l'encadraient : Marcus portait un costume sombre et Ben, un bleu de travail. Tous deux faisaient face à l'Américaine, de sorte qu'elle fut la première à apercevoir Emma et Robert.

— Regardez qui voilà, fit-elle.

Ils se retournèrent. Ben resta assis, mais Marcus se leva pour accueillir Emma, bras grands ouverts et sourire aux lèvres. Il était si démonstratif qu'on voyait bien qu'il n'était britannique que d'adoption.

— Emma, ma chérie, te voilà enfin! dit-il en la prenant par les épaules et en l'embrassant comme du bon pain. Que je suis content de te revoir! Cela fait si longtemps! Cinq ans? Six ans? Viens, je vais te présenter à Mme Ryan...

Il la prit par la main.

— Mais tu es glacée! s'écria-t-il. Qu'est-ce que tu as fait?

— Rien, dit-elle en cherchant du secours auprès de Robert.

— Et les pieds nus... Tu dois être gelée. Madame Ryan, voici Emma, la fille de Ben, mais ne lui serrez pas la main, vous allez mourir de froid!

— Je connais des façons de mourir autrement plus horribles, dit Mme Ryan en lui tendant la main. Comment allez-vous ? Effectivement, vous êtes gelée.

Sans réfléchir, Emma lança :

— Je suis allée nager. C'est pour cette raison que nous sommes en retard et que je suis aussi négligée. Je n'ai pas eu le temps de me changer.

— Vous êtes charmante ainsi, rassurez-vous. Prenez place... Nous avons le temps de boire un autre verre, n'est-ce pas ? La salle à manger ne va tout de même pas fermer. Robert, soyez un chou, commandez-nous quelque chose ! Que désirez-vous, Emma ?

— Je... je ne veux rien.

Ben toussota discrètement.

— Si... un verre de sherry, ajouta-t-elle très vite.

— Robert, fit Mme Ryan, nous avons tous pris du Martini, vous en désirez un aussi ?

Emma s'installa sur le siège que Marcus avait libéré, consciente que son père l'observait.

— Je n'arrive pas à croire que vous soyez allée nager, reprit Mme Ryan.

— Oh, je me suis simplement trempée. Il y avait de grosses vagues, j'ai fait un peu de surf.

— Vous risquez de prendre froid, vous savez, dit l'Américaine avant de se tourner vers Ben. Je suis certaine que vous n'approuvez pas. N'avez-vous donc aucune influence sur votre fille ?

Elle parlait d'une voix enjouée et moqueuse. Ben fit une vague réponse et elle poursuivit, lui disant qu'il aurait dû avoir honte de lui, qu'il était un père lamentable et autres gentillesses de ce genre, mais toujours sur le ton de la plaisanterie.

Emma n'écoutait pas, trop occupée à regarder Mme Ryan. Cette femme n'était ni vieille ni grosse, mais jeune, jolie et très séduisante. De ses cheveux blonds élégamment coiffés à la pointe de ses escarpins en crocodile, tout était parfait. Elle avait d'immenses yeux violets, une bouche bien dessinée qui, lorsqu'elle souriait, ce qui était souvent le cas, découvrait deux rangées de dents polies comme des perles. Elle portait un ensemble de tweed rose des plus seyants, avec des manchettes et un col de dentelle. Des diamants brillaient à ses oreilles, à son poignet, à ses doigts. Il n'y avait rien en elle de vulgaire ou de clinquant. Et son parfum était enchanteur.

— Il faut bien vous occuper d'elle, d'autant plus que vous ne l'avez pas vue pendant six ans.

— Ce n'est pas moi qui m'occupe d'elle, mais elle qui prend soin de moi.

— Ah, ça, ce sont des discours d'homme! dit Mme Ryan avec un large sourire.

Les paroles de cette femme étaient semblables à des caresses. Emma regarda son père. Son attitude était caractéristique : il avait les jambes croisées, le coude droit appuyé sur le genou, le menton reposant sur le pouce et la cigarette aux lèvres. La fumée dissimulait à demi ses yeux sombres, mais il observait attentivement Mme Ryan comme s'il s'agissait d'un spécimen inconnu, récemment importé de quelque contrée sauvage.

— Emma, voici ton verre.

C'était Marcus. Elle détourna son regard de Ben et de Mme Ryan pour lui sourire.

— Oh, merci...

Il prit place à côté d'elle.

— Robert t'a parlé du but de notre visite?

— Oui.

— Tu nous en veux?

— Non.

Et c'était vrai. On ne pouvait en vouloir à un homme qui avait l'honnêteté d'exposer si franchement les choses.

— Mais tu n'as pas envie qu'il parte, c'est cela?

— Robert te l'a répété?

— Non, il ne m'a rien dit mais je te connais, et je sais que tu attendais depuis longtemps ces retrouvailles avec Ben. Ce voyage durera très peu de temps, tu sais.

— Oui, fit-elle en baissant les yeux sur son verre. Alors, il y va, n'est-ce pas?

— Oui. Mais pas avant la fin du mois.

— Je vois.

— Si tu souhaites l'accompagner... dit doucement Marcus.

— Non, je ne veux pas aller en Amérique.

— Cela t'ennuie de rester seule?

— Pas du tout. Et puis, comme tu le dis toi-même, ce ne sera pas pour longtemps.

— Tu pourrais venir habiter avec Helen et moi à Londres. Tu prendrais la chambre de David.

— Et où coucherait-il?

— Il est en pension, hélas! Cela m'a brisé le cœur, mais je suis anglais maintenant et on m'a arraché mon fils à l'âge de huit ans, comme c'est la coutume ici. Viens chez nous, Emma. Il y a beaucoup de choses à voir à Londres. La Tate Gallery a été rénovée, c'est une vraie merveille...

Emma ne put s'empêcher de sourire.

— Je peux savoir ce qui t'amuse?

— Tu as quand même du culot : tu me prends mon père et tu m'offres la Tate Gallery en échange! Et puis... ajouta-t-elle en baissant la voix, personne ne m'avait dit que Mme Kenneth Ryan était une reine de beauté en Virginie.

— Nous-mêmes n'en savions rien, lui expliqua Marcus. Nous ne l'avions pas rencontrée à New York. Elle a débarqué en Angleterre sur un coup de tête, et s'est présentée avant-hier à la galerie en demandant à voir Ben Litton. Honnêtement, c'était la première fois que nous posions les yeux sur elle.

— Ce n'est pas si désagréable.

— Je te l'accorde.

Marcus regarda Mme Ryan, puis Ben, avant de s'absorber dans la contemplation de son Martini et de jouer avec sa rondelle de citron.

Leur arrivée tardive dans la salle à manger suscita quelque émotion. La meilleure table leur avait été réservée : elle était située près de la baie vitrée et il fallait traverser toute la pièce pour la rejoindre. Mme Ryan ouvrait la marche, couvée du regard par tous les hommes encore présents. Elle était de toute évidence habituée à ce genre de situation, et cela ne semblait pas la gêner. Venait ensuite Marcus dont l'allure à la fois effacée et distinguée ne manquait pas d'intérêt; Robert et Emma suivaient, et Ben fermait la marche. Il écrasa sa cigarette avant de pénétrer dans le restaurant, et s'offrit une entrée de star après avoir échangé quelques mots avec un serveur : un peu à la traîne du petit groupe, il était désormais l'objet de l'attention de chacun.

Ben Litton... C'est Ben Litton... murmurait-on un peu partout. Il faut dire qu'il était magnifique avec son bleu de travail, son écharpe rouge et blanche nouée autour du cou et sa splendide crinière blanche.

Ben Litton... vous savez bien, le peintre!
Tout le monde savait que Ben Litton possédait un atelier à

Porthkerris mais, pour le voir, il fallait descendre en ville, dans le quartier du port, trouver un pub de pêcheurs à l'enseigne du Hérisson amoureux, s'installer dans la pénombre devant une chope de bière, et attendre patiemment que le maître fasse une apparition.

Aujourd'hui, Ben Litton avait abandonné ses quartiers et il était là, en chair et en os, au restaurant du Château. Il se préparait à déjeuner comme tout un chacun. L'ours était sorti de sa tanière. Une dame âgée le dévisageait sans se gêner à travers son lorgnon, et l'on entendit même un touriste texan regretter d'avoir laissé son appareil photo dans sa chambre.

Emma réprima un petit rire.

Ben les rejoignit enfin et s'installa à la place d'honneur, à la droite de Mme Ryan. Il prit le menu et, d'un simple geste de la main, fit appeler le sommelier. Peu à peu, l'émoi des autres convives retomba, mais il était clair que le petit groupe allait occuper toutes les conversations.

Emma dit à Robert :

— Je sais qu'il n'y a pas de quoi être fière, que sa façon de s'exhiber ainsi devrait me faire honte, mais il s'en tire si bien chaque fois...

— En tout cas, cela vous a fait rire et je vous trouve moins nerveuse.

— Vous auriez pu me dire que Mme Ryan était jeune et jolie.

— C'est vrai qu'elle est très belle, mais elle n'est certainement pas aussi jeune qu'elle en a l'air. Je dirais qu'elle est bien conservée.

— C'est tout à fait le genre de remarque que ferait une femme jalouse.

— Désolé, mais je le pense sincèrement.

— En tout cas, vous auriez pu me prévenir.

— Vous ne m'avez rien demandé.

— C'est vrai, reprit Emma, mais quand j'ai mentionné une Américaine vieille et grosse, vous ne m'avez pas contredite.

— Sans doute n'ai-je pas compris que cela avait tant d'importance pour vous, répliqua Robert.

— Une femme splendide en compagnie de Ben Litton, cela n'a pas d'importance? Mais c'est dramatique! Marcus et vous n'avez pas besoin de le persuader; une œillade et le voilà déjà au milieu de l'Atlantique!

— Vous êtes un peu injuste. Les plus beaux yeux du monde ne pourraient l'amener à faire ce dont il n'a pas envie.

— C'est exact, mais il ne sait pas résister quand on lui lance un défi, dit-elle sur un ton glacial.

— Emma...

— Quoi?

— Je vous trouve bien amère.

— C'est que... (Laissant la phrase en suspens, elle changea soudain de sujet :) Quand pensez-vous rentrer à Londres?

— Cet après-midi. Il est déjà tard, ajouta-t-il en jetant un coup d'œil discret à sa montre. Nous partirons dès que Miss Amérique le voudra bien.

Mme Ryan, elle, ne semblait pas pressée. Le déjeuner, très copieux, s'était achevé par un café et un alcool. La salle à manger était vide. Robert profita d'un silence dans la conversation pour s'éclaircir la voix.

— Marcus, pardonne-moi de t'interrompre, mais je crois que nous devrions partir. Nous avons près de cinq cents kilomètres de route.

— Mais quelle heure est-il? s'étonna Mme Ryan.

— Quatre heures.

— Déjà! fit-elle en riant. Savez-vous qu'un jour, en Espagne, nous sommes restés à table jusqu'à sept heures et demie du soir? Pourquoi le temps passe-t-il aussi vite quand on est en bonne compagnie?

— Ah, c'est une relation de cause à effet, dit Ben.

Mme Ryan sourit à Robert.

— Vous ne voulez pas partir tout de suite, n'est-ce pas?

— Eh bien... le plus tôt possible.

— J'aurais tant voulu visiter l'atelier! Je n'ai quand même pas fait tout ce chemin pour repartir sans l'avoir vu. Ne pourrions-nous pas nous arrêter sur le chemin pour y passer quelques instants?

Cette suggestion fut accueillie sans le moindre enthousiasme. Robert et Marcus avaient l'air gênés, Robert parce qu'il n'aimait pas conduire la nuit, et Marcus parce qu'il savait que Ben détestait faire visiter son antre. Emma se sentait paniquée en pensant au désordre qu'elle avait laissé derrière elle : l'échelle de corde, le seau et la serpillière, son maillot de bain jeté par terre, le cendrier plein à ras bord, du sable partout... Elle adressa un regard suppliant à Ben. Le sort de tous était entre ses mains.

— Chère madame, dit-il alors, j'aurais grand plaisir à vous montrer mon atelier, mais je dois vous signaler qu'il ne se situe pas exactement sur la route de Londres.

Chacun se tourna vers l'Américaine pour voir comment elle allait réagir. Elle se contenta de faire la moue, et tout le monde rit de bonne grâce.

— D'accord, je sais accepter la défaite, dit-elle en enfilant ses gants. Cependant, dernière chose : vous vous êtes tous montrés extrêmement sympathiques à mon égard, et cela me peinerait de rester une étrangère pour vous. Je m'appelle Melissa. Cela me ferait plaisir que vous m'appeliez par mon prénom.

Quelques instants plus tard, alors que les hommes étaient déjà partis ranger les bagages dans le coffre de la voiture, elle s'approcha d'Emma.

— Je vous apprécie tout particulièrement. Marcus m'a dit que vous étiez rentrée de Paris pour retrouver votre père, et voilà que je vous l'enlève.

Emma, consciente qu'elle ne s'était pas montrée très aimable, se sentit un peu coupable.

— Cette exposition est si importante...

— Je veillerai bien sur lui, lui promit Melissa Ryan.

Oh oui, pensa Emma, *je ne m'inquiète pas pour ça!* Mais cela ne l'empêchait pas d'apprécier l'Américaine. Il y avait dans le regard de cette femme quelque chose d'impalpable qui poussait Emma à se demander si, pour une fois, Ben n'apprécierait pas de faire un aussi long voyage.

Elle sourit :

— J'espère qu'il me reviendra très vite.

Elle prit le vison couleur miel de Mme Ryan et l'aida à l'enfiler. Les deux femmes sortirent ensemble de l'hôtel. Il faisait plus frais. Le soleil pâlissait et une brume glacée s'élevait de la mer. Robert avait remonté la capote de l'Alvis et Melissa, enveloppée dans son vison, fit ses adieux à Ben.

— Ce n'est qu'un au revoir, dit-il en lui serrant la main et en lui adressant un regard profond.

— Bien entendu. Faites-moi savoir quand vous arriverez à l'aéroport Kennedy, je viendrai vous accueillir.

— Je m'en occuperai, dit Marcus. De mémoire d'homme, Ben n'a jamais fait part de son planning à qui que ce soit. Au revoir, Emma, et n'oublie pas que tu es la bienvenue chez nous.

Ils s'embrassèrent. Marcus monta à l'arrière, Melissa Ryan s'installa à l'avant et enroula le plaid écossais autour de ses longues jambes. Ben ferma la portière, puis il se pencha pour continuer de converser avec elle.

— Emma...

C'était Robert.

A sa grande surprise, il ôta sa casquette et se pencha pour l'embrasser.

— Ça va aller?

— Oui, ne vous inquiétez pas, dit-elle, très touchée.

— Si vous avez besoin de quoi que ce soit, appelez-moi chez Bernstein.

— De quoi aurais-je besoin?

— Je ne sais pas. Pensez-y tout de même. Au revoir, Emma.

Emma et Ben regardèrent la voiture s'éloigner. Quand elle eut disparu derrière les arbres, ils restèrent longtemps sans parler, puis Ben toussota.

— Quel beau profil! dit-il avec un air important, comme s'il donnait un cours. Et quel regard! Il devrait se laisser pousser la barbe. Je le vois bien en saint... ou peut-être en pécheur. Qu'en penses-tu?

Elle haussa les épaules.

— Peut-être. Je le connais à peine, tu sais.

En se retournant, il vit que des clients de l'hôtel qui rentraient de promenade ou d'une partie de golf s'étaient arrêtés pour assister au départ de Melissa Ryan. Ben leur lança un regard noir, et les curieux ne furent pas longs à disparaître.

— J'en ai assez qu'on me regarde comme si j'avais deux têtes, dit-il. Viens, rentrons.

6

Ben Litton partit pour l'Amérique à la fin du mois de mars. Il prit le train jusqu'à Londres et, de là, il s'envola pour New York. Au dernier moment, Marcus Bernstein décida de l'accompagner, et la photo de leur départ parut dans les journaux du soir : Ben, les cheveux dans le vent, et Marcus, à demi dissimulé sous son chapeau noir. Tous deux semblaient un peu intimidés.

Ce fut grâce à Marcus qu'Emma reçut la liasse des journaux américains dont les rubriques artistiques ne tarissaient pas d'éloges à l'égard du peintre britannique. A l'unanimité, ils louaient la splendeur du musée des Beaux-Arts de Queenstown, exemple en matière d'architecture et d'aménagement intérieur. L'exposition Ben Litton était sans aucun doute l'événement de l'année. L'œuvre intégrale du maître y était présentée, et les deux ou trois portraits datés d'avant-guerre, prêtés par des collectionneurs privés, valaient à eux seuls le déplacement : l'homme s'y révélait à la fois artiste, psychiatre et confesseur.

« Ben Litton se sert de son pinceau comme un chirurgien de son scalpel; il met à nu les douleurs cachées avant de les traiter avec la plus grande compassion. »

Le mot « compassion » était également employé pour qualifier les dessins exécutés pendant la guerre — les réfugiés dans les abris, les pompiers — et la poignée d'esquisses sauvée de justesse au moment de l'avance des Alliés en Italie. De sa production ultérieure, on disait : « Les peintres font de l'abstraction d'après nature. Litton s'appuie entièrement sur son imagination, et celle-ci est si vive qu'il est difficile de croire que ces toiles pleines de fougue sont l'œuvre d'un sexagénaire. »

Emma lut les critiques et ne put s'empêcher d'éprouver une certaine fierté. Le vernissage avait eu lieu le 3 avril; on était déjà le 10, et le retour de Ben n'était toujours pas programmé. Elle passa tout ce temps à mettre de l'ordre dans la maison et à terminer le lessivage des murs de l'atelier. Cela lui donna l'occasion de réfléchir et de laisser son esprit vagabonder. Un mois plus tôt, elle pensait qu'il ne l'abandonnerait plus jamais; désormais ce rêve appartenait au passé. Quand elle avait accompagné Ben à la gare, il lui avait dit au revoir, d'un air un peu absent, certes, comme il l'aurait fait avec n'importe qui, mais il l'avait aussi embrassée, et ce jour était à marquer d'une pierre blanche. Elle imagina son retour : arraché à l'adulation du public américain, il rentrerait à Porthkerris et elle l'attendrait, calme et attentive, en parfaite secrétaire. La prochaine fois qu'il s'envolerait pour quelque contrée lointaine, peut-être l'emmènerait-il avec lui pour qu'elle s'occupe de ses réservations et de ses rendez-vous.

Un ou deux jours plus tard, elle reçut de Londres une lettre de Marcus. Elle l'ouvrit fébrilement, espérant y lire la date du retour de son père. Aussi fut-elle déçue lorsqu'elle apprit que Marcus avait pris seul l'avion et que Ben prolongeait son séjour à Queenstown.

Le musée Ryan a quelque chose de fascinant, et je serais moi-même resté plus longtemps si cela m'avait été possible. Il réunit toutes les formes artistiques : un petit théâtre, une salle de concert et une collection de joyaux russes d'une exceptionnelle beauté. Queenstown est une ville charmante aux maisons en brique de style George III, et l'on se croirait dans un roman du siècle dernier avec toutes ces pelouses plantées de cornouillers. Mais on est bien au vingtième siècle, rassure-toi : le gazon est déroulé par bandes, et les cornouillers sont déjà adultes quand on les plante.

Redlands (la propriété de Melissa Ryan) est une grande bâtisse toute blanche avec une véranda sur laquelle Ben se plaît à flâner en buvant les cocktails que lui prépare un maître d'hôtel de couleur appelé Henry. Henry vient travailler chaque matin dans une Chevrolet lilas; il espère décrocher bientôt son diplôme d'avocat. C'est un jeune homme brillant et plein d'ambition. Il y a aussi quelques courts de tennis, des boxes abritant des chevaux fougueux, et l'inévitable piscine. Ben, tu t'en doutes bien, ne monte pas et ne joue pas au tennis, mais il passe de longues heures à lézarder sur un matelas pneumatique au milieu de la piscine quand il n'ajoute pas un peu de couleur locale à sa rétrospective. Je suis désolé de le voir rester si longtemps loin de toi, mais je crois sincèrement qu'il a besoin de se reposer. Cela fait des années qu'il travaille comme un forcené, et un peu de détente ne peut pas lui faire de mal. Si tu te sens trop seule, notre invitation tient toujours. Viens t'installer chez nous, nous serions enchantés de te recevoir.

Je t'embrasse,
Marcus.

Le lessivage était terminé et le plancher de l'atelier impeccable. Les dessins de Ben étaient rangés dans de grands cartons. Les crayons et les brosses un peu trop usés étaient discrètement partis à la poubelle, de même que les tubes de peinture desséchée.

Elle n'avait plus rien à faire.

Il y avait deux semaines qu'il était parti quand Emma reçut une carte postale de Christopher. Les cheveux tirés en queue de cheval, vêtue d'un peignoir un peu trop ample, elle se préparait du café et un jus d'orange dans la cuisine quand le postier fit son apparition. Le jeune homme rondouillard passa la tête par la porte.

— Comment ça va ce matin, ma jolie?

— Plutôt bien, merci, répondit Emma, qui subissait ce genre de familiarités depuis son retour de Paris.

Il lui tendit un paquet de lettres.

— Tout ça, c'est pour votre vieux, mais vous avez une carte postale.

Il s'attarda sur ce qu'elle représentait avant qu'Emma ne la lui arrache.

— Plutôt vulgaire, je me demande comment des gens bien peuvent acheter ça.

— Bien sûr, vous n'en auriez jamais eu l'idée, dit Emma en regardant la carte.

C'était une pin-up en maillot de bain. Emma la retourna pour voir qui la lui avait envoyée. La carte avait été postée à Brookford.

Emma chérie, quand viens-tu me voir? Moi, c'est impossible, parce qu'on est en pleine répétition. La pièce s'appelle Fleurs des champs. *Mon numéro de téléphone est Brookford 678; appelle-moi avant dix heures du matin parce que après on commence à travailler. Le metteur en scène est sympa, mais le régisseur est une peste. Les filles ne sont pas aussi jolies que toi.*

Bisous. Christo.

La cabine téléphonique la plus proche se trouvait à un kilomètre et demi. Emma se rendit donc à la boutique où elle achetait ses cigarettes et toutes sortes de produits ménagers.

Le téléphone était une antiquité : il fallait tourner une manivelle pour demander l'opératrice. Emma attendit sa communication, assise sur un tonneau de bière, et une grosse chatte tigrée en profita pour lui sauter sur les genoux.

On décrocha à la première sonnerie.

— Théâtre de Brookford, dit une voix de femme assez peu aimable.

— Je voudrais parler à Christopher Ferris, s'il vous plaît.

— Je ne sais pas s'il est arrivé.

— Vous pourriez vous renseigner?

— Je vais voir. C'est de la part de qui?

— Emma.

Elle perçut des conversations étouffées, des cris, puis des bruits de pas. Une voix retentit. C'était Christo.

— Emma!

— Ah, tu es là. On ne savait pas si tu étais arrivé.

— Bien sûr que si. On répète dans cinq minutes... Tu as reçu ma carte?

— Ce matin même.

— Ben l'a lue?

Il l'espérait, de toute évidence.

— Ben n'est pas là. Il est en Amérique. Je pensais que tu étais au courant.

— Et comment?

— C'est dans tous les journaux.

— Les comédiens ne lisent pas les journaux sauf quand on parle d'eux, naturellement. Dis, puisque ton père est en Amérique, tu aurais pu venir vivre avec moi.

— Il y a une centaine de choses qui m'en empêchaient.

— Donne-m'en seulement deux.

— Eh bien, il ne devait partir que pour une semaine, et d'autre part j'ignorais où tu étais.

— A Brookford, je te l'avais dit.

— Je ne sais même pas où ça se trouve.

— A trente-cinq minutes de Londres, il y a un train toutes les demi-heures. Viens me rejoindre. On m'a installé dans un sous-sol plutôt sinistre, ça sent le moisi et le vieux chat, mais c'est assez confortable.

— Christo, je ne peux pas, je dois rester ici. Ben va revenir d'un jour à l'autre et...

— Tu lui as dit que tu m'avais revu?

— Non.

— Pourquoi?

— Je n'en ai pas eu l'occasion.

— Tu avais peur, avoue!

— Pas du tout. C'était tout simplement... hors de propos.

— C'est bien la première fois qu'on me dit que je suis hors de propos. Allez, mon chou, viens chez moi. Mon petit sous-sol a besoin d'une main féminine pour le rendre plus douillet.

— Je ne peux pas tant que Ben n'est pas là. Après... j'essaierai.

— Ce sera trop tard, j'aurai déjà tout fini. S'il te plaît... Je t'enverrai une place gratuite. Ou même deux, tu amèneras une amie. Non, trois, tu les amèneras toutes.

Il se mit à rire. Il s'amusait toujours de ses propres plaisanteries.

— Très drôle, dit Emma qui riait, elle aussi.

— Tu joues à quoi? Tu ne voulais pas rester avec moi à Paris et maintenant tu refuses de connaître les étendues sauvages du Surrey. Qu'est-ce que je dois faire pour gagner ton cœur?

— Tu l'as gagné depuis longtemps. Non, vraiment, j'ai très envie de te voir, mais je ne peux pas venir tant que Ben n'est pas rentré.

Christo lâcha une grossièreté.

Le téléphone émit des cliquetis. La communication allait être coupée.

— Dans ce cas...

— Si tu changes d'idée, fais-le-moi savoir, dit Christo. Au revoir!

— Au revoir, Christo.

Mais il avait déjà raccroché. Avec un sourire, Emma repensa à ce qu'ils venaient de se dire et raccrocha à son tour. La chatte se mit à ronronner, et Emma s'aperçut qu'elle était sur le point de mettre bas. Un homme d'un certain âge entra dans la boutique pour acheter une prise électrique. Quand il fut parti, Emma prit délicatement la chatte, la posa à terre, et chercha de la monnaie dans sa poche.

— Les chatons sont pour quand? demanda-t-elle.

La femme qui servait au comptoir portait le nom de Gertie. Eté comme hiver, elle arborait un énorme béret de couleur brunâtre enfoncé jusqu'aux sourcils.

— Dieu seul le sait, mon enfant, fit-elle en mettant l'argent du téléphone dans une petite tirelire.

— Merci de m'avoir laissée utiliser votre téléphone.

— Avec plaisir, dit Gertie, qui écoutait toujours les conversations et s'empressait de les colporter.

En mars, on s'était cru en plein été. Mais là, en mai, il faisait aussi froid qu'en novembre et la pluie ne cessait de tomber. Robert n'avait jamais imaginé Porthkerris sous la pluie. Pour lui, la ville revêtait en permanence les couleurs joyeuses de l'été, avec les voiles des yachts claquant au vent et le soleil se reflétant dans l'eau du port. Mais aujourd'hui, le vent se jetait par bourrasques contre les fenêtres et gémissait dans les cheminées.

C'était un samedi après-midi, et Robert se reposait dans sa chambre d'hôtel. Il consulta sa montre et vit qu'il était trois heures moins cinq. Il alluma une cigarette, et fuma tranquillement en regardant les nuages courir dans le ciel de plomb. Le téléphone sonna et il décrocha immédiatement.

— Il est trois heures, monsieur, lui dit l'employé de la réception.

— Merci beaucoup.

— Êtes-vous bien réveillé, monsieur?

— Oui, merci.

Il termina sa cigarette et l'écrasa avant d'aller prendre une bonne douche chaude. Il avait horreur de faire la sieste, se sentant toujours un peu nauséeux après. Mais il était parti de Londres la veille au soir, avait roulé toute la nuit, et n'avait pu rester éveillé plus longtemps. En arrivant, il avait grignoté quelque chose et demandé à la réception de le réveiller à trois heures, mais la violence du vent l'avait tiré du sommeil plus tôt.

Il s'habilla, choisissant un polo plutôt qu'une chemise. Il fourra dans ses poches les papiers et les clés qu'il avait déposés sur la table de nuit, prit son imperméable et quitta sa chambre.

Le salon était silencieux. Quelques clients âgés somnolaient dans de grands fauteuils. Frustrés, les amateurs de golf regardaient la pluie en hochant la tête, les mains enfoncées dans les poches de leur pantalon de tweed.

L'employé de la réception prit la clé que lui tendait Robert.

— Vous sortez, monsieur?

— Oui. Vous allez peut-être pouvoir m'aider. Je cherche la galerie de la Société des artistes. Je crois que c'est une chapelle désaffectée. Ça vous dit quelque chose?

— C'est dans le vieux quartier. Vous connaissez la ville?

— Je connais le Hérisson amoureux, dit Robert.

L'employé sourit. Il appréciait que l'on utilisât les pubs comme points de repère.

— Bon... Juste avant le Hérisson, vous prenez la rue qui monte, vous la suivez jusqu'au bout. La galerie est là, sur une petite place. Vous ne pouvez pas la manquer, il y a de grandes affiches devant... des horreurs, si vous me permettez...

— Nous verrons ça. Merci.

— Je vous en prie.

L'employé fit tourner la porte à tambour et Robert se retrouva dans le froid. Il remonta le col de son imperméable et courut jusqu'à sa voiture. L'intérieur du véhicule sentait le renfermé et l'humidité, en plus de l'habituelle odeur de cuir et de tabac. Il mit le contact et lança le chauffage. Une feuille, coincée sous l'un des essuie-glaces, disparut au premier balayage.

Il descendit jusqu'à la ville : elle était absolument déserte, abandonnée, comme si ses habitants subissaient le siège du mauvais temps. Il ne croisa qu'un agent de police trempé jusqu'aux os et une vieille dame qui se débattait avec son parapluie. Le vent se précipitait en hurlant dans les rues étroites envahies par des torrents d'eau. Dans le port, la mer était haute et les embarcations dansaient furieusement.

Il trouva la rue que l'employé de la réception lui avait indiquée. Elle montait en pente raide et débouchait en effet sur une place très pittoresque. Là se dressait une vieille chapelle très sombre, avec une pancarte apposée sur sa porte :

SOCIÉTÉ DES ARTISTES DE PORTHKERRIS

SALON DE PRINTEMPS

Entrée 5 shillings

Son regard tomba sur les affiches que l'employé avait évoquées avec dégoût : un œil violet rappelant l'art égyptien fixait une main à six doigts... Robert partagea immédiatement son point de vue.

Il se gara, grimpa quelques marches et pénétra dans la chapelle, où il fut immédiatement assailli par une forte odeur de paraffine. Les murs avaient été lessivés afin d'accueillir des œuvres de toutes dimensions.

Une vieille dame, emmitouflée dans un plaid, était assise derrière une table en bois sur laquelle étaient disposés des catalogues et un petit tronc. Elle se chauffait les mains à un poêle à paraffine.

— Fermez la porte, s'il vous plaît, lança-t-elle à Robert.

Il s'exécuta et chercha de l'argent dans sa poche.

— C'est glacial, reprit-elle. Vous parlez d'un printemps ! Vous êtes mon premier visiteur de l'après-midi. Vous n'êtes pas d'ici, ou je me trompe ? Je ne crois pas vous avoir déjà vu.

— En effet...

— Nous avons là une collection des plus intéressantes. Vous voulez certainement un catalogue, c'est dix shillings. Vous ne le regretterez pas.

— Merci, dit Robert d'une voix faible.

Il prit le catalogue, décoré du même motif que l'affiche — l'œil égyptien et la main à six doigts —, et parcourut négligemment la liste des exposants.

— Vous cherchez quelqu'un en particulier ?

— Non, non...

— Vous êtes en vacances à Porthkerris ?

— De passage, simplement...

Il parcourut la salle à pas comptés, feignant de s'intéresser à chaque tableau. Il avait trouvé le nom qu'il cherchait. Pat Farnaby. Numéro 24 : *Le Voyage*, par Pat Farnaby. Il s'attarda devant le numéro 23, puis s'arrêta longuement devant le suivant.

Le choix des couleurs l'impressionna. Il éprouva une curieuse sensation de vertige, puis ressentit une sorte d'exaltation, comme s'il volait au-dessus des nuages, suspendu entre le bleu et le blanc.

— Il faut que tu y ailles, lui avait dit Marcus. Je veux que tu te fasses ta propre opinion. Tu ne vas tout de même pas passer ta vie à t'occuper des finances. J'aimerais connaître ta réaction.

Il revint vers la caissière qui, il le savait, ne l'avait pas quitté des yeux.

— C'est la seule œuvre de Pat Farnaby ?

— Hélas oui! Nous n'avons pas réussi à le convaincre de nous en confier d'autres.

— Il vit par ici, n'est-ce pas?

— Oui, à Gollan.

— Gollan?

— C'est à une dizaine de kilomètres, sur la route de la lande. C'est une ferme.

— Vous voulez dire qu'il est... cultivateur?

— Oh non!

Elle rit. Bruyamment, pensa Robert, comme si elle suivait les directives d'un mauvais metteur en scène.

— Il s'est installé dans le grenier, au-dessus de la grange. Tenez, fit-elle en écrivant son adresse. Je suis sûre que vous le trouverez sans peine.

Robert la remercia, rangea le papier dans sa poche et se dirigea vers la sortie.

— Vous ne voulez pas voir le reste de l'exposition?

— Je n'ai pas beaucoup de temps...

— Oh, c'est si intéressant...

Cela lui brisait visiblement le cœur.

— J'en suis certain. Une autre fois, peut-être.

C'est à cet instant précis qu'il pensa à Emma Litton. La main sur le bouton de la porte, il se retourna.

— Au fait, je cherche aussi la maison de Ben Litton. C'est loin d'ici? Attention, la maison, pas l'atelier!

— Oh, ce n'est même pas à cent mètres. Il y a un portail bleu, vous ne pourrez pas le manquer. Mais, vous savez, M. Litton n'est pas ici en ce moment.

— Oui, je sais.

— Il est en Amérique.

— Je le sais aussi, merci.

Il pleuvait toujours et Robert fut obligé de reprendre sa voiture, bien qu'il eût préféré marcher. Il s'arrêta devant le portail bleu, au beau milieu de la rue, et entra. Dans la cour, des plantes à l'aspect misérable emplissaient d'antiques baignoires métalliques, et un siège de bois peint pourrissait sur place. La maison était de plain-pied, mais les toits de forme inégale et les cheminées mal assorties montraient qu'on avait réuni deux cottages en un seul.

La porte d'entrée était également peinte en bleu. Un dauphin en cuivre servait de heurtoir.

Robert frappa. Au même moment, une gouttière défectueuse se déversa sur lui. Comme il reculait pour voir d'où venait la fuite, la porte s'ouvrit.

— Bonjour, dit-il. Votre gouttière fuit.

— Mais d'où sortez-vous comme ça?

— De Londres. Vous devriez la faire réparer avant que la rouille ne s'installe.

— Êtes-vous venu spécialement de Londres pour me dire ça?

— Bien sûr que non. Je peux entrer?

— Naturellement... Vous êtes quand même assez surprenant. Vous apparaissez, comme ça!...

— Comment aurais-je pu vous prévenir? Vous n'avez pas le téléphone. Et je n'avais pas le temps de vous écrire.

— C'est à propos de Ben?

Robert entra dans la maison en prenant bien soin de baisser la tête, et déboutonna son imperméable.

— Non, pourquoi?

— Je pensais qu'il était rentré, dit Emma.

— Si je suis bien renseigné, il profite toujours du chaud soleil de Virginie.

— De quoi s'agit-il, alors?

En la regardant, il la trouva soudain aussi imprévisible que la pluie ou le beau temps. Chaque fois qu'il la rencontrait, elle était différente. Elle portait aujourd'hui une robe à bandes orange et rouge avec des bas noirs. Un peigne en écaille retenait ses cheveux et sa frange, un peu trop longue, lui tombait devant les yeux. Elle la repoussa du revers de la main en un geste désarmant qui rappelait celui d'une petite fille.

Il tira le morceau de papier de sa poche et le lui tendit. Emma le lut tout haut.

— Pat Farnaby, ferme de Gollan. Où avez-vous eu ça?

— A la galerie de Porthkerris.

— Et Pat Farnaby?

— Marcus s'y intéresse.

— Il n'est pas venu?

— Il voulait un deuxième avis. Le mien.

— Et vous vous êtes fait une opinion?

— C'est difficile à dire d'après une seule toile. J'aimerais en voir d'autres.

— C'est un jeune homme plutôt bizarre, dit-elle à voix basse.

— Vu ce qu'il peint, ça ne m'étonne pas. Savez-vous où se trouve Gollan?

— Bien sûr. C'est la ferme de M. et Mme Soames. Quand j'étais petite, on y allait souvent pour pique-niquer sur les falaises, mais je n'y suis pas retournée depuis.

— Vous ne voulez pas m'y accompagner pour me montrer le chemin?

— Vous êtes en voiture?

— Je suis garé juste devant. Je suis parti de Londres hier soir.

— Vous devez être épuisé.

— Non, j'ai fait la sieste.

— Dans votre voiture?

— Non, j'ai une chambre à l'hôtel. Alors, vous venez?

— Bien sûr.

— Prenez un manteau.

Emma lui sourit.

— Donnez-moi trente secondes, que j'en trouve un.

Elle s'éloigna en faisant claquer ses pieds dans le couloir, et Robert en profita pour allumer une cigarette et observer cette curieuse petite maison qui représentait, somme toute, la face cachée de Ben Litton, l'aspect privé de cette personnalité tourmentée.

La porte de devant ouvrait directement sur le séjour, bas de plafond avec ses poutres sombres. Une immense fenêtre donnait sur la mer. Sur le rebord s'épanouissaient des plantes d'intérieur — des géraniums et du lierre — à côté d'un vase en porcelaine du siècle dernier débordant de roses rouges. Des tapis aux couleurs vives recouvraient le carrelage blanc. Il y avait des livres et des magazines partout, ainsi que de nombreuses poteries espagnoles blanc et bleu. Une bûche flambait paresseusement dans l'âtre de granit. Au-dessus de la cheminée trônait le seul tableau de la maison.

L'œil avisé de Robert l'avait tout de suite remarqué, et il s'en approcha pour mieux l'admirer. C'était une grande peinture à l'huile représentant une petite fille juchée sur un âne. Elle était vêtue d'une grande robe rouge et tenait un bouquet de fleurs; d'autres fleurs ceignaient sa tête. L'âne s'enfonçait à demi dans l'herbe haute; à l'arrière-plan, la mer et le ciel se mêlaient en une sorte de brouillard. L'enfant avait les pieds nus.

Emma Litton vue par son père. Robert se demanda quand ce tableau avait pu être peint.

Le vent se leva en gémissant et précipita la pluie contre les vitres. Robert se rendit compte que cette maison était vraiment isolée, et se demanda ce qu'Emma pouvait bien faire par de telles journées. Quand elle revint avec son manteau et ses bottes en caoutchouc, il ne put s'empêcher de lui poser la question.

— Oh, je nettoie la maison et je fais la cuisine, je fais les courses aussi. Ça prend du temps, vous savez.

— Et cet après-midi, que faisiez-vous quand j'ai frappé à la porte?

Emma enfila ses bottes.

— Je repassais.

— Et le soir? Comment occupez-vous vos soirées?

— Je vais faire un tour. J'adore marcher. Je regarde les cormorans et les mouettes, j'admire le coucher du soleil, je ramasse du bois pour le feu...

— Seule? Vous n'avez pas d'amis?

— J'en avais, mais les enfants qui vivaient ici quand j'étais petite ont grandi, eux aussi, et ils sont tous partis.

Elle avait parlé d'un ton si lugubre que Robert ne put s'empêcher de lui dire :

— Vous devriez revenir à Londres avec moi, Helen serait heureuse de vous accueillir dans notre maison.

— Oui, j'en suis persuadée, mais croyez-vous que cela en vaille la peine? Ben va revenir d'un jour à l'autre.

Elle mit son manteau. Il était bleu marine et, avec ses bas noirs et ses bottes en caoutchouc, elle ressemblait à une écolière.

— Avez-vous de ses nouvelles? demanda Robert.

— De Ben? Vous plaisantez.

— Je commence à me demander si nous avons eu raison de l'envoyer là-bas.

— Pourquoi?

— Parce que vous n'êtes pas très heureuse.

— Moi? Je vais très bien! dit-elle en souriant. Bon, on y va?

La ferme des Soames se situait au milieu d'une lande grise qui s'étendait jusqu'aux falaises. De couleur grise aussi, et couverte de lichen, la bâtisse ressemblait à un affleurement rocheux et se fondait parfaitement dans le paysage. On y accédait par un chemin pentu qui serpentait entre des murets de pierre couverts d'aubépines et de mûriers sauvages. La voiture roulait doucement pour éviter les nids-de-poule. Elle franchit un petit pont, effraya des oies et arriva devant la ferme. Dans la cour se pavanait un coq.

Robert coupa le contact. Le vent mollissait et la pluie s'était muée en une sorte de bruine épaisse comme de la fumée. Autour d'eux, on n'entendait que les bruits de la ferme : gloussements de la volaille, meuglements des vaches, tracteur dans le lointain.

— Bon, dit Robert. Nous y sommes. Comment vais-je trouver mon homme?

— Il vit au-dessus de la grange. Un escalier de pierre mène à sa porte.

Des poules au plumage trempé et un gros chat à l'air fatigué occupaient les marches du petit escalier. Une truie s'ébrouait dans la boue de la cour, et cela sentait fortement le fumier.

Robert soupira.

— Qu'est-ce qu'il ne faut pas faire au nom de l'Art!

Résigné, il ouvrit la portière de la voiture.

— Vous voulez venir?

— Je ne crois pas vous être d'une grande utilité.

— Je vais essayer de faire au plus vite.

Elle le regarda traverser la cour de la ferme avec précaution, écarter la truie qui refusait de bouger et gravir lentement les marches. Il frappa à la porte. Comme on ne lui répondait pas, il entra et la porte se referma sur lui.

Presque au même instant, la fermière apparut au rez-de-chaussée. Elle portait des bottes et un grand imperméable noir qui lui tombait sous les genoux. Elle tenait une sorte de canne. Elle s'avança vers la voiture pour voir de qui il s'agissait.

Emma abaissa la vitre.

— Bonjour, madame Soames. C'est moi.

— Qui ça?

— Emma Litton.

Mme Soames émit une exclamation de plaisir et posa la main sur son cœur.

— Emma! Quelle bonne surprise! Ça fait si longtemps qu'on ne t'a pas vue par ici! Qu'est-ce qui nous vaut ta visite?

— Je suis avec un monsieur qui veut parler à Pat Farnaby. Il est monté le voir.

— Ton père est rentré? questionna la fermière.

— Non, il est toujours en Amérique.

— Alors, tu es toute seule ?

— Eh oui. Comment va Ernie ?

— Oh, bien, mais il est en ville aujourd'hui. Il est allé chez le dentiste à cause de son appareil. Il souffre le martyre. C'est moi qui vais rentrer les vaches.

— Je viens avec vous ! s'écria Emma.

— Tu vas être toute mouillée.

— J'ai des bottes, ne vous en faites pas, et puis j'adore marcher.

Emma appréciait beaucoup Mme Soames parce qu'elle était toujours de bonne humeur, quelles que soient les circonstances. Tout en bavardant, elles quittèrent la cour et se dirigèrent vers les prés détrempés.

— Tu étais à l'étranger, non ? fit Mme Soames. Et dès que tu reviens, voilà ton père qui s'en va. Si ce n'est pas malheureux ! Mais je suppose que c'est comme ça quand on est un grand artiste comme lui...

La discussion avec Pat Farnaby ne fut pas aisée, c'est le moins qu'on puisse dire. C'était un jeune homme au regard fiévreux, pâle et mal nourri, aux cheveux couleur carotte et à la barbiche assortie. Il avait des yeux verts, soupçonneux comme ceux d'un chat, et une apparence très négligée, pour ne pas dire repoussante. La pièce était crasseuse elle aussi, mais cela n'étonna pas Robert outre mesure.

En revanche, il ne s'était pas attendu à un accueil aussi désagréable. Quand il travaillait, Pat Farnaby détestait que des inconnus lui fassent une visite impromptue. Robert le pria de l'excuser, et lui expliqua qu'il était là pour affaires. Le jeune homme lui demanda sèchement ce qu'il avait à vendre.

Cachant son exaspération, Robert décida de s'y prendre différemment. D'un geste solennel, il lui tendit la carte de visite de Marcus Bernstein.

— M. Bernstein m'a prié de vous rendre visite et, si possible, de voir vos œuvres. Il désire également connaître vos projets...

— Je n'ai pas de projets, dit l'artiste. Je n'en fais jamais.

Il regardait la carte de visite comme un objet pollué qu'il ne fallait surtout pas toucher, et Robert dut la déposer sur la table déjà encombrée.

— J'ai vu votre tableau à la galerie de Porthkerris, mais il n'y en a qu'un.

— Et après?

Robert toussota. Marcus était infiniment plus doué que lui dans ce genre de discussion, jamais il ne perdait son sang-froid. Robert savait que seules les années permettaient d'acquérir une telle patience — qualité qui lui faisait encore défaut.

— J'aimerais beaucoup voir d'autres toiles.

Pat Farnaby ferma à demi les yeux.

— Comment m'avez-vous trouvé? demanda-t-il d'une voix de criminel traqué.

— La dame de la galerie m'a donné votre adresse, et Emma Litton m'a accompagné pour me montrer le chemin. Vous la connaissez peut-être?

— Je l'ai déjà vue dans le coin.

Tout cela ne menait à rien. Robert profita du silence pour regarder l'atelier en détail. C'était sordide à souhait : un lit défait à moitié effondré, une poêle à frire graisseuse, des chaussettes trempant dans une cuvette, une boîte de conserve dont le contenu était en train de moisir; mais aussi beaucoup de toiles entassées contre les murs et les chaises. Un trésor potentiel que Robert mourait d'envie d'examiner de près. Aussi affronta-t-il le regard fuyant du jeune homme.

— Monsieur Farnaby, je ne dispose pas de beaucoup de temps...

Cette phrase balaya les réticences du peintre qui, subitement, perdit toute son assurance. L'arrogance et la grossièreté étaient ses seules armes face au milieu très sophistiqué de l'art. Il se gratta la tête, fit la grimace et prit au hasard une toile qu'il approcha de l'ampoule suspendue au plafond.

— Il y a celle-là...

Robert tira de sa poche un paquet de cigarettes neuf et le tendit au jeune homme. Farnaby ôta la cellophane, prit une cigarette et l'alluma. Puis, prestement, il enfouit le paquet dans la poche de son pantalon.

—

Robert redescendit au bout d'une heure. Assise dans la voiture, Emma le vit traverser la cour avec prudence. Elle se pencha pour lui ouvrir la portière et, dès qu'il fut au volant, elle lui demanda :

— Tout s'est bien passé?

— Je crois, oui, fit-il d'une drôle de voix.

— Il vous a montré ses toiles?

— Une grande partie.

— Et c'est bien?

— Nous tenons peut-être là quelque chose de formidable, mais dans une telle pagaille... Rien n'est encadré, ni classé chronologiquement...

— J'avais raison, n'est-ce pas? C'est un drôle de type.

— Un cinglé, dit Robert en lui souriant, mais un génie!

Ils démarrèrent et ne tardèrent pas à retrouver la route. Robert sifflotait et Emma comprit qu'il éprouvait la satisfaction d'avoir bien rempli sa mission.

— Vous avez sûrement envie de téléphoner à Marcus, dit-elle.

— Oui, je lui ai promis de l'appeler tout de suite après, dit-il en regardant l'heure. Six heures et quart. Il m'a dit qu'il resterait à la galerie jusqu'à sept heures.

— Si vous voulez, vous pouvez me laisser au carrefour, je rentrerai à pied.

— Pourquoi donc?

— Je n'ai pas le téléphone et vous avez sans doute hâte de rentrer à l'hôtel.

Il sourit.

— Ce n'est pas aussi urgent que cela. Si vous n'aviez pas été là, je continuerais probablement à chercher ce Pat Farnaby dans la campagne. Le moins que je puisse faire est de vous raccompagner.

Ils roulaient sur la lande et dominaient la mer. Le vent s'était calmé et de grandes déchirures bleutées se dessinaient dans le ciel. Un timide soleil pointait.

— La soirée va être très agréable, dit Emma.

Elle l'avait dit comme ça, sans arrière-pensée, mais elle se rendait maintenant compte qu'elle n'avait pas envie de voir partir Robert. Il avait donné un sens à sa journée, l'avait arrachée à la monotonie quotidienne, et elle n'avait pas envie de se retrouver seule.

— Quand pensez-vous rentrer à Londres? lui demanda-t-elle.

— Demain matin, dimanche. Je dois être à la galerie lundi. Je n'aurai pas perdu mon week-end.

82

Il ne restait donc plus que ce soir. Elle l'imagina appelant Marcus de sa chambre avant de prendre un bon bain et de descendre dîner. Le samedi soir, l'hôtel du Château engageait un orchestre et des couples dansaient. Très influencée par Ben, Emma trouvait ce genre de soirée un peu ridicule, mais là, elle avait envie de nappes blanches, de chansons démodées et de lumières tamisées.

Robert lui posa une question qui la tira brusquement de sa rêverie.

— En quelle année votre père vous a-t-il peinte sur cet âne?

— Pourquoi me demandez-vous ça?

— Je repensais à ce tableau. C'est un enchantement, vous avez l'air si solennelle, si importante...

— C'est ainsi que je me sentais, importante. J'avais six ans. C'est la première et dernière fois que j'ai posé pour lui. Le petit âne s'appelait Bourriquet. Original, non? Il nous emmenait pique-niquer à la plage.

— Vous avez toujours habité le cottage?

— Non, seulement depuis le mariage de Ben avec Hester. Avant, on logeait un peu n'importe où, chez des amis, dans des pensions de famille. Parfois, on campait dans l'atelier. C'était plutôt amusant. Mais Hester n'avait pas envie de vivre comme une bohémienne. Elle a acheté les deux maisons de pêcheur et les a transformées pour n'en faire qu'une.

— Elle a fait du bon travail.

— Oui, c'était une femme intelligente. Mais Ben n'a jamais voulu habiter ici. Sa vraie maison, c'est son atelier. Quand il descend à Porthkerris, il passe le moins de temps possible au cottage, où tout lui rappelle Hester. Je crois qu'il a toujours peur de la voir débarquer et lui dire qu'il est en retard, que ses affaires ne sont pas rangées, qu'il a mis de la peinture sur le canapé...

— La créativité semble ne pouvoir s'exprimer librement que dans le désordre, observa Robert d'un air docte.

Emma rit.

— Quand Pat Farnaby sera devenu riche et célèbre grâce à vous, vous pensez qu'il croupira toujours au milieu des poulets de Mme Soames?

— Je n'en sais rien, mais, s'il vient à Londres, il faudra bien que quelqu'un le passe à la douche, lui taille la barbe et lui apprenne les bonnes manières!

Ils roulaient à présent sur la route qui redescend vers Porthkerris. Dans la lumière du soir, la mer avait le bleu translucide des

ailes d'un papillon. C'était marée basse. La pluie avait tout net-
toyé, les champs, la plage, les maisons. Dans les petites rues de la
ville, les fenêtres s'ouvraient à l'air frais et les jardins embau-
maient le lilas.

Toutefois, d'autres odeurs s'y mêlaient, caractéristiques du
samedi soir, celles de poisson frit et de parfum bon marché. Sur
les trottoirs, des jeunes gens se dirigeaient en riant vers le cinéma
ou les petits cafés du port.

Le policier qui s'occupait de la circulation les arrêta au carrefour, et Robert en profita pour observer toute cette jeunesse.

— Emma, que font les amoureux un samedi soir à Porthkerris?

— Cela dépend du temps.

L'agent de police leur fit signe de passer.

— Et nous, qu'allons-nous faire?

— Nous?

— Oui, vous et moi. Voulez-vous que je vous emmène dîner
quelque part?

Un instant, Emma se demanda si elle n'avait pas rêvé tout
haut!

— Euh... je... Vous n'y êtes pas obligé, vous savez, si vous ne
voulez pas...

— Il ne s'agit pas d'une obligation, dit-il, mais d'une envie. Où
voulez-vous aller? A mon hôtel? A moins que vous ne détestiez
cet endroit.

— Non... pas du tout... ça ne me dérange pas...

— Vous connaissez peut-être un Italien plus sympathique?

— Ça n'existe pas à Porthkerris.

— C'est bien ce que je craignais. Vous allez donc devoir supporter les palmiers en pot et le chauffage central.

— Sans parler de l'orchestre, ajouta Emma comme pour le
prévenir d'un terrible danger. Le samedi soir, les gens dansent.

— A vous entendre, c'est très indécent!

— Je me disais que vous détestiez peut-être ce genre de chose,
avoua-t-elle. En tout cas, Ben n'aime pas ça.

— Non, je ne déteste pas. C'est comme tout, vous savez, ça
dépend de la personne avec qui l'on se trouve.

— Je n'y avais pas pensé.

Robert rit et consulta encore une fois sa montre.

— Six heures et demie. Je vous dépose chez vous, ensuite je

rentre à l'hôtel, j'appelle Marcus, je me change et je repasse vous prendre vers sept heures et demie. Cela vous convient?

— Je vous offrirai un verre, dit-elle. J'ai une bouteille de whisky fermier que l'on a offerte à Ben il y a plusieurs années. Il ne l'a jamais ouverte et je me suis toujours demandé quel goût ça pouvait avoir.

— Un cocktail me conviendra tout aussi bien, dit Robert sans grand enthousiasme.

Il prit sa clé à la réception, où trois messages l'attendaient.

— A quelle heure sont-ils arrivés? demanda-t-il.

— L'heure est notée, monsieur, lui dit l'employé. Quatre heures moins le quart, cinq heures et cinq heures et demie. C'est un certain M. Bernstein qui vous appelait de Londres. Il souhaite que vous le rappeliez dès votre retour.

— C'est bien mon intention, merci.

Une telle impatience était inhabituelle de la part de Marcus. Un peu inquiet, Robert gagna sa chambre. Marcus avait-il appris qu'une autre galerie s'intéressait au jeune artiste à qui il venait de rendre visite? Ou alors avait-il, après réflexion, décidé de ne plus travailler avec Farnaby?

Dans sa chambre, les rideaux avaient été tirés, le lit fait, le feu allumé. Il décrocha et donna à la réception le numéro de la galerie. Il relut les trois messages. *M. Bernstein aimerait être rappelé. M. Bernstein a appelé et recommencera un peu plus tard. M. Bernstein...*

— Kent 3778, galerie Bernstein.

— Marcus?

— Robert, Dieu merci, te voilà enfin! Tu as eu mon message?

— Dis plutôt tes messages! Je t'avais promis de t'appeler après ma rencontre avec Farnaby.

— Peu importe Farnaby, c'est autrement plus important. Il s'agit de Ben Litton.

A Paris, elle était tombée en arrêt devant une robe fort coûteuse, qu'elle avait finalement achetée, même si c'était une folie. Elle était noire, sans manches, d'une ligne très pure. « Mais quand aurez-vous l'occasion de porter une telle merveille? » lui avait demandé Mme Lecourt, et Emma lui avait répondu, les yeux rêveurs : « Oh, un jour, un jour... »

Et ce jour très spécial était enfin venu. Les cheveux rassemblés en un chignon parfait, des perles aux oreilles, Emma avait enfilé la robe moulante et noué la minuscule ceinture tressée. Elle s'était regardée dans le miroir, et avait constaté que la petite fortune dépensée ce jour-là ne l'avait pas été en vain.

Quand Robert arriva, elle était dans la cuisine en train de se battre avec le bac à glace du réfrigérateur. Elle entendit la voiture, le claquement de la portière, le grincement du portail, ses pas sur les marches. Paniquée, elle mit les glaçons dans un grand verre et courut l'accueillir. Elle ouvrit la porte et découvrit le ciel pur dans lequel brillaient déjà des dizaines d'étoiles.

— Quelle belle nuit! dit-elle simplement.

— Surprenant, non? Après le vent et la pluie, Porthkerris ressemble un peu à Naples, dit-il en entrant. Et avec la lune qui se lève sur la mer, on s'attendrait presque à entendre un ténor chanter *Santa Lucia*, accompagné à la guitare.

— Nous en trouverons peut-être un!

Il portait un costume gris et une chemise d'un blanc immaculé. Ses cheveux étaient soigneusement coiffés et son eau de toilette sentait la citronnelle.

— Vous préférez toujours un cocktail? Tout est prêt, je n'ai plus qu'à aller chercher la glace...

Elle se rendit dans la cuisine et parla plus fort pour qu'il l'entende.

— Le gin est sur la table, ainsi que le citron. Oh, j'apporte tout de suite le couteau... Quel dommage que Ben ne soit pas là, fit-elle en venant le rejoindre, il adore les cocktails. Evidemment, il se trompe toujours dans les proportions...

Robert ne commenta pas, et Emma se rendit compte que son invité ne semblait pas à l'aise. Il n'avait pas préparé les boissons, ni allumé de cigarette ainsi qu'il le faisait d'ordinaire. Que se passait-il?

Peut-être s'imaginait-elle des choses. Elle lui sourit.

— Vous avez besoin d'autre chose?

— Non, dit Robert en mettant les mains dans ses poches.

Ce n'est pas le geste d'un homme qui s'apprête à confectionner un cocktail. Dans l'âtre, une bûche roula, projetant des flammèches.

Peut-être était-ce le coup de téléphone qui l'avait perturbé.

— Avez-vous parlé à Marcus?

— Oui. En fait, il a essayé de me joindre à plusieurs reprises au cours de l'après-midi.

— Et vous n'étiez pas là. Etait-il content en entendant vos impressions sur Pat Farnaby?

— Il n'appelait pas à propos de Farnaby.

— Non? fit-elle, un peu inquiète. Il n'y a pas de mauvaises nouvelles, j'espère?

— Non, bien sûr que non, mais cela ne va peut-être pas vous faire plaisir. Il s'agit de votre père. Il a appelé Marcus des Etats-Unis, et lui a demandé de vous annoncer qu'hier matin, à Queenstown, Melissa Ryan et lui se sont mariés.

Consciente qu'elle tenait toujours à la main le couteau effilé, Emma le posa délicatement à côté du citron...

Mariés. En entendant ce mot, elle eut l'impression de les voir : Ben, une fleur blanche à la boutonnière de sa veste en velours et elle, Melissa, vêtue de son ensemble rose et portant un voile couvert de confettis. Les cloches de l'église sonnant à toute volée et lançant leur message d'amour dans cette campagne de Virginie dont Emma ne savait rien. Une vision de cauchemar.

Elle se rendit compte que Robert Morrow parlait toujours, d'une voix égale et calme :

— ... Marcus se considère comme responsable, d'une certaine façon. C'est lui qui a estimé que ce vernissage était une excellente idée. Il était avec eux à Queenstown et, bien que les voyant tout le temps ensemble, il ne s'est pas douté un seul instant de ce qui se tramait.

Se rappelant la description que Marcus lui avait faite de la splendide propriété, Emma imagina Ben pris au piège de la fortune de Melissa; les impulsions créatrices du tigre allaient être canalisées par le luxe. Elle comprit alors qu'elle avait sous-estimé Melissa Ryan.

Et cela la rendit furieuse.

— Jamais il n'aurait dû retourner aux Etats-Unis. Ce n'était pas nécessaire. Tout ce qu'il désirait, c'était d'être seul pour se remettre à peindre!

— Emma, personne ne l'a obligé...

— Ce mariage ne donnera rien. Ben n'a jamais réussi à être fidèle à la même femme plus de six mois, et j'imagine mal Melissa Ryan s'accommoder de ce genre de chose.

— Cette fois-ci, dit Robert sans grande conviction, son mariage tiendra peut-être.

— Vous les avez vus vous-même le jour de leur rencontre : ils ne se quittaient pas des yeux. Si elle avait été vieille et laide, rien n'aurait pu l'arracher à Porthkerris.

— Eh oui, mais ce n'est pas le cas, bien au contraire. Elle est belle, intelligente et immensément riche. Si ce n'avait pas été Melissa Ryan, c'aurait été quelqu'un d'autre, tôt ou tard; d'ailleurs, dit-il très vite pour ne pas être interrompu, vous le savez aussi bien que moi!

— Au moins, on aurait passé plus d'un mois ensemble, fit-elle amèrement.

— Oh, Emma, laissez-le vivre!

La façon dont il avait dit cela décupla sa colère.

— C'est mon père! Cela vous dérange que j'aie envie d'être avec lui?

— Ben n'a rien d'un père, pas plus que d'un mari, d'un amant ou d'un ami. C'est un artiste, tout comme ce schizophrène crasseux que nous sommes allés voir cet après-midi. Nos valeurs et nos critères ne représentent rien pour eux. Les gens et les choses sont toujours rejetés au second plan.

— Au *second* plan? Mais j'adorerais y être, même au troisième ou au quatrième plan! Seulement je me suis toujours retrouvée au bout de la file d'attente. Sa peinture, ses aventures, ses perpétuelles récriminations contre la société... Même Marcus et vous avez toujours été plus importants pour Ben que je ne l'ai jamais été!

— Dans ce cas, ne vous occupez pas de lui. Changez-vous les idées, trouvez-vous un job, je ne sais pas, moi.

— C'est ce que je viens de faire, pendant deux ans.

— Alors revenez à Londres avec moi, et installez-vous chez Marcus et Helen, au moins le temps de vous habituer à l'idée que Ben est remarié. Ensuite vous prendrez votre décision.

— Peut-être bien que c'est déjà fait.

Elle nourrissait un projet, enfoui dans un recoin de son esprit. Elle avait l'impression d'assister au changement de plateau d'une pièce de théâtre : lentement, un décor disparaissait côté cour tandis qu'un autre se matérialisait, côté jardin. Un autre décor, une conception différente des choses.

Une autre vie.

— En tout cas, je ne veux pas aller à Londres, ajouta-t-elle.

— Et ce soir?

Emma fronça les sourcils. Elle avait déjà oublié.

— Ce soir?

— Nous dînons ensemble, je crois.

Elle sentit qu'elle ne pourrait pas le supporter.

— Je préférerais remettre à...

— Cela vous changerait les idées.

— Non, et puis j'ai la migraine...

C'était une excuse bien banale, mais elle se rendit compte à son grand étonnement que c'était la vérité. Ses tempes battaient, ses yeux lui faisaient mal. La vision de plats en sauce, de crème glacée et de verres de vin lui donnait la nausée.

— Je vous assure, c'est au-dessus de mes forces...

— Ce n'est tout de même pas la fin du monde, lui dit doucement Robert.

Ce cliché éculé était plus qu'Emma ne pouvait en supporter. Elle se mit à pleurer. Elle pressa les mains sur son visage, comme si ce simple geste pouvait arrêter ses larmes, mais cela ne fit qu'empirer les choses. La douleur l'aveuglait, son cœur était près d'exploser...

Elle l'entendit prononcer son nom et, l'instant suivant, il était auprès d'elle et la serrait dans ses bras pour la réconforter, la laissant pleurer tout son saoul sur son beau costume gris. Et au lieu de se débattre, de chercher à s'éloigner de cet homme dont elle ignorait pratiquement tout, elle resta pelotonnée contre lui, à bercer son chagrin.

Tout ce qu'elle savait, c'est qu'elle le haïssait pour ce qu'il venait de lui faire.

7

Jane Marshall tenait négligemment un verre de scotch dans sa main.

— Et ensuite, que s'est-il passé? demanda-t-elle.

— Rien. Elle ne voulait pas aller dîner et j'ai bien cru qu'elle allait se trouver mal, alors je l'ai mise au lit. Je lui ai donné une boisson chaude avec de l'aspirine, puis je suis rentré dîner à l'hôtel. Le lendemain matin, quand je suis repassé au cottage pour lui dire au revoir, elle était très pâle, mais elle semblait aller mieux.

— Lui avez-vous proposé à nouveau de vous accompagner?

— Bien sûr, mais elle était inflexible. Je suis donc parti. Et depuis, rien! Pas de nouvelles.

— Mais il existe certainement un moyen de savoir où elle est?

— C'est très difficile, car elle n'a pas le téléphone. Marcus lui a écrit, bien entendu, mais elle semble avoir hérité de l'aversion de son père pour les moyens de communication.

— C'est fou, tout de même. A notre époque... Et personne ne peut vous renseigner?

— Non. Emma n'a parlé à personne. Elle n'avait pas de femme de ménage, faisait tout elle-même. Au bout de deux semaines de silence, Marcus en a eu assez. Il a passé un coup de fil au patron du Hérisson amoureux, vous savez, ce pub que Ben fréquente... Emma n'y a pas mis les pieds depuis le départ de son père.

— Vous allez donc devoir retourner à Porthkerris pour mener votre propre enquête, observa Jane.

— Marcus n'en a pas très envie.

— Pourquoi donc?

— Les raisons sont multiples. Emma n'est plus une enfant. Elle souffre, et Marcus respecte son désir de solitude...

— Et puis?

— Eh bien...

— C'est Helen, n'est-ce pas? dit Jane.

— Oui, c'est Helen, dut reconnaître Robert. Elle n'a jamais apprécié l'emprise que Ben exerce sur Marcus. Parfois, elle l'aurait volontiers imaginé au fond de l'océan! Mais elle a tout accepté, parce que dorloter un artiste fait aussi partie du travail de Marcus. Sans lui, Dieu sait ce qu'il serait advenu de Ben Litton.

Jane remua son verre pour faire fondre les glaçons.

— Et vous?

— Quoi, moi?

— Vous vous sentez concerné?

— Pourquoi me demandez-vous cela?

— A vous entendre, on le dirait.

— Je connais à peine cette fille, répliqua-t-il.

— Peut-être, mais vous êtes inquiet pour elle.

Il réfléchit à ce qu'elle venait de dire.

— Oui, avoua-t-il enfin. Je m'inquiète, c'est vrai. Dieu seul sait pourquoi!

Son verre était vide. Jane se leva pour lui verser un autre whisky.

— Robert, si vous alliez seul à Porthkerris? lui suggéra-t-elle.

— Cela ne servirait à rien.

— Pourquoi?

— Parce qu'elle n'y est plus.

— Elle n'y est plus? Mais vous ne m'avez jamais dit ça!

— Après avoir appelé le Hérisson amoureux, Marcus a contacté la police. Ils ont fait une rapide enquête et nous ont rappelés. Le cottage est fermé, de même que l'atelier, et le bureau de poste a reçu l'ordre de garder le courrier.

Il prit le verre que lui tendait Jane.

— Merci.

— Son père est-il au courant?

— Oui, Marcus lui a écrit pour le prévenir, mais on ne peut pas attendre de Ben qu'il remue ciel et terre. Après tout, il est censé être en pleine lune de miel, et sa fille vit seule en Europe depuis l'âge de quatorze ans. N'oubliez pas que cette relation père-fille n'a rien de classique.

— Cela semble évident, soupira Jane.

Robert lui sourit. Jane était une personne apaisante, et c'est pour cette raison qu'il était passé prendre un verre chez elle en revenant de la galerie. D'ordinaire, le double rôle qu'il jouait auprès de Marcus Bernstein, à la fois associé et beau-frère, n'avait rien de désagréable. Mais, pour l'heure, la tension régnait. Robert était rentré de Paris pour trouver Marcus irritable, incapable de se concentrer et de parler d'autre chose que d'Emma Litton. Les deux hommes avaient bavardé, et Marcus lui avait avoué qu'il se sentait extrêmement coupable. Helen, qui en avait plus qu'assez, insistait pour qu'il ne s'impliquât pas davantage dans cette histoire. L'harmonie ne régnait plus à Milton Gardens.

Le climat ne faisait rien pour améliorer la situation. Après un printemps plutôt frisquet, une vague de chaleur s'était abattue sur Londres. Les femmes allaient travailler dans des tenues légères et, dans les bureaux, les hommes tombaient la veste et dénouaient leur cravate. A l'heure du déjeuner, les parcs accueillaient une foule de pique-niqueurs. Le bitume des chaussées fondait et collait aux semelles des souliers.

Pareille à quelque monstrueuse épidémie, la chaleur avait même envahi les salles paisibles de la galerie Bernstein. Toute la journée, un flot incessant de visiteurs et de clients potentiels s'était écoulé devant les toiles exposées. Les touristes américains venaient d'arriver et la haute saison démarrait pour les galeristes.

En fin de journée, épuisé, Robert avait repris sa voiture. Que n'aurait-il pas donné pour voir un visage ami, boire un verre et bavarder de tout et de rien, mais surtout pas d'impressionnisme ou de réalisme, de Renaissance italienne ou de pop'art!

Jane Marshall s'était immédiatement imposée à son esprit.

Sa maison se trouvait dans une petite ruelle à mi-chemin de Sloane Square et de Pimlico Road. Il s'était garé en donnant deux coups de klaxon. Aussitôt, elle était apparue à la fenêtre du premier étage et s'était penchée pour voir qui venait d'arriver, souriante, les cheveux dans les yeux.

— Robert! Je vous croyais toujours à Paris.

— J'y étais encore avant-hier. Vous n'auriez pas un verre d'alcool fort à offrir à un travailleur épuisé?

— Mais bien sûr que si! Attendez, je descends.

La minuscule maison de Jane l'avait toujours charmé. C'était à l'origine la demeure d'un cocher. Un escalier très raide conduisait au premier étage, où se trouvaient le salon et la cuisine. Au-dessus, sous les toits, la chambre et la salle de bains se partageaient l'espace. Un appartement peu pratique et qui était devenu un sujet de plaisanterie, surtout depuis qu'elle s'était lancée dans l'architecture d'intérieur.

Jane était enchantée de le voir. Elle avait passé sa matinée avec une femme épouvantable qui voulait faire décorer dans les tons crème toute sa maison de St. John's Wood. Ensuite, elle avait discuté avec une jeune actrice dans le vent qui, elle, rêvait de tout faire démolir.

— Pendant des heures, elle m'a montré des croquis de ce qu'elle désirait, expliqua Jane. J'ai essayé de lui dire qu'elle avait besoin d'un bulldozer, pas d'un décorateur, mais elle ne voulait rien entendre. Un whisky?

— Ça, dit Robert en s'effondrant sur le canapé, c'est le mot le plus aimable que j'aie entendu depuis ce matin!

Elle prépara deux verres, lui apporta des cigarettes et un cendrier et prit place en face de lui. C'était une très jolie jeune femme. Elle avait des cheveux blonds et des yeux verts, un nez bien dessiné et une bouche agréable, quoique implacable. Son mariage malheureux avait laissé des traces indélébiles sur son caractère et elle ne se montrait pas toujours très tolérante, même si sa franchise était plutôt à mettre au nombre de ses qualités.

— J'étais venu avec la ferme intention de ne pas parler travail, dit-il. Comment se fait-il que nous parlions encore de Ben Litton?

— C'est ma faute. J'étais intriguée. Chaque fois que je vois Helen, elle laisse des phrases en suspens et refuse de s'expliquer. Cette histoire l'ennuie vraiment, n'est-ce pas?

— Elle aime tellement Marcus...

— Est-ce qu'elle connaît Emma?

— Elle ne l'a pas revue depuis son départ pour la Suisse. C'était il y a six ans.

— C'est difficile de juger équitablement des gens que l'on ne connaît pas bien, dit Jane.

— C'est aussi difficile quand on les voit tous les jours. Et maintenant...

Il se pencha pour écraser sa cigarette dans le cendrier.

— Ne parlons plus de tout ça, reprit-il. Tenez, mettons-nous d'accord pour ne plus aborder ce sujet de la soirée. Vous comptiez sortir?

— Je n'avais rien prévu.

— Dans ce cas, nous pourrions trouver un restaurant avec terrasse ou jardin intérieur, et dîner tranquillement ensemble, non ?

— Ce serait avec plaisir.

— Je vais appeler Helen et lui dire que je ne rentre pas...

— Et moi, dit Jane en se levant, je vais prendre une douche et me changer. Je n'en ai pas pour longtemps. Faites comme chez vous, servez-vous un autre verre. Le journal du soir doit se trouver par là...

Elle monta, et il l'entendit marcher sur le sol carrelé de la salle de bains. Elle chantait doucement. Il se leva et chercha le téléphone, enfoui sous des coussins, afin de prévenir sa sœur. Ensuite, il s'octroya un autre whisky, défit sa cravate et s'installa sur le canapé.

Avec le whisky, la fatigue de la journée s'était changée en une langueur délicieuse. Le journal dépassait de dessous un coussin chamarré. Il s'en empara et constata qu'il ne s'agissait pas de l'*Evening Standard*, mais de *L'Information du spectacle*.

— Jane ?

— Oui ?

Elle s'apprêtait à redescendre.

— Je ne savais pas que vous receviez *L'Information du spectacle*.

— Je ne l'achète jamais.

— Vous l'avez, pourtant.

— Ah oui ? dit-elle, peu intéressée. Oh, ce doit être Dinah Burnett qui l'a oublié là. Vous savez, cette actrice qui a besoin d'un bulldozer !

Il l'ouvrit négligemment et parcourut les petites annonces, le sourire aux lèvres. Puis il passa à la page des créations théâtrales. A Birmingham, on jouait Shakespeare. A Manchester, une comédie musicale. A Brookford, une...

Brookford.

Ce nom lui fit l'effet d'une gifle. Il se redressa, ouvrit tout grand le journal et entreprit de lire l'article.

La saison estivale du théâtre de Brookford s'est ouverte cette semaine avec la première mondiale de Fleurs des champs, *comédie en trois actes dont l'auteur n'est autre que le dramaturge local, Phyllis Jason. Cette pièce, légère et vive, permet d'applaudir Charmian Vaughan dans le rôle principal, celui de la jeune Stella. Les autres rôles sont* secondaires, mais l'on remarque tout particulièrement *John Rigger*, *Sophie Lambart* et *Christopher Ferris*, qui contribuent à mener l'action jusqu'à son paroxysme. *Signalons également Sara Rutherford, d'un naturel charmant dans le rôle de la fiancée. La mise en scène de Tommy Childers est intelligente et bien rythmée, tandis que le décor de Brian Dare a déclenché les applaudissements spontanés d'un public enthousiaste.*

Christopher Ferris.

Il reposa lentement le journal et alluma une cigarette. Christopher Ferris. Il n'avait plus repensé à ce garçon.

De ses souvenirs émergeait la voix d'Emma. C'était le jour de leur rencontre, quand il l'avait emmenée déjeuner chez Marcello.

Et Christopher, son fils, vous le connaissez? Parce que c'est tout à fait par hasard que nous nous sommes retrouvés à Paris. Nous ne nous sommes pas quittés pendant deux jours, et il m'a accompagnée au Bourget.

Il se rappela aussi le sourire qui éclairait son visage, l'étincelle soudaine dans ses yeux.

Plus tard, dans l'atelier un peu triste de Porthkerris, ils avaient reparlé de Christopher, brièvement, comme si ce n'était qu'un banal sujet de conversation.

Il doit être en train de répéter à Brookford, il n'a sûrement pas le temps d'écrire.

Il se leva et s'approcha de l'escalier.

— Jane?

— Oui?

— Vous en avez pour longtemps?

— Un peu de rouge à lèvres et ça ira.

— Où se trouve Brookford?

— Dans le Surrey.

— Combien de temps faut-il pour y aller?

— A Brookford? Je ne sais pas, trois quarts d'heure environ.

— Si nous partons tout de suite, dit-il en consultant sa montre, nous ne devrions pas être trop en retard.

Jane apparut au sommet de l'escalier, une brosse à cheveux à la main.

— En retard pour quoi?

— Nous allons au théâtre!

— Je croyais que nous devions dîner?

— Plus tard. Nous allons d'abord à Brookford pour voir une comédie vive et légère intitulée *Fleurs des champs*...

— Vous avez perdu la tête ?

— C'est l'œuvre du dramaturge local, Phyllis Jason.

— Vous avez perdu la tête, c'est sûr.

— Je vous expliquerai tout en chemin.

Alors qu'ils roulaient sur la M4, Jane dit :

— Il n'y a donc que vous qui soyez au courant de l'existence de ce jeune homme ?

— Emma n'en a pas parlé à Ben parce qu'il ne l'a jamais aimé. Helen dit même qu'il était jaloux de lui.

— Et Emma n'en a pas parlé à Marcus Bernstein ?

— Je ne crois pas.

— Pourtant, elle vous en a parlé.

— Oui, et nous ne nous connaissions que depuis peu. Je me demande pourquoi je n'ai pas repensé plus tôt à cette conversation.

— Est-elle amoureuse de lui ?

— Je l'ignore. En tout cas, elle l'apprécie beaucoup.

— Vous pensez que nous la trouverons à Brookford ?

— Je l'ignore aussi, mais je vous parie que Christopher Ferris a des nouvelles, lui.

Jane ne répondit pas. Après quelques minutes, il ajouta, les yeux rivés sur la route qui défilait :

— Pardonnez-moi, je ne voulais pas que l'on reparle de tout ça, et voilà que je vous entraîne au fin fond du Surrey.

— Pourquoi avez-vous tant envie de retrouver Emma Litton ? lui demanda Jane.

— Pour que Marcus retrouve sa sérénité.

— Je vois.

— Si Marcus redevient comme avant, Helen se détendra et la vie sera bien plus agréable pour tout le monde.

— C'est vrai... Tenez, je crois que l'on devrait tourner ici.

Le théâtre de Brookford n'était pas d'un accès facile. Ils empruntèrent la rue principale dans les deux sens, avant de demander leur chemin à un agent de police en manches de chemise. Il les expédia à un kilomètre du centre-ville et là, tout au fond d'une impasse, ils aperçurent une bâtisse qui ressemblait plus à une mission évangélique qu'à autre chose. Mais il n'y avait pas de doute, le mot THÉÂTRE brillait en lettres de néon au-dessus de la porte d'entrée.

Quelques voitures étaient garées là. Deux petites filles jouaient avec un vieux landau.

Les affiches étaient sobres.

CRÉATION MONDIALE

FLEURS DES CHAMPS

par PHYLLIS JASON

Comédie en trois actes

Mise en scène : Tommy Childers

Jane secoua la tête. La façade du théâtre ne l'inspirait pas, le titre de la pièce non plus.

Robert la prit par le bras.

— Allez, venez...

Ils grimpèrent quelques marches de pierre et pénétrèrent dans un petit hall. La caisse faisait face au kiosque du marchand de cigarettes et de friandises. Une jeune fille tricotait derrière le comptoir.

— Je suis désolée, la pièce est déjà commencée, dit-elle quand Robert et Jane s'approchèrent d'elle pour acheter leurs billets.

— C'est ce que nous craignions, mais je vais quand même prendre deux places.

— Quelle catégorie?

— Oh... euh, des fauteuils d'orchestre.

— Cela fera quinze shillings. Il vous faudra attendre le deuxième acte.

— On peut prendre un verre quelque part?

— Il y a un bar au premier.

— Merci beaucoup, dit-il en ramassant les billets et la monnaie. Je pense que vous connaissez tous ceux qui travaillent ici.

— Euh, oui...

— Christopher Ferris...

— Oh, c'est un de vos amis?

— Disons l'ami d'une amie. Je me demandais si sa sœur était là... enfin, sa demi-sœur, je ne sais comment dire. Elle s'appelle Emma Litton.

— Emma travaille ici.

— Elle travaille *ici*, au théâtre?

— Oui, elle est assistante du metteur en scène. L'assistante habituelle a fait une crise d'appendicite aiguë, et il a fallu lui trouver une remplaçante. Emma s'est proposée, expliqua la jeune fille avant de prendre un ton plus professionnel. D'ordinaire, M. Childers n'accepte pour ce poste que des gens sortis du conservatoire ou qui ont déjà une certaine expérience, mais il l'a tout de même engagée. C'est provisoire, naturellement.

— Je vois. Pensez-vous qu'on pourrait la voir?

— Bien sûr, mais seulement après la représentation, M. Childers ne supporte personne en coulisse.

— Je comprends. Nous attendrons. Merci beaucoup.

Ils empruntèrent l'escalier et se retrouvèrent dans un grand foyer avec un bar d'angle. Ils s'installèrent à une petite table, et burent de la bière en bavardant avec le barman jusqu'au moment où des applaudissements crépitèrent. C'était la fin du premier acte. Les spectateurs vinrent se rafraîchir. Quand une sonnerie annonça l'imminence du deuxième acte, Robert et Jane descendirent, achetèrent des programmes et une jeune fille les plaça. Le public était plus que clairsemé. Ils étaient les seuls au troisième rang.

Jane considérait les lieux avec l'œil de la professionnelle.

— C'était certainement une mission, dit-elle. Personne n'aurait jamais construit un théâtre aussi laid, mais je dois dire qu'ils ont bien aménagé l'espace. Dommage qu'il y ait aussi peu de spectateurs...

Le rideau se leva sur le deuxième acte. « Le salon de Mme Edbury, dans le Gloucestershire », disait le programme. Le salon était là, en effet, jusqu'au plus petit détail, avec ses portes-fenêtres, son escalier, son canapé, ses tables basses couvertes de magazines (pour que la maîtresse des lieux les feuillette négligemment quand elle n'avait rien à dire?) et ses trois portes.

— Une pièce pleine de courants d'air, murmura Jane.

— Ils auraient intérêt à fermer les portes-fenêtres.

Mais celles-ci devaient rester ouvertes, et c'est par l'une d'elles qu'entra l'ingénue (*Sara Rutherford, d'un naturel charmant dans le rôle de la fiancée*). Elle se jeta sur le canapé et s'effondra en sanglots. Jane, ahurie, écarquilla les yeux pendant que Robert s'enfonçait davantage dans son fauteuil.

C'était une pièce lamentable et, même s'ils avaient assisté au premier acte et de ce fait réussi à comprendre l'intrigue d'une complexité rare, la pièce aurait tout de même été épouvantable. Elle regorgeait de clichés, de personnages stéréotypés (il y avait même une femme de ménage comique), d'entrées et de sorties inutiles et, naturellement, de coups de téléphone. Jane en compta huit pendant le deuxième acte.

Quand le rideau retomba, Robert dit :

— Allons prendre un autre verre. Personnellement, il me faut au moins un double cognac !

— Moi, je ne bouge pas, dit Jane. Je ne veux pas rompre l'enchantement. J'avais sept ans la dernière fois que j'ai vu ce genre de pièce, cela m'emplit de nostalgie. En tout cas, il y a quelque chose qui détonne vraiment.

— Oui ?

— Christopher Ferris. Il est excellent.

C'était la vérité. Quand il avait fait son entrée dans le rôle de l'étudiant qui arrache la jeune fille à son fiancé courtier en Bourse, la pièce avait connu une étincelle de vie. Son texte n'était pas meilleur que celui de ses camarades, mais il le disait avec justesse et ses répliques sonnaient vrai... Son costume, lui aussi stéréotypé — pantalon de velours, grand pull et petites lunettes —, ne parvenait pas à dissimuler son élégance naturelle, et encore moins son charme.

— Il n'est pas seulement excellent, poursuivit Jane Marshall, il est aussi très séduisant. Je comprends pourquoi Emma était si heureuse de le retrouver à Paris. Moi-même, qui ne le connais pourtant pas, si je le rencontrais par hasard...

Le décor demeurait inchangé au troisième acte, mais la nuit était tombée. La lueur bleutée de la lune baignait le salon. La petite fiancée descendit l'escalier sur la pointe des pieds avec sa grande valise. Robert ne savait plus si elle avait décidé de s'enfuir ou non. Il attendit l'arrivée de Christopher pour comprendre. Il regarda les moindres gestes du jeune homme, écouta tout ce qu'il disait, plein d'admiration. Christopher avait conquis le public. Il pouvait faire n'importe quoi. Les spectateurs éclatèrent de rire quand il se gratta la tête, et applaudirent frénétiquement quand il ôta ses lunettes pour embrasser la jeune fille. Un silence dramatique se fit quand il quitta la scène. A la fin du spectacle, tous les rappels étaient pour lui, c'était évident.

— Et maintenant ? demanda Jane.

— Le bar ne ferme que dans une dizaine de minutes, allons prendre un verre.

Ils retournèrent donc au foyer.

— Cela vous a plu, monsieur? demanda le barman.

— Eh bien, euh...

Jane vola à son secours.

— Je trouve cela très intéressant, mais, surtout, je suis tombée amoureuse de Christopher Ferris.

— Il mérite le détour, non? Dommage que vous soyez venus ce soir où il n'y a pratiquement personne. M. Childers espérait que la réputation de Phyllis Jason attirerait les foules, mais que peut-on faire contre une vague de chaleur?

— C'est plein, d'habitude? lui demanda Jane.

— Oh, ça ne désemplissait pas pour *Les Rôdeurs et les villes*, la pièce précédente.

— J'en ai entendu parler, dit Robert.

— Christopher Ferris jouait dedans?

— Oui, un petit rôle, celui du tueur à gages, mais on ne voyait que lui...

Le barman regarda la pendule tout en essuyant ses verres.

— Excusez-moi, mais je dois fermer.

— Bien sûr. Comment rejoint-on les coulisses? Nous voudrions voir Emma Litton.

— Il faut retraverser la salle. Vous trouverez une petite porte sur la droite de la scène. Mais faites attention à M. Collins, le régisseur de plateau; il n'aime pas beaucoup les inconnus.

— Merci, lui dit Robert. Et bonsoir.

Dans le théâtre, le rideau était ouvert et le décor leur apparut, une fois de plus. Privé des éclairages, le salon de Mme Edbury avait perdu son charme désuet. Un jeune homme déplaçait le canapé, un autre rangeait les magazines disposés sur les tables basses. La vendeuse de programmes passait entre les rangs et ramassait les papiers de bonbons et les paquets de cigarettes vides.

— Il n'y a rien de plus déprimant qu'un théâtre vide, dit Jane.

Ils s'approchèrent de la scène. Robert s'aperçut alors que ce n'était pas un jeune homme mais une jeune fille qui manipulait le lourd canapé.

Quand il fut assez près, il dit:

— Pardonnez-moi, mais je cherche quelqu'un...

La jeune fille se retourna, et Robert se retrouva face à Emma Litton.

8

Après une interminable minute de silence, Emma abandonna toute tentative pour déplacer le canapé. La lumière froide de la scène n'était pas flatteuse et Robert trouva la jeune fille trop grande, trop maigre, avec ses avant-bras qui ressemblaient à des baguettes. Mais le pire, c'étaient ses cheveux : elle les avait fait couper très court et semblait maintenant très vulnérable.

A la manière d'un animal traqué, elle paraissait hésiter entre dire le premier mot et s'enfuir à toutes jambes. Il glissa les mains dans ses poches pour se donner une contenance.

— Bonjour, Emma.

Elle ébaucha un vague sourire.

— Ils ont dû le rembourrer avec des billes de plomb, dit-elle en lui montrant le canapé.

— Personne ne peut vous offrir de l'aide ? demanda-t-il en s'approchant du bord de scène. Ça m'a l'air drôlement lourd.

— Quelqu'un va venir, ne vous inquiétez pas.

Elle ne savait pas quoi faire de ses mains. Elle les frotta sur son jean comme si elles étaient sales, puis croisa les bras. C'était un mouvement défensif des plus étranges, qui faisait saillir ses clavicules sous son pull-over.

— Que faites-vous ici ?

— Nous sommes venus voir *Fleurs des champs*. Voici Jane Marshall. Jane... Emma...

Les deux femmes se sourirent en hochant la tête, puis Emma s'adressa à Robert.

— Vous... vous saviez que j'étais là ?

— Non, mais sachant que Christopher jouait dans cette pièce, je me suis dit que vous pourriez vous trouver dans les parages.

— Je travaille ici depuis quelque temps, ça m'occupe.

Robert ne fit aucun commentaire. Peut-être déconcertée par son silence, Emma s'assit brutalement sur le canapé qu'elle était censée déménager. Ses mains pendaient lamentablement entre ses genoux.

— C'est Marcus qui vous envoie? dit-elle au bout d'un moment.

— Non, je voulais simplement savoir comment vous alliez.

— Eh bien... ça va.

— A quelle heure finissez-vous?

— Dans une demi-heure. Il faut que je prépare le plateau pour la répétition de demain. Pourquoi?

— J'ai pensé que nous pourrions aller ensemble manger quelque chose et boire un verre. Jane et moi n'avons pas eu le temps de dîner.

— C'est très gentil à vous! fit-elle d'un air qui trahissait son manque d'enthousiasme. Mais c'est que... euh... d'habitude, je laisse quelque chose au four... Johnny et Christo ne mangeraient jamais, autrement. Il faut que je rentre, sinon ça va brûler.

— Johnny?

— Johnny Rigger, le fiancé dans la pièce. Vous voyez? Il vit avec Christo... et moi.

— Je vois.

Il y eut un autre silence. Emma, bien que désemparée, s'efforçait de paraître polie.

— Je vous aurais bien dit de venir, mais il ne reste pas grand-chose à boire, quelques canettes seulement...

— Nous adorons la bière, dit très vite Robert.

— ... et l'appartement est très mal rangé, on n'a jamais le temps de faire le ménage à fond.

— Nous ne regarderons pas. Bon, comment fait-on pour y aller?

— Euh... vous avez une voiture?

— Elle est garée juste devant.

— Dans ce cas... attendez-nous, Christo et moi; on vous rejoint dans peu de temps. Enfin, si ça vous convient.

— Très bien. Et Johnny?

— Il viendra par ses propres moyens.

— D'accord, nous vous attendrons.

Il retira les mains de ses poches et se dirigea vers la sortie, accompagné de Jane. Au moment où ils allaient franchir la porte à double battant donnant sur le hall, des éclats de voix retentirent sur scène.

— Bon Dieu, où est-elle encore passée, celle-là?

Robert eut le temps de voir Emma bondir du canapé comme un diable hors de sa boîte, et essayer une fois de plus de déplacer ce meuble très lourd. Un petit homme barbu était apparu sur scène. Avec son air furieux, il avait tout d'un pirate.

— Je t'ai dit de me bouger ce canapé, pas de dormir dessus! Ah, vivement que l'autre fille revienne! Je n'ai que faire d'une empotée pareille!

Robert avait le choix : monter sur scène et envoyer son poing dans la figure de cet individu, ou bien disparaître. Pour le bien d'Emma, il opta pour la seconde solution.

Les portes claquèrent derrière lui. Ils se trouvaient à présent dans le hall, mais les éclats de voix se poursuivaient :

— ... Tu ne connais pas le boulot, d'accord, mais tu es surtout la reine des...

— Charmant, dit Jane.

En descendant les marches, Robert ne fit aucun commentaire tant sa fureur était grande. Puis, quand il se fut enfin calmé, il dit :

— Ce doit être Collins, le régisseur de plateau. Quel sale type...

Ils marchèrent jusqu'à la voiture. Une sorte de brume enveloppait la petite ville endormie, mais la chaleur du jour ne s'était pas dissipée. Au-dessus d'eux, l'enseigne du théâtre brillait encore, mais quelqu'un l'éteignit juste au moment où ils montaient dans la voiture. La soirée était terminée. Robert attrapa ses cigarettes, en offrit une à Jane et en prit une pour lui. Il recouvrait peu à peu son calme.

— Elle s'est coupé les cheveux, dit-il.

— Vraiment? Comment étaient-ils avant?

— Longs, noirs, soyeux...

— Elle n'a pas très envie qu'on vienne, vous vous en rendez compte, j'espère.

— Oui, mais il le faut pourtant. Nous ne nous attarderons pas.

— J'ai horreur de la bière.

— Je suis désolé. On vous proposera peut-être un café.

— ... Ce n'est quand même pas un boulot qui demande beaucoup de jugeote, non? Le premier imbécile sorti du conservatoire y arriverait!

Collins était tombé à bras raccourcis sur la malheureuse Emma. Après toutes les tensions de la journée, il avait besoin de se défouler sur quelqu'un — et elle était l'heureuse élue. Il détestait Emma. Cela avait sans doute à voir avec Christopher, mais, plus encore, avec le fait qu'elle avait un père célèbre et talentueux. Au début, elle avait essayé de répliquer, mais elle avait vite compris que cela ne servait à rien. Personne ne pouvait discuter avec Collins. Elle se contentait donc d'écouter et de faire tant bien que mal son travail, sans lui montrer que ses paroles la blessaient cruellement.

— ... Si tu bosses ici, c'est uniquement parce que Tommy avait besoin de quelqu'un. Christo n'y est pour rien, et que tu sois la fille d'un type dont les croûtes se vendent vingt mille livres, je m'en moque! Quant à tes snobinards de copains, tu leur diras d'attendre dans le hall la prochaine fois qu'ils condescendront à assister à notre humble spectacle! Bon, maintenant, tu vas me bouger ce canapé!

Il était près de onze heures quand Collins consentit enfin à la laisser partir. Christo l'attendait dans le bureau de Tommy Childers. La porte était ouverte et elle les entendit bavarder. Elle frappa et passa la tête.

— Je suis prête. J'ai été retardée, excuse-moi.

Christo se leva.

— Ça ne fait rien, dit-il en écrasant sa cigarette. Bonsoir, Tommy.

— Salut, Christo.

— Merci pour tout.

— Mais de rien, mon vieux.

Ils empruntèrent le couloir qui conduisait à la scène. Tout en marchant, Christo la prit par les épaules. Leurs corps se touchaient, et bien qu'il fît trop chaud pour se tenir serrés, elle trouva cela réconfortant. Dans la ruelle qui longeait le théâtre, il s'arrêta près des poubelles et alluma une autre cigarette.

— Tu en as mis, du temps, lui dit-il. Collins en avait encore après toi?

— Il était furieux que Robert Morrow soit venu me voir.

— Robert Morrow?

— C'est l'associé de Marcus à la galerie Bernstein, et aussi son beau-frère. Tu sais bien, je t'en ai parlé. Il a assisté à la représentation, ce soir, avec une amie.

Christo la regardait fixement.

— Qu'est-ce qu'il est venu voir, la pièce ou toi?

— Nous deux, je crois.

— Il ne peut pas t'emmener de force. Tu n'es plus mineure!

— Bien sûr que non.

— Alors, pas de problème.

— Non, mais j'ai parlé un peu trop vite, et je les ai invités à la maison. Je ne m'en suis rendu compte qu'après. Ils nous attendent dans leur voiture. Oh, Christo, je suis désolée...

Il rit.

— Mais ça n'a *aucune* importance!

— Ils ne resteront pas très longtemps.

— Même s'ils restaient toute la nuit, il n'y a pas de quoi en faire un drame.

Il la prit dans ses bras et l'embrassa sur la joue. La journée aurait été parfaite si elle avait pu s'achever à cet instant. Malheureusement... Emma avait peur de Robert. Elle était trop fatiguée pour batailler avec lui, pour répondre à ses questions, pour tenter de fuir son regard gris si perçant. Elle se sentait également incapable de rivaliser avec son amie blonde, si jolie, et particulièrement séduisante dans sa robe bleu marine sans manches. Enfin, le courage lui manquait pour nettoyer l'appartement, ranger les manuscrits, les vêtements et les verres vides, ouvrir des bières et préparer du café...

Christo frotta son menton contre sa joue.

— Qu'est-ce qui se passe? lui demanda-t-il doucement.

— Rien.

Il n'aimait pas l'entendre dire qu'elle était fatiguée. Lui-même ne l'étant jamais, il ne connaissait pas la signification de ce mot.

— Nous avons passé une bonne journée, non? lui murmurat-il à l'oreille.

— Oui, fit-elle en se dégageant.

Bras dessus bras dessous, ils marchèrent jusqu'au bout de la ruelle. En entendant leurs voix, Robert sortit de la voiture pour les accueillir. Ils apparurent dans la lumière d'un lampadaire : Emma tirait sur son pull et Christo transportait plusieurs manuscrits. Ils se comportaient comme des amants.

— Bonjour, dit Christopher, le sourire aux lèvres.

— Christo, voici Robert Morrow et Mlle Marshall...

— Madame, rectifia Jane en se penchant pour lui serrer la main.

— Excusez-nous de vous avoir fait attendre, dit Christopher, mais Emma vient seulement de me mettre au courant. Elle se faisait passer son savon quotidien par Collins. Alors, il paraît que vous venez prendre un pot ? Je crois que nous n'avons que de la bière...

— C'est parfait, dit Robert. Vous nous montrez le chemin ?

L'appartement était situé au sous-sol d'une maison victorienne qui, visiblement, avait connu des jours meilleurs. Comme toutes les bâtisses voisines, elle était ornée de pignons et de vitraux, mais la rue était étroite et les rideaux des fenêtres du rez-de-chaussée si sales qu'elle en perdait tout son cachet. Des marches de pierre usée menaient à une petite cour où des géraniums malingres trônaient entre deux poubelles. Un énorme chat noir poussa un miaulement de fureur et s'enfuit entre les jambes de Jane.

Christopher ouvrit la porte et alluma la lumière. Des ampoules nues pendaient au plafond, la location meublée ne comprenant pas les lampes. Johnny avait bien entrepris d'en fabriquer une paire avec des bouteilles de chianti, mais il n'avait pas encore commencé l'armature des abat-jour. Malgré la transformation qu'avait subie ce sous-sol, on devinait que les pièces avaient été à l'origine des cuisines, des celliers ou des buanderies. On voyait encore les traces laissées par un vieux fourneau mural, mal dissimulées par des étagères que nul n'avait pris la peine de repeindre et qui ployaient sous les livres, les magazines, les paquets de cigarettes et une collection impressionnante de scénarios. Un divan, couvert d'un plaid orange et parsemé de coussins chichement rembourrés, faisait office de lit. Deux chaises de cuisine branlantes et une table pliante posées sur un tapis élimé dont on ne distinguait plus la couleur complétaient le mobilier. Les murs avaient été blanchis à la chaux, ce qui n'empêchait pas les taches d'humidité de ressortir. Une affiche de corrida rebiquant aux quatre coins ne parvenait pas à les dissimuler. Cela sentait la souris et le moisi. Même par cette chaude nuit, l'atmosphère était humide, comme dans une cave à vin.

Christopher posa son manuscrit sur la table et ouvrit la fenêtre, protégée par des barreaux d'acier.

— Un peu d'air nous fera du bien. Il faut fermer en permanence à cause des chats, qui ne se gêneraient pas pour élire domicile dans les placards! Que voulez-vous boire?... Il reste de la bière, si Johnny n'a pas tout bu... A moins que vous ne préfériez un café. Tu as du café, Emma?

— De l'instantané seulement, étant donné qu'il n'y a pas de cafetière. Prenez place... Asseyez-vous sur le lit. Tenez, voilà des cigarettes...

Elle montra une boîte contenant une cinquantaine de cigarettes, et Robert en alluma une tandis qu'elle cherchait un cendrier. Comme elle n'en trouvait pas, elle emprunta le petit couloir qui conduisait à la cuisine, afin d'y trouver des soucoupes. L'évier regorgeait d'assiettes sales qu'elle regarda d'un air étonné, comme si elle ignorait qu'elles s'entassaient là depuis plusieurs jours.

Elle était lasse. Il lui semblait que cette journée ne se terminerait jamais. Il était plus de onze heures du soir, et il fallait encore préparer à manger aux garçons, faire bouillir de l'eau pour le café, chercher l'ouvre-bouteille...

Elle parvint à mettre la main sur deux soucoupes propres. Christopher avait mis un disque. Il ne pouvait rien faire, pas même parler, sans un fond sonore. Jane trouva assez jolie la mélodie du chanteur français.

Le monde est gris, le monde est bleu
Et la tristesse brûle mes yeux...

Ils parlaient de *Fleurs des champs*.

— ... Si vous êtes capable d'insuffler de la vie dans un texte comme celui-ci, disait Jane, je suis sûre que vous irez très loin...

Emma posa le cendrier et Jane la regarda.

— Merci. Je peux vous aider?

— Non. Je vais chercher des verres. Voulez-vous de la bière ou préférez-vous du café?

— Du café, si cela ne vous dérange pas, bien sûr.

— Non, pas du tout... Moi aussi, j'en prendrai...

De retour dans la cuisine, Emma ferma la porte pour que l'on ne l'entende pas remuer la vaisselle, passa un tablier et mit de l'eau à bouillir. Elle réussit à dénicher un plateau, des tasses et des soucoupes, le café, le sucre, et les canettes de bière sous l'évier. Des blattes couraient sur le sol et Johnny n'avait pas vidé les ordures. Elle prenait le seau pour aller le vider dans la poubelle lorsque la porte s'ouvrit. Elle se retrouva face à Robert Morrow.

Il regarda le seau.

— Que faites-vous avec ça?

— Rien, dit Emma, furieuse d'avoir été surprise ainsi.

Elle voulut le remettre à sa place sous l'évier, mais Robert le lui prit des mains. Avec dégoût, il en regarda le contenu, un mélange de feuilles de thé, de mégots et de canettes de bière.

— Où est-ce que ça doit aller?

— Dans la poubelle de la cour.

Il sortit vider le seau, l'air un peu ridicule, et Emma reprit sa place devant l'évier. Elle s'en voulait de l'avoir invité. Il n'avait rien à faire à Brookford, il n'avait sa place ni dans le théâtre ni dans cette maison. Elle ne voulait pas qu'il s'inquiète pour elle. D'ailleurs, pour quelle raison? Elle était heureuse, non? Elle vivait avec Christo, et c'est tout ce qui importait. Leur mode de vie ne regardait en rien *monsieur* Robert Morrow.

Elle se prit à espérer que la jeune femme raffinée et lui-même seraient partis avant le retour de Johnny.

Quand Robert revint après avoir vidé la poubelle, elle essaya de lui faire comprendre qu'elle était très occupée.

— Merci, dit-elle sans se retourner. Je n'en ai que pour un instant.

Elle espérait qu'ainsi il la laisserait seule. Mais il referma la porte, posa le seau par terre et prit Emma par les épaules. Il était vêtu d'un costume léger très élégant, et Emma lui faisait face, une éponge et une assiette à la main. Il l'obligea à le regarder au fond des yeux.

— Je regrette que vous soyez là, dit-elle. Pourquoi êtes-vous venu?

— Marcus s'inquiète beaucoup à votre sujet.

Il la débarrassa de ses ustensiles de cuisine et les jeta dans l'évier déjà trop plein.

— Vous auriez peut-être pu le prévenir.

— Eh bien, vous pourrez le rassurer maintenant. Ecoutez, Robert, j'ai beaucoup de choses à faire et il n'y a pas de place pour deux dans cette cuisine...

— Vraiment?

Il souriait. Il s'assit sur le coin de la table, et leurs visages se trouvèrent à la même hauteur.

— Vous savez, lui dit-il, ce soir, quand je suis revenu dans le théâtre, je ne vous ai même pas reconnue. Pourquoi vous êtes-vous coupé les cheveux?

Il pouvait être très désarmant. Emma posa une main sur sa nuque.

— Ils me gênaient beaucoup pour travailler. Il a fait très chaud; ils me tombaient tout le temps devant les yeux et se retrouvaient tout éclaboussés de peinture quand je travaillais au décor. Ici, ce n'était pas commode pour les laver, et même si j'y étais arrivée, ils auraient mis des heures à sécher.

Elle avait horreur de parler de ses cheveux. Elle les regrettait. Leur poids, leur volume, les coups de brosse qu'elle leur donnait chaque soir lui manquaient.

— J'ai demandé à une fille du théâtre de me les couper.

Elle revit les longues mèches gisant à terre.

— Vous aimez travailler au théâtre?

Elle pensa à Collins.

— Pas trop.

— Vous avez besoin de gagner votre...

— Pas du tout. Mais Christo y passe toutes ses journées, vous comprenez? Je n'ai rien à faire dans cette maison, je m'ennuie. Brookford est une ville horrible, je n'ai jamais vu d'endroit aussi sinistre. Quand l'assistante a eu sa crise d'appendicite, Christo s'est arrangé avec le metteur en scène pour que je la remplace.

— Qu'allez-vous faire quand elle reviendra?

— Je ne sais pas, je n'y ai pas pensé.

La bouilloire sifflait. Emma coupa le gaz et voulut la prendre par la poignée, mais Robert l'en empêcha.

— Pas tout de suite.

— Il faut que je fasse le café.

— Il attendra. Mettons d'abord les choses au clair.

Elle se renfrogna.

— Il n'y a rien à mettre au clair.

— Oh si. Je veux pouvoir expliquer à Marcus ce qui s'est passé. Tenez, par exemple, comment avez-vous retrouvé Christopher?

— Je lui ai téléphoné. C'était le dimanche matin, très tôt. Ils devaient faire un filage de la pièce, et il était au théâtre. Il m'avait déjà demandé de le rejoindre à Brookford, mais je ne pouvais pas, à cause de Ben.

— Vous lui aviez déjà parlé quand je suis venu vous dire au revoir?

— Oui.

— Vous auriez pu m'avertir!

— Pourquoi? Je voulais recommencer de zéro, vivre une nouvelle vie, sans que personne le sache.

— Je vois. Donc, vous téléphonez à Christopher...

— Oui. Le soir même, il a emprunté la voiture de Johnny Rigger et il est venu me chercher à Porthkerris. Nous avons fermé le cottage et nous avons laissé la clé de l'atelier au Hérisson amoureux.

— Le propriétaire ne savait pas où vous étiez partie.

— Parce que je ne le lui avais pas dit.

— Marcus l'a appelé.

— Eh bien, il n'aurait pas dû. Marcus n'est plus responsable de moi, je ne suis plus une petite fille.

— Il ne s'agit pas d'une simple question de responsabilité, Emma. Marcus vous aime beaucoup et il serait temps que vous le compreniez. Avez-vous des nouvelles de Ben?

— Oui, j'ai reçu une lettre le lundi matin, juste avant mon départ de Porthkerris. Il y en avait également une de Melissa, qui me demandait... de venir leur rendre visite.

— Leur avez-vous répondu?

— Non, fit Emma en secouant la tête.

Elle avait un peu honte d'elle-même, et baissa les yeux avant de se mordiller un ongle.

— Pourquoi?

— Je n'en sais rien. Je les aurais gênés, peut-être.

— Oui, eh bien, il vaudrait mieux les gêner que de vivre dans ce...

Il eut un geste large pour désigner l'appartement en sous-sol. Sa réaction choqua Emma.

— Ça ne vous plaît pas ici?

— Il n'y a pas qu'ici, je pense aussi à ce théâtre minable, à ce cinglé qui vous hurle après...

— Vous m'aviez conseillé de trouver du boulot, non?

— Pas celui-là, en tout cas. Vous êtes dynamique, vous parlez trois langues, vous êtes raisonnablement intelligente, semble-t-il. Pourquoi choisir de déménager des canapés dans un théâtre de troisième zone?

— J'ai besoin d'être avec Christo! hurla-t-elle.

Le silence qui s'ensuivit fut des plus pesants. Une voiture passa dans la rue. La voix de Christopher se mêlait à la mélodie du disque. Un chat miaula.

— Vous voulez que je raconte ça à votre père? dit enfin Robert.

— Je suppose que c'est pour cette raison que vous êtes venu, rétorqua-t-elle, vous espionnez pour son compte!

— Je suis simplement venu voir où vous habitiez et comment vous alliez.

— N'oubliez surtout pas les détails sordides! De toute façon, il s'en fiche complètement.

— Emma...

— Vous savez bien que ce n'est pas un père normal, vous ne vous êtes pas gêné pour me le rappeler.

— Emma, écoutez-moi!

La porte s'ouvrit brusquement, et un rire joyeux retentit.

— C'est sympa, votre petite conversation!

Robert se retourna et découvrit, dans l'encadrement de la porte, le jeune homme qui tenait le rôle du courtier en Bourse dans *Fleurs des champs*. Non seulement il n'avait plus l'air d'un financier, mais il était surtout bien éméché. Il vacillait sur ses jambes et balançait les bras comme un singe.

— Salut, ma cocotte!

Il lâcha la porte et pénétra dans la cuisine. S'appuyant des deux mains sur la table, il se pencha vers Emma et lui fit un gros baiser sonore.

— On a de la visite, fit-il remarquer. Et une super caisse juste devant; notre cote va remonter auprès des voisins.

Puis il regarda Robert avec un immense sourire.

— C'est comment, votre nom ?

— Il s'appelle Robert Morrow, dit sèchement Emma. Je vais te faire un café.

— Je ne veux pas de café, non, pas de café.

Il ponctua chaque mot d'un coup de poing sur la table et, ce faisant, perdit l'équilibre et manqua tomber. Robert le rattrapa de justesse.

— Merci, mon vieux, vous êtes sympa, vous. Emma, tu n'aurais pas de quoi me sustenter ? J'espère que tu as invité Robert à manger avec nous. Il y a une belle blonde à côté qui fait du gringue à Christo, tu la connais ?

Personne ne prit la peine de lui répondre. Emma ralluma le feu sous la bouilloire. Johnny Rigger ne cessait de les regarder, l'un après l'autre, avec un air de parfait imbécile.

Robert n'essayait plus de dire quoi que ce soit, ne rêvant que d'une chose : prendre cet ivrogne par la peau du cou et le balancer dans les poubelles, où il n'aurait pas déparé. Ensuite, il jetterait Emma au fond de sa voiture et roulerait sans s'arrêter jusqu'à Londres, Porthkerris, Paris — n'importe où, mais loin de cet horrible théâtre, de cet appartement crasseux, de cette banlieue déprimante !

Elle lui tournait le dos. Il souhaitait qu'elle le regarde, qu'elle lui parle. Mais elle restait là, tête baissée. La courbe de sa nuque, la chute de ses épaules, tout ce qui suscitait chez lui une certaine tendresse en temps normal ne faisait que l'énerver un peu plus.

— Je crois que nous perdons notre temps, Jane et moi. Nous allons partir.

Emma ne répliqua pas, mais Johnny se mit à protester.

— Mais non, vous allez rester, mon vieux, on n'a même pas mangé...

Robert l'écarta, et retourna dans l'autre pièce, où Jane et Christopher étaient en grande conversation. Ils ignoraient tout du drame qui se jouait dans la cuisine.

Christopher disait :

— C'est une pièce superbe. Et quel rôle ! On peut y mettre tout ce qu'on veut, les spectateurs peuvent tout imaginer. Ce personnage est si complexe...

— Je suppose que vous ne parlez pas de *Fleurs des champs*.

— Oh non, fit Christopher en se retournant. Nous parlions des *Rôdeurs*, la pièce précédente. Emma est à la cuisine ?

112

— Oui. Votre ami vient d'arriver.

— Johnny? On l'a vu passer.

— Il est saoul.

— Ça lui arrive souvent. On le bourre de café noir, on le met au lit, et le lendemain il va très bien.

— Je peux savoir pourquoi il vit ici, avec vous et Emma?

— Parce que nous sommes ici chez lui. Je ne suis installé que depuis peu. Quant à Emma, elle est la dernière locataire en date.

Il y eut un flottement dans la conversation. Jane perçut une certaine tension.

— Robert, il se fait tard... dit-elle en prenant son sac et ses gants. Nous devrions peut-être rentrer.

— Vous n'avez même pas eu de café. Vous ne voulez pas une bière? Qu'est-ce qu'elle fait, Emma?

— Elle fait de son mieux pour retaper Johnny. Je vous suggère d'aller l'aider, il ne tient pas très bien sur ses jambes.

Christopher hocha la tête et se leva de sa chaise basse.

— Si vous devez vraiment partir...

— Oui, il est tard. Merci pour...

Il ne put achever sa phrase. Le remercier pour quoi? Christopher avait l'air amusé et ce fut Jane qui, une fois de plus, vola à son secours.

— ... Merci pour cette merveilleuse représentation, fit-elle en lui tendant la main. Au revoir.

— Au revoir. Au revoir, Robert.

— Au revoir, Christopher.

Il ne put s'empêcher d'ajouter :

— Prenez bien soin d'Emma.

Ils roulaient à toute allure sur l'autoroute de Londres. L'aiguille du compteur ne cessait de monter : cent trente, cent quarante, cent cinquante...

— Vous allez nous attirer des ennuis, lui dit Jane.

— J'en ai déjà.

— Vous avez pu discuter avec Emma?

— Oui.

— Vous aviez l'air mécontent. De quoi avez-vous parlé?

— De choses qui ne me regardent pas. Je lui ai fait la morale. Je lui ai donné des conseils. C'est lamentable de voir une fille intelligente gâcher ainsi sa vie. Elle a une mine épouvantable, on dirait qu'elle est malade.

— Ne vous en faites pas pour elle.

— La dernière fois que je l'ai vue, elle était bronzée comme une gitane, avec les cheveux jusqu'à la taille. On aurait dit un beau fruit, ajouta-t-il en souriant à cette pensée. Pourquoi les gens se détruisent-ils ainsi?

— Je ne sais pas, dit Jane. C'est peut-être à cause de Christopher.

— Que pensez-vous de lui? En dehors du fait que vous en êtes tombée amoureuse, bien sûr.

Elle ignora cette remarque.

— C'est un garçon intelligent et ambitieux, je crois qu'il ira loin. Mais seul.

— Sans Emma, voulez-vous dire?

— Exactement.

Il était une heure du matin, mais il y avait encore beaucoup de monde dans les rues de Londres. Ils empruntèrent Sloane Street, puis Sloane Square avant de s'engager dans la ruelle où habitait Jane. Robert coupa le moteur de l'Alvis. Tout était paisible. La lueur des lampadaires se reflétait sur les pavés, sur le capot de la voiture, sur les cheveux blonds de Jane. Robert se sentait très las. Il voulut prendre une cigarette, mais Jane le devança et l'alluma avant de la placer entre ses lèvres. Elle avait dans le regard quelque chose de profond, de langoureux, de mystérieux, et il remarqua le léger tremblement de ses lèvres.

Elle referma le briquet.

— Je suis désolé, dit-il, c'était une soirée épouvantable.

— Cela change un peu. C'était intéressant.

Il ôta sa casquette et la jeta sur la banquette arrière.

— Vous croyez qu'ils sont ensemble?

— Chéri, je n'en sais rien...

— Mais elle est amoureuse de lui, non?

— C'est ce que je dirais.

Ils restèrent un instant silencieux, puis Robert s'étira.

— Nous n'avons même pas dîné. Vous, je ne sais pas, mais moi, j'ai faim.

— Je peux faire des œufs brouillés, et vous servir un bon scotch en attendant.

— Si vous me prenez par les sentiments...

Ils rirent doucement. Un rire de fin de soirée, très intime, pensa-t-il. Il posa la main sur le cou de Jane, ses doigts remontèrent

pour jouer avec ses cheveux, puis il se pencha pour l'embrasser.
Elle sentait si bon... Il jeta sa cigarette par la vitre et l'attira contre
lui.

Leurs lèvres ne se séparèrent qu'au bout d'un long moment.

— Jane, qu'est-ce que nous attendons?

— Une seule chose.

— Laquelle? fit-il en souriant.

— Moi. Je ne veux pas me lancer dans une aventure qui
n'aboutira pas. Je ne veux pas souffrir à nouveau. Même pour
vous, Robert, et Dieu sait ce que j'éprouve pour vous.

— Je ne vous ferai pas de mal, lui dit-il.

Et il le pensait sincèrement. De nouveau, il l'embrassa.

— Et par pitié, dit-elle, ne me parlez plus de la famille Litton.

Il l'embrassa sur le nez.

— Promis. Terminé, les Litton!

Ils descendirent de voiture et refermèrent doucement les portières. Jane trouva la clé dans son sac et Robert la lui prit pour
ouvrir la porte. Jane entra, alluma et monta l'escalier. Un sourire
aux lèvres, Robert referma derrière lui.

9

En été, la vieille maison de Milton Gardens était particulièrement agréable à vivre. Après une chaude journée et un temps interminable passé dans les embouteillages à respirer les odeurs d'essence, c'était un plaisir physique, au sens propre du terme, que de franchir la porte d'entrée et de la refermer derrière soi. Il faisait toujours frais dans la maison. Cela sentait les plantes et la cire à meubles. Les châtaigniers étaient si touffus avec leurs fleurs roses et blanches qu'ils étouffaient les bruits de la rue ; seul le passage occasionnel d'un avion pouvait rompre le charme.

C'était une journée typique de juin. La température ne cessait de monter depuis le matin, et les nuages menaçants s'amoncelaient. Dans les parcs envahis par les Londoniens, l'herbe rase ressemblait à un tapis jaunâtre, et l'air était si irrespirable qu'on se serait cru dans un four. Mais ici, dans la propriété, Helen avait branché le système d'arrosage automatique et l'air chargé d'humidité pénétrait jusque dans la maison.

Robert arriva, posa son chapeau dans l'entrée, prit son courrier et appela :

— Helen ?

Aucune réponse ne lui parvint de la cuisine. Il traversa le vestibule et sortit sur la terrasse, où il la trouva allongée dans une chaise longue, avec, à son côté, un plateau à thé, un livre et un panier de couture. Elle portait une robe de cotonnade sans manches et de vieilles espadrilles. Le soleil avait fait ressortir ses taches de rousseur sur son nez.

Il s'approcha d'elle.

— Comme tu vois, je ne fais rien ! lui lança-t-elle.

— Et tu as bien raison.

Il ôta sa veste, l'accrocha à une chaise de jardin en fer forgé et s'écroula dans l'herbe près d'elle.

— Quelle journée! Il reste un peu de thé?

— Non, mais je peux en refaire.

— Je peux y aller aussi, répliqua Robert, sans grand enthousiasme.

Helen se leva en emportant la théière. Il restait quelques biscuits dans une assiette et il en mangea un tout en dénouant sa cravate. La pelouse était verte et drue grâce à l'arrosage régulier, et un coup de tondeuse s'imposait. Robert ferma les yeux.

Cela faisait maintenant six semaines qu'il s'était rendu à Brookford pour voir Emma Litton et, depuis, il n'avait pas eu la moindre nouvelle. Après en avoir discuté avec Marcus et Helen, il avait écrit à Ben pour lui dire qu'Emma travaillait avec Christopher Ferris — retrouvé par hasard à Paris —, qu'elle avait un job au théâtre de Brookford et que tout allait bien. Il ne pouvait décemment en dire plus. A son grand étonnement, Ben avait réagi, non pas en lui répondant directement, mais sous forme d'un post-scriptum dans une lettre adressée à Marcus, une lettre à caractère professionnel, écrite à la machine sur le papier à entête du musée des Beaux-Arts. La rétrospective Ben Litton s'était terminée après un énorme succès. Une autre exposition lui avait succédé en hommage posthume à un peintre portoricain, mort de façon tragique dans une mansarde de Greenwich Village, à New York. Melissa et Ben en avaient profité pour s'offrir un voyage au Mexique. Il avait l'intention de se remettre à travailler, mais ne savait toujours pas quand il reviendrait à Londres. Puis, sous la signature, Ben avait écrit, de son habituelle écriture de chat :

J'ai reçu une lettre de R. Morrow. Je le remercie. Emma a toujours apprécié Christopher. J'espère seulement que ses manières se sont améliorées.

Marcus montra ces dernières lignes à Robert.

— J'ignore ce que tu attendais, lui dit-il sèchement, mais voilà ce que tu as obtenu.

Ainsi donc, c'était fini. Pour la première fois depuis longtemps, Robert se trouva partager pleinement les sentiments de sa sœur, Helen. Les Litton, père et fille, étaient brillants, imprévisibles, charmants. Mais ils refusaient tout comportement conformiste et se mettaient dès lors dans des situations invraisemblables. En un mot, ils étaient insupportables.

A son grand étonnement, il n'eut aucun mal à oublier Emma, parvenant à la chasser de son esprit aussi facilement que l'on remise à tout jamais un objet dans un coin de grenier. Sa vie devint si riche en événements que le vide qu'avait créé le départ de la jeune fille fut rapidement comblé.

Il avait énormément de travail à la galerie. Chaque jour voyait défiler d'éventuels acheteurs, des visiteurs étrangers et de jeunes artistes dont les cartons à dessin débordaient de peintures insipides. M. Bernstein allait-il les exposer ? M. Bernstein allait-il lancer ce jeune talent ? La réponse était non, invariablement, mais Marcus était un homme de cœur, et la tradition de la maison voulait qu'aucun jeune artiste ne rentrât chez lui sans un bon repas et le prix de son billet de train dans la poche de son jean constellé de taches de peinture.

Robert débordait d'énergie, incapable de supporter l'inaction. Il trouvait toujours de quoi meubler son temps libre, et Jane Marshall tenait une part de plus en plus importante dans sa vie.

Le fait que leurs heures de travail ne coïncident pas ne semblait pas le perturber. Quand il passait le soir prendre un verre chez elle, il la trouvait souvent en train de dessiner des plans ou de faire de la couture. Si elle n'était pas en ville, il consacrait ses soirées à des activités physiques, comme tondre la pelouse ou bêcher le jardin.

Le week-end, Jane et lui se rendaient à Bosham, où le frère de Jane possédait une petite maison et un catamaran. Ils passaient le dimanche à faire de la voile avant de se rendre au pub pour boire un verre et jouer aux fléchettes. Ils rentraient à Londres à la nuit tombée, et roulaient la capote baissée pour laisser l'air du soir leur caresser le visage.

— Je crois que tu devrais l'épouser, ne cessait de répéter Helen.

Et Robert hochait la tête en répondant qu'il y penserait.

— Mais quand ? insistait Helen. Qu'attends-tu au juste ?

Il ne répondait pas, ne connaissant pas lui-même la réponse. Il savait seulement que ce n'était pas le moment de faire des projets, ni même de tenter d'analyser ce qu'il éprouvait pour Jane.

Helen revint avec le plateau. Elle le déposa sur la petite table et dit :

— Marcus a téléphoné à l'heure du déjeuner.

Marcus avait dû retourner en Ecosse. Le lord écossais amateur de whisky et désireux de se débarrasser de ses œuvres d'art avait été contrecarré par son fils, qui hériterait probablement un jour des toiles de maître. Le jeune lord n'acceptait de vendre qu'à un prix trois fois supérieur à celui fixé lors du premier entretien. Après d'interminables conversations téléphoniques, Marcus avait pris la décision de repartir pour Edimbourg. Et même s'il détestait l'hôtellerie et la cuisine écossaises, il était prêt à tout supporter pour mettre la main sur ces tableaux.

— Comment ça s'est passé?

— Il ne s'est pas étendu sur les détails. Il appelait du château et, de toute évidence, les maîtres des lieux l'écoutaient.

— Il a obtenu les tableaux?

— Non, mais ça ne saurait tarder. Il n'en aura sans doute qu'une partie, dit-elle en s'éloignant de lui pour déplacer le jet d'eau. En tout cas, il veut à tout prix le Raeburn et paiera la somme demandée.

Robert se servit une tasse de thé et entreprit de lire le journal du soir. Quand Helen revint à côté de lui, il lui montra une page intérieure.

— Qu'est-ce que c'est? demanda-t-elle.

— Cette fille, Dinah Burnett...

— Qui est-ce?

— Comment, tu ne sais pas? C'est une jeune actrice qui a un agent extraordinairement efficace. On la voit dans tous les magazines, en train de caresser un chaton ou perchée sur un piano...

Helen fit une grimace en découvrant la photographie un peu provocante et lut tout haut le commentaire.

Dinah Burnett, dont nul n'a oublié l'étonnante prestation dans la série télévisée Détective, *vient de commencer les répétitions de la nouvelle pièce d'Amos Monihan,* La Porte de verre. *Cette incursion dans le domaine du théâtre littéraire est un enjeu de taille. « J'ai très peur, a-t-elle confié à notre envoyé spécial, mais je suis aussi très fière d'avoir été choisie pour cette pièce merveilleuse. » Mlle Burnett a vingt-deux ans et est originaire de Barnsley.*

— J'ignorais qu'Amos Monihan avait écrit une nouvelle pièce. Qui fait la mise en scène?

— Mayo Thomas.

— Alors, elle doit être bonne. Qui pourrait croire qu'un visage aussi stupide peut dissimuler autant de talent? Mais au fait, pourquoi me montres-tu ça?

— Jane refait l'appartement de Dinah. Au début, c'était un chantier assez modeste, mais depuis qu'elle a ce rôle elle a la folie des grandeurs : salle de bains tout en miroirs et couvre-lit en vison blanc, tu vois le genre...

— Ravissant, fit Helen.

Elle lui lança le journal, qui atterrit dans l'herbe, puis rassembla ses affaires et se dirigea vers la maison.

— Ce soir, dit-elle, tu dînes ici ou tu vas chez Jane?

— Je vais chez Jane.

— Bon. Je me contenterai d'un morceau de fromage et d'une salade; il fait trop chaud pour se mettre aux fourneaux.

Quand elle fut partie, il alluma une cigarette et écouta les pigeons roucouler tout en regardant les ombres s'allonger doucement. Ce calme et cette fraîcheur étaient une bénédiction. Une fois sa cigarette terminée, il monta à son appartement. Là, il se doucha, puis enfila un jean et une chemise propre. Comme il se versait son premier verre de la soirée, le téléphone sonna. C'était Jane.

— Robert?

— Oui?

— Chéri, c'est moi, je voulais seulement te demander de ne pas arriver avant huit heures.

— Pourquoi, tu reçois ton amant?

— J'aimerais bien. Non, c'est Dinah Burnett. Elle a une nouvelle idée pour sa salle de bains et a insisté pour venir m'en parler après sa répétition.

— Pour une fille qui est si fière de jouer dans une pièce de cette qualité, elle me semble avoir des préoccupations bien matérielles.

— Ah, tu as lu le journal? Toute cette publicité me rend malade.

— Je me demande pourquoi elle n'a pas ajouté qu'elle faisait décorer son appartement par Jane Marshall, l'architecte d'intérieur bien connue, vingt-sept ans, mensurations 86, 66, 91... Dis-moi, avais-tu l'intention de sortir, parce que dans ce cas, il faut que je me change...

— Oh non, il fait trop chaud. J'ai du poulet froid et je ferai une salade.

— J'apporterai une bouteille de vin bien frais.

— Formidable.

— Alors, à huit heures.

— A tout à l'heure.

Il allait raccrocher quand elle lui demanda une fois de plus de ne pas venir avant. Cela l'étonna. Elle paraissait un peu tendue. Mais non, son imagination lui jouait certainement des tours. Il alla chercher des glaçons.

Il fit exprès d'arriver un peu en retard. Hélas, une petite Fiat bleue était encore garée devant la maison de Jane. Il donna deux coups de klaxon, comme à son habitude, et descendit de voiture, la bouteille à la main. Jane apparut sur le pas de la porte. Elle portait un pantalon léger et un caraco rose pâle assorti. Ses cheveux lui tombaient devant les yeux, et elle semblait fatiguée. D'un doigt, elle désigna le haut de l'escalier.

Il l'embrassa.

— Que se passe-t-il? demanda-t-il, amusé.

Elle le débarrassa de la bouteille.

— Elle est encore là. Elle n'arrête pas de parler et, maintenant que tu es arrivé, rien ne pourra la faire partir.

— Il n'y a qu'à dire que nous sommes attendus, et même déjà en retard...

— On peut toujours essayer.

Il la suivit dans le petit escalier.

— Dinah, voici Robert Morrow...

Elle les présenta l'un à l'autre, avant d'aller mettre le vin dans le réfrigérateur, à la cuisine.

Dinah Burnett était installée sur le canapé, les jambes repliées contre elle, comme si elle attendait un photographe, un journaliste ou encore un amant. C'était une fille très belle et appétissante, avec ses cheveux auburn, ses yeux vert pâle et sa peau couleur abricot. Les photos que Robert avait vues étaient loin de lui rendre justice. Elle avait une silhouette parfaite, et sa courte robe de soie verte mettait en valeur les courbes arrondies de son corps. Ses nombreux bracelets, ornés de breloques, tintinnabulaient à chacun de ses mouvements. On avait du mal à croire qu'elle avait vu le jour à Barnsley.

— Comment allez-vous? demanda Robert en lui serrant la main. Je viens de lire un article sur vous dans le journal du soir.

— La photo est horrible, non?

Elle avait encore une trace d'accent du Yorkshire.

— J'ai l'air d'une barmaid épuisée. Enfin, je suppose que c'est mieux que rien.

Elle lui sourit, et déploya tous les charmes de sa féminité devant ce nouveau venu. Flatté, Robert s'installa non loin d'elle sur le canapé.

— Je ne devrais pas être ici, poursuivit-elle, mais Jane s'occupe de la décoration de mon appartement, et, comme je viens de trouver dans un magazine américain la photo d'une salle de bains extraordinaire, je la lui ai apportée après la répétition.

— Cela se passe bien? La pièce, je veux dire.

— Oh, c'est passionnant.

— De quoi parle-t-elle?

— Eh bien, c'est l'histoire...

A cet instant, Jane ressortit de la cuisine et lui coupa la parole.

— Voulez-vous boire quelque chose? Robert et moi devons sortir, mais nous avons tout de même le temps de prendre l'apéritif.

— Oh, c'est très gentil. Si cela ne vous dérange pas, je prendrais volontiers une bière...

— Robert?

— Je prendrai la même chose. Je vais les chercher.

— Ne te dérange pas, je suis déjà debout.

D'un geste expert, elle décapsula les bouteilles et versa sans faire de mousse le liquide ambré dans de grands verres.

— Dinah, Robert est marchand de tableaux; il travaille avec Bernstein, dans Kent Street.

— Oh, vraiment? fit Dinah Burnett en ouvrant tout grand les yeux. Vous organisez des expositions?

— Eh bien...

— Robert est un homme très influent, dit Jane en posant le verre de Dinah sur la table basse devant elle. Il est tout le temps en voyage, à Rome ou à Paris, pour négocier des achats prestigieux, n'est-ce pas, Robert? Croyez-moi, Dinah, vous devriez lui demander de vous trouver quelque chose pour votre nouvel appartement. Un tableau moderne serait idéal au-dessus de la cheminée et puis, qui sait, ce pourrait être un placement avantageux.

On ne sait jamais, vous n'aurez peut-être pas toujours des rôles aussi intéressants.

— Ne parlez pas de malheur, je viens à peine de commencer. Et puis, ça doit coûter très cher.

— Pas autant qu'une salle de bains américaine, dit Robert avec un sourire.

— Je continue de penser qu'une belle salle de bains passe avant tout !

Jane tendit sa bière à Robert et s'installa sur une chaise, en face du canapé, son verre à la main.

— C'est votre appartement, après tout, dit-elle sur un ton un peu acide.

— Vous ne m'avez pas encore parlé de votre pièce, *La Porte de verre*. Quand démarre-t-elle ?

— Mercredi, c'est la grande première. Au Regent Theatre.

— Nous devrions prendre des places, n'est-ce pas, Jane ?

— Bien sûr.

— Je suis morte d'angoisse quand j'y pense. Vous savez, c'est la première fois que je monte sur les planches. Avec un autre metteur en scène que Mayo, je crois que j'aurais abandonné.

— Vous ne nous avez toujours pas dit de quoi ça parle...

— Eh bien, c'est l'histoire d'un jeune homme issu d'une modeste famille d'ouvriers qui, un jour, écrit un livre. Le livre devient un best-seller, et lui, une célébrité : on le voit partout, à la télévision, dans les soirées... Il fréquente des stars du cinéma, est de plus en plus riche, boit beaucoup, sort avec de nombreuses femmes. Et puis un jour, tout s'effondre comme un château de cartes, et il se retrouve comme au commencement de la pièce, dans la cuisine de sa mère, devant sa vieille machine à écrire et sa feuille blanche. L'histoire peut sembler banale, je sais, mais c'est très émouvant, et les dialogues sonnent juste.

— Vous croyez au succès ?

— Oh, je ne vois pas pourquoi cette pièce ne marcherait pas ! Remarquez, je suis un peu de parti pris...

— Et votre rôle, quel est-il ?

— Oh, celui d'une de ses nombreuses conquêtes. Mais ce qui me distingue d'elles, c'est que je tombe enceinte.

— Charmant, fit Jane.

— Ça n'a rien de sordide, je vous assure ! Quand j'ai lu le manuscrit la première fois, je ne savais pas si je devais rire ou pleurer. C'est comme la vie, en fait.

— Oui.

Jane finit son verre, le reposa et regarda sa montre.

— Robert, je vais me changer. Il ne faut pas les faire attendre. Excusez-moi, Dinah.

— Oh, je vous en prie. Merci pour vos conseils, je vous téléphonerai pour vous dire ce que j'ai décidé.

— C'est entendu.

Dès que Jane fut montée, Dinah adressa un sourire désarmant à Robert.

— J'espère que je ne vous retarde pas. Je finis mon verre et je file. Mon appartement est un vrai chantier, et avec cette chaleur c'est encore plus déprimant. Il faudrait un bon orage.

— Il ne va probablement pas tarder. Mais dites-moi, comment avez-vous décroché ce rôle?

— Eh bien, Amos Monihan, l'auteur, m'avait vue à la télévision, dans *Détective*. Il a appelé Mayo Thomas pour lui dire que je correspondais tout à fait au personnage. J'ai passé une audition, et voilà!

— Et le rôle principal, celui de l'écrivain à succès?

— C'est tout le pari de la pièce. Les producteurs voulaient quelqu'un de célèbre, un nom connu du grand public, mais Mayo avait trouvé ce garçon... Il l'avait repéré dans un obscur théâtre de province et a su convaincre les producteurs de lui donner sa chance.

— C'est donc un inconnu qui tient la pièce entre ses mains?

— C'est exact, fit Dinah, mais croyez-moi, il est excellent.

Elle termina son verre. A l'étage, Jane s'agitait dans sa chambre, ouvrait et fermait des tiroirs. Robert se leva et s'empara du verre vide de Dinah.

— Vous ne voulez pas terminer la bouteille?

— Non, merci. Il faut que je parte...

Elle se leva, tira sur sa robe, rejeta ses cheveux en arrière et s'approcha de l'escalier.

— Au revoir, Jane, je m'en vais!

— Oh, au revoir! fit Jane d'un ton amical, maintenant qu'elle savait que l'intruse s'en allait.

Dinah descendit, suivie de Robert. Il lui ouvrit la porte. Dehors, il faisait une chaleur étouffante.

— Je croise les doigts pour mercredi, lui dit-il.

— C'est gentil.

Il lui ouvrit la portière de sa Fiat.

— Au fait, comment s'appelle ce jeune acteur?

Dinah s'installa au volant, révélant au passage des cuisses superbes.

— Christopher Ferris, dit-elle.

Voilà donc pourquoi Jane ne voulait pas que je la rencontre! songea Robert.

— Christopher Ferris? Mais je le connais!

— Ah bon? Que c'est drôle!

— Du moins... je connaissais sa sœur.

— Il ne parle jamais de sa famille.

— Elle s'appelle Emma, ça ne vous dit rien?

— Non, mais vous savez, c'est rare que les garçons parlent de leurs sœurs!

Elle rit et il fit claquer la portière. La vitre était baissée et Robert s'y accouda, comme un représentant de commerce un peu trop audacieux.

— J'aimerais lui souhaiter bonne chance.

— Eh bien, je le lui transmettrai demain.

— Je ne pourrais pas plutôt l'appeler?

— Si, bien sûr, mais on n'aime pas trop être dérangés pendant les répétitions. Attendez, je dois avoir son numéro personnel quelque part. Mayo me l'a donné, car j'avais quelque chose à lui demander.

Elle fouilla un certain temps dans son sac avant de mettre la main sur son calepin.

— Voilà : Flaxman 8881. Voulez-vous que je vous l'écrive?

— Non, je m'en souviendrai.

— Il doit être chez lui à cette heure-ci. C'est drôle que vous le connaissiez, dit-elle en souriant. Le monde est petit, n'est-ce pas?

— Oui, le monde est petit.

Elle mit le contact.

— Je suis contente de vous avoir rencontré. A très bientôt!

— Au revoir.

La petite voiture disparut au bout de la ruelle, et le bruit du moteur se fondit rapidement dans le brouhaha londonien.

Il rentra dans la maison, ferma la porte et monta l'escalier. Aucun bruit ne lui parvenait depuis la chambre.

— Jane?

S'activant soudain, elle fit mine d'être très occupée.

— Jane, répéta-t-il.

— Qu'y a-t-il?

— Viens.

— Mais je ne suis pas...

— Viens, s'il te plaît.

Après un moment, elle apparut en haut de l'escalier, vêtue d'une robe d'intérieur.

— Mais enfin, que se passe-t-il?

— Christopher Ferris, dit Robert.

Elle le regarda fixement, d'un air implacable.

— Eh bien?

— Tu savais qu'il jouait dans cette pièce et qu'il vivait à Londres.

Elle descendit l'escalier. Lorsque son visage se trouva au niveau du sien, elle lui dit avec froideur :

— Oui, je le savais.

— Tu ne m'en as jamais parlé. Pourquoi?

— Peut-être parce que je ne vois pas l'intérêt de remuer la boue. Et puis, tu me l'as promis : on ne parle plus des Litton!

— Ça n'a aucun rapport.

— Ah bon? Dans ce cas, pourquoi te mets-tu dans cet état? Ecoute, Robert, je commence à partager l'avis de ta sœur Helen. Ce que fait Bernstein pour Ben Litton se justifie parfaitement sur le plan professionnel. Mais il faudrait qu'il cesse de se sentir responsable du reste de la famille. Je sais quel genre de vie a eu Emma; ce n'est pas l'idéal et j'en suis désolée. Je t'ai accompagné à Brookford, j'ai vu son théâtre minable et son appartement crasseux. Seulement c'est une adulte et, comme tu le dis toi-même, une fille très intelligente... Christopher est à Londres, et alors? Cela ne veut pas dire pour autant qu'Emma est abandonnée. Ça fait partie du métier de comédien de se déplacer, non? Elle l'acceptera très bien.

— Cela ne justifie toujours pas ton silence.

— Peut-être savais-je que tu n'arrêterais pas de tourner en rond, comme un chien de berger autour de son troupeau, imaginant le pire et te sentant responsable uniquement parce que cette pauvre gamine est la fille de Ben Litton! Robert, tu es allé la voir :

126

elle ne veut pas qu'on l'aide. Et si tu cherchais à faire quelque chose pour elle, tu te mêlerais de ce qui ne te regarde pas, c'est tout.

— Je me demande qui tu cherches à convaincre : toi ou moi? dit-il lentement.

— J'essaye seulement de te faire voir la vérité.

— La vérité, c'est qu'Emma est seule et qu'elle vit avec un alcoolique dans un sous-sol humide.

— C'est elle qui a choisi, non? lui lança-t-elle avec dureté.

Puis, sans attendre sa réponse, elle passa devant lui, se dirigea vers la table basse et débarrassa les verres et les bouteilles avec une fébrilité soudaine. C'est avec une réelle tristesse qu'il regarda sa chevelure douce, sa taille fine, les courbes de son corps, ses mains habiles.

Calmement, il dit :

— Dinah Burnett m'a donné le numéro de téléphone de Christopher. Il vaudrait peut-être mieux que je l'appelle d'ici.

— Fais ce que tu veux.

Elle emporta les verres à la cuisine. Robert décrocha le combiné et composa le numéro qu'il avait mémorisé. Jane revint prendre les bouteilles.

— Allô?

C'était Christopher.

— Christopher? Robert Morrow à l'appareil. Vous vous souvenez, je suis venu à Brookford...

— Pour voir Emma, oui. Comment m'avez-vous retrouvé?

— Dinah Burnett m'a donné votre numéro. Elle m'a également parlé de *La Porte de verre*. Félicitations!

— Vous me féliciterez quand la critique aura rendu son verdict.

— C'est tout de même formidable. Dites, je me posais une question à propos d'Emma.

— Oui? fit Christopher, sur la défensive.

Jane était revenue de la cuisine. Elle se tenait près de la fenêtre, bras croisés, et regardait dans la rue.

— Où est-elle?

— A Brookford.

— Dans l'appartement, avec votre ami?

— Mon ami? Ah, Johnny Rigger? Non, il est parti. Un matin,

il est arrivé complètement saoul à la répétition et le metteur en scène l'a fichu à la porte. Emma vit seule.

Robert tenta de garder son sang-froid.

— N'avez-vous jamais pensé que Marcus Bernstein ou moi-même aurions aimé le savoir?

— Si, naturellement, mais, avant de partir de Brookford, Emma m'a fait promettre de ne rien dire. Voilà pourquoi...

Alors que Robert s'efforçait d'assimiler cette excuse, Christopher continuait de parler. Il paraissait soudain bien plus jeune, moins sûr de lui aussi.

— Je vais quand même vous dire ce que j'ai fait. Ça m'ennuyait de l'abandonner ainsi... alors j'ai écrit à Ben.

— Vous avez écrit à qui?

— A son père.

— Mais que pourrait-il faire? Il est en Amérique, au Mexique, je ne sais plus...

— Je l'ignorais; je lui ai donc écrit chez Bernstein, en demandant de faire suivre. Vous voyez, je voulais que quelqu'un soit au courant.

— Et Emma, travaille-t-elle toujours au théâtre?

— Elle y était encore quand je suis parti. En tout cas, m'accompagner à Londres n'offrait aucun intérêt pour elle : je répète toute la journée, nous ne nous serions jamais vus. Et puis, si *La Porte de verre* fait un fiasco au bout de huit jours, je retournerai à Brookford et réintégrerai la troupe. Tommy Childers m'a assuré que ça ne poserait aucun problème. Nous avons donc décidé qu'Emma resterait là-bas.

— Et si vous faites un malheur, que la pièce se joue pendant deux ans?

— Là, je ne sais pas. Ecoutez, je vais être franc avec vous, la situation est un peu... délicate. La maison où je vis en ce moment... c'est celle de ma mère. J'habite avec elle, et comme vous le savez, leurs relations...

— En effet, dit Robert. Comme vous dites, c'est assez délicat.

Il reposa le combiné. Toujours à la fenêtre, Jane demanda, sans se retourner :

— Qu'est-ce qui est délicat?

— Christopher habite chez Hester, sa mère, et il est évident qu'elle refuse de voir une Litton franchir le seuil de sa maison. Quelle garce! Quant au jeune poivrot, il s'est fait virer du théâtre, et Emma se retrouve toute seule dans l'appartement. Mais ce n'est pas tout : pour apaiser sa conscience, Christopher a écrit à Ben pour lui raconter tout ce qui s'était passé. J'aimerais bien mettre tout ce beau monde dans un sac et le balancer au fond de la Tamise !

— Je savais que cela terminerait comme ça, dit Jane.

Elle se retourna et le regarda fixement. Elle avait toujours les bras croisés. Elle n'était pas en colère, seulement bouleversée.

— Notre histoire... aurait pu être merveilleuse, tu le sais, et moi aussi. C'est pour cette raison que je ne t'ai pas parlé de Christopher. Je savais que ce serait la fin de tout.

Il aurait voulu pouvoir lui dire : *Allons, il n'y a pas de raisons que notre histoire s'arrête*, mais il en était incapable.

— D'une certaine façon, tu as tenu ta promesse : tu ne m'as jamais parlé d'Emma Litton. Mais elle n'a jamais quitté ta pensée.

Maintenant que c'était dit, clairement et sans détour, il se rendait compte que c'était l'absolue vérité.

— Cela me surprend moi-même, mais je crois que j'éprouve quelque chose pour elle, finit-il par avouer.

— Si tu te sens attiré par elle, ça te regarde, Robert. Mais cela ne me convient pas. Non, je refuse d'être celle qu'on sort faute de mieux et je préfère me passer de toi. J'espérais avoir été claire. Avec moi, c'est tout ou rien. Je ne veux plus souffrir. Tu comprends ça, j'espère ?

Il comprenait, bien sûr. Mais que dire, sinon qu'il était sincèrement désolé ?

— Je crois... que tu ferais mieux de t'en aller.

Elle gardait les bras croisés, comme une barrière entre elle et lui. Il ne savait pas comment lui dire au revoir. Il ne pouvait ni l'embrasser, ni même lui dire : « On s'est bien amusés, non ? », comme dans les comédies de boulevard.

Mais surtout, il ne pourrait jamais lui pardonner d'avoir tenté de l'éloigner d'Emma.

— Je m'en vais.

— Oui...

Comme il descendait l'escalier, elle l'interpella :

— Tu oublies ta bouteille de vin !

Il ne répondit pas.

10

La chanson était terminée. Les lumières baissèrent progressivement. Charmian, dans le rôle d'Obéron, le roi des fées, s'avança
pour dire sa dernière tirade. Pas plus les dimensions que les
finances du théâtre de Brookford ne permettaient la présence
d'un orchestre, et ce fut un magnétophone qui envoya les dernières mesures de la musique de Mendelssohn. Plongée dans la
pénombre, la salle s'emplit d'une mélodie qui évoquait pour
Emma toute la magie d'une nuit d'été.

Maintenant, jusqu'à la pointe du jour,
Que chaque fée erre dans le palais de Thésée...

La première semaine de représentations du *Songe d'une nuit
d'été* s'achevait. Le cuisant échec financier de *Fleurs des champs*
avait contraint Tommy Childers à monter une pièce de Shakespeare. Cela impliquait beaucoup de travail, mais une œuvre classique remplissait toujours le théâtre d'étudiants et d'enfants des
écoles — sans parler de la subvention du ministère de la Culture.
Emma ne travaillait plus pour Collins. Sa remplaçante, une
jeune fille fraîchement diplômée du conservatoire, subissait à sa
place les foudres du régisseur de plateau et semblait prendre les
choses avec plus d'insouciance. Pour l'heure, elle se trouvait sur
scène et portait la tunique de velours gris et les ailes argentées de
Cobweb, le sylphe. La distribution du *Songe* était impressionnante, et chaque membre de la troupe se devait d'y tenir au
moins un rôle.
C'est d'ailleurs pour cette raison que Tommy Childers avait

demandé à Emma de travailler à nouveau avec lui. Au cours des quinze derniers jours, elle n'avait pas eu le temps de s'ennuyer : elle avait aidé la costumière, peint le décor, tapé les textes, confectionné des sandwiches et fait du thé à longueur de journée.

Ce soir, elle tenait le rôle du souffleur, les yeux rivés sur le manuscrit, angoissée à l'idée de laisser un acteur désemparé. Mais maintenant que la pièce touchait à sa fin, comme elle connaissait par cœur les dernières répliques, elle pouvait s'abandonner enfin à la magie du maître de Stratford.

Charmian portait une couronne de feuilles émeraude et un court manteau argenté, assorti au collant qui moulait ses jambes fuselées. Le public était captivé.

> *Ne nous arrêtons pas ;*
> *Et retrouvons-nous à la pointe du jour.*

L'espace scénique étant assez exigu, Tommy Childers avait fait construire une rampe qui partait de la scène et rejoignait l'allée centrale de la salle. Main dans la main, suivis par un cortège de fées, Obéron et son épouse Titania s'élancèrent sur cette rampe, leurs voiles flottant derrière eux, et disparurent bientôt dans l'obscurité.

Sur scène, sous le feu d'un projecteur, Sara Rutherford entama la dernière tirade de Puck, le lutin aux oreilles pointues.

> *Ombres que nous sommes, si nous avons déplu, figurez-vous seulement (et tout sera réparé) que vous n'avez fait qu'un somme, pendant que ces visions vous apparaissaient.*

Elle tenait un petit flûtiau. Lorsqu'elle eut prononcé les mots « *Sur ce, bonsoir, vous tous* », elle joua les notes qui formaient le thème de la musique de Mendelssohn.

Puis elle lança, triomphante : « *Donnez-moi toutes vos mains, si nous sommes amis, et Robin prouvera sa reconnaissance.* » Le noir se fit, le rideau tomba et les applaudissements crépitèrent.

C'était fini. Emma poussa un soupir de soulagement. Il n'y avait pas eu le moindre incident, elle pouvait maintenant éteindre son pupitre. Les comédiens revinrent saluer. En passant à côté d'elle, le garçon qui jouait le rôle de Bottom, le tisserand, se pencha pour lui chuchoter à l'oreille :

— Tommy te fait dire qu'un homme t'attend. Il a d'abord patienté une demi-heure au foyer, puis Tommy l'a installé dans son bureau. Il a pensé que c'était plus intime. Tu ferais bien d'y aller.

— Mais qui est-ce?

Malheureusement, Bottom était déjà sur scène.

Emma crut tout d'abord que c'était Christo. Mais dans ce cas, pourquoi ne pas l'avoir précisé? Elle grimpa les quelques marches et suivit le couloir qui conduisait aux loges. Le foyer était désert. Le bureau de Tommy Childers était la pièce suivante.

Les applaudissements ne s'arrêtaient pas, c'était vraiment un beau succès.

Elle ouvrit la porte du bureau.

C'était une pièce minuscule qui contenait à grand-peine un bureau, deux chaises et une petite armoire.

Il était assis au bureau de Tommy, face à une montagne de papiers personnels, de notes, de programmes, de factures et de manuscrits. Les murs de la pièce étaient couverts de photographies d'acteurs. Quelqu'un lui avait préparé du thé, mais il n'avait pas daigné le boire, et le liquide devait être froid à présent.

Il portait un pantalon gris, une veste en velours côtelé, une chemise bleu marine et une cravate jaune vif à demi dénouée. Il était plus bronzé que jamais, et paraissait dix ans de moins que son âge. Il émanait de lui une séduction presque indécente.

Il fumait une cigarette américaine et le cendrier plein, posé devant lui, prouvait qu'il attendait Emma depuis assez longtemps. Quand elle franchit la porte, il tourna la tête. Il avait le coude sur le bureau et se tenait négligemment le menton entre le pouce et l'index. Derrière les volutes de fumée, son regard sombre était insondable.

— Qu'est-ce que tu faisais? dit-il, légèrement irrité.

Emma était trop surprise pour ne pas lui répondre.

— J'étais souffleur.

— Viens, ferme la porte.

Elle obéit. Les applaudissements faiblissaient. Elle avait le cœur battant. De surprise, de plaisir, d'appréhension peut-être. Elle ne savait pas. Elle réussit à dire, d'une voix faible :

— Je croyais que tu étais en Amérique.

— J'y étais encore ce matin. Je suis arrivé aujourd'hui. Et hier... du moins, je pense que c'était hier, je m'y perds avec ces décalages horaires... j'étais au Mexique. Oui, c'est ça, à Acapulco.

Emma tira la chaise et s'assit. Ses jambes ne la portaient plus.

— Acapulco?

— Savais-tu que les avions qui vont à Acapulco étaient tous peints de couleurs différentes? Et que les hôtesses de l'air faisaient une sorte de strip-tease en plein ciel? Fascinant...

Il ne la quittait pas des yeux.

— Emma, il y a quelque chose de changé en toi. Oui, tu t'es coupé les cheveux. Bonne idée! Tourne-toi que je voie ça.

Elle s'exécuta et tourna la tête, mais sans le perdre de vue un seul instant.

— Ça te va beaucoup mieux. Je ne me rappelais pas que tu avais une si belle forme de crâne. Tiens, prends une cigarette.

Il poussa le paquet vers elle. Emma en prit une qu'il alluma en protégeant la flamme de ses belles mains.

Puis il souffla l'allumette et dit:

— Bien des lettres ont traversé l'Atlantique, mais pas une seule de toi.

C'était un reproche.

— Oui, je sais.

— C'est difficile à comprendre... Je ne t'en veux pas vraiment, mais comme c'était la première fois que je t'écrivais, j'aurais bien aimé recevoir une réponse. Pour Melissa, c'est différent. Elle voulait que tu viennes aux Etats-Unis et que tu passes quelque temps avec nous. D'habitude, tu écris volontiers. Que s'est-il passé?

— Je ne sais pas, je suppose que j'ai été... déçue, oui, déçue que tu ne reviennes pas. J'ai aussi eu beaucoup de mal à me faire à l'idée que tu étais marié. Et puis, quand j'ai fini par l'accepter... il était trop tard pour te répondre. Chaque jour qui passait rendait les choses encore plus difficiles. Jusque-là, je ne savais pas que lorsqu'on fait quelque chose dont on n'est pas fier... on a du mal à le rattraper.

Il ne fit aucun commentaire, se contentant de fumer en la regardant.

— Bien des lettres, as-tu dit. De qui as-tu reçu des nouvelles? s'enquit-elle.

— De Marcus, naturellement. Pour affaires. Mais aussi de Robert Morrow. C'était plus personnel. Il disait qu'il avait assisté à la représentation d'une pièce, qu'il avait pris un verre avec toi et Christopher. Je n'ai pas compris si c'était toi qu'il voulait voir ou la pièce.

— Eh bien...

— Dès que nous avons compris que tu étais encore de ce monde, mais trop occupée pour nous rendre visite, Melissa et moi avons pris notre avion bigarré pour le Mexique et là nous avons séjourné chez une star vieillissante dans une maison pleine de perroquets. Nous ne sommes rentrés qu'hier, et c'est là que j'ai trouvé une lettre plutôt surprenante.

— De Robert?

— Non, de Christopher.

— De Christopher?

Elle n'avait pu s'empêcher de laisser échapper un cri.

— Ce jeune homme a visiblement un talent exceptionnel. Jouer une pièce à Londres, avec si peu d'expérience... J'ai toujours su qu'il connaîtrait un destin extraordinaire. Sur les planches ou en prison...

Cette petite provocation ne la ramena pas sur terre.

— Tu dis bien Christopher? Il t'a écrit, à toi?

— De la façon dont tu le dis, c'est presque offensant !

— Mais pourquoi?

— Peut-être qu'il se sent un peu responsable...

Une idée folle germait dans l'esprit d'Emma, si merveilleuse qu'elle devait en avoir immédiatement le cœur net.

— Ce n'est quand même pas cette lettre qui t'a fait revenir? Non, tu es rentré pour peindre. Tu vas aller à Porthkerris et te remettre au travail, c'est bien ça?

— C'est vrai, je ne le nie pas... Le Mexique m'a beaucoup inspiré, tu sais. Il existe là-bas un rose extraordinaire que l'on retrouve partout, dans les maisons, dans les fresques murales, et même dans les vêtements...

— Peut-être en as-tu assez de Queenstown et de l'Amérique, reprit-elle. Tu n'as jamais réussi à vivre très longtemps au même endroit. Et puis, il faut que tu voies Marcus, que tu prépares avec lui une nouvelle exposition...

— La liste est-elle close? demanda-t-il calmement.

— Il y a bien une explication à ton retour.

— Je suis venu te voir, tout simplement.

Elle était incapable de fumer la cigarette qu'il lui avait offerte, et elle l'écrasa dans le cendrier, avant de croiser les doigts et de serrer très fort ses mains l'une contre l'autre.

Se méprenant sur son silence, Ben paraissait chagriné.

— Emma, je n'ai pas l'impression que tu saisisses très bien la situation. En rentrant du Mexique j'ai lu la lettre de Christopher, j'ai dit au revoir à Melissa et j'ai sauté dans un autre avion sans même changer de chemise. J'ai supporté douze heures de vol plutôt pénibles, ponctuées seulement par des repas immangeables, servis dans des assiettes en plastique. Crois-tu que j'ai enduré toutes ces tortures pour discuter avec Marcus Bernstein de ma prochaine exposition?

— Ben...

Il n'avait pas l'intention d'interrompre sa litanie.

— Une fois à Londres, est-ce que je me rends au Claridge, où Melissa a pris la peine de me réserver une chambre? Est-ce que je m'offre un bon bain, un verre ou un repas digne de ce nom? Non, je saute dans un taxi d'avant-guerre et roule sous une pluie battante jusqu'à Brookford et là, après avoir erré dans cette ville atroce, j'arrive enfin au théâtre. Le taxi est en bas, il m'attend, tu peux vérifier.

— Je te crois.

— Et toi, quand tu daignes enfin te montrer, c'est pour me parler de Marcus Bernstein et d'une hypothétique exposition. Tu veux que je te dise? Tu es une petite ingrate, comme tous ceux de ta génération. Tiens, tu ne mérites même pas d'avoir un père.

— J'ai déjà été seule, tu sais. Je l'ai même été pendant des années. En Suisse, à Florence, à Paris. Pas une seule fois tu n'es venu me voir.

— Parce que tu n'avais pas besoin de moi, dit Ben, catégorique. Et puis, je savais ce que tu faisais, qui tu fréquentais. Mais là, en lisant la lettre de Christopher, pour la première fois j'ai éprouvé un peu d'inquiétude. Pour que Christopher m'écrive, à moi, il fallait qu'il soit lui-même assez inquiet. Pourquoi ne m'as-tu pas dit que tu l'avais retrouvé à Paris?

— Je pensais que ça ne te ferait pas plaisir.

— Tout dépend de ce qu'il est devenu. A-t-il beaucoup changé depuis qu'il vivait avec nous, à Porthkerris?

— Il a la même allure... en plus grand... c'est un homme maintenant. Il est ambitieux, très volontaire... Un peu égoïste, peut-être... Mais il a un charme inouï...

Parler de lui à Ben, c'était se débarrasser d'un fardeau énorme. Emma sourit et ajouta :

— En un mot je l'adore.

Ben lui rendit son sourire.

— On croirait entendre Melissa quand elle parle de Ben Litton. Il semble que le jeune Christopher et moi ayons, finalement, beaucoup de points communs. Dire que nous avons passé tant d'années à nous détester! Peut-être devrions-nous essayer de refaire connaissance.

— Ce serait une bonne chose, oui.

— Melissa me rejoint dans deux semaines. Elle vient à Porthkerris.

— Elle va vivre au cottage?

Emma semblait si incrédule que cela fit rire Ben.

— Melissa? Au cottage? Tu plaisantes! Non, elle a déjà réservé une suite à l'hôtel du Château. Je vais mener une vie de coq en pâte. En vieillissant, peut-être finirai-je par découvrir que la vie de luxe a aussi son charme.

— Elle n'a rien dit, de te voir partir comme ça, lui disant à peine au revoir, sans même prendre le temps de changer de chemise?

— Melissa est une femme intelligente, tu sais, elle ne cherche pas à posséder un homme par tous les moyens. Elle sait que la meilleure façon de retenir la personne que l'on aime est de la laisser vivre sa vie. Les femmes mettent beaucoup de temps à le comprendre. Hester n'y est jamais arrivée. Et toi?

— J'apprends, dit Emma.

— Le plus étonnant, c'est que je te crois.

Il faisait assez sombre dans le bureau du metteur en scène. Il y avait bien une lampe, mais personne n'avait songé à l'allumer. La pénombre les enveloppait et les tenait à l'écart du reste du monde. Ils n'étaient plus étrangers l'un à l'autre, de nouveau ils formaient une famille.

Les spectateurs quittaient la salle. Dans les coulisses, c'était l'agitation habituelle. Collins hurlait après un malheureux électricien, et les comédiens se dépêchaient de se démaquiller et de se changer pour rentrer chez eux.

Le père et la fille restèrent longtemps sans parler.

Soudain, la porte s'ouvrit et un rai de lumière s'infiltra dans la pièce.

— Désolé de vous déranger... dit Tommy Childers. Vous auriez dû allumer.

Il n'attendit pas leur réponse et actionna l'interrupteur. Chacun cligna des yeux comme une chouette éblouie.

— Je dois prendre quelque chose sur mon bureau avant de partir.

Emma se leva pour le laisser passer.

— Tommy, tu savais que c'était mon père?

— Je n'en étais pas certain, dit Tommy en souriant à Ben. Je vous croyais en Amérique.

— Tous le monde le croyait. Même ma femme jusqu'à ce que je m'en aille. J'espère que nous ne vous avons pas dérangé.

— Non, pas du tout. Emma, je vais dire au veilleur de nuit que tu fermeras l'issue de secours.

— D'accord.

— Bien. Bonsoir, monsieur Litton.

Ben se leva.

— Je pensais ramener Emma à Londres avec moi ce soir. Vous n'y voyez pas d'inconvénient?

— Non, dit Tommy. Elle travaille comme une esclave depuis deux semaines, quelques jours de repos lui feront le plus grand bien.

— Je ne sais pas pourquoi tu demandes la permission à Tommy alors que tu ne m'en as même pas parlé.

— Toi, je ne te le demande pas, je te l'ordonne!

Tommy éclata de rire.

— Dans ce cas, je pense que vous irez à la première, dit-il.

— Quelle première? demanda Ben.

— Celle de la pièce que joue Christopher, lui lança Emma assez sèchement.

— Je serai probablement déjà parti pour Porthkerris. On verra.

— Ce serait bien que vous y assistiez, dit Tommy en lui serrant la main. J'ai été heureux de faire votre connaissance. Emma... à un de ces jours...

— La semaine prochaine, peut-être, si *La Porte de verre* est un fiasco...

— Aucun risque. Si Christopher est aussi bon que dans *Fleurs des champs*, la pièce va connaître un succès fou. De là à ce qu'elle se joue pendant des années... N'oublie pas de fermer la porte.

Il s'en alla et ils entendirent ses pas s'éloigner dans le couloir, dans l'escalier, dans la ruelle.

— Je crois que nous devrions y aller aussi, dit Emma en soupirant. Le gardien va piquer une crise si la porte n'est pas fermée. Et ton chauffeur de taxi doit se faire des cheveux blancs à t'attendre.

Mais Ben s'était rassis sur la chaise de Tommy.

— Un moment, dit-il. J'ai encore une chose à te demander.

Il sortit une cigarette du paquet.

— J'aimerais que l'on parle de Robert Morrow.

Sa voix, d'un calme déconcertant, mit Emma sur ses gardes.

— Oui?

— J'ai toujours beaucoup... apprécié ce jeune homme.

— En dehors de l'admiration que t'inspire la forme de son crâne, tu veux dire? lança-t-elle en essayant de faire de l'humour.

— Un jour, poursuivit-il sans se démonter, je t'ai demandé ce que tu pensais de lui, si tu l'aimais bien... Tu m'as répondu que oui, même si tu ne le connaissais qu'à peine.

— Et alors?

— Le connais-tu mieux maintenant?

— Il me semble, oui.

— Quand il est venu à Brookford, ce n'était pas simplement pour voir la pièce, n'est-ce pas? Il venait pour toi?

— Il voulait me retrouver, ce qui n'est pas exactement la même chose.

— Mais il a pris la peine de faire des recherches. Je me demande pourquoi.

— Peut-être était-il aiguillonné par le fameux sens des responsabilités de la maison Bernstein.

— Arrête, je t'en prie.

— Qu'as-tu envie de me faire dire?

— Je veux que tu me dises la vérité. Et que tu sois honnête avec toi-même.

— Qu'est-ce qui te fait croire que je ne le suis pas?

— L'absence d'une petite étincelle dans ton regard. Quand je t'ai laissée à Porthkerris, tu étais bronzée et épanouie; maintenant, il suffit de voir ton allure, ta façon de parler...

Il alluma sa cigarette, souffla l'allumette et la déposa méticuleusement dans le cendrier.

— Tu oublies peut-être que j'ai passé ma vie à observer les êtres, à disséquer leur personnalité, à les peindre, et ce depuis mon adolescence. Ce n'est pas Christopher qui t'a rendue malheureuse.

— C'est peut-être toi?

— Voyons! Moi, ton père? Je t'ai certainement blessée, et tu m'en veux, mais je ne t'ai jamais brisé le cœur. Parle-moi de Robert Morrow. Quel est le problème?

138

La petitesse de la pièce devint soudain étouffante. Emma s'approcha de la fenêtre et l'ouvrit toute grande avant de se pencher au-dehors pour respirer à pleins poumons. L'air était un peu adouci par la pluie.

— Je n'ai jamais pris la peine de comprendre quel genre de personne il était vraiment, dit-elle.

— Explique-toi.

— Eh bien... à cause de la façon dont je l'ai rencontré, la première fois, tout a été faussé. Je ne voyais pas en lui un homme qui a une vie privée, des goûts bien à lui... des petites amies. Non, il faisait partie des meubles de la galerie Bernstein, tout comme Marcus d'ailleurs. Tous deux étaient là pour s'occuper de nous, pour réserver des chambres d'hôtel et des billets d'avion, pour organiser des expositions, pour faciliter la vie de Ben Litton et de sa fille.

Elle se retourna vers son père, atterrée par ce qu'elle venait de découvrir.

— Comment ai-je pu être aussi aveugle!

— Tu dois tenir ça de moi. Et qu'est-ce qui a mis un terme à cette douce illusion?

— Oh, je ne sais pas, plusieurs choses... Il est venu à Porthkerris voir les peintures de Pat Farnaby et m'a demandé de l'accompagner à Gollan pour lui montrer le chemin. Nous avons ri de tout et de rien. Il pleuvait, Robert portait un gros pull... Je ne sais pas exactement pourquoi, mais je me sentais bien... Nous devions dîner ensemble et puis... il... Peu importe, j'avais la migraine et je ne suis pas sortie. Ensuite, je suis venue à Brookford retrouver Christo, et je n'ai plus pensé à Robert Morrow jusqu'au soir où il a débarqué au théâtre. Je rangeais la scène et il s'est mis à parler, juste derrière moi. Je me suis retournée et je l'ai vu. Une femme était avec lui, Jane Marshall, une architecte d'intérieur ou une décoratrice, quelque chose comme ça. Elle était splendide, et ils formaient un très beau couple. Tu vois ce que je veux dire? Un couple sans problème, qui se suffit à lui-même... J'ai cru qu'on me claquait la porte au nez, oui, c'est ce que j'ai ressenti.

Elle vint s'asseoir sur le bureau et, le dos tourné à son père, se mit à jouer avec un élastique dont elle fit une sorte de fronde.

— Ils sont venus prendre une bière à l'appartement et ça a été atroce. Robert et moi avons eu une discussion qui a mal tourné et il est parti sans même dire au revoir, en emmenant Jane Marshall avec lui. Ils sont rentrés à Londres... La suite, tu la devines sans peine : je ne l'ai pas revu depuis.

— C'est pour cela que tu n'as pas voulu que Christopher lui dise que tu te retrouvais toute seule?

— Oui.

— Est-il amoureux de cette femme?

— Christo le pensait. Lui la trouvait superbe, et il disait même que si Robert ne l'épousait pas tout de suite, c'est qu'il avait l'esprit dérangé.

— Votre discussion... c'était à propos de quoi?

Emma s'en souvenait à peine. Dans son esprit, cela se résumait à un échange violent de paroles blessantes et gratuites, aussitôt regrettées.

— On a parlé de toi. De la lettre que je ne t'ai pas envoyée, de Christo. Il doit s'imaginer que Christo et moi sommes follement amoureux l'un de l'autre. J'étais si furieuse que je n'ai rien fait pour le détromper.

— Tu vas rester ici, à Brookford? demanda Ben après un certain temps.

— Où veux-tu que j'aille?

— A Porthkerris.

Emma se retourna et le regarda en souriant.

— Avec toi? Au cottage?

— Pourquoi pas?

— Courir se réfugier chez son père n'a jamais rien résolu. Et puis, on n'échappe pas à ce qu'on a dans la tête.

Les illusions et les hésitations de ces six semaines s'étaient évanouies. L'Alvis filait en direction de l'ouest. Robert s'efforçait de ne pas dépasser la vitesse limite, car, dans l'état où il était, il n'aurait pas supporté de se faire arrêter par la police. Il se trouvait non loin de l'aéroport de Heathrow quand retentit le premier coup de tonnerre. Il s'arrêta sur la première aire de stationnement et remonta la capote. Il était à peine reparti que la pluie se mettait à tomber à verse. La visibilité était si réduite qu'il se demanda même s'il n'était pas plus sage d'attendre sur le bas-côté. Mais l'idée de faire enfin ce qu'il désirait inconsciemment depuis des semaines fut plus forte que tout.

Il trouva le théâtre fermé. A la lueur des lampadaires, il put lire les affiches. LE SONGE D'UNE NUIT D'ÉTÉ. L'endroit était désert et plutôt lugubre. La grille du théâtre était verrouillée et pas une fenêtre n'était éclairée.

Il sortit de voiture. Il faisait plus frais. Sur le siège arrière, il prit un pull-over laissé là depuis son dernier week-end à Bosham, et l'enfila par-dessus sa chemise. Il claqua la portière et découvrit alors un taxi en stationnement. Le chauffeur somnolait sur son volant.

Il s'approcha de lui.

— Excusez-moi, il y a encore quelqu'un à l'intérieur?

— J'espère bien, je n'ai toujours pas été payé.

Contournant le théâtre, Robert s'engagea dans la ruelle où, une éternité plus tôt, Emma et Christopher lui étaient apparus, enlacés comme des amants. De ce côté-ci du bâtiment, une fenêtre était éclairée au premier étage. Robert chercha l'issue de secours à tâtons et entra. Il fut assailli par un mélange d'odeurs de peinture à l'huile, de velours moisi et de fard gras. Des murmures de voix lui parvenaient du premier; il gravit le petit escalier et longea le couloir jusqu'à une porte entrebâillée, celle du bureau du metteur en scène.

Il poussa la porte et les voix se turent immédiatement. Il se retrouva sur le seuil d'une pièce minuscule et très encombrée, face à Ben et Emma Litton.

Elle était assise sur le bureau et tournait le dos à son père. Elle portait une robe très courte, et avait les jambes et les bras nus et bronzés. La pièce était si petite qu'en tendant la main il aurait pu la toucher. La jeune fille ne lui avait jamais paru aussi belle.

Son soulagement et son plaisir de voir enfin Emma étaient si grands que la présence inopinée de Ben ne l'étonna même pas. Ben ne fut pas plus surpris que lui.

— Tiens, qui voilà? dit-il en haussant le sourcil.

Robert mit les mains dans ses poches.

— Je croyais...

— Oui, je sais, vous me croyiez en Amérique. Eh bien, non. Je suis à Brookford et je n'ai qu'une hâte, retourner à Londres.

— Mais quand êtes-vous...?

Ben écrasa sa cigarette et se leva.

— A tout hasard, vous n'auriez pas vu un taxi devant le théâtre?

141

— Si, j'ai même cru que le chauffeur était inanimé.

— Je vais aller le rassurer.

— J'ai ma voiture, dit Robert. Si vous voulez, je peux vous ramener à Londres.

— Pourquoi pas? Je vais renvoyer le taxi.

Emma n'avait toujours pas bougé. Ben fit le tour du bureau et Robert s'écarta pour le laisser passer.

— A propos, Robert, Emma vient aussi. Il y a de la place pour trois?

— Bien entendu.

Sur le pas de la porte, les deux hommes s'observèrent un instant, puis Ben eut une moue de satisfaction.

— Parfait, oui, parfait... Je vous attends dehors tous les deux.

— Saviez-vous qu'il devait venir?

Emma secoua la tête.

— Est-ce que sa présence aurait un rapport avec la lettre que Christopher lui a envoyée?

Elle fit signe que oui.

— Il est revenu aujourd'hui même des Etats-Unis pour s'assurer que vous alliez bien?

Elle hocha à nouveau la tête. Ses yeux brillaient.

— Il était au Mexique avec Melissa. Même Marcus ne sait pas qu'il est là, car il n'est pas passé par Londres. Il a pris un taxi directement de l'aéroport. Il n'en veut pas à Christopher, et il m'a demandé de vivre à Porthkerris avec lui.

— Vous allez accepter?

— Oh, Robert, je ne peux pas refaire les mêmes erreurs toute ma vie, et pour commencer, celle que Hester a faite aussi : nous voulions toutes les deux que Ben soit conforme à notre idéal, celui du bon mari sur lequel on peut compter, et celui du père attentif, toujours présent.

— Que comptez-vous faire à présent?

Emma ébaucha une grimace.

— Un jour, Ben m'a dit que vous aviez une tête superbe, et que si vous vous laissiez pousser la barbe, il ferait volontiers votre portrait en saint. Moi, si je vous dessinais, une grosse bulle sortirait de votre bouche, comme dans les bandes dessinées, et j'écrirais dedans : JE VOUS AVAIS PRÉVENUE!

142

— Je n'ai jamais dit cela à quiconque, et ce n'est pas ce soir que je vais commencer, croyez-moi.

— Que vouliez-vous me dire, alors ?

— Que si j'avais su que vous étiez seule, je serais venu depuis des semaines. Que si je peux avoir deux places pour la première de Christo, je serais heureux que vous m'accompagniez. Que je suis désolé de m'être emporté la dernière fois que nous nous sommes vus.

— Moi aussi, j'ai été très désagréable.

— Je déteste me disputer avec vous, mais, curieusement, être loin de vous est encore pire. Je ne cessais de me dire que c'était terminé, qu'il valait mieux oublier. Mais vous n'avez jamais quitté mes pensées. Jane m'a avoué, ce soir, qu'elle l'avait toujours su.

— Jane ?

— J'ai honte de le dire, mais j'ai tenté de m'étourdir avec Jane pour ne pas devoir affronter la vérité.

— C'est à cause de Jane que j'ai demandé à Christopher de ne pas vous contacter. Je pensais...

— Et moi, c'est à cause de Christopher que je ne suis pas venu plus tôt à Brookford !

— Vous étiez persuadé que nous avions une aventure, c'est ça ?

— Ça sautait aux yeux, non ?

— Mais enfin... Christo est comme mon frère !

Il lui prit doucement le menton, et juste avant de l'embrasser, lui dit :

— Franchement, comment aurais-je pu le deviner ?

Quand ils revinrent à la voiture, Ben n'était plus là, mais il leur avait laissé un message coincé sous l'essuie-glace.

— On dirait une contravention, dit Emma.

C'était une lettre fort peu conventionnelle, écrite sur une page arrachée au carnet de croquis que Ben emportait toujours avec lui.

Cela commençait par deux dessins, deux profils tournés l'un vers l'autre. Il n'était pas difficile de reconnaître le menton volontaire d'Emma et le nez si particulier de Robert.

— C'est pour nous, lisez-la tout haut.

Robert s'exécuta.

— *Le chauffeur avait l'air si triste à l'idée de rentrer tout seul à*

Londres que je l'ai accompagné. Je serai au Claridge, mais je préfére-rais ne pas être dérangé avant midi.

— Mais si je ne peux pas aller au Claridge avant, où est-ce que je vais dormir? dit Emma.

— Chez moi, à Milton Gardens.

— Mais je n'ai rien emporté, pas même une brosse à dents!

— Je t'en offrirai une, dit Robert qui l'embrassa avant de reprendre la lecture de la lettre. *Cela me donnera le temps de rattra-per le sommeil en retard et de mettre au frais le champagne que je déboucherai quand vous viendrez m'annoncer la bonne nouvelle.*

— Le vieux renard, il se doutait de tout!

— *Je vous embrasse, et Dieu vous bénisse. Ben.*

Pendant quelques instants, ils restèrent silencieux. Puis Emma demanda :

— C'est tout?

— Non, pas tout à fait.

Et il lui tendit la lettre pour qu'Emma découvre, juste sous la signature, un troisième petit dessin : une chevelure blanche en forme d'aile, un visage bronzé, deux yeux sombres, très perçants.

— Un autoportrait, dit Robert. Ben Litton vu par Ben Litton. Une pièce unique, certainement. Un jour, cela vaudra des milliers de livres.

Je vous embrasse, et Dieu vous bénisse.

— Je ne le vendrai jamais, dit Emma.

— Moi non plus. Viens, il est temps de rentrer chez nous.

CARROUSEL

1

— Il faut que tu aies perdu la tête, Virginia, lâcha ma mère, debout au centre de son beau salon baigné par le soleil de septembre.

Elle semblait sur le point de fondre en larmes de dépit, mais je savais qu'elle n'en ferait rien : des larmes risquaient trop de saccager son maquillage parfait, gonfler le pourtour de ses yeux et accentuer des rides peu seyantes. Quel que fût son degré d'exaspération, ma mère ne pleurait jamais. Elle attachait une suprême importance à son apparence. Bien campée sur la carpette qui ornait le devant de la cheminée, elle me faisait face, impeccablement vêtue d'un tailleur saumon et d'un chemisier de soie blanche, avec ses boucles d'oreilles en or, son inséparable bracelet porte-bonheur et sa belle chevelure d'argent bouclée.

Et pourtant, elle luttait visiblement pour refouler les assauts d'une meute d'émotions destructrices : colère, inquiétude, et surtout déception. Je fus prise de pitié.

— Voyons, maman, tentai-je, ce n'est pas la fin du monde.

A peine eus-je refermé la bouche que je sentis la faiblesse de mon argumentation.

— Quand je pense que pour la première fois de ta vie, tu semblais t'être décidée à fréquenter un homme convenable...

— Voyons, maman! C'est une notion complètement dépassée.

— Il est charmant, équilibré, il a une belle situation et vient d'une famille comme il faut. Tu as vingt-trois ans, et il est grand temps que tu te maries pour fonder un foyer et avoir des enfants.

— Mais il ne m'a même pas demandée en mariage!

— Bien sûr que non! Il tient à faire les choses selon les règles :

t'introduire dans sa famille, te présenter à sa mère... C'est tout naturel, d'autant que ses intentions sont claires. Il suffit de vous voir ensemble pour comprendre qu'il est fou amoureux de toi.

— Nigel est incapable d'être fou de quoi que ce soit.

— Sincèrement, Virginia, je ne comprends pas ce que tu cherches.

— Je ne cherche rien.

Nous avions déjà eu cette conversation si souvent que je connaissais mon rôle par cœur, réplique par réplique.

— J'ai déjà tout ce qu'il me faut, enchaînai-je. Un métier que j'aime, un appartement...

— Comment peux-tu appeler « appartement » cette chambre minuscule en sous-sol?

— De toute façon, je n'ai pas envie de me marier.

— Tu as vingt-trois ans. J'en avais dix-neuf quand j'ai épousé ton père.

Et tout juste six de plus quand tu as divorcé, me retins-je à grand-peine de riposter. Même si elle m'exaspérait, je n'avais pas le droit de dire des choses pareilles à ma mère. Je savais qu'elle avait une volonté de fer, qualité qui lui avait permis de se tirer de presque tous les mauvais pas, mais il émanait d'elle une impression de vulnérabilité — peut-être due à sa frêle carrure, à l'immensité de ses yeux bleus ou à son exubérante féminité — qui m'interdisait de lui adresser des paroles trop dures.

J'ouvris la bouche, la refermai et me contentai de lui jeter un regard impuissant. Elle soutint ce regard d'un air de reproche contenu, et je sentis pour la millième fois pourquoi mon père avait signé sa perte dès l'instant où il avait posé les yeux sur elle. Il l'avait demandée en mariage parce qu'elle était irrésistible; elle avait accepté parce qu'il correspondait exactement à ce qu'elle avait toujours cherché depuis qu'elle s'était aperçue de l'existence du sexe opposé.

Mon père s'appelle Hugh Shackleton. A cette époque-là, il travaillait à Londres — pour une banque d'affaires de la City —, vivait bien et semblait promis à un brillant avenir. Et pourtant, il était autant à sa place dans la capitale qu'un poisson échoué sur le sable. Issu d'une famille du Northumberland, mon père avait grandi dans une ferme du nom de Windyedge, dont les pâturages étaient bordés par les eaux froides de la mer du Nord et où les coups de vent, en hiver, venaient tout droit de l'Oural. Il n'avait jamais cessé d'aimer son pays d'origine, ni de regretter de l'avoir quitté. Quand il épousa ma mère, la ferme était administrée par son frère aîné, mais celui-ci devait connaître une fin tragique, dans un accident de chasse, alors que j'avais cinq ans. Mon père partit dans le Northumberland pour son enterrement. Il resta absent cinq jours, et quand il revint, sa décision était prise. Il annonça à ma mère qu'il avait l'intention de démissionner de son poste, de vendre notre maison de Londres et de repartir à Windyedge.

Il serait fermier.

Les querelles et les scènes qui s'ensuivirent comptent parmi mes premiers mauvais souvenirs. Ma mère fit feu de tout bois pour qu'il change d'avis, mais mon père resta inflexible. A bout de ressources, elle lui lança un ultimatum. S'il repartait dans le Northumberland, ce serait seul. A sa grande surprise, c'est ce qu'il fit. Peut-être croyait-il qu'elle finirait par l'y rejoindre, mais elle savait être aussi obstinée que lui. Bref, le divorce fut prononcé en moins d'un an. La maison de Paulton Square fut vendue et ma mère en acheta une autre, plus petite, près de Parson's Green. Naturellement, je fus confiée à sa garde, et je continuai chaque année de passer quelques semaines dans le Northumberland ; juste ce qu'il fallait pour ne pas perdre complètement le contact avec l'auteur de mes jours. Après quelque temps, il se remaria avec une grande fille timide au visage vaguement chevalin ; ses jupes de tweed étaient toujours mal coupées, son pâle visage constellé de taches de rousseur n'avait jamais porté le moindre maquillage, mais ils avaient l'air très heureux ensemble. Ils le sont encore, et je m'en réjouis.

Pour ma mère, en revanche, ce fut moins facile. Elle avait épousé mon père parce qu'il lui semblait incarner un archétype de masculinité qu'elle pouvait comprendre et admirer. Elle ne chercha jamais à aller au-delà des apparences, à deviner ce qui se cachait derrière l'attaché-case et le costume strict. Peu lui importait de découvrir chez lui des profondeurs insoupçonnées. Mais les Shackleton sont des gens pleins de surprises et, au vif déplaisir de ma mère, j'ai hérité de la plupart de leurs caractéristiques. Mon défunt oncle n'était pas seulement fermier, il était aussi musicien, et mon père, dans ses moments de loisir, confectionnait les plus belles tapisseries qui soient. Mais la vraie rebelle, c'était leur sœur Phoebe. Artiste peintre de grand talent, elle avait un comportement tellement original, se montrait tellement insouciante des conventions que ma mère avait toujours eu le plus grand mal à s'entendre avec elle.

Dans sa jeunesse, Phoebe avait vécu à Londres; mais parvenue à l'âge mûr, elle plia bagage et mit le cap sur la Cornouailles, où elle devait partager longtemps la vie d'un homme charmant — un sculpteur du nom de Chips Armitage. Ils ne se marièrent jamais, sans doute parce que la femme de Chips ne voulait pas entendre parler de divorce; mais à la mort de son compagnon, Phoebe hérita de sa petite maison victorienne de Penmarron et ne la quitta plus.

En dépit de cet outrage à la bienséance, ma mère ne parvint jamais à rayer complètement Phoebe de ses tablettes, car ma tante était aussi ma marraine. De temps à autre, elle nous invitait, maman et moi, à séjourner chez elle. Ses lettres laissaient clairement entendre qu'elle serait également ravie de me recevoir seule. Mais ma mère redoutait trop la mauvaise influence que pourrait exercer sur moi son esprit bohème; et puisqu'elle n'avait pas su mettre les Shackleton au pas, du moins prenait-elle toujours la précaution de m'accompagner dans mes moindres contacts avec eux.

Lors de notre premier voyage en Cornouailles, mon cœur débordait d'anxiété. Je n'étais certes qu'une enfant, mais je savais que ma mère et Phoebe n'avaient rien en commun, et je voyais se profiler à l'horizon deux semaines de disputes entrecoupées de lourds silences. C'était sous-estimer le sens diplomatique de Phoebe. Elle évacua d'emblée le problème en présentant ma mère à une certaine Mme Tolliver, laquelle possédait à Penmarron un petit cercle de relations tout ce qu'il y avait de plus conventionnel, et ne demandait pas mieux que d'accueillir ma mère dans ses tournois de bridge et ses dîners.

En compagnie de ses nouveaux amis, elle prit l'habitude de jouer aux cartes même par grand beau temps, pendant que Phoebe et moi arpentions la plage, plantions nos chevalets sur la vieille digue, ou bien partions vers l'intérieur des terres dans l'antique Volkswagen toute cabossée qui servait à ma tante d'atelier ambulant; là, nous aimions à nous perdre au cœur de paysages baignés d'une lumière si intense, si scintillante qu'elle semblait directement réfléchie par le miroir de la mer.

Malgré les efforts de ma mère, Phoebe exerça sur ma vie une

influence profonde; influence pour partie inconsciente, sous forme par exemple d'un goût et d'un talent pour le dessin qui me venaient sûrement d'elle; mais qui pouvait aussi prendre la forme d'un soutien actif, au moment où je pris la résolution d'aller étudier à Florence et de m'inscrire aux Beaux-Arts, ce qui devait en fin de compte me permettre de trouver mon travail actuel à la galerie Marcus Bernstein, à Cork Street.

Aujourd'hui encore, l'ombre de Phoebe planait sur notre conflit. Nigel Gordon était entré dans ma vie quelques mois plus tôt. C'était la première fois que je supportais la compagnie d'un être aussi parfaitement conventionnel, et quand je l'amenai à la maison pour le présenter à maman, celle-ci fut incapable de dissimuler son plaisir. Il se montra charmant, lui apporta des fleurs, lui fit même un brin de cour; et lorsqu'elle apprit qu'il désirait m'inviter en Ecosse pour faire la connaissance de sa famille, son enthousiasme ne connut plus de bornes. Sur-le-champ ou presque, elle m'acheta une culotte de tweed pour nos « promenades en amoureux dans la lande ». Au-delà, je savais qu'elle voyait déjà toute une pile de faire-part dorés sur tranche, une ronflante annonce de fiançailles dans le *Times* et, en guise de bouquet final, un grand mariage londonien et sa fille parée comme une châsse.

Et voici qu'au dernier moment, Phoebe faisait à nouveau surface pour réduire à néant tous ces beaux rêves. Ma tante s'était cassé un bras, et dès son retour à Holly Cottage, sa petite maison, elle avait téléphoné pour me supplier de venir lui tenir compagnie. Non qu'elle fût incapable de survivre seule, mais son plâtre lui interdisait de conduire, et l'idée de rester immobilisée lui paraissait insupportable.

Dès ses premiers mots au téléphone, un immense soulagement m'avait envahie, et ce ne fut qu'à ce moment que je m'avouai à moi-même que je ne tenais pas à aller en Ecosse pour rencontrer la famille Gordon. Je n'étais pas prête à m'engager avec Nigel. Inconsciemment, j'attendais l'excuse qui me permettrait d'annuler ce voyage, et voilà que Phoebe me l'apportait sur un plateau d'argent. Sans hésiter une seconde, je répondis à ma tante que j'arrivais. Puis j'annonçai à Nigel que je ne pourrais pas l'accompagner. C'est ce que je venais d'expliquer à ma mère.

Comme il fallait s'y attendre, elle eut du mal à s'en remettre.

— Tu pars en Cornouailles? Chez Phoebe? répéta-t-elle, abasourdie, comme si le ciel venait de lui tomber sur la tête.

— Je ne peux pas faire autrement, maman, répondis-je dans l'espoir de la dérider ; elle conduit déjà tellement mal avec ses deux bras !

Mais ma mère n'avait pas le cœur à rire.

— Se décommander à la dernière minute, vraiment, ça ne se fait pas... Tu ne seras plus jamais invitée. Et que pensera la mère de Nigel ?

— Je lui écrirai. Je suis sûre qu'elle comprendra.

— Chez Phoebe... tu ne rencontreras rien d'autre qu'une faune d'étudiants mal lavés et d'excentriques vêtus de ponchos brodés à la main !

— Peut-être Mme Tolliver pourra-t-elle me présenter un homme convenable.

— Ce n'est pas le moment de plaisanter.

— Ma vie m'appartient, maman, ripostai-je le moins brutalement possible.

— C'est ce que tu dis toujours. C'est ce que tu m'as déclaré quand tu as décidé de t'installer dans ce coin de cave sinistre. Et en plus, à Islington !

— C'est un quartier très branché.

— Et quand tu t'es inscrite à cette horrible école d'art...

— Au moins, mon diplôme m'a permis de trouver un poste tout à fait honorable. Qu'as-tu à répondre à cela ?

— Que tu devrais être mariée. Tu ne serais pas obligée de courir après un emploi.

— Même si je me mariais, je continuerais à travailler.

— Voyons, Virginia, cela ne te mènera à rien. Je voudrais tant que tu aies une vie digne de ce nom...

— Je crois avoir une vie digne de ce nom.

Nous nous regardâmes pendant de longues secondes. Ma mère, apparemment blessée au plus profond de son âme, exhala un soupir de résignation. Je sentis que notre prise de bec était provisoirement terminée.

— Je ne te comprendrai jamais, lâcha-t-elle d'un ton qui se voulait pathétique.

Je m'approchai pour la serrer dans mes bras.

— N'essaie pas, murmurai-je à son oreille. Contente-toi de me supporter et de m'aimer. Je t'enverrai une carte postale de Cornouailles.

152

J'avais décidé de faire le voyage de Penmarron en train plutôt qu'en voiture. Le lendemain matin, je me rendis en taxi à la gare de Paddington, où je n'eus aucun mal à trouver le bon quai, puis le bon wagon. J'avais réservé une place assise, mais en cette mi-septembre le flot des vacanciers s'était tari et le train était loin d'être bondé. Je venais de m'asseoir, après avoir posé mon bagage dans le filet, lorsque quelqu'un frappa à la vitre. Levant les yeux, je vis un homme sur le quai ; il tenait sa serviette dans une main et un bouquet de fleurs dans l'autre.

C'était Nigel.

Je me relevai, rejoignis la portière et descendis sur le quai. Il marchait vers moi, un sourire embarrassé aux lèvres.

— Virginia, enfin... J'ai bien cru que je ne vous trouverais pas.

— Pour l'amour du ciel, Nigel, que faites-vous ici ?

— Je suis venu vous souhaiter bon voyage... et vous apporter ceci, dit-il en me tendant son bouquet de chrysanthèmes jaunes, légèrement ébouriffé.

Je fus touchée malgré moi. Force m'était de voir dans la venue de Nigel un geste de pardon généreux, également destiné à montrer qu'il avait très bien compris ce que signifiait mon refus de le suivre en Écosse. Je me sentis légèrement coupable et, pour cacher mon trouble, je pris les fleurs et les humai longuement. Leur parfum était délicieux. Je relevai la tête et souris.

— Il est dix heures, observai-je. Ne devriez-vous pas être à votre bureau ?

— Le bureau peut attendre.

— J'ignorais que vous aviez une position aussi éminente dans le monde de la finance.

— Ce n'est pas le cas, dit-il avec un grand sourire, mais, Dieu merci, je n'en suis plus à pointer chaque matin. De toute façon, j'ai prévenu de mon retard.

D'ordinaire, son visage sérieux respirait la maturité, surtout avec ses cheveux blonds qui commençaient à se clairsemer dans la région frontale ; mais lorsqu'il souriait ainsi, on l'eût dit sur le point de retomber en enfance. Je me demandai un instant si je n'étais pas folle de vouloir quitter un homme pétri d'autant de qualités pour aller tenir compagnie à mon imprévisible tante. Se pouvait-il que ma mère eût raison ?

— Je suis navrée de vous faire faux bond, dis-je. Hier soir, j'ai écrit une lettre à votre mère.

— Une autre fois, peut-être... Quoi qu'il en soit, j'aimerais garder le contact. Rappelez-moi à votre retour à Londres.

Je compris qu'il était prêt à m'attendre si je le lui demandais. Prêt à venir me chercher à la gare, à me ramener à Islington en voiture et à reprendre le fil de notre histoire comme si de rien n'était.

— Je n'y manquerai pas, répondis-je.

— J'espère que votre tante se remettra vite.

— Ce n'est qu'un bras cassé. Elle n'est pas malade.

Il y eut une courte pause.

— Bien... lâcha Nigel en s'avançant pour m'embrasser sur la joue. Au revoir, et bon voyage.

— Merci d'être venu. Et merci pour les fleurs.

Il recula d'un pas, esquissa un vague geste d'adieu, tourna les talons et s'en fut. Je le suivis des yeux, tandis qu'il se frayait un chemin dans la foule confuse des porteurs et des familles chargées de valises. Arrivé devant le tourniquet, il se retourna une dernière fois pour me faire signe, avant de disparaître. Je remontai dans mon wagon, déposai le bouquet dans le filet à bagages et me rassis. Sans doute aurait-il mieux fait de ne pas venir.

J'avais beau être une authentique Shackleton, il m'arrivait d'être victime de sentiments qui, je le savais, me venaient tout droit de ma mère. C'était le cas en ce moment. Il fallait que je sois folle pour ne pas vouloir d'un homme comme Nigel, pour ne pas vouloir passer avec lui le restant de mes jours. En général, je me cabrais à la seule idée de fonder un foyer, mais en cet instant précis, assise dans ce train à l'arrêt, le regard perdu dans la foule des voyageurs, je trouvais cette idée terriblement attirante. La sécurité — voilà ce que cet homme, à coup sûr, pouvait m'apporter. Je m'imaginais installée avec lui dans sa grande maison londonienne ; nous irions passer nos vacances en Ecosse, je ne travaillerais que si j'en avais envie et non par nécessité, nous aurions des enfants...

— Veuillez m'excuser, dit une voix. Cette place est-elle occupée ?

— Pardon ?

Je levai les yeux sur l'homme debout dans l'allée centrale. Il tenait une petite valise et était accompagné d'une fillette d'une dizaine d'années, toute menue, boucles sombres et lunettes rondes.

— Non, repris-je. Elle est libre.

— Bien, dit l'homme, soulevant sa valise pour l'installer dans le compartiment à bagages.

Il ne semblait pas d'humeur à plaisanter, et l'impatience qui se dégageait de ses manières me retint de lui demander de prendre garde à mon bouquet de chrysanthèmes. Comme Nigel, il était vêtu à la façon des banquiers de la City, d'un costume bleu marine rayé. Mais ce costume lui allait mal, comme s'il avait beaucoup grossi récemment, et j'eus la vision de repas d'affaires gargantuesques, aux frais de sa société. Et quand il souleva sa valise à bout de bras, je me trouvai aux premières loges pour contempler les boutons prêts à exploser de sa chemise de luxe. Peut-être avait-il été séduisant autrefois, mais à présent ses joues étaient lourdes, affaissées, et son teint rougeaud; ses cheveux bruns grisonnants étaient trop longs à l'arrière et sur les côtés, peut-être pour compenser une implantation clairsemée au sommet du crâne.

— Voilà, dit-il à la petite fille. Vas-y, assieds-toi.

La fillette obéit et s'assit tout au bord du fauteuil. Elle tenait un magazine de bandes dessinées, et un petit sac à main de cuir rouge était suspendu à son épaule. C'était une enfant très pâle, dont les cheveux courts laissaient à nu un cou long et étroit. Ce détail, ajouté à ses lunettes et à son expression de souffrance stoïque, lui donnait des airs de petit garçon, et cela me rappela plus d'un gamin aperçu sur un quai de gare, raide dans son uniforme flambant neuf, au bord des larmes, tandis que son père lui expliquait à quel point il allait être heureux en pension.

— Tu as bien ton billet?

Elle hocha la tête.

— Ta grand-mère viendra te chercher à la gare.

Nouveau hochement de tête.

— Bon... fit-il en se passant une main sur le crâne, comme s'il était pressé d'en finir. Tout est en ordre, me semble-t-il. Le voyage se passera sans histoire, tu verras.

Encore une fois, la fillette hocha la tête. Ils se regardèrent sans sourire. L'homme esquissa un mouvement de repli, puis parut se souvenir de quelque chose.

— Tiens, ajouta-t-il en tirant de sa poche intérieure un portefeuille en crocodile dont il sortit un billet de dix livres. Au cas où tu aurais faim pendant le voyage... Tu n'auras qu'à prendre quelque chose au wagon-restaurant.

Elle prit le billet et le considéra longuement.

— Bon... Au revoir.

— Au revoir.

Il s'en fut. En passant devant la fenêtre, il s'arrêta brièvement pour agiter la main avec un sourire figé. Puis il s'éloigna à grands pas, probablement pour rejoindre quelque longue et confortable limousine qui le ramènerait vers le monde mâle et familier de ses affaires.

Moi qui venais d'être émue par la gentillesse de Nigel, je fus frappée par le manque de chaleur de cet homme, et me demandai comment on avait pu charger un aussi triste sire de conduire cette petite fille au train. Assise près de moi, elle garda longtemps l'immobilité d'une souris pétrifiée, avant de poser son sac à main sur ses genoux, d'en faire coulisser la fermeture à glissière, de placer son billet de banque à l'intérieur et de le refermer. J'envisageai un instant de lui adresser quelques mots aimables, mais il me sembla remarquer un voile de larmes dans ses yeux, derrière ses lunettes, et je décidai de la laisser tranquille.

Je pris mon journal, parcourus les titres alarmistes de la une et passai directement aux pages culturelles. Je ne tardai pas à y trouver ce que je cherchais : le compte rendu d'une exposition ouverte quelques jours plus tôt à la galerie Peter Chastal, laquelle était à deux pas de celle de Marcus Bernstein, où je travaillais.

L'artiste exposé était un jeune homme du nom de Daniel Cassens. Je m'intéressais depuis longtemps à sa carrière car, vers l'âge de vingt ans, il avait passé un an en Cornouailles chez ma tante Phoebe pour apprendre la sculpture avec Chips. Je ne l'avais jamais rencontré, mais je savais que Phoebe et Chips s'étaient pris d'affection pour lui, et, après son départ aux Etats-Unis, Phoebe n'avait jamais cessé de suivre sa carrière avec autant d'enthousiasme que s'il s'était agi de son propre fils.

Après avoir beaucoup voyagé et travaillé aux Etats-Unis, il était parti pour le Japon, dont les subtilités artistiques lui avaient permis d'enrichir considérablement son savoir-faire.

Cette exposition visait à présenter les œuvres de sa période japonaise, et le critique s'extasiait sur la sérénité et la précision du travail de Daniel, notamment en matière d'aquarelle :

C'est une collection unique. Les pièces se complètent mutuellement, chacune exprimant une expérience à la fois totale et rare. Sacrifiez donc une heure de votre routine habituelle pour rendre une petite visite à la galerie Chastal. Vous ne le regretterez pas.

Phoebe serait sûrement ravie, et je m'en réjouissais pour elle. Je refermai le journal, regardai par la fenêtre et constatai que nous avions quitté la banlieue pour nous enfoncer dans la campagne. Il faisait un temps humide ; de gros nuages gris roulaient à travers le ciel, révélant çà et là un lambeau de bleu limpide. Les arbres commençaient à roussir ; certains même perdaient leurs premières feuilles. On pouvait apercevoir des tracteurs au milieu des champs et, dans les jardins alignés le long de la voie ferrée, les marguerites d'automne formaient des taches violettes.

M'étant soudain souvenue de l'existence de ma jeune compagne de voyage, je me tournai vers elle. Elle n'avait ni ouvert son magazine, ni déboutonné son manteau gris, mais ses larmes avaient séché et elle semblait avoir repris un peu d'assurance.

— Où vas-tu ? lui demandai-je d'une voix douce.

— En Cornouailles.

— Moi aussi, je vais en Cornouailles. Dans quel coin ?

— Je vais chez ma grand-mère.

— Tu as de la chance. Mais... les grandes vacances sont terminées, non ? Ne devrais-tu pas être à l'école ?

— Je devrais. Je suis inscrite dans un internat. La rentrée a eu lieu normalement, mais, il y a quelques jours, la chaudière a explosé, et nous avons toutes été renvoyées chez nous pour la durée des travaux.

— Quelle horreur ! J'espère que personne n'a été blessé.

— Non. Mais Mlle Brownrigg, notre directrice, a dû passer toute une journée au lit. Pour se remettre du choc, d'après l'intendante.

— Je la comprends.

— Alors, je suis rentrée à la maison, mais je n'y ai trouvé que mon père. Ma mère est en vacances à Majorque. Voilà pourquoi on m'envoie chez ma grand-maman.

L'idée ne semblait pas l'enthousiasmer. J'étais en train d'essayer de trouver quelque chose de réconfortant à lui dire quand elle ouvrit son magazine et se mit à lire la première histoire avec une concentration affectée. Le message était suffisamment clair ; avec un sourire en coin, je pris moi aussi un livre, et le voyage se poursuivit en silence jusqu'au passage d'un employé du restaurant, qui annonça que le déjeuner était servi.

Je reposai mon livre.

— Vas-tu déjeuner ? demandai-je, songeant au billet de dix livres qu'elle gardait dans son sac.

— Je... je ne sais pas de quel côté est le restaurant, me répondit-elle d'un air angoissé.

— Justement, j'y vais. Que dirais-tu de m'accompagner? Nous pourrions déjeuner ensemble.

Un soulagement teinté de reconnaissance se peignit sur ses traits.

— Vraiment? J'ai de l'argent, mais c'est la première fois que je prends le train toute seule, et je ne sais pas trop comment faire.

— Il est vrai que c'est assez compliqué. Viens, dépêchons-nous avant que toutes les tables soient prises.

Ensemble, nous entreprîmes de remonter le train d'un pas incertain, avant de trouver la voiture-restaurant. Nous fûmes placées à une table pour deux, recouverte d'une nappe de tissu d'un blanc immaculé et décorée d'un petit bouquet de fleurs placé dans une carafe de verre.

— J'ai un peu chaud, me glissa la fillette. Vous croyez que je peux ôter mon manteau?

— Il me semble que c'est une excellente idée.

A peine se fut-elle levée qu'un serveur s'approcha par-derrière pour l'aider à retirer sa gabardine, qu'il disposa ensuite sur le dossier de son siège. Quand elle fut rassise, nous ouvrîmes la carte.

— As-tu faim? demandai-je.

— Oui. J'ai pris mon petit déjeuner il y a des siècles!

— Où habites-tu?

— A Sunningdale. Mon père m'a amenée à Londres en voiture. Il fait le voyage tous les matins.

— Ton...? Etait-ce ton père qui t'a accompagnée tout à l'heure?

— Oui.

Il ne l'avait pas même gratifiée d'un baiser d'adieu!

— Il travaille à la City, expliqua-t-elle en me regardant brièvement avant de détourner les yeux. Il n'aime pas être en retard.

— Rares sont ceux qui aiment être en retard, remarquai-je. Et c'est sa maman qui va s'occuper de toi?

— Non. Bonne-Maman est la mère de ma mère.

— Moi, je vais chez ma tante, expliquai-je d'un ton enjoué. Elle s'est cassé un bras. Comme elle ne peut plus conduire, je vais m'occuper d'elle pendant quelque temps. Elle habite au fin fond de la Cornouailles, dans un village du nom de Penmarron.

— Penmarron? Moi aussi, je vais à Penmarron.

— Quelle coïncidence!

— Je m'appelle Charlotte Collis. Je suis la petite-fille de Mme Tolliver. Ma grand-mère, c'est elle. Vous la connaissez?

— Oui. Pas très bien, mais je la connais. Ma mère a souvent joué au bridge avec elle. Ma tante s'appelle Phoebe Shackleton.

Son visage s'illumina. Pour la première fois depuis que je la connaissais, elle se mit à ressembler à n'importe quelle fillette excitée. Ses yeux s'agrandirent derrière ses lunettes de chouette, et sa bouche s'ouvrit de surprise et de ravissement, dévoilant une rangée de dents un peu trop grandes pour son visage étroit.

— Phoebe! s'écria-t-elle. Phoebe est ma meilleure amie! Quand je suis chez Bonne-Maman, je vais très souvent prendre le thé chez elle... Je ne savais pas qu'elle s'était cassé le bras. Vous... vous ne seriez pas Virginia, par hasard? termina-t-elle en me regardant droit dans les yeux.

Je souris.

— Si. Comment le sais-tu?

— Il me semblait bien que j'avais déjà vu votre visage quelque part. Il y a une photo de vous dans le salon de Phoebe. Je vous ai toujours trouvée très belle.

— Merci.

— Phoebe m'a souvent parlé de vous. Oui, j'adore prendre le thé chez elle, parce que je n'ai pas l'impression d'être avec une grande personne, et parce qu'elle me laisse faire ce que je veux... et en particulier jouer avec ce joli manège qui a été fait à partir d'un vieux gramophone.

— Il m'appartenait. Chips l'a fabriqué pour moi.

— Je n'ai pas connu Chips. J'étais trop petite quand il est mort.

— Quant à moi, répondis-je, je ne connais pas ta maman.

— Pourtant, nous passons la plupart de nos étés chez ma grand-mère.

— En général, je viens plutôt pour Pâques, et quelquefois pour Noël, ce qui explique que nos chemins ne se soient jamais croisés. Je crois que je ne connais même pas son nom.

— Annabelle. Mais on l'appelle plus souvent Mme Collis.

— As-tu des frères et sœurs?

— Un frère, Michael. Il a quinze ans et est en pension à Wellington.

— Et la chaudière de Wellington n'a pas explosé? ajoutai-je afin de donner un tour moins sérieux à notre conversation.

Ma tentative n'eut pas l'effet escompté.

— Non, répondit Charlotte sans sourire.

Je consultai la carte en pensant à Mme Tolliver. Ma mémoire avait conservé l'image d'une dame de haute taille, d'une élégance glacée, toujours impeccablement mise ; ses cheveux gris étaient savamment coiffés, ses jupes tombaient droit, sans un faux pli, ses souliers luisaient comme des marrons tout juste sortis de leur bogue. Je revis White Lodge, où Charlotte allait séjourner, et me demandai ce qu'une enfant comme elle trouverait à faire dans ces jardins minutieusement manucurés et dans une maison aussi silencieuse qu'ordonnée.

Un coup d'œil par-dessus la table me permit de deviner que ma petite compagne de voyage, sourcils froncés, s'interrogeait sur ce qu'elle allait commander pour son déjeuner. Une certaine tristesse émanait de ses traits. Apparemment, elle ne trouvait pas très amusant d'avoir été renvoyée dans ses foyers suite à l'explosion d'une chaudière. Sa présence n'était pas souhaitée, sa mère était à l'étranger, il n'y avait personne pour s'occuper d'elle. Et elle ne semblait pas trouver particulièrement réjouissant d'avoir été mise dans un train, toute seule, et expédiée à l'autre bout du pays pour être confiée à la garde de sa grand-mère. Je ne pouvais que regretter que Mme Tolliver ne fût pas une grosse matrone extravertie adorant tricoter des vêtements de poupée.

Charlotte leva les yeux et vit que je l'observais. Elle poussa un soupir d'impuissance.

— Je ne sais pas quoi prendre.

— Il y a quelques instants, tu disais mourir de faim. Pourquoi ne pas prendre un repas complet ?

— D'accord.

Elle opta pour un potage aux légumes, une tranche de rosbif et un sorbet.

— Vous croyez, ajouta-t-elle au bout d'un moment, qu'il me reste assez pour me payer un soda ?

Qu'est-ce qui fait la magie des voyages en chemin de fer vers la Cornouailles ? Je sais que je ne suis pas la première à avoir été saisie de ravissement au moment où le convoi franchit la Tamar sur le vieux pont de Brunel, comme si celle-ci marquait la frontière de quelque merveilleux royaume. A chaque départ, je me dis que je n'éprouverai plus cette impression; et pourtant, elle revient chaque fois m'étreindre. Il m'est impossible de dégager les raisons précises de cette euphorie. Est-elle due à la teinte rose pâle que prennent les maisons au moment du couchant? A la taille réduite des champs, aux majestueux viaducs qui enjambent les profondes vallées boisées, aux premiers reflets de la mer entraperçus dans le lointain? A moins que ce ne soient les noms des petites gares de campagne traversées à grande vitesse, ou encore la voix des porteurs sur le quai de Truro?

Nous arrivâmes à St. Abbatt's Junction à cinq heures moins le quart. Quand le train s'immobilisa le long du quai, Charlotte et moi étions déjà postées à la portière, avec nos valises et mon bouquet de chrysanthèmes passablement fatigué. A notre descente du wagon, nous fûmes assaillies par une rafale de vent d'ouest, et je sentis aussitôt le parfum vigoureux et salé de la mer. Les quelques palmiers qui bordaient le quai s'agitaient comme de vieux parapluies cassés; un porteur ouvrit le fourgon et en sortit une caisse grouillante de poules indignées.

Je savais que M. Thomas serait là pour m'attendre. M. Thomas possédait l'unique taxi de Penmarron, et Phoebe m'avait prévenue au téléphone qu'elle avait loué ses services. En gravissant les marches de la passerelle de bois qui menait à la sortie, je l'aperçus, emmitouflé dans un manteau comme en plein hiver et coiffé de son éternelle casquette achetée dans une friperie, qui avait probablement appartenu à quelque chauffeur de maître. Quand il ne conduisait pas son taxi, M. Thomas était éleveur de porcs; et pour l'exercice de cette profession, il disposait d'un autre chapeau : un feutre, véritable antiquité. Ma tante, avec son esprit rabelaisien, s'était un jour interrogée sur le couvre-chef qu'il mettait à l'heure de rejoindre Mme Thomas au lit, mais ma mère s'était contentée de plisser les lèvres et de baisser les yeux, refusant de la suivre sur ce terrain, et Phoebe n'avait plus jamais abordé la question.

Aucune trace de Mme Tolliver. Je sentais monter à chaque pas l'anxiété de Charlotte.

— Peut-être que ta grand-mère t'attend de l'autre côté de la passerelle.

Le train, qui ne s'arrêtait jamais longtemps, s'ébranla. Quand il fut parti, nous fouillâmes du regard le quai opposé, mais nous ne vîmes personne d'autre qu'une grosse dame équipée d'un cabas. Rien à voir avec Mme Tolliver.

— Peut-être a-t-elle préféré attendre dans sa voiture à la sortie de la gare, tentai-je. Il ne fait pas chaud ce soir.

— J'espère qu'elle ne m'a pas oubliée, bougonna Charlotte.

Fort heureusement, M. Thomas ne tarda pas à nous rassurer.

— Bonsoir, ma chère, lança-t-il à mon intention, en venant à ma rencontre pour me soulager de mes bagages. Comment allez-vous ? Je suis heureux de vous revoir. Avez-vous fait bon voyage ? (Son regard tomba sur Charlotte.) Quant à toi, tu es la petite-fille de Mme Tolliver, n'est-ce pas ? Oui, je te reconnais. Je suis chargé de vous emmener toutes les deux : la petite à White Lodge, et vous chez Mlle Shackleton. On dirait que vous avez fait le voyage ensemble ?

— En effet. Nous nous sommes rencontrées dans le train.

— Votre tante serait bien venue vous chercher, mais elle ne peut pas conduire avec ce maudit plâtre qu'elle a au bras. Donne-moi donc ta valise, toi aussi, dit-il à Charlotte. Il est plus facile de transporter deux bagages qu'un seul.

Chargé comme un baudet, il nous conduisit jusqu'à sa voiture. Nous prîmes place dans le taxi, dont les sièges de cuir exhalaient perpétuellement une imperceptible odeur de porc.

— J'espère que Mme Tolliver ne s'est pas cassé un bras elle aussi, remarquai-je.

— Oh non ! Elle est superbe. (En Cornouailles, être superbe signifie se porter comme un charme.) Tout va très bien. Mais il lui a semblé inutile d'envoyer deux voitures vous chercher.

Sur ce, il mit le moteur en marche ; le taxi s'ébranla, non sans une série de hoquets, et partit à l'assaut de la colline au sommet de laquelle passait la grand-route. Je me laissai aller contre la banquette, un peu contrariée. Sans doute Mme Tolliver avait-elle fait acte de logique en chargeant ce brave M. Thomas d'aller chercher sa petite-fille, mais il aurait été plus délicat de sa part d'attendre Charlotte en personne. Enfin, il ne s'agissait, après tout, que d'un trajet de deux kilomètres. La fillette était tournée vers la fenêtre, le regard perdu dans le paysage, et le soupçon me vint qu'elle s'efforçait une nouvelle fois de refouler ses larmes. Comment, d'ailleurs, aurais-je pu le lui reprocher ?

— Riche idée, n'est-ce pas, de nous faire partager ce taxi ? lui dis-je d'un ton faussement enthousiaste.

— Sûrement, répondit-elle sans me regarder.

En tout cas, nous étions arrivées à bon port. Après avoir rejoint la grand-route balayée par les vents, nous redescendîmes la colline au milieu des chênes. Nous franchîmes le portail qui marquait les anciennes limites du domaine des châtelains et pénétrâmes dans le village. Rien ne paraissait avoir changé. Puis ce fut une nouvelle ascension, au cours de laquelle nous dépassâmes plusieurs maisons et boutiques, un vieil homme avec son chien, la station-service et la taverne. Nous bifurquâmes dans la rue qui menait à l'église et à la mer, traversâmes un bois de chênes séculaires, longeâmes une ferme familière au toit d'ardoise et finîmes par arriver à White Lodge.

M. Thomas rétrograda avec une série de couinements odieux, et nous franchîmes le portail blanc grand ouvert. Nous empruntâmes une allée au-dessus de laquelle les arbres formaient une voûte verdoyante, et je remarquai d'emblée les bas-côtés impeccables, dont les buissons d'hortensias commençaient à peine à faner. Au détour d'un virage, la maison nous apparut, et nous nous immobilisâmes sur une terrasse de gravier. C'était un édifice de pierre de taille, massif et blanchi à la chaux. Une glycine escaladait le mur de façade jusqu'aux fenêtres de l'étage supérieur, et une volée de marches permettait d'accéder à la porte d'entrée — close. Quand tout le monde eut quitté le taxi, M. Thomas escalada le perron pour sonner. Une soudaine rafale de vent souleva un tourbillon de feuilles mortes à hauteur de nos chevilles. Au terme d'une brève attente, la porte s'ouvrit et Mme Tolliver apparut. Elle était exactement telle que dans mon souvenir et descendit les marches avec une dignité irréprochable. Son visage affichait un sourire de bienvenue savamment composé.

— Charlotte, te voici...

Elle se pencha sur l'enfant pour déposer sur sa joue un baiser sec, puis se redressa. Bien que je sois assez grande, elle me dominait.

— Bonjour, Virginia. C'est un plaisir de vous revoir. J'espère ne pas avoir perturbé vos plans en suggérant le partage du taxi.

— Bien au contraire. Nous nous sommes rencontrées dans le train à la gare de Londres, ce qui nous a permis de faire tout le voyage ensemble.

— Comme c'est amusant! Est-ce ta valise, Charlotte? Entre donc. Tu as juste le temps de te laver les mains avant le thé. Mme Curnow a fait des madeleines. Je suppose que tu les aimes.

— Oui, répondit Charlotte sans conviction.

Elle détestait probablement les madeleines. Sans doute aurait-elle préféré des croquettes de poisson avec des frites.

— Quant à vous, Virginia, j'espère que vous trouverez Phoebe en parfaite santé. Peut-être pourriez-vous venir déjeuner un de ces jours. Comment va votre chère mère?

— Très bien.

— Parfait. Mais nous aurons tout le temps d'échanger des nouvelles plus tard. Viens, Charlotte.

— Au revoir, me dit la fillette.

— Au revoir, Charlotte. N'hésite pas à passer nous voir.

— Comptez sur moi.

J'attendis debout à côté du taxi que la vieille dame et l'enfant eussent franchi le seuil. Mme Tolliver portait la valise, et Charlotte, serrant toujours sa bande dessinée, la suivait respectueusement. Elle ne se retourna pas pour me faire un dernier signe. La porte se referma.

2

Il semblait presque absurde que Charlotte ait pu recevoir un accueil aussi dénué de chaleur, tandis que moi-même, âgée de vingt-trois ans et parfaitement capable de me débrouiller seule, j'étais pour ainsi dire attendue comme le Messie par tout Holly Cottage, et en particulier par ma tante Phoebe. A Holly Cottage, il n'y avait pas d'allée bordée d'arbres ; tout juste une bande de gravier entre le portail et la maison. Le jardin était un fouillis de dahlias et de chrysanthèmes, la porte d'entrée béait, grande ouverte malgré la brise du soir, et le rideau de coton rose d'une des fenêtres du premier étage ondulait à tous les vents, comme pour me souhaiter la bienvenue. A peine le taxi eut-il franchi le portail que Phoebe apparut en personne. Si son bras gauche était prisonnier d'un gros plâtre blanc, le droit se fit fort de me lancer des saluts exubérants, et ma tante se mit à courir vers nous de façon tellement inattendue que M. Thomas faillit la renverser.

J'ouvris la portière avant l'arrêt total de la voiture, en descendis et me jetai au cou de Phoebe, qui m'enserra la taille de son unique bras valide. Je lui rendis son étreinte avec enthousiasme.

— Oh, ma chérie, tu es vraiment un ange ! s'exclama-t-elle. Franchement, je n'osais espérer que tu viendrais. J'avais du mal à y croire, et j'étais en train de devenir folle. Figure-toi que je n'arrive même pas à enfourcher une bicyclette !

Je reculai d'un pas en riant, et nous nous regardâmes l'une l'autre avec une intense satisfaction. Contempler Phoebe est toujours un plaisir. Un plaisir imprévisible, mais un plaisir quand même. A l'époque, elle avait allègrement dépassé le cap de la soixantaine, mais tout se passait comme si la fuite des ans n'avait aucune prise sur ma tante.

Mon regard s'arrêta sur les épaisses chaussettes qui dépassaient de ses bottes renforcées, puis remonta vers sa jupe en jean délavé. Elle portait également une chemise et un gilet d'homme probablement hérités de Chips. Son cou était entouré de plusieurs chaînes d'or et d'une écharpe écossaise ; et bien sûr, un inévitable chapeau était posé sur sa tête.

Phoebe portait toujours un chapeau — en général un chapeau assez profond, à large bord. Elle en avait pris l'habitude lorsqu'elle peignait en extérieur, pour protéger ses yeux de la lumière blanche et glacée de la Cornouailles ; avec le temps, ses couvre-chefs étaient devenus un prolongement inséparable de sa personne, au point qu'elle oubliait le plus souvent de les ôter. Celui-ci, d'un brun très élégant, était piqué de plumes de mouette grises. A l'abri de son ombre délicate, les traits ridés de ma tante esquissèrent un sourire complice, révélant des dents régulières et blanches comme celles d'une enfant. L'éclat de ses yeux, d'un bleu intense, rivalisait avec celui de ses boucles d'oreilles incrustées de turquoises.

— Ne cherche pas à me rouler, dis-je en riant. Tu t'es peut-être cassé le bras, mais tu as meilleure mine que jamais !

— Balivernes ! Vous avez entendu, monsieur Thomas ? Elle me trouve bonne mine. Il faut qu'elle soit folle, ou aveugle ! Mais passons... Qu'est-ce que c'est que ça ? Ta valise ? Et ces fleurs moribondes ? ajouta-t-elle en me prenant mon bouquet avec un nouveau rire. Que veux-tu que je fasse de ces cadavres ? Au fait, monsieur Thomas, n'oubliez pas de m'envoyer votre note. Je ne peux pas vous régler tout de suite ; impossible de retrouver mon sac à main.

— Je vais payer, Phoebe.

— Pas question ! M. Thomas n'est pas à un jour près. N'est-ce pas, monsieur Thomas ?

L'intéressé opina du chef. Il remonta dans son taxi, mais Phoebe le poursuivit, passa la tête à l'intérieur et s'enquit de l'état de la jambe de Mme Thomas. Le chauffeur se lança dans une description clinique qui menaçait de s'éterniser. A mi-parcours, Phoebe décida qu'elle en avait assez entendu.

— Je suis soulagée d'apprendre qu'elle va mieux, coupa-t-elle d'une voix ferme en se redressant.

M. Thomas, interrompu au beau milieu d'une phrase, ne parut pas étonné le moins du monde. Après tout, il s'agissait de Mlle Shackleton, et Mlle Shackleton avait toujours eu des façons un tantinet bizarres. Le vieux tacot s'ébroua dans une gerbe de gravier et ne tarda pas à disparaître.

— Et maintenant, déclara Phoebe en me prenant le bras, rentrons. Je veux tout savoir.

Ensemble, nous franchîmes la porte ouverte et pénétrâmes dans la maison. Arrivée dans le vestibule, je m'arrêtai pour savourer le décor, ravie de voir que rien n'avait changé. Je retrouvai le parquet ciré recouvert de tapis colorés ; l'escalier de bois nu qui menait à l'étage ; les murs blanchis à la chaux sur lesquels étaient accrochées, pêle-mêle, de minuscules et éclatantes huiles signées Phoebe.

Il flottait dans la maison une odeur mêlée de térébenthine, de fumée, d'huile de lin, d'ail et de rose ; mais ce qui était plus envoûtant encore, c'était l'impression de clarté aérienne suscitée par les tons pâles des rideaux de dentelle, des tapis et du bois ciré. Même au beau milieu de l'hiver, on avait toujours l'impression d'être en été.

J'inspirai profondément afin de m'imprégner de tout cela.

— C'est le paradis, soupirai-je. Me voici de retour au paradis.

— Le décor n'a pas beaucoup changé, répondit Phoebe avant de me quitter pour rejoindre la cuisine.

Je savais qu'elle allait s'efforcer de ressusciter les malheureuses fleurs de Nigel, bien qu'elle en eût déjà une profusion chez elle. Je soulevai ma valise et montai à l'étage pour prendre possession de la chambre qui était la mienne depuis ma petite enfance. En ouvrant la porte, je fus assaillie par une bouffée d'air froid venue de la fenêtre ouverte. Après avoir posé mon bagage, j'allai à la fenêtre et me penchai au-dehors pour contempler la vue familière.

La marée était basse, et le parfum des algues flottait partout. On n'échappait jamais longtemps aux odeurs marines à Holly Cottage. La maison avait été construite sur un cap herbeux à l'embouchure d'un bras de mer enfoncé dans les terres, où il finissait par former une sorte de lagune qui s'asséchait chaque jour au rythme des marées.

En contrebas de la maison s'étirait une massive digue de pierre, sur laquelle courait autrefois une voie de chemin de fer desservant un important chantier naval. Le chantier avait fermé ses portes, les rails avaient été retirés, mais la digue était toujours là, solide comme le roc. A marée haute, avec les vagues qui lui léchaient presque les pieds, l'endroit était idéal pour une baignade estivale ; à marée basse, en revanche, il ne restait plus qu'une immensité sableuse, avec des grappes de rochers luisants de varech, de petites étendues d'eau et quelques vieux bateaux de pêche en si piteux état qu'ils gisaient sur le flanc, abandonnés pour certains depuis des années.

Côté sud, le jardin était d'une importance surprenante. Il se composait d'une pelouse à la forme indéfinie, bordée çà et là de massifs de fleurs désordonnés, qui descendaient en pente douce jusqu'à une haie d'escallonies. Cette haie était interrompue en son milieu par un portail au-dessus duquel les escallonies avaient été taillées en forme d'arche, ce qui conférait à l'ensemble une touche de solennité désuète. Sur la droite, au-delà d'un haut mur de brique, il y avait un jardin potager de bonne taille, où Chips Armitage, en son temps, avait aussi planté des pêchers ; tout au fond de ce potager, à peine visible de la maison, il avait bâti son atelier. De là où je me trouvais, je n'apercevais que son pignon d'ardoise, sur lequel était perchée une mouette. Soudain, l'oiseau battit des ailes, poussa un cri de défi qui semblait ne s'adresser à personne en particulier, prit son envol et se mit à planer sans effort au-dessus des sables mouillés.

Je souris, refermai la fenêtre en frissonnant et descendis l'escalier pour rejoindre Phoebe. Nous nous installâmes près de la cheminée, où crépitait un grand feu de bois, tandis que la lumière du jour sombrait peu à peu dans le crépuscule. Une grosse théière brune était posée sur la table roulante, cernée par deux tasses de terre cuite peintes à la main, une assiette de petits pains au lait, une motte de beurre de ferme et un pot de confiture de cerises maison.

— Tu n'as pas pu faire ces pains au lait toi-même, Phoebe. Avec une seule main, c'est impossible.

— En effet. C'est Lily Tonkins qui s'en est chargée ce matin. Le cher ange, elle vient tous les jours, et elle a pour ainsi dire réquisitionné la cuisine. Jamais je ne m'étais doutée de ses talents de cordon bleu !

— Comment as-tu fait pour te casser le bras ?

— Un accident tout ce qu'il y a de stupide, chérie. J'étais dans l'atelier à la recherche de vieux croquis de Chips. Je savais qu'ils étaient rangés sur la plus haute étagère de sa bibliothèque; je suis montée sur une chaise, et, naturellement, il a fallu qu'une vermine inconnue au bataillon ait la mauvaise idée d'élire domicile dans un des pieds de cette chaise. Bref, le pied a cédé, et patatras! (Toujours coiffée de son chapeau à plumes de mouette, elle partit d'un grand éclat de rire, comme si elle venait de me raconter la plaisanterie de l'année.) Cela dit, c'est une chance que je ne me sois pas cassé une jambe. Je suis revenue à la maison au moment où le facteur s'arrêtait pour apporter le courrier. Il m'a conduite en voiture au centre de soins, où on m'a mis ce maudit plâtre.

— Ça n'a pas dû être drôle.

— Bah... Ce n'est pas très douloureux. Le plus dur, c'est de ne pas pouvoir conduire. Je dois retourner au centre de soins demain pour montrer mon bras au médecin. Il doit avoir peur que j'attrape la gangrène ou quelque chose de ce genre...

— Je t'y conduirai.

— Ce n'est pas la peine, ils vont m'envoyer une ambulance. Je ne suis jamais montée dans une ambulance, et j'ai hâte de voir l'effet que ça fait. Mais parlons plutôt d'autre chose. Comment va Delia?

Delia était ma mère. Je répondis qu'elle allait bien.

— Et comment s'est passé ton voyage en train?

Avant que j'aie pu ouvrir la bouche pour répondre, elle se souvint de l'arrangement conclu avec Mme Tolliver.

— Mon Dieu, j'ai oublié de te demander des nouvelles de Charlotte Collis! M. Thomas s'est-il bien souvenu qu'il devait la ramener elle aussi de la gare?

— Oui.

— Grâce au ciel! J'espère qu'il ne t'a pas été trop pénible de faire le trajet avec elle. Personnellement, je pense que Mme Tolliver aurait pu faire l'effort d'aller accueillir la petite elle-même; mais elle ne l'a pas jugé utile, dans la mesure où M. Thomas devait de toute façon se rendre à la gare.

— Moi aussi, je trouve qu'elle aurait dû se déplacer.

— Comment va cette chère petite?

— Elle m'a paru un peu anxieuse. Pas du tout excitée à l'idée de séjourner chez sa grand-mère, en fait. Tu es bien la seule personne dont la mention ait suscité chez elle un quelconque enthousiasme. Elle t'adore.

— C'est drôle. En général, les petites filles préfèrent la compagnie d'enfants de leur âge. Il est vrai qu'il n'y a pas beaucoup d'enfants dans ce village. Mais quand bien même il y en aurait à la pelle, cette petite a toujours été assez farouche. Quand je l'ai rencontrée pour la première fois, elle marchait toute seule sur la plage. Elle m'a dit qu'elle se promenait. Je l'ai invitée à prendre le thé à la maison, et j'ai téléphoné à Mme Tolliver pour la prévenir. Par la suite, elle est revenue souvent. Elle est fascinée par mes toiles et mes dessins. Je lui ai donné un cahier et des feutres ; figure-toi qu'elle a un talent et une imagination remarquables. Elle adore m'entendre raconter des histoires ; je lui parle de Chips et de toutes les bêtises que nous avons pu faire ensemble. C'est vraiment étonnant, de la part d'une enfant aussi jeune.

— Je ne savais pas que Mme Tolliver avait une petite-fille. Ni même qu'elle avait eu une fille, c'est-à-dire probablement un mari... Qu'est devenu M. Tolliver?

— Il est mort il y a des années. Quand Chips et moi nous sommes installés ici, il vivait encore. Sa femme et lui menaient grand train. Tu vois le genre : une Bentley, deux jardiniers, une cuisinière, une gouvernante. Annabelle était une enfant gâtée à qui on passait tous ses caprices — la fille unique dans toute sa splendeur. Et puis, un beau jour, M. Tolliver a été victime d'une attaque cardiaque, au septième trou de son parcours de golf. Il ne s'en est jamais vraiment remis. Par la suite, plus rien n'a été pareil. Bien sûr, Mme Tolliver ne m'en a rien dit — c'est la personne la plus réservée que je connaisse —, mais la belle voiture n'a pas tardé à être vendue, et le budget familial a subi des coupes sombres. Annabelle, qui étudiait dans un collège suisse hors de prix, a été obligée de revenir au pays pour user ses fonds de culotte sur les bancs du lycée local. Elle ne s'y est jamais faite, comme si elle s'était mis en tête que la vie avait délibérément pris le parti de l'humilier. Elle ne voyait pas plus loin que le bout de son nez.

— A quoi ressemblait-elle?

— Une vraie beauté, mais sans un gramme de cervelle. Après son mariage et la naissance de son fils, elle a pris l'habitude de passer ses étés ici avec sa mère, poursuivie en permanence par trois ou quatre chevaliers servants éperdus d'amour. C'est à peine si on l'apercevait dans les soirées, tant les hommes formaient autour d'elle un rideau serré. On aurait dit des abeilles autour d'un pot de miel.

— Elle se trouve en ce moment à Majorque. C'est ce que m'a dit Charlotte.

— Je sais. Je connais cette histoire. Je crois que Mme Tolliver aurait préféré qu'elle rentre pour s'occuper elle-même de sa fille. L'épisode de la chaudière l'a beaucoup contrariée. Selon elle, cette affaire prouverait l'incompétence de la direction du pensionnat. J'en ai eu froid dans le dos. Toutes les élèves auraient pu être tuées, et elle ne trouvait rien d'autre à dire ! En fait, elle semblait surtout inquiète à l'idée de recevoir Charlotte.

— Est-il possible qu'elle ne l'aime pas ?

— Je crois qu'elle l'aime beaucoup, expliqua Phoebe d'un ton désinvolte. Mais les enfants ne l'ont jamais intéressée, et je la soupçonne de trouver Charlotte ennuyeuse. A sa décharge, il faut dire qu'elle ne l'a jamais reçue en l'absence d'Annabelle. Je crois qu'elle se demande ce qu'elle va bien pouvoir en faire.

Dehors, le vent se levait et tentait de s'insinuer avec des sifflements dans les interstices des fenêtres à guillotine. Tout était sombre, mais la pièce où nous nous trouvions était baignée par la lueur dansante des flammes. Je me penchai pour attraper la bouilloire suspendue au-dessus du feu et remplis la théière d'eau frémissante.

— Et le mari d'Annabelle ? m'enquis-je. Que peux-tu m'en dire ?

— Leslie Collis ? Je n'ai jamais pu supporter ce sinistre individu.

— Il m'a paru sinistre à moi aussi. Il n'a même pas embrassé Charlotte en lui disant au revoir. Comment Annabelle l'a-t-elle rencontré ?

— Il était descendu à l'hôtel du Château à Porthkerris avec trois autres agents de change ou Dieu sait quoi. Je ne sais pas au juste comment ils se sont rencontrés, mais ce qui est sûr, c'est que tout est allé très vite.

— Je n'arrive pas à croire qu'elle ait pu le trouver séduisant.

— C'était pourtant le cas, en un sens. Il avait un charme assez particulier, à la fois ténébreux et tape-à-l'œil. Il jetait l'argent par les fenêtres et se promenait en Ferrari.

— Crois-tu qu'Annabelle ait été amoureuse de lui ?

— Pas un instant. Annabelle a toujours été incapable d'aimer qui que ce soit, si ce n'est elle-même. Mais elle avait une sainte horreur de la pauvreté, et ce Leslie Collis était en mesure de lui apporter tout ce dont elle avait toujours rêvé. Comme tu dois t'en douter, Mme Tolliver l'a furieusement encouragée à lui mettre le grappin dessus. Je ne crois pas qu'elle ait jamais pardonné à son pauvre mari de l'avoir laissée dans la gêne, et elle était déterminée à tout mettre en œuvre pour qu'Annabelle fasse un bon mariage.

Je méditai sur ce que je venais d'entendre en me versant une nouvelle tasse de thé, puis me laissai aller contre le moelleux dossier de mon fauteuil.

— Je suppose que toutes les mères se ressemblent, soupirai-je.

— Ne me dis pas que Delia t'a encore relancée là-dessus.

— Ce n'est pas qu'elle m'ait relancée, mais il y a cet ami — celui qui m'a offert les chrysanthèmes, justement...

Et je lui racontai tout sur Nigel Gordon et son invitation en Ecosse. Phoebe m'écouta avec beaucoup d'attention et attendit que j'aie fini avant de conclure :

— Il me paraît très gentil.

— Il l'est. Et c'est justement le problème. Nigel est terriblement gentil. Mais maman croit déjà entendre sonner les cloches de l'église. Elle passe son temps à me rappeler que j'ai vingt-trois ans et que je devrais fonder un foyer. Je crois que je l'épouserais peut-être si elle insistait moins lourdement.

— Tu ne dois l'épouser que si la vie sans lui te paraît inconcevable.

— Je suis loin du compte. La vie sans lui me paraît tout ce qu'il y a de concevable.

— Chacun d'entre nous attend des choses différentes de la vie. Ta mère a besoin de sécurité. C'est pour cela qu'elle a épousé ton père, et on ne peut pas dire qu'elle ait vraiment fait un bon calcul, dans la mesure où elle ne s'est pas souciée de chercher à le connaître avant de se présenter devant l'autel dans sa magnifique robe de mariée. Pour toi, ce n'est pas pareil. Tu ne te contenteras jamais d'un homme simplement parce qu'il paie tes factures et t'offre des fleurs de temps en temps. Tu es intelligente, tu as du talent. Il est absolument vital que tu choisisses un mari capable de te faire rire. Chips et moi passions notre temps à rire, même quand nous étions pauvres, que rien ne marchait et que nous ne savions pas comment faire pour payer la note de l'épicier. On riait tout le temps.

Je ne pus m'empêcher de sourire en les revoyant ensemble.

— En parlant de Chips, sais-tu que Daniel Cassens expose en

ce moment à la galerie Chastal ? J'ai lu une critique dithyrambique dans le *Times* de ce matin.

— Je l'ai lue aussi. C'est formidable et mérité. Ce garçon est tellement doué ! Je comptais monter à Londres pour assister au vernissage, mais le médecin a dit qu'il n'était pas question que je voyage avec ce maudit bras dans le plâtre.

— Daniel est-il à Londres en ce moment ?

— Dieu seul le sait. A mon avis, il est encore au Japon... A moins que ce ne soit au Mexique ou dans Dieu sait quel autre pays de fous. Peu importe, j'adorerais voir son travail. Si on m'y autorise, peut-être t'accompagnerai-je à Londres quand tu repartiras. Nous pourrions visiter l'exposition ensemble. Ne serait-ce pas formidable ? Hmm, je m'y vois déjà...

Cette nuit-là, je fis un rêve. Je me trouvais sur une île — une île tropicale, bordée de cocotiers et de sable blanc. Il faisait très chaud. J'étais sur une plage, et je marchais vers la mer cristalline et silencieuse. J'avais l'intention de nager, mais l'eau, quand je l'atteignis, m'arrivait tout juste aux chevilles. Je marchais longtemps, et soudain le sable se dérobait sous mes pieds et je me retrouvais dans une eau profonde, noire et furieuse comme les flots d'un torrent. Le courant m'entraînait au loin, vers l'horizon. J'aurais dû tenter de rebrousser chemin et de nager vers la plage, mais ce courant était trop violent pour que j'aie la moindre chance de lui résister. Je cessais de lutter et me laissais emporter ; je savais que c'était pour toujours, mais j'éprouvais une sensation d'abandon tellement délicieuse que je n'en avais cure.

Quand je me réveillai, les images de ce rêve étaient encore claires et précises dans mon esprit. Je me souvenais de tout dans les moindres détails. Etendue sur mon lit, je pensai longtemps à l'eau claire et à l'impression de paix qui m'avait saisie tandis que j'étais happée par ces flots mystérieux. Tous les rêves ont un sens. Je me demandai comment un spécialiste interpréterait celui-ci. L'idée me traversa, sans beaucoup m'inquiéter d'ailleurs, qu'il pouvait s'agir d'un rêve de mort.

3

L'aube céda la place à une splendide matinée. Le bleu éclatant du ciel était traversé par de gros nuages blancs venus de l'Atlantique. Le soleil brillait par intermittence et la marée montante prit peu à peu possession de l'estuaire, recouvrant inexorablement le sable et les mares de la veille ; vers onze heures du matin, elle atteignit la base de l'ancienne digue.

Phoebe était partie voir son médecin au centre de soins, transportée avec une certaine pompe par l'ambulance locale. Pour l'occasion, elle avait choisi un autre chapeau — de velours noir —, maintenu par un foulard de soie ; par la vitre ouverte, elle m'avait lancé avec enthousiasme de grands signes du bras, comme si elle partait pour une simple promenade. Elle devait être de retour pour le déjeuner. Je m'étais proposée pour préparer le repas, mais Lily Tonkins, déjà en train de passer l'aspirateur, m'avait répondu qu'elle avait mis une pièce d'agneau au four. N'ayant rien de mieux à faire, je finis par prendre un carton à dessin et des fusains, volai au passage une pomme dans la corbeille à fruits et sortis.

A onze heures, je me trouvais donc assise sur la pente herbue qui surplombait la digue ; face à moi, les flots froissés par le vent de l'estuaire scintillaient au soleil. La fraîcheur matinale était emplie du rire des mouettes. J'étais en train de réaliser un croquis des carcasses de bateaux, avec leurs ancres rouillées et leurs mâts nus qui semblaient vouloir percer le ciel. Comme je m'appliquais à peaufiner le rendu d'une écoutille vétuste, j'entendis le train matinal de Porthkerris surgir de la trouée aménagée derrière Holly Cottage, puis s'immobiliser à hauteur de la halte côtière. Le minuscule convoi ne tarda pas à siffler et à reprendre son petit bonhomme de chemin, puis il disparut, avalé par la courbe du littoral.

J'étais tellement absorbée par mon étude de perspective que je remarquai à peine le paysage, mais lorsque je relevai les yeux pour observer la coque d'un canot renversé, un mouvement en bordure de mon champ de vision attira mon regard. J'aperçus une silhouette solitaire — masculine — qui marchait vers moi. Il semblait venir tout droit de la halte, et je supposai qu'il était descendu du train avant de traverser la voie et d'emprunter ce sentier peu fréquenté. Il n'y avait rien d'anormal à cela. Certaines personnes prenaient le train de Porthkerris à Penmarron et revenaient ensuite à pied à Porthkerris par le littoral, ce qui leur donnait l'occasion de faire une belle promenade d'environ cinq kilomètres le long des falaises.

Je me désintéressai de mon dessin. Après avoir reposé mon cahier, je pris la pomme et mordis dedans. C'était un homme de haute taille, aux longues jambes, à la foulée ample et souple. Au fur et à mesure qu'il s'approchait, je vis qu'il portait un pantalon en toile de jean, une chemise délavée et une grosse veste de laine blanche, de celles que tant de gens aiment à rapporter de leurs vacances en Irlande. Cette veste était déboutonnée, ses pans flottaient au vent. Un foulard rouge et blanc lui entourait le cou, à la gitane. Sa tête était nue et ses cheveux très foncés. Bien qu'il ne semblât pas pressé le moins du monde, il progressait à une vitesse considérable.

Il avait l'air de quelqu'un qui sait où il va.

L'inconnu venait de rejoindre l'extrémité de la jetée. Il marqua une pause pour contempler le miroir des flots, une main en visière sur son front. Ensuite, il reprit sa marche, et ce fut alors qu'il me repéra, assise dans les hautes herbes à grignoter ma pomme tout en l'observant.

Je m'attendais qu'il passe simplement son chemin en me saluant tout au plus d'un «bonjour» poli et indifférent, mais, lorsqu'il arriva à ma hauteur, il fit halte, le dos au rivage, les mains dans les poches de sa veste et le menton haut. Une rafale de vent souleva ses cheveux sombres.

— Salut, dit-il en me regardant.

Le ton et le comportement étaient presque juvéniles, mais cette impression était contredite par un visage étroit et brun, des sillons profonds qui lui encadraient la mâchoire et une paire d'yeux profondément enfoncés dans leurs orbites.

— Salut, répondis-je.

— Belle matinée.

— En effet.

Je terminai ma pomme et jetai le trognon au loin. Une mouette se jeta instantanément dessus et l'emporta, sans doute désireuse de la consommer à l'abri des regards.

— Je viens de descendre du train.

— C'est ce que j'ai pensé en vous voyant. Vous comptez peut-être regagner Porthkerris à pied ?

— Non. Pour être franc, ce n'est pas mon intention.

Sur ce, il entreprit d'escalader la pente en se frayant un chemin entre ronces et fougères. Dès qu'il m'eut rejointe, il laissa tomber au sol sa longue carcasse. Je remarquai que ses vieilles chaussures de toile étaient trouées, et aussi que la chaleur du soleil faisait ressortir l'odeur animale de sa veste, comme si le mouton qui en avait fourni la matière première venait d'être tondu la veille.

— Vous pouvez passer par les falaises, insistai-je. Il y a un sentier.

— Ah ? Seulement, voyez-vous, je ne vais pas à Porthkerris.

Son regard tomba sur mon cahier et, avant que j'aie pu l'en empêcher, il le ramassa.

— C'est très bon.

J'ai horreur de montrer mes dessins, surtout quand ils ne sont pas terminés.

— Ce n'est qu'un gribouillage.

— Pas du tout.

Il étudia le croquis quelques secondes de plus et reposa mon cahier sans autre commentaire.

— Il y a quelque chose d'absolument fascinant à regarder la marée montante, reprit-il. N'est-ce pas ce que vous étiez en train de faire ?

— Si, répondis-je. Depuis une heure.

Il plongea la main dans une de ses vastes poches et en retira une fine boîte à cigares, une pochette d'allumettes et un livre de poche aux pages cornées, qui avait été lu et relu maintes fois. Mon intérêt s'éveilla quand je constatai qu'il s'agissait d'un livre de Daphné du Maurier. Quant à la pochette d'allumettes, elle portait l'inscription « Hôtel du Château, Porthkerris ». Dans ma peau toute neuve de détective, j'eus un instant l'impression d'en savoir déjà long sur cet inconnu.

Il choisit un cigare et l'alluma. Ses mains étaient belles; longues et étroites, avec des doigts aux ongles magnifiquement carrés. Il portait à l'un de ses poignets une montre bon marché, sans intérêt, et à l'autre une chaîne d'or qui semblait aussi lourde qu'ancienne.

— Vous êtes descendu au Château? demandai-je, tandis qu'il rempochait ses cigares et ses allumettes.

Il leva sur moi un regard surpris, puis sourit.

— Comment avez-vous deviné?

— Mettez cela sur le compte de mon sens de la déduction, de l'acuité de mon regard... ou de l'indiscrétion de votre pochette d'allumettes.

— Bien sûr. Suis-je bête! Disons que j'y ai passé la nuit dernière, si c'est ce que vous appelez « descendre ». Je suis arrivé de Londres hier.

— Moi aussi. Par le train.

— J'aurais dû faire comme vous. Quelqu'un m'a amené en auto. J'ai horreur de conduire. Horreur des voitures... J'aurais mille fois préféré m'asseoir dans un compartiment pour regarder défiler le paysage ou lire un bon livre. C'est une manière infiniment plus civilisée de voyager.

Avant de poursuivre, il changea de position et se mit en appui sur un coude.

— Etes-vous en vacances? s'enquit-il. Ou vivez-vous dans la région?

— Je ne suis ici que pour quelque temps.

— Au village?

— Ici même, pour être précise.

— Que voulez-vous dire?

— Je suis hébergée dans la maison qui se trouve juste derrière nous.

Il éclata de rire.

— A Holly Cottage? Vous habitez chez Phoebe?

— Vous la connaissez?

— Evidemment, je la connais. C'est même pour elle que je suis ici.

— Oh... Vous ne la trouverez pas à cette heure-ci. Une ambulance est venue la chercher ce matin pour l'emmener au centre de soins.

Une lueur horrifiée passa dans son regard.

— Rassurez-vous, m'empressai-je d'ajouter, ce n'est rien de grave ; une simple fracture du bras gauche. Elle a été plâtrée il y a quelques jours, et le médecin souhaitait l'examiner.

— Vous m'avez fait peur. Est-ce qu'elle va bien ?

— On ne peut mieux. Elle sera de retour pour le déjeuner.

— Et vous, qui êtes-vous ? Une aide-soignante ? Une de ses éternelles élèves ?

— Je suis sa nièce.

— Ne me dites pas que... Seriez-vous Virginia, par hasard ?

— C'est moi, dis-je en fronçant les sourcils. Et vous ? Qui êtes-vous ?

— Je m'appelle Daniel Cassens.

— Mais... vous êtes au Mexique, objectai-je stupidement.

— Au Mexique ? Je n'ai jamais mis les pieds au Mexique.

— Phoebe m'a dit que vous étiez probablement au Mexique ou dans un autre pays de fous.

— C'est très aimable à elle. A dire vrai, je me trouvais récemment aux îles Vierges avec des amis américains, sur un bateau, quand quelqu'un nous a annoncé l'approche d'un cyclone ; j'ai aussitôt décidé que le moment était venu de plier bagage. Dès mon retour à New York, j'ai été bombardé de télégrammes signés Peter Chastal. Il me suppliait de rentrer à Londres pour le vernissage de l'exposition qu'il me consacre en ce moment.

— Je suis au courant. Je travaille pour Marcus Bernstein, dont la galerie est presque voisine de celle de Peter Chastal. J'ai lu certaines critiques concernant votre exposition et je crois qu'elle a tout pour être un grand succès. Phoebe suit tout cela de près, elle aussi. Elle est absolument ravie.

— Cela ne m'étonne pas.

— Etiez-vous au vernissage ?

— Oui. Je me suis décidé au dernier moment et j'ai sauté dans un avion.

— Pourquoi cette réticence ? La plupart des artistes ne manqueraient un tel événement pour rien au monde. Le champagne, les honneurs...

— Je déteste voir mes œuvres exposées. L'exposition me paraît être une forme d'exhibitionnisme à la limite de l'obscène. Ça me fait penser à ces parents qui forcent leurs enfants à se donner en spectacle. Tous ces regards braqués sur vous... Il y a de quoi vous donner la chair de poule.

Je comprenais son point de vue.

— Et pourtant, vous y êtes allé?

— Oui, mais incognito — avec des lunettes noires et un chapeau. Je devais avoir l'air d'un espion halluciné. Je n'y suis resté qu'une demi-heure, après quoi j'ai profité de ce que Peter regardait ailleurs pour m'éclipser. Je suis entré dans un bar afin de décider de ce que j'allais faire. C'est comme ça que je me suis retrouvé à bavarder avec un type. Je lui ai payé une bière, et quand il m'a dit qu'il partait pour la Cornouailles en voiture, je lui ai demandé s'il pouvait m'emmener. Je suis arrivé hier soir.

— Pourquoi n'être pas venu directement chez Phoebe?

Je regrettai aussitôt ma question. Détournant le regard, il arracha une poignée d'herbes folles, ouvrit la paume et laissa le vent les emporter.

— Je n'en sais rien, finit-il par répondre. Ce ne sont pas les motifs qui manquent. Certains sont honorables, d'autres beaucoup moins.

— Vous devez savoir qu'elle vous aurait accueilli à bras ouverts.

— Oui. Mais le temps a passé. Je ne suis pas revenu depuis onze ans. A l'époque, Chips vivait encore.

— Vous avez étudié avec lui, n'est-ce pas?

— Pendant un an. J'étais en Amérique quand il est mort. Dans la vallée de Sonoma, au nord de la Californie, chez des amis viticulteurs. La lettre de Phoebe a mis très longtemps à me parvenir, et je me rappelle m'être dit en la lisant que les êtres qu'on aime peuvent rester perpétuellement vivants dans votre cœur, du moment que personne ne vient vous annoncer leur mort. J'ai aussi pensé que je ne pourrais jamais revenir en Cornouailles. Mais la mort fait partie de la vie. Je l'ai compris depuis. A l'époque, je ne le savais pas.

Je songeai au petit manège que Chips avait fabriqué pour moi à partir d'un vieux gramophone. Je le revis riant aux éclats avec Phoebe. Je pouvais presque humer l'odeur de sa pipe.

— Je l'adorais, moi aussi, dis-je.

— Tout le monde l'aimait. C'était un honnête homme. J'étais venu ici pour étudier la sculpture, mais Chips m'a surtout appris à vivre, ce qui, quand on a vingt ans, est infiniment plus important. N'ayant pas connu mon père, je me sentais différent des jeunes gens de mon âge. Chips a comblé ce vide. Il m'a donné une identité. (Je n'eus aucune peine à comprendre ce qu'il voulait dire, car j'éprouvais un sentiment semblable vis-à-vis de Phoebe.) Hier, pendant tout le trajet, j'ai été assailli de doutes. Je me demandais si je n'étais pas en train de commettre une grave erreur. Il n'est pas toujours sage de revenir sur les lieux de notre jeunesse, surtout si c'est là que sont nés nos rêves et nos ambitions.

— Pas si ces rêves et ces ambitions se sont réalisés, ce qui est votre cas. L'exposition chez Chastal le prouve assez. Toutes vos œuvres sont sans doute déjà vendues.

— Peut-être ai-je besoin de douter de moi-même.

— On ne peut pas tout avoir.

Le silence retomba. Midi allait bientôt sonner, et les rayons du soleil étaient chauds. On entendait le murmure de la brise, le clapotis des vagues contre la jetée et, sur l'autre rive du bras de mer, le bruit étouffé des voitures qui passaient sur la route. Au-dessus de nous, des mouettes se disputaient les restes d'un poisson mort.

— Savez-vous qu'autrefois, dit-il, plusieurs siècles avant Jésus-Christ, à l'âge du Bronze, ce bras de mer était un estuaire de fleuve? Les marchands venus des côtes orientales de la Méditerranée arrivaient ici après avoir contourné le Lizard et Lands End, chargés des plus beaux trésors du Levant. Ecoutez, c'est vraiment magique, ajouta-t-il en ouvrant son livre. «L'observateur d'aujourd'hui, qui, accroupi dans l'herbe touffue des dunes de sable, regarde vers le large, n'a qu'à laisser parler son imagination pour se représenter la file interminable des vaisseaux à haute proue, richement colorés, qui s'engageaient toutes voiles dehors dans l'estuaire avec la marée montante. »

Il referma le volume.

— J'aimerais être capable d'avoir ce genre de perception, dit-il, mais ce n'est pas le cas. La mienne se limite à l'« ici et maintenant », et c'est cela que je m'efforce d'exprimer dans mes peintures.

— Avez-vous toujours ce livre avec vous?

— Non. Mais je l'ai trouvé dans une librairie de New York, et, à la première lecture, j'ai compris qu'un jour, peut-être, il faudrait que je revienne en Cornouailles. Ce pays ne vous lâche pas. C'est comme un aimant. On y revient toujours.

— Mais pourquoi avoir choisi le Château?

Daniel leva sur moi un regard amusé.

— Et pourquoi pas ? Vous trouvez peut-être que je n'y suis pas à ma place ?

Je songeai aux riches Américains, aux golfeurs, aux dames de la bourgeoisie et à leurs parties de bridge, et aussi à l'orchestre bien sous tous rapports qui s'y produisait à l'heure du thé.

— Pas vraiment.

Il éclata de rire.

— Je sais. C'était un choix relativement incongru, mais je ne me souvenais d'aucun autre nom d'hôtel, et surtout j'étais fatigué. Fatigué par le décalage horaire, par Londres, fatigué de tout... Je n'avais qu'une envie : me glisser sous les draps d'un lit énorme et dormir une semaine entière. Mais quand je me suis réveillé ce matin, ma fatigue s'était envolée. En repensant à Chips, j'ai compris l'évidence. Il ne me restait plus qu'à revenir jusqu'ici pour revoir Phoebe. Du coup, j'ai marché jusqu'à la gare, j'ai pris le premier train... et me voici.

— Vous allez me suivre jusqu'à la maison et nous faire l'honneur de rester déjeuner. Il y a une bouteille de vin blanc au réfrigérateur, et Lily Tonkins est en train de faire cuire une pièce d'agneau.

— Lily Tonkins ? Elle est toujours dans les parages ?

— C'est elle qui tient la maison. Et ces jours-ci, elle s'occupe également de la cuisine.

— J'avais oublié Lily, soupira Daniel en s'emparant de nouveau de mon cahier. Puis-je me permettre de vous dire une chose ? Non seulement vous êtes très belle, mais vous avez du talent.

Je décidai d'ignorer la première partie de son assertion.

— Je n'ai pas de talent. C'est pour cela que je travaille chez Marcus Bernstein. L'expérience m'a appris que je n'avais aucune chance de gagner ma vie en me lançant dans la carrière artistique.

— Au moins, vous avez eu la sagesse de vous en apercevoir, remarqua Daniel. C'est tellement rare...

Côte à côte, tournant le dos au soleil, nous gravîmes la pente jusqu'au sommet de la butte. J'ouvris le portail de bois aménagé dans la haie d'escallonies, et Daniel passa devant moi, prudent, un peu comme un chien qui reviendrait au terme d'une longue absence sur un territoire autrefois familier. Il leva les yeux sur la maison et je suivis son regard, tentant de voir ce qu'il voyait après onze ans d'éloignement. A mes yeux, elle était semblable à elle-même avec ses fenêtres gothiques à ogives et la porte, côté jardin, grande ouverte sur la terrasse de brique pour accueillir la chaleur matinale. La plupart des géraniums étaient en fleurs dans leurs bacs de terre cuite, et les sièges de jardin n'avaient pas encore été remisés pour l'hiver.

Après que nous eûmes remonté la pente douce de la pelouse, je le fis entrer à l'intérieur de la maison.

— Phoebe? lançai-je en poussant la porte de la cuisine, d'où s'échappait une délicieuse odeur de gigot.

Lily Tonkins, assise à la table, était en train de hacher une botte de menthe. Elle s'arrêta à mon entrée.

— Votre tante est rentrée il y a cinq minutes, m'annonça-t-elle. Elle vient de monter dans sa chambre pour changer de chaussures.

— Je lui amène de la visite pour le déjeuner. Cela pose-t-il un problème?

— Soyez tranquille, il y a largement de quoi nourrir une bouche supplémentaire. C'est un ami à vous?

Derrière moi, Daniel s'avança sur le seuil.

— C'est moi, Lily : Daniel Cassens.

La bouche de Lily s'ouvrit en grand.

— Dieu du ciel!

Elle posa son hachoir et porta une main vers sa maigre poitrine, comme si elle était au bord de la crise cardiaque.

— Après toutes ces années! On dirait un revenant. Daniel Cassens... Il doit y avoir au moins douze ans, non? Que faites-vous ici?

— Je suis venu vous rendre visite.

Il contourna la table et se pencha pour embrasser Lily sur la joue. Celle-ci partit d'un petit rire et s'empourpra.

— Honte à vous, qui osez surgir à l'improviste après tant d'années! Attendez seulement que Mlle Shackleton ait posé les yeux sur vous. Nous étions bien certaines que vous nous aviez complètement oubliées. Savez-vous qu'elle s'est cassé un bras, la pauvre femme? Elle vient de passer toute sa matinée au centre de soins, mais le docteur a dit que tout allait bien. Attendez-moi, je vais l'appeler.

Sur ce, elle disparut dans le vestibule, alla se planter au pied de l'escalier et hurla à Mlle Shackleton de descendre sans perdre une seconde pour découvrir la merveilleuse surprise qui l'attendait.

Daniel la suivit; quant à moi, je restai dans la cuisine, quasi certaine de fondre en larmes si j'assistais aux premiers instants de leurs retrouvailles. A dire vrai, ce fut Phoebe qui pleura. Je ne l'avais jamais vue pleurer, mais il s'agissait de larmes de bonheur, qui cessèrent aussi vite qu'elles étaient venues. Un instant plus tard, nous nous retrouvâmes tous réunis dans la cuisine. Je sortis le vin blanc du réfrigérateur; Lily, délaissant ses feuilles de menthe, alla chercher quatre verres, et nous nous mîmes en devoir de fêter dignement l'événement.

Daniel resta tout l'après-midi. Le temps, qui avait été prometteur pendant toute la matinée, se dégrada nettement : des nuages bas venus du large s'amoncelaient dans le ciel, poussés par un vent de plus en plus violent. Il y eut même des averses, et la température dégringola, mais nous n'en avions cure, nous qui étions bien au chaud devant l'âtre à échanger des souvenirs et des histoires.

Pour ma part, je n'avais pas grand-chose à dire dans cette conversation, mais peu importait. Ecouter Phoebe et Daniel était un authentique plaisir; je me sentais proche d'eux, et j'étais concernée, de par mes goûts et mon métier, par les sujets qu'ils abordaient. J'avais entendu parler de tel peintre, vu telle exposition, me souvenais de la composition de tel portrait. Quand Phoebe fit allusion à un certain Lewis Falcon, qui vivait maintenant à Lanyon, je me rappelai que nous avions exposé certaines de ses œuvres à la galerie, moins de deux ans plus tôt.

Nous parlâmes aussi de Chips, non comme d'une personne morte depuis six ans, mais plutôt comme s'il pouvait à tout moment pénétrer dans la pièce et se joindre à notre discussion, après s'être laissé tomber dans son fauteuil préféré.

Finalement, Daniel interrogea Phoebe sur son travail artistique. Où en était-elle? Il voulait tout savoir. Avec sa modestie habituelle, proche de l'autodérision, ma tante se mit à rire et déclara tout d'abord qu'elle n'avait rien à lui montrer. Devant son insistance, elle finit toutefois par admettre qu'elle avait réalisé une série de toiles l'année passée, pendant ses vacances en Dordogne; mais elle n'avait jamais pris le temps d'y mettre de l'ordre, et elles étaient restées empilées quelque part dans l'atelier de Chips. Daniel se leva et exigea de les voir. Phoebe alla chercher la clé de l'atelier, enfila un imperméable, et ils partirent ensemble le long du sentier de brique.

Je ne les accompagnai pas dans leur expédition. Il était plus de quatre heures et Lily Tonkins était rentrée chez elle. Je rapportai le service à café à la cuisine, fis la vaisselle et préparai un plateau pour le thé. Je trouvai même un cake tout prêt dans son moule. Ensuite, j'allai remplir la bouilloire au robinet de l'évier.

Chez ma tante, l'évier était situé juste sous une fenêtre, ce qui était plaisant, parce qu'on pouvait y laver la vaisselle tout en profitant de la vue. Mais aujourd'hui, cette vue était bouchée par la pluie, qui formait une sorte de voile brumeux. Les nuages planaient en rase-mottes, et leur masse sombre se reflétait sur les sables peu à peu découverts par la marée descendante. Marée haute, marée basse... Cette alternance marquait ici la mesure du temps, comme le mécanisme d'une horloge.

Je me sentais en paix, d'humeur philosophe. Et tout à coup, une vague de félicité m'envahit. Ce bonheur me prit au dépourvu, de la même façon que j'étais autrefois prise au dépourvu par les extases de l'enfance. Je regardai autour de moi, comme si la source de mon euphorie pouvait être vue, enregistrée et remémorée. Les objets de la cuisine m'apparurent soudain avec une netteté rare, presque inouïe, au point que chacun d'entre eux, jusqu'au plus humble, me parut nimbé de beauté. Le grain de la table de bois ciré, les couleurs éclatantes du service en faïence posé sur le vaisselier, le panier à légumes, la parfaite ordonnance des tasses et des casseroles...

Je me représentai Daniel et Phoebe en train de fouiner dans le vieil atelier poussiéreux de Chips. J'avais bien fait de ne pas les suivre. Daniel me plaisait. J'aimais ses belles mains, sa voix posée et ses yeux sombres. Mais il y avait aussi en lui quelque chose de troublant. Or je n'étais pas sûre de vouloir être troublée.

— Non seulement vous êtes très belle, m'avait-il dit, mais vous avez du talent.

Je n'étais pas habituée à m'entendre dire que j'étais belle. Mes longs cheveux raides étaient trop clairs, ma bouche trop grande, mon nez trop retroussé. Nigel Gordon lui-même, qui à en croire ma mère était fou amoureux de moi, n'était jamais allé jusqu'à me dire qu'il me trouvait belle. « Superbe », à la rigueur, ou encore « sensationnelle », mais jamais « belle ». Je me demandai si Daniel était marié, et partis aussitôt d'un petit rire sarcastique. Mes pensées glissaient sur une pente aussi lamentable qu'évidente. C'était exactement le genre de question qu'aurait posée ma mère. Le charme était rompu, et la cuisine de Phoebe, impeccablement rangée par Lily Tonkins avant son départ, retrouva instantanément toute sa banalité.

Après le thé, Daniel consulta sa montre et annonça qu'il devait partir.

— Tu es le bienvenu ici, dit Phoebe. Pourquoi n'irais-tu pas chercher tes bagages à l'hôtel? Il y a toute la place qu'il faut.

Il secoua la tête.

— Lily Tonkins a déjà assez à faire avec vous deux.

— J'espère que nous te reverrons. Tu es ici pour quelque temps?

Il se leva.

— Au moins pour un jour ou deux, répondit-il d'un ton vague. Je reviendrai vous voir.

— Comment comptes-tu rentrer à Porthkerris?

— Il doit bien y avoir un car.

— Je vais vous raccompagner avec la voiture de Phoebe, proposai-je. L'arrêt des cars est à près de deux kilomètres et, avec cette pluie, vous y arriveriez trempé.

— Vous êtes sûre que cela ne vous dérange pas?

— Absolument.

Après qu'il eut dit au revoir à ma tante, nous sortîmes, courûmes jusqu'au garage et nous installâmes dans la vieille voiture cabossée. J'effectuai une prudente marche arrière et nous quittâmes Holly Cottage, laissant derrière nous la silhouette de Phoebe découpée sur le seuil de la maison; jusqu'à ce que nous ayons disparu, elle n'eut de cesse d'agiter son bras valide pour nous souhaiter un bon voyage, comme si nous partions pour un raid intercontinental.

Sous une pluie battante, nous gravîmes la colline, longeâmes le golf et rejoignîmes la route principale.

— Vous conduisez de main de maître, déclara Daniel d'un ton admiratif.

— Vous savez sûrement conduire vous aussi. Tout le monde sait conduire, non?

— Je sais, mais j'ai horreur de ça. Je suis prodigieusement incompétent pour tout ce qui touche à la mécanique.

— N'avez-vous jamais eu de voiture?

— Il a bien fallu que je m'en achète une en Amérique. Tout le monde a une voiture en Amérique. Mais je ne me suis jamais senti bien dedans. Je l'ai achetée d'occasion; un engin énorme, presque aussi long qu'un bus, avec une calandre en forme de mâchoire, des phares au regard méchant et un tuyau d'échappement carrément phallique. Elle avait aussi une boîte automatique, des lève-vitres électriques et je ne sais quel genre de carburateur suralimenté. Tout cela me terrifiait. Au bout de trois ans, quand je l'ai revendue, c'est tout juste si j'avais compris comment on réglait le chauffage.

J'éclatai de rire, et une phrase récente de Phoebe me revint tout à coup en mémoire; selon elle, il était absolument vital que je choisisse un homme capable de me faire rire. Force m'était de reconnaître que Nigel ne m'avait jamais fait beaucoup rire. En revanche, c'était un brillant mécanicien, qui passait une bonne partie de son temps libre le nez dans le moteur de sa MG, quand ce n'était pas carrément sous le châssis; seuls ses pieds dépassaient, et notre conversation se limitait à des lambeaux de phrases du style : « Pouvez-vous me passer la clé de douze? »

— La perfection n'est pas de ce monde, dis-je. Vous avez réussi en tant qu'artiste, personne ne vous demande d'être aussi un génie de la mécanique.

— C'est ce qui est fabuleux chez Phoebe. Elle peint divinement. Elle aurait pu se faire un nom, et même un grand nom, si elle n'avait délibérément choisi de consacrer tout son talent à bâtir un foyer pour Chips... et pour tous les étudiants fauchés comme moi qui ont vécu chez eux, travaillé avec eux et tellement appris grâce à eux! Holly Cottage a été un refuge pour un grand nombre d'artistes en difficulté. On y servait toujours des repas pantagruéliques et délicieux, tout y respirait l'ordre, la propreté et la chaleur. On n'oublie pas cette sorte de sécurité et de confort. C'est un véritable art de vivre — et j'insiste sur le mot « art ».

Il y avait quelque chose de délicieusement satisfaisant à entendre une tierce personne exprimer ce que j'avais toujours éprouvé vis-à-vis de Phoebe, sans jamais réussir à le formuler de façon claire.

— Nous sommes pareils, vous et moi, dis-je. Quand j'étais

enfant, il ne m'arrivait presque jamais de pleurer, sauf à l'heure de dire au revoir à Phoebe, avant de repartir pour Londres. Je ne m'en remettais qu'une fois rentrée chez ma mère, en retrouvant ma chambre. Le lendemain, en général, le moral était revenu, et je passais la journée au téléphone à appeler mes amies.

— Vos larmes étaient peut-être la conséquence directe du sentiment d'insécurité qu'on éprouve quand on se trouve à la frontière de deux mondes différents. Je ne connais rien de plus déprimant.

Je réfléchis à ce qu'il venait de dire. C'était possible.

— C'est peut-être ça, admis-je.

— Pour être franc, j'ai du mal à vous imaginer autrement qu'en petite fille heureuse.

— C'est vrai, j'ai eu une enfance heureuse. Malgré leur divorce, mes parents étaient des gens raisonnables et sensés. D'ailleurs, j'étais si petite au moment de leur séparation que la blessure n'a pas été trop profonde.

— Vous avez eu de la chance.

— Oui. J'ai toujours été entourée d'amour et d'affection. Un enfant ne peut pas tellement demander mieux.

A l'approche de Porthkerris, la route sinueuse se mit à descendre. Dans les ténèbres, les lumières du port clignotaient loin devant nous, en contrebas. Nous franchîmes le portail du Château et longeâmes l'allée qui menait à l'établissement, véritable avenue bordée de chênes. Devant nous s'étendait une vaste zone dégagée qui accueillait des courts de tennis et un terrain d'entraînement au golf. La plupart des fenêtres de l'hôtel, ainsi que la porte à tambour de l'entrée, laissaient filtrer une chaude clarté. Je me garai entre une Porsche et une Jaguar, tirai le frein à main et coupai le moteur.

— Je ne peux pas m'empêcher de ne pas me sentir tout à fait à ma place, glissai-je à Daniel. Figurez-vous que je n'avais jamais mis les pieds ici. Il n'y a personne de riche parmi mes relations.

— Entrez. Je vous offre un verre au bar.

— Je ne suis pas assez habillée.

— Moi non plus, répondit-il en ouvrant la portière. Venez.

Nous quittâmes la vieille guimbarde de ma tante, qui avait l'air particulièrement miteuse au milieu de ses aristocratiques voisines, et Daniel me précéda à l'intérieur. Il y régnait une température douillette, les moquettes étaient épaisses, et tout, dans le décor, exhalait le luxe et le confort. Nous arrivions à l'heure creuse, entre le thé et l'apéritif, et il n'y avait pas grand monde dans le hall de la réception; tout juste un homme en tenue de golf, qui lisait le *Financial Times*, et un couple âgé assis devant la télévision.

Un chasseur nous adressa un regard froid, puis reconnut Daniel et se composa immédiatement une expression plus aimable.

— Bonsoir, monsieur.

— Bonsoir, répondit Daniel en m'entraînant vers le bar.

Comme je l'ai dit, c'était ma première — et peut-être dernière — visite au Château et j'avais l'intention d'en profiter. J'aperçus une salle de lecture, et un peu plus loin, derrière une double porte ouverte, une grande pièce surchauffée, aménagée en salon de bridge. Quatre dames y jouaient aux cartes à proximité d'une cheminée où flambait un grand feu. Je marquai une pause pour les regarder, et je me crus un instant immergée dans une scène de film des années trente. D'une certaine façon, j'avais l'impression d'avoir déjà vu tout cela : les lourds rideaux de brocart, les fauteuils recouverts de chintz, la disposition recherchée du grand bouquet de fleurs...

Les dames elles-mêmes portaient les vêtements appropriés; gilets de cachemire et colliers de perles. L'une d'elles tenait entre ses doigts un long fume-cigarette d'ivoire.

— Deux sans atout.

— Virginia... Venez.

Daniel, impatient, avait rebroussé chemin pour revenir me chercher.

Je m'apprêtais à le suivre quand la dame qui me faisait face leva les yeux. Nos regards se rencontrèrent. Je ne l'avais pas reconnue sur-le-champ, mais je me trouvais face à Mme Tolliver.

— Virginia? s'exclama-t-elle, apparemment ravie de me revoir (bien que j'eusse du mal à croire que c'était vraiment le cas). Vous ici? Quelle surprise!

— Bonsoir, madame Tolliver.

— Que faites-vous ici?

Je ne tenais pas à m'approcher de sa table pour me lancer dans une longue conversation, mais la situation ne me laissait guère d'autre choix.

— Je... je jetais juste un coup d'œil. C'est la première fois que j'entre dans cet endroit.

188

Au fur et à mesure de ma progression, les autres dames levèrent les yeux de leurs cartes, souriantes, tandis que leurs yeux se livraient à un examen détaillé de mes cheveux décoiffés par le vent, de mon vieux chandail et de mon jean délavé.

Mme Tolliver posa son jeu sur la table et entreprit de me présenter à ses amies.

— Vous connaissez certainement Phoebe Shackleton, de Penmarron, conclut-elle. Eh bien, Virginia est sa nièce.

— Bien sûr.

— Comme c'est charmant...

Toutes ces dames, une fois débitées les politesses d'usage, n'avaient visiblement qu'une envie : reprendre leur partie de bridge.

— Virginia a été adorable avec Charlotte hier, reprit Mme Tolliver. Elle a fait le voyage en train avec elle depuis Londres.

Les dames sourirent de plus belle, d'un air approbateur. Je m'aperçus non sans désarroi que je n'avais pas pensé à Charlotte de la journée. Cette idée me rendit honteuse, et mon embarras ne fit que croître.

— Où est-elle? demandai-je.

— A la maison. Avec Mme Curnow.

— Est-ce qu'elle va bien?

Mme Tolliver me décocha un regard froid.

— Voyez-vous une raison pour qu'il en soit autrement?

— Aucune, bredouillai-je, prise de court, en m'efforçant de soutenir son regard. Simplement, pendant notre voyage, je l'ai sentie très... taciturne.

— Elle est ainsi faite. Elle n'a jamais grand-chose à dire. Et comment avez-vous trouvé Phoebe? Pas trop déprimée par son bras cassé? Non? Vous m'en voyez ravie. Est-elle ici avec vous?

— Non. Je raccompagne simplement un ami. Il est descendu ici, et...

Je me rappelai alors la présence de Daniel et songeai qu'il était grand temps de le présenter à Mme Tolliver.

— Daniel, dis-je en me retournant gauchement, permettez-moi de vous...

Il n'était pas là. Je ne vis que la double porte ouverte et le grand hall désert de la réception.

— Votre ami nous a gratifiées d'un regard puis s'en est allé, expliqua l'une des dames.

En me retournant vers la table, je les vis pouffer comme s'il s'agissait d'une excellente plaisanterie. Je souris à mon tour.

— Je suis idiote. Je pensais qu'il m'avait suivie.

Mme Tolliver ramassa ses cartes et les arrangea en un délicat éventail.

— Je suis ravie de vous avoir rencontrée, déclara-t-elle.

Je ne sais pourquoi, cette déclaration me fit rougir. Je présentai mes excuses à la tablée, pris congé et m'en fus.

De retour dans le hall de la réception, je me mis à la recherche de Daniel. Il n'y avait nulle trace de lui. Tout à coup, mes yeux tombèrent sur l'enseigne lumineuse du Cocktail Bar; je m'y rendis et l'y découvris, ombre solitaire perchée sur un haut tabouret. Il me tournait le dos.

— Comment avez-vous pu me laisser tomber de cette façon? lui demandai-je, outrée.

— Le bridge n'est pas ma tasse de thé.

— La mienne non plus, mais il se trouve qu'on est parfois obligé de parler aux gens. Je me suis sentie tellement stupide à cause de vous! J'allais vous présenter, quand je me suis aperçue que vous vous étiez volatilisé! La dame à qui j'ai parlé en premier était Mme Tolliver, de Penmarron.

— Je sais. Que prendrez-vous?

— Si vous la connaissiez, c'est encore plus grossier de ne pas l'avoir saluée.

— Vous parlez comme les professeurs de bonnes manières d'autrefois. Que m'importe Mme Tolliver? Non, ne répondez pas, je ne veux pas le savoir. Pour le moment, je savoure mon whisky. Que voulez-vous boire?

— Je ne suis pas sûre de vouloir quoi que ce soit, lâchai-je, encore interloquée.

— Je croyais que nous étions entrés pour boire un verre.

— Vous avez gagné, soupirai-je en escaladant le tabouret voisin du sien. Va pour une bière blonde.

Daniel se chargea de passer ma commande, après quoi nous gardâmes un bon moment le silence. Le grand miroir mural qui courait tout le long du bar nous renvoyait notre image. Daniel sortit un cigare et l'alluma. Le barman revint avec ma bière et fit quelques remarques sur le temps. Il déposa devant nous une coupelle emplie de cacahouètes. Quand il fut reparti à l'autre bout du couloir, Daniel se tourna vers moi.

— D'accord, murmura-t-il. Je vous présente mes excuses.

— Pour quoi?

— Pour avoir insulté Mme Tolliver, et surtout pour m'être montré aussi teigneux avec vous. En fait, il m'arrive très souvent d'être teigneux. Autant que vous le sachiez avant que nous ne décidions de bâtir une amitié impérissable.

Il me regarda en souriant.

— Vous ne l'avez pas insultée, corrigeai-je d'un air désabusé. D'ailleurs, pour être tout à fait sincère, je ne l'aime pas beaucoup non plus.

— Comment en êtes-vous venue à la connaître aussi intimement?

— Saluer quelqu'un à une table de bridge n'implique pas forcément une connaissance intime de cette personne.

— Mais vous devez néanmoins la connaître très bien.

— Pas du tout. En revanche, ma mère avait coutume de jouer au bridge avec elle quand nous venions en vacances chez Phoebe. Et hier, j'ai fait le voyage en train avec sa petite-fille, Charlotte Collis. C'est la fille d'Annabelle Tolliver. Elle était assise juste à côté de moi dans le wagon, avec une si triste mine que je lui ai proposé de venir déjeuner avec moi au wagon-restaurant. Suite à un... problème technique dans son collège, où elle est pensionnaire, elle est venue passer une semaine chez Mme Tolliver. Phoebe dit d'elle que c'est une enfant solitaire : elle vient sans cesse à Holly Cottage pour trouver quelqu'un à qui parler.

Daniel fumait tranquillement son cigare sans rien dire. Je me demandai si je n'étais pas en train de l'ennuyer à mourir, et je l'observai du coin de l'œil pour voir s'il ne luttait pas contre l'envie de bâiller. Ce n'était pas le cas. Il restait simplement immobile, un coude posé sur le comptoir, le profil inexpressif et les yeux baissés. La fumée de son cigare formait au-dessus de lui un odorant panache.

Je pris une gorgée de bière délicieusement glacée.

— Toujours d'après Phoebe, repris-je, Mme Tolliver n'est pas vraiment ravie de sa présence. Elle n'est même pas venue la chercher à la gare : Charlotte et moi avons partagé le taxi de M. Thomas. Et aujourd'hui, elle a préféré la laisser avec sa gouvernante plutôt que de renoncer à sa partie de bridge. Je ne vois pas tellement comment Charlotte pourrait s'amuser dans ces conditions. Elle n'a pas plus de dix ans. Elle devrait pouvoir jouer avec d'autres enfants.

— Oui, lâcha Daniel après un court silence.

Il écrasa son cigare à demi fumé dans le cendrier, s'acharnant sur la braise agonisante comme s'il avait un compte personnel à régler avec elle. Il termina son whisky, reposa son verre vide, se tourna vers moi en souriant et dit :

— Demain... Voulez-vous déjeuner avec moi demain?

Prise de court, je ne répondis pas immédiatement. Il se hâta d'enchaîner :

— A condition que Phoebe n'ait pas besoin de vous, bien sûr. Et qu'elle puisse vous prêter sa voiture.

— Je pense que c'est possible. A mon avis, elle n'y verra aucun inconvénient.

— Posez-lui donc la question à votre retour.

— D'accord. Devrai-je venir vous chercher ici? A l'hôtel?

— Non. Je vous retrouverai à la Taverne du Pêcheur, sur le port de Porthkerris. Nous y casserons la croûte avec un verre de bière; ensuite, s'il fait beau, nous irons nous asseoir sur la jetée en jouant les touristes.

Je souris.

— A quelle heure?

— Vers midi et demi, répondit-il en haussant les épaules.

— C'est entendu, fis-je, ravie de cette invitation. Midi et demi, donc.

— Parfait. Et maintenant, finissez votre bière pour que je vous raccompagne jusqu'à votre voiture.

Nous fûmes éjectés de la porte à tambour et nous nous retrouvâmes dans un univers de ténèbres humides. Ayant rejoint la voiture de Phoebe, Daniel m'ouvrit la portière et, sans me laisser le temps de me glisser à l'intérieur, il plaqua une main sur ma nuque, attira mon visage vers le sien et m'embrassa sur les lèvres. Sa peau était mouillée par la pluie; pendant un instant nous restâmes immobiles, joue contre joue.

Je lui souhaitai bonsoir et repris la route de Penmarron comme dans un rêve — comme si j'avais bu bien davantage qu'un simple verre de bière blonde.

Je n'avais qu'une hâte : tout raconter à ma tante Phoebe et l'entraîner dans une longue discussion sur Daniel, Mme Tolliver et Charlotte. Mais à mon arrivée à Holly Cottage, je la trouvai endormie devant l'âtre et, en se réveillant, elle m'avoua qu'elle se sentait très fatiguée. Son bras lui faisait mal, le plâtre était lourd, et surtout elle venait de passer une journée aussi longue que riche en émotions. Malgré l'ombre de son chapeau, on pouvait deviner ses traits tirés, creusés. Aussi me contentai-je de lui dire que Daniel m'avait invitée à déjeuner le lendemain et de lui demander si cela ne lui posait pas de problème, d'autant que je comptais emprunter sa voiture. Comme je m'y attendais, elle s'empressa de me donner sa bénédiction. Je me rendis à la cuisine et lui servis un verre de vin, après quoi je préparai des œufs brouillés que nous mangeâmes devant le feu.

Ensuite, bien qu'il ne fût que huit heures et demie, elle décréta que le moment était venu pour elle d'aller se coucher. Je l'aidai à monter à l'étage, branchai sa couverture chauffante et tirai les rideaux pour faire barrage à l'humidité du dehors. Quand je la quittai, ma tante venait d'ouvrir un livre, douillettement installée dans son immense lit ; mais en refermant la porte de sa chambre, je savais qu'elle n'allait pas tarder à s'endormir.

4

Le lendemain matin, je me levai de très bonne heure, bien avant ma tante, et descendis au rez-de-chaussée. Il était trop tôt aussi pour Lily Tonkins ; je préparai donc moi-même un plateau de petit déjeuner pour Phoebe, avec du café et des tartines grillées, et montai le tout jusqu'à sa chambre. Déjà réveillée, elle contemplait l'ascension du soleil par la fenêtre ouverte. Quand j'apparus sur le seuil de la pièce, elle tourna vers moi sa tête posée sur l'oreiller.

— Quelle gourde tu fais, Virginia ! lâcha-t-elle avec son énergie coutumière. Tu sais bien que je ne prends jamais mon petit déjeuner au lit.

— Tu vas le prendre ce matin.

Elle s'assit sur le matelas. Je déposai le plateau sur ses genoux et allai fermer la fenêtre.

— Ciel rouge le matin, attention au grain, récitai-je. On dirait qu'il va pleuvoir aujourd'hui.

— Ne sois pas si pessimiste. Où est ta tasse ?

— J'ai pensé que tu préférerais déjeuner en paix.

— J'ai horreur d'être laissée en paix. De plus, j'adore prendre mon petit déjeuner en bavardant. File te chercher un bol.

Elle souleva le couvercle de la cafetière et jeta un coup d'œil à l'intérieur.

— Tu en as fait pour dix personnes. Il va falloir que tu m'aides à le boire.

Au lit — un des rares endroits où elle ne portait pas de chapeau —, Phoebe était différente : plus féminine, plus âgée peut-être, et surtout plus vulnérable. Ses épais cheveux lisses étaient

194

réunis en une lourde natte qui lui tombait sur l'épaule, et elle était emmitouflée dans un châle de laine. Elle semblait si confortablement installée que je lui dis :

— Pourquoi ne ferais-tu pas la grasse matinée? Lily Tonkins est parfaitement capable de s'occuper de tout et, d'ailleurs, tu n'es pas bonne à grand-chose avec ce bras dans le plâtre.

— Peut-être, répondit Phoebe sans trop s'avancer. Il est possible que je suive ton conseil. En attendant, va te chercher une tasse avant que le café ne refroidisse.

J'obtempérai. De mon passage à la cuisine, je rapportai non seulement une tasse à café, mais aussi un bol de céréales, que je mangeai assise au bord du grand lit de pin sculpté que Phoebe et Chips avaient partagé pendant leurs longues années de vie dans le péché. Un jour, elle m'avait expliqué dans un grand éclat de rire que tout ce qu'elle aimait dans la vie faisait grossir ou était illégal, voire immoral.

Mais Chips et elle avaient réussi Dieu sait comment à survivre à l'inévitable concert de préjugés si fréquent dans les petits villages comme Penmarron, sans doute grâce à leur force de caractère et à un charme désarmant. Je me souvenais avoir vu Chips jouer de l'orgue à l'église pendant que l'organiste attitré se trouvait cloué au lit par la grippe, et aussi de Phoebe préparant avec entrain d'énormes gâteaux un peu bancals pour le thé du Cercle des femmes.

Elle s'occupait de tout le monde — sans pour autant se soucier de l'opinion de qui que ce fût. En la regardant grignoter sa tartine de confiture, je fus saisie d'une soudaine bouffée de tendresse. Elle surprit mon regard.

— Je suis contente que tu ailles déjeuner avec Daniel, me dit-elle. A quelle heure dois-tu le retrouver?

— A midi et demi, à la Taverne du Pêcheur de Porthkerris. Mais il n'est pas question que j'y aille tant que tu ne m'auras pas garanti que tu n'as pas besoin de moi.

— Pour l'amour du ciel, je ne suis pas encore en fauteuil roulant! Je t'ordonne d'y aller. Simplement, à ton retour, je veux que tu me racontes tout. Par le menu.

Ses yeux se mirent à pétiller, et ses lèvres esquissèrent un sourire espiègle. Elle avait si manifestement retrouvé son énergie habituelle que j'entrepris de lui raconter ce qui s'était passé la veille, et notamment ma rencontre avec Mme Tolliver.

— Bref, je me suis retrouvée plus qu'embarrassée. Je croyais que Daniel était juste derrière moi. J'ai commencé une phrase ridicule, du style « permettez-moi de vous présenter mon ami... », quand je me suis aperçue en me retournant qu'il n'était plus là. Il avait disparu. Filé directement au bar !

— Mme Tolliver l'a-t-elle vu ?

— Je n'en sais rien, dis-je, songeuse. Ça ferait une différence ?

— Eh bien... non.

Je fronçai les sourcils.

— Phoebe, tu me caches quelque chose.

Elle reposa sa tasse et jeta un coup d'œil distrait par la fenêtre. Au bout d'un moment, elle haussa les sourcils.

— Dans le fond, il n'y a rien de mal à en parler après toutes ces années. Ça s'est passé il y a si longtemps, et tant d'eau a coulé sous les ponts... D'ailleurs, même à l'époque, c'était une histoire sans importance.

— De quelle histoire parles-tu ?

— Eh bien... Quand Daniel est venu vivre un an avec nous, c'était un tout jeune homme. Annabelle Tolliver est arrivée de Londres pour passer l'été ici chez sa mère, et... disons qu'ils ont eu ensemble une petite aventure. Un simple flirt, en fait.

Daniel et Annabelle Tolliver ! J'interrogeai ma tante du regard.

— Tu veux dire que... que Daniel a conquis Annabelle ?

— Conquis ? pouffa Phoebe. C'est un mot tellement désuet, et si joli ! Un peu comme « redingote », tu ne trouves pas ? Non, pas exactement. Si tu veux tout savoir, je crois que c'est plutôt Annabelle qui a « conquis » Daniel.

— Mais elle devait être nettement plus âgée que lui.

— En effet. D'au moins huit ans.

— Et elle était mariée.

— Oui. Mais ainsi que je te l'ai déjà dit, il en aurait fallu davantage pour retenir Annabelle. A l'époque, elle avait un petit garçon — Michael. Il devait avoir autour de quatre ans. Pauvre enfant ! Si mes souvenirs sont exacts, c'était exactement le portrait de son père.

Les incessantes digressions de Phoebe ne m'aidaient guère à y voir plus clair.

— Mais... que s'est-il *vraiment* passé ?

— Il ne s'est rien passé, grâce au ciel. Ils se rendaient ensemble à des soirées, ils pique-niquaient ensemble sur la plage, ils se

196

baignaient ensemble. Cette année-là, elle avait une voiture particulièrement voyante. Une décapotable! Ils sillonnaient la région dedans. A eux deux, ils avaient fière allure. Comme tu dois t'en douter, ils attiraient tous les regards.

— Mais jamais je n'aurais cru que Daniel...

Je m'interrompis net, car je n'étais pas sûre de ce que je croyais.

— Jamais tu n'aurais cru que Daniel raffolait à ce point des mondanités, compléta Phoebe. Peut-être ne les aimait-il pas, mais cela ne l'empêchait pas d'être un jeune homme extrêmement séduisant. Sur ce point précis, il n'a pas beaucoup changé. Sans doute son orgueil a-t-il été flatté par l'intérêt qu'elle lui témoignait. Elle était ravissante, je te l'ai déjà dit. Et en permanence entourée par un essaim de prétendants fous d'amour. Daniel, lui, a toujours été taciturne. Je crois que ce sont ses silences qui ont intrigué Annabelle.

— Combien de temps leur aventure a-t-elle duré?

— Tout l'été, de façon épisodique. C'était un simple flirt. Une histoire parfaitement dénuée de conséquences.

— Que disait Mme Tolliver?

— Mme Tolliver ne dit jamais rien sur quoi que ce soit. C'est le genre de femme qui croit sincèrement qu'il suffit de détourner le regard pour que les problèmes disparaissent. De plus, elle a dû penser que si sa fille n'avait pas jeté son dévolu sur Daniel, ç'aurait été un autre. D'une certaine manière, elle a pu voir en lui un moindre mal.

— Mais... et le fils d'Annabelle? Le petit Michael?

— Une gouvernante tout ce qu'il y a de raffiné s'occupait de lui.

— Et son mari... Leslie Collis? fis-je, sans parvenir à réprimer complètement une grimace de dégoût.

— Il était probablement resté à Londres pour s'occuper de ses affaires. De toute façon, il ne comptait pas.

Je méditai longuement sur l'extraordinaire révélation qui venait de m'être faite, avant de dire :

— Hier soir... crois-tu que ce soit à cause de cette histoire que Daniel n'a pas voulu parler à Mme Tolliver?

— Peut-être. Mais peut-être n'avait-il tout simplement pas envie d'engager la conversation avec quatre vieilles joueuses de bridge.

— Je me demande pourquoi il ne m'a rien dit.

— Il n'avait aucune raison de le faire. Non seulement cela ne te concerne en rien, mais, comme je te l'ai dit, il ne s'est rien passé de sérieux. (Elle se servit une nouvelle tasse de café avant d'ajouter vivement :) Surtout, ne va pas te tracasser pour si peu.

— Je ne me tracasse pas. J'aurais simplement préféré que ce soit n'importe qui plutôt qu'Annabelle Tolliver, c'est tout.

Ciel rouge le matin, attention au grain... Et pourtant, c'était exactement le genre de journée où l'on ne peut pas savoir à l'avance comment le temps va évoluer. Une journée chaude, parfois traversée de rafales de vent d'ouest qui arrachaient les feuilles des arbres par poignées et soulevaient des moutons d'écume à la surface de la mer indigo. Le ciel d'un bleu saturé était sillonné de nuages blancs, et l'air lui-même avait quelque chose de scintillant. Depuis la cime de la colline qui dominait Porthkerris, je voyais à des kilomètres à la ronde, bien au-delà du phare, jusqu'à l'éperon rocheux de Trevose Head. A la sortie du port, loin en contrebas, un bateau de pêche isolé partait à l'assaut de la mer incertaine, droit vers les eaux profondes qui bordent les falaises de Lanyon.

La route descendait abruptement jusqu'aux ruelles étroites de la petite ville. La plupart des vacanciers de l'été étaient repartis; seule une poignée d'entre eux, apparemment transis dans leurs bermudas, rôdaient aux alentours du syndicat d'initiative et de la boulangerie locale, d'où montait une alléchante odeur de pâté en croûte fraîchement cuit.

La Taverne du Pêcheur de Porthkerris se dresse depuis trois siècles au moins dans la rue du port, au bord de l'ancien quai, là où les marins pêcheurs débarquaient autrefois leurs cageots de sardines. Je passai devant en voiture, mais ne vis pas trace de Daniel. Je me mis donc en quête d'une place pour garer la Volkswagen, puis revins à pied sur les galets avant de pénétrer dans l'établissement. Il me fallut baisser la tête pour éviter de percuter le linteau noirci de fumée de la porte d'entrée. A l'intérieur, tout était très sombre et un feu brûlait dans la cheminée. Un vieil homme était assis devant; un vieil homme qui semblait avoir passé là toute sa vie, ou bien poussé comme une mauvaise herbe entre les dalles du sol.

— Virginia, lança dans mon dos une voix familière.

Je me retournai. Daniel était assis sous la fenêtre, dans une profonde encoignure; devant lui, une pinte de bière vide était posée sur une table branlante fabriquée à partir d'un tonneau. Il se leva et contourna la table.

— Il fait trop beau pour déjeuner entre quatre murs, vous ne trouvez pas?

— Quelle est votre offre?

— Achetons-nous de quoi faire un bon casse-croûte et allons déjeuner sur la plage.

Nous ressortîmes et longeâmes la rue jusqu'à une de ces épiceries-bazars qui vendent à peu près de tout. Nous y fîmes l'acquisition de friands qui venaient de sortir du four, si bien que l'épicier dut les envelopper dans une feuille de papier journal pour nous éviter de nous brûler; nous achetâmes également des pommes, des biscuits au chocolat, un paquet de gobelets en carton et une bouteille de vin rouge de qualité douteuse. L'homme, qui avait deviné nos intentions, joignit gracieusement à nos emplettes un tire-bouchon.

Revenus au soleil, nous traversâmes la rue pavée et descendîmes l'escalier de pierre; si les premières marches étaient tout à fait sèches, celles du bas étaient à demi recouvertes d'algues vertes. La mer se retirait et laissait derrière elle une étroite bande de sable doré. Ayant repéré un amas de rochers dont les aspérités avaient été gommées par la mer au fil des millénaires, nous décidâmes de nous y installer à l'abri du vent, sous le soleil. Quelques mouettes tournoyaient dans l'air vif et, quelque part sur un bateau, des hommes travaillaient; le son étouffé de leurs outils et de leurs voix formait un bruit de fond qui n'était pas sans charme.

Daniel ouvrit la bouteille de vin. De mon côté, j'entrepris de déballer les friands. J'avais soudainement faim, et lorsque je mordis voracement l'un d'eux, je faillis me brûler la langue et le palais. Deux ou trois petits morceaux de pomme de terre tombèrent dans le sable, où une mouette aux aguets se chargea aussitôt de les avaler.

— Vous avez eu une brillante idée, dis-je à Daniel.

— Cela m'arrive de temps en temps.

Je songeai que Nigel, lui, m'aurait selon toute probabilité invitée à déjeuner au Château, autour d'une table à nappe blanche cernée de serveurs trop zélés qui n'auraient fait que nous empêcher de converser librement. Daniel avait réussi à déboucher la bouteille. Il goûta prudemment une gorgée de vin, qu'il avala au bout de quelques secondes.

— Voilà un petit vin gai et sans prétention, diagnostiqua-t-il, du moins si vous n'avez rien contre le vin glacé. Je me doute que ces gobelets ne contribueront pas beaucoup à mettre son bouquet en valeur, mais faute de grives... Si vous ne supportez pas le goût du carton, il reste toujours le goulot !

Il prit une bouchée de friand.

— Comment allait Phoebe, ce matin ? demanda-t-il ensuite.

— Elle était très fatiguée hier soir. Elle s'est couchée tôt. Ce matin, je lui ai apporté son petit déjeuner au lit, et elle m'a promis de faire la grasse matinée.

— Comment se serait-elle débrouillée si vous n'aviez pas pu vous libérer de vos obligations pour venir à Penmarron ?

— Elle s'en serait sortie, n'ayez crainte. Lily se serait occupée d'elle. Le seul problème, c'est que Lily ne sait pas conduire. Et Phoebe ne supporte pas de rester longtemps sans bouger.

— Et vous n'avez pas eu de mal à prendre un congé du jour au lendemain ? J'ai du mal à croire que Marcus Bernstein arrive aussi facilement à se passer de vous.

— Je venais de toute façon d'obtenir deux semaines de vacances, ce qui fait qu'il n'y a eu aucun problème. Marcus avait déjà engagé une intérimaire pour me remplacer pendant la durée de mon absence.

— Quelque chose m'échappe. Vous aviez deux semaines de vacances devant vous, et vous n'aviez fait aucun projet ? Que comptiez-vous faire ? Rester à Londres ?

— Non. En réalité, j'avais prévu d'aller en Ecosse.

— En Ecosse ? Qu'est-ce que vous seriez allée faire en Ecosse, bon sang ?

— J'étais invitée.

— Etes-vous déjà allée en Ecosse ?

— Non. Et vous ?

— Une fois. On m'avait tellement répété que c'était un pays magnifique ! Mais il a plu si fort pendant tout mon séjour que je n'ai jamais pu vérifier de mes yeux si c'était vrai ou non, déclara-t-il en mordant de nouveau dans son friand. Chez qui étiez-vous invitée ?

— Chez des amis.

— Vous êtes une petite cachottière, n'est-ce pas? Autant me dire la vérité tout de suite, parce que j'ai l'intention de continuer à vous cuisiner jusqu'à ce que vous lâchiez le morceau. Il y a du petit ami dans l'air, pas vrai?

— Pourquoi dites-vous cela? ripostai-je, fuyant son regard.

— Parce qu'une belle fille comme vous a forcément quelque part un chevalier servant qui se languit d'amour. Et aussi parce que votre visage affiche en ce moment une expression tout à fait extraordinaire — une expression de nonchalance embarrassée.

— Les deux termes me paraissent contradictoires.

— Comment s'appelle-t-il?

— Qui?

— Ne jouez pas les innocentes, je vous prie. Votre amoureux, bien sûr.

— Nigel Gordon.

— Nigel... Nigel est un des pires prénoms qui soient.

— Ce n'est pas pire que Daniel.

— C'est un prénom de chiffe molle. Comme Timothy, Jeremy... Christopher ou Nicholas.

— Nigel n'est pas une chiffe molle.

— Qu'est-il donc?

— Il est gentil.

— Que fait-il?

— Il est courtier en assurance.

— Et il vient d'Ecosse.

— Oui. Sa famille vit là-bas. Dans l'Inverness-shire.

— Vous avez bien fait de tout annuler. Vous auriez détesté. Je vois le tableau d'ici : une grande bicoque pleine de courants d'air, des chambres aussi froides que des frigos et des baignoires revêtues d'acajou — à la façon des cercueils.

— Daniel, votre évocation de l'Ecosse est la plus grotesque qu'il m'ait été donné d'entendre.

— Vous n'allez tout de même pas épouser un courtier en assurance des Highlands, n'est-ce pas? Je vous en supplie, ne commettez pas cette erreur. Je ne pourrais pas supporter d'apprendre que vous vivez en kilt dans l'Inverness-shire!

Je faillis éclater de rire, mais je réussis néanmoins à maintenir une expression sévère.

— Il n'a jamais été question de vivre dans l'Inverness-shire, rectifiai-je. Nigel et moi nous installerions à Londres, dans sa très confortable maison de South Kensington.

Je jetai ce qui restait de mon friand aux mouettes et pris une pomme, que je frottai jusqu'à la faire briller sur la manche de mon chandail.

— J'ajoute que je n'aurais plus besoin de travailler. Plus besoin de me traîner chaque matin jusqu'à la galerie de Marcus Bernstein... J'aurais tout le temps de m'adonner à ma passion, c'est-à-dire la peinture. Et même si personne n'achetait mes tableaux, cela n'aurait aucune importance, parce que mon mari serait là pour assurer mes arrières et payer les factures.

— Je vous croyais comme Phoebe. Je suis déçu.

— Il m'arrive peut-être quelquefois de raisonner comme ma mère. A ses yeux, la vie doit être tracée à l'avance, quadrillée et conventionnelle; ce qui passe avant tout, c'est la sécurité. Elle adore Nigel. Elle meurt d'envie de me voir l'épouser et ne tient plus en place à l'idée d'organiser notre mariage. La cathédrale Saint-Paul, Knightsbridge, une réception à Pavilion Road...

— Sans compter la lune de miel à Budleigh Salterton, avec les clubs de golf dans le coffre de la voiture. Voyons, Virginia, vous ne pouvez pas être sérieuse!

— Et pourquoi ça?

— Vous ne pouvez pas sérieusement envisager d'épouser un individu répondant au nom de Nigel!

Je sentis monter en moi une vague d'irritation.

— Vous ne savez rien de lui. D'ailleurs, quel mal y a-t-il à se marier? Oh, je sais, vous allez me citer Phoebe et Chips en exemple. Mais voyez-vous, ils se seraient mariés sans hésiter si Chips avait pu obtenir le divorce. Cela n'a pas été possible, et ils ont été obligés de trouver un compromis pour vivre ensemble.

— Je n'ai rien contre le mariage. Cela dit, il est primordial de faire le bon choix.

— Et je suppose que vous n'avez jamais commis ce genre d'erreur?

— Non, en effet. Et pourtant, j'ai beaucoup donné dans ce domaine. J'ai commis à peu près toutes les erreurs possibles, mais de là à me marier... A vrai dire, l'idée ne m'a jamais effleuré.

Il m'adressa un sourire que je lui rendis; pour une raison ou pour une autre, j'étais ravie d'apprendre qu'il ne s'était jamais marié. Cette nouvelle, cependant, ne me surprenait pas. Tout chez Daniel respirait le nomadisme et un sens de la liberté que je ne pouvais que lui envier.

— Si seulement la vie me donnait le temps de tout faire... soupirai-je.

— Ce n'est pas le temps qui vous manque.

— Je sais, mais je me sens déjà prisonnière d'une sorte de routine. Et cette routine me plaît. J'aime mon métier, je fais exactement ce que j'ai envie de faire, j'adore Marcus Bernstein et je n'échangerais mon travail actuel contre rien au monde. Et pourtant, certains matins, en me rendant en voiture à la galerie, je m'interroge sur la vie que je mène et je me mets à penser à tous les lieux que je rêve de connaître : le Cachemire, les Bahamas, la Grèce, Palmyre. Et aussi San Francisco, Pékin, le Japon... J'aimerais visiter certains des endroits où vous avez vécu.

— Dans ce cas, allez-y. Partez maintenant.

— Croyez-vous que ce soit si simple ?

— En un sens, oui. La vie n'est compliquée que pour ceux qui s'ingénient à se la compliquer.

— Il faut croire que je n'ai pas ce genre de courage. Mais cela ne change rien au fait que j'aurais aimé faire certaines des choses que vous avez accomplies.

Il éclata de rire.

— Prenez garde ! J'ai commis un certain nombre de bourdes !

— Peu importe : ce qui compte, c'est le résultat. Et ce que je vois, c'est que la vie a l'air de vous sourire.

— Vous oubliez l'incertitude.

— Et de quoi n'êtes-vous pas sûr ?

— De ce que je vais faire ensuite.

— Voilà qui ne me paraît pas très effrayant.

— J'ai trente et un ans. Dans les douze mois qui viennent, je vais devoir faire un choix important. Je suis terrifié par l'idée de vagabonder, de me laisser ballotter par les événements jusqu'à la fin de mes jours.

— Que voulez-vous au juste ?

— Ce que je veux...

Il s'adossa au granit bosselé du mur, offrit son visage au soleil et ferma les yeux. On aurait dit un homme qui recherchait désespérément l'oubli propre au sommeil.

— Quand cette exposition chez Peter Chastal sera terminée, je veux partir pour la Grèce. Il y a là-bas une île du nom de Spetsai, et sur cette île, il y a une maison, aussi blanche et rectangulaire qu'un morceau de sucre. Sa terrasse est dallée de terre cuite et bordée de géraniums en pot. Et juste en dessous, au bord de l'eau, il y a un ponton de bois, avec à l'amarre un minuscule bateau à la voile blanche comme une aile de mouette, si petit qu'on ne tient dessus qu'à deux.

Il s'interrompit, et j'attendis. Il rouvrit les yeux.

— Je crois que c'est là que j'irai.

— Faites-le.

— Vous viendrez ? demanda-t-il en me tendant la main. Vous m'avez dit il y a un instant que vous rêviez de connaître la Grèce. Me permettrez-vous de vous montrer quelques-unes de ses splendeurs ?

J'étais profondément touchée. Je plaçai une main dans la sienne et sentis ses doigts se refermer sur mon poignet. Comme cette invitation était différente de celle que m'avait faite Nigel en me proposant de rencontrer sa mère en Ecosse ! Entre les deux, il y avait un monde. *L'angoisse engendrée par la lisière de deux mondes différents...* Je crus un instant que j'allais fondre en larmes.

— Un jour, peut-être, répondis-je, du ton d'une mère qui cherche à apaiser son enfant. Un jour, je pourrai sans doute faire le voyage.

Les nuages s'amoncelaient dans le ciel, et la température avait chuté. Il était temps de rentrer. Nous ramassâmes les reliefs de notre pique-nique et les jetâmes dans une poubelle fixée au pied d'un réverbère. Ensuite, nous rejoignîmes la voiture de Phoebe. Une odeur de pluie imminente flottait dans l'air ; quant à la mer, apparemment en furie, elle était devenue opaque.

Ciel rouge le matin, attention au grain... Nous montâmes dans la voiture et repartîmes lentement vers Penmarron. Le chauffage ne marchait pas, j'avais froid. Je savais que nous trouverions un grand feu de bois à Holly Cottage, et peut-être aussi des crêpes pour accompagner le thé, mais ce n'était pas à cela que je pensais. Mon esprit était empli des paysages de la Grèce, de la maison au ras des flots et du petit bateau à la voile aussi blanche qu'une aile de mouette. Je me voyais nageant dans l'eau sombre de la mer Egée, dans cette eau tiède et transparente comme le verre...

Quelque chose s'éveilla dans ma mémoire.

— Daniel...

— Qu'y a-t-il ?

— La nuit de mon arrivée ici, j'ai fait un rêve. J'avais envie de nager. Je me trouvais sur une île déserte et je devais marcher longtemps dans une eau très peu profonde. Tout à coup, le sol s'ouvrait sous mes pieds, à la façon d'un abîme, mais l'eau était si claire que je pouvais en voir le fond. Et à peine avais-je commencé à nager qu'un courant m'entraînait. Un courant à la fois rapide et puissant, comme celui d'un torrent...

Je me souvins de la sensation de paix et de résignation béate qui s'était emparée de moi.

— Que se passait-il ensuite?

— Rien. Mais c'était très agréable.

— Voilà qui me paraît être un rêve de bon aloi. Qu'est-ce qui a fait que vous vous en êtes souvenue?

— La Grèce. L'idée de nager un jour sur les rivages chantés par Homère.

— Tous les rêves ont un sens.

— Je sais.

— A votre avis, que voulait dire celui-là?

— J'ai pensé sur le coup qu'il pouvait s'agir d'un rêve de mort.

Mais cela, je l'avais pensé avant que Daniel ne fût entré dans ma vie. Depuis, tout avait changé; je savais maintenant que ce n'était pas un rêve de mort, mais un rêve d'amour.

A notre retour à Holly Cottage, nous ne trouvâmes pas trace de Phoebe. Le salon, illuminé par un feu dans la cheminée, était désert, et quand je l'appelai au bas de l'escalier, pensant qu'elle avait peut-être passé la journée au lit, je n'obtins nulle réponse.

En revanche, des bruits de vaisselle et de tiroirs qu'on ouvrait me parvinrent de la cuisine. Suivie par Daniel, je longeai le couloir et ouvris la porte : Lily Tonkins était en train de battre quelque chose dans un grand bol.

— Ah, vous voilà de retour, lâcha-t-elle, visiblement peu ravie de nous voir.

Je me demandai si elle n'était pas en proie à une de ses humeurs. Lily était capable de terribles colères. Pas contre nous, mais contre le monde en général, lequel incluait en particulier son imbécile de mari, la fille joufflue qui travaillait chez l'épicier et le fonctionnaire de la mairie qui s'occupait de sa retraite.

— Où est Phoebe? demandai-je.

Lily ne leva pas les yeux.

— Descendue au bord de l'eau.

— J'espérais qu'elle passerait la journée au lit.

— Rester au lit? lâcha Lily en reposant son bol avec un bruit sourd, les poings sur les hanches. Comment aurait-elle pu avoir la moindre chance de le faire, avec cette petite Charlotte qui a passé toute la journée ici, depuis dix heures ce matin? Je venais d'apporter une bonne tasse de thé à Mlle Shackleton quand on a sonné. Je suis allée ouvrir, et c'était elle. Depuis, elle n'a plus bougé d'ici.

— Où est Mme Tolliver?

— A Falmouth, où elle s'est rendue pour je ne sais quelle réunion de charité. C'est drôle, tout de même. Je comprends très bien que certaines personnes n'aiment pas s'occuper d'enfants. Mais là, c'est sa petite-fille. Avant de vouloir sauver l'Eglise ou l'enfance malheureuse et de jouer aux cartes avec ses amies, elle pourrait s'intéresser un peu plus à cette petite.

— Et Mme Curnow? Où est-elle?

— Betty Curnow est à White Lodge, mais elle a ses propres obligations. Si Mme Tolliver n'a pas envie de s'occuper de sa petite-fille, qu'elle engage donc quelqu'un pour le faire.

— Et alors? Comment les choses se sont-elles passées?

— Eh bien, je l'ai laissée entrer, pauvre ange, tout en lui disant que Mlle Shackleton était alitée et que vous n'étiez pas là. Elle est montée voir Mlle Shackleton, et elles se sont mises à bavarder à bâtons rompus. Cette petite fille parlait, parlait, parlait comme si elle n'avait jamais eu personne pour l'écouter. Ensuite, elle est descendue et m'a annoncé que Mlle Shackleton était en train de s'habiller. Cette décision m'a irritée, car je savais qu'elle avait besoin de repos. Je suis montée, je l'ai aidée à se vêtir, et elle a téléphoné à Betty Curnow pour la prévenir que nous gardions Charlotte à déjeuner. Heureusement, il restait un morceau d'agneau froid. J'ai épluché quelques pommes de terre et j'ai préparé une crème. Mais je ne trouve pas normal que Mlle Shackleton soit obligée de s'occuper de cette enfant, surtout avec son bras dans le plâtre et ses autres problèmes de santé.

Je n'avais jamais vu Lily aussi loquace, ni aussi indignée. Elle se faisait naturellement du souci pour Phoebe. Mais elle avait bon cœur. Les Cornouaillais adorent les enfants, et Lily ne faisait pas exception à la règle. Elle avait décidé que Charlotte était victime de négligence, et tout son être se rebellait contre cette situation.

— Je suis désolée, dis-je. J'aurais dû rester pour vous aider.

— Où sont-elles? s'enquit Daniel, qui jusque-là était resté silencieux.

— Elles sont allées dessiner sur le rivage. C'est leur activité favorite quand elles sont ensemble, comme deux vieilles dames.

Lily se détourna de la table et s'avança vers l'évier pour regarder par la fenêtre. Daniel et moi la suivîmes. Nous ne vîmes que l'estuaire désert, et de mornes étendues sableuses. Cependant, tout au bout de la jetée, je distinguai deux silhouettes : celle de Phoebe, reconnaissable à son chapeau, et celle de la fillette à côté d'elle, vêtue d'un anorak rouge. Elles avaient emporté des tabourets pliants et étaient assises côte à côte, tout près l'une de l'autre. Il y avait quelque chose de touchant dans la vision qu'elles offraient. Indifférentes au reste du monde, elles semblaient avoir été emportées loin de leurs semblables par quelque tempête indescriptible.

Ce fut ce moment que choisirent les premières gouttes de pluie pour s'écraser contre la vitre.

— Et voilà ! lança Lily, comme si elle avait prévu tout ce qui allait se passer. Le pire, c'est que je suis sûre que Mlle Shackleton ne s'en apercevra même pas. Quand elle dessine, plus rien n'existe. Vous pouvez crier tant que vous voudrez, elle ne vous entendra pas. Quand je pense qu'elle a un plâtre, la pauvre.

Il était temps d'intervenir.

— J'y vais, annonçai-je.

— Non, lâcha Daniel en me retenant par le bras. Il tombe des cordes. Je m'en charge.

— Il vous faut un imperméable, Daniel, dit Lily.

Mais il se contenta d'attraper un parapluie dans l'entrée et s'en fut. Je suivis sa progression du regard. Tenant haut son parapluie, il traversa la pelouse et finit par disparaître derrière le portail et la haie d'escallonies. Quelques instants plus tard, il réintégra mon champ de vision en s'avançant sur la jetée pour rejoindre nos deux artistes, lesquelles semblaient ne se douter de rien.

Lily et moi nous détournâmes de la fenêtre.

— Que puis-je faire pour vous aider ? demandai-je.

— Vous pourriez mettre la table pour le thé.

— Prenons-le ici. Il fait si bon dans cette pièce !

— Je suis en train de faire des crêpes, expliqua-t-elle en recommençant à battre le contenu de son bol.

Elle semblait déjà d'humeur plus légère, et j'en conçus un vif soulagement.

— Demain, dis-je, je m'occuperai de Charlotte. Je l'emmènerai faire une promenade en voiture, peut-être. J'y pense depuis mon arrivée, mais je n'avais pas encore eu le temps d'organiser quoi que ce soit.

— C'est une brave petite.

— Je sais. Mais en un sens, cela n'arrange rien.

La table fut préparée, les crêpes faites, l'eau mise à bouillir, et personne n'arrivait.

— Ce Daniel! soupira Lily. Il est exactement comme elles. Il a sûrement oublié pourquoi il était allé là-bas. Je parie qu'il est assis avec elles et qu'il s'est mis à dessiner lui aussi.

— Dans ce cas, je ferais mieux d'y aller, dis-je.

Je réquisitionnai un vieux ciré ayant jadis appartenu à Chips et sortis par la porte du jardin. Il pleuvait maintenant à verse. Tandis que je traversais la pelouse, Daniel et Phoebe apparurent à hauteur du portail. Daniel portait les tabourets pliants sous un bras et maintenait le parapluie au-dessus de la tête de ma tante. Celle-ci, à l'exception de son chapeau, était vêtue comme pour une sortie estivale, et son gilet, enfilé à la va-vite par-dessus son plâtre, semblait trempé. Ses souliers et ses bas épais étaient maculés de boue. De sa main valide, elle tenait l'éternel sac de toile où elle rangeait son matériel de peinture. Au moment où Daniel poussait le portail, elle leva les yeux et m'aperçut.

— Bonsoir! Nous voilà, trempés comme des soupes!

— Lily et moi nous demandions ce qui vous était arrivé.

— Charlotte n'avait pas tout à fait terminé son dessin, et elle y tenait absolument.

— Où est-elle?

— Elle arrive. Elle doit être quelque part dans le coin, éluda Phoebe.

Je jetai un coup d'œil par-dessus son épaule, vers la butte, et repérai Charlotte au pied de celle-ci. Dos tourné, elle semblait inspecter du regard les profondeurs d'un buisson de mûres.

— Je ferais mieux d'aller la chercher, soupirai-je en reprenant ma marche le long de la pente boueuse. Charlotte! Reviens!

La petite fille se retourna et me vit. Ses cheveux étaient collés à son visage, ses verres de lunettes criblés de gouttes de pluie.

— Que fais-tu?

— Je cherche des mûres. Il y en a peut-être déjà.

— Tu n'étais pas censée ramasser des mûres, mais revenir prendre le thé à la maison. Lily a préparé des crêpes.

Elle me suivit à contrecœur. L'appât des crêpes ne paraissait pas soulever son enthousiasme. Je songeai qu'il devait être facile de se mettre en colère contre elle, et en même temps je ne pouvais que comprendre sa réticence à mettre fin à un après-midi en compagnie de Phoebe. Je me rappelai la façon dont, enfant, je rentrais à la maison en traînant les pieds après une journée passée avec elle, à la plage, à cueillir des primevères, ou dans le petit train de Porthkerris. Revenir à la routine quotidienne avait toujours représenté un effort.

Je lui tendis la main.

— Veux-tu que je t'aide pour la montée?

Elle sortit une main de la poche de son anorak et la plaça dans la mienne. Elle était petite, mouillée et froide. Nous partîmes à l'assaut de la pente.

— Ce qu'il te faut, dis-je, c'est une bonne friction et une boisson chaude. As-tu passé un bon après-midi avec Phoebe?

— Oui. Nous avons dessiné.

— Je suppose que tu ne t'es même pas aperçue qu'il pleuvait.

— Non, pas vraiment. Mon papier commençait tout juste à se mouiller quand cet homme est arrivé. Il a tenu son parapluie au-dessus de moi, ce qui m'a permis de finir.

— Il s'appelle Daniel.

— Je sais. Phoebe m'a parlé de lui. Dans le temps, il vivait avec Chips et elle.

— Aujourd'hui, c'est un artiste célèbre.

— Je le sais aussi. Il m'a dit que je dessinais très bien.

— Et qu'as-tu dessiné?

— J'ai essayé de dessiner des mouettes, mais comme elles passaient leur temps à s'envoler, j'ai fini par imaginer mon sujet.

— C'est une preuve de créativité.

— Il m'a dit que c'était très bon.

— J'espère que tu n'as pas laissé ton dessin là-bas.

— Non. Phoebe l'a rangé dans son sac.

Nous commencions à être essoufflées et nous achevâmes notre ascension en silence. Nous atteignîmes le portail. Je l'ouvris, et Charlotte entra.

— Je me suis souvent demandé ce que tu devenais, dis-je en la suivant. J'aurais dû t'appeler pour t'inviter à prendre le thé, mais j'ai été tellement...

J'hésitai, cherchant le mot juste. « Occupée » ne me semblait guère correspondre à la réalité.

— Ce n'était pas une idée très exaltante, lâcha Charlotte avec l'impitoyable honnêteté des enfants.

Je m'efforçai de prendre un air enjoué.

— Peut-être pourrions-nous aller quelque part ensemble demain. En voiture, si Phoebe n'en a pas besoin.

Charlotte réfléchit un instant.

— Vous croyez que Daniel aimerait venir avec nous?

Dès que nous fûmes entrées dans la cuisine, Lily se jeta sur Charlotte, mi-irritée, mi-rieuse, et la débarrassa de son anorak ruisselant. Elle s'agenouilla ensuite pour défaire les boucles de ses sandales.

— Ce que les gens peuvent être bêtes quand ils s'y mettent! Prenez Mlle Shackleton, je n'avais jamais vu quelqu'un d'aussi trempé. Je lui ai dit de monter dans sa chambre et de se changer de pied en cap, et elle n'a rien trouvé de mieux à faire que d'éclater de rire en disant que ce n'était rien. On en reparlera quand elle aura attrapé une pneumonie! N'avez-vous donc pas remarqué la pluie?

— Pas vraiment, répondit Charlotte.

Lily prit une serviette sèche, ôta les lunettes de la petite fille, essuya les verres et les lui remit doucement. A l'aide de la même serviette, elle entreprit de lui sécher les cheveux comme elle aurait pu faire avec un chiot sortant du bain. Je les laissai pour mettre à sécher mon ciré au-dessus du radiateur de l'entrée.

La porte du salon était ouverte. Au fond de la pièce, un feu crépitait. Le reflet des flammes dansait sur les bibelots de métal posés à proximité de l'âtre — un pot de cuivre, un cadre, un saladier poli. Devant le feu, un coude sur le manteau de la cheminée et un pied posé sur un chenet, Daniel se tenait immobile. Son profil baissé se réfléchissait dans le miroir qui surmontait le foyer. Il tenait dans la main une feuille de papier qu'il semblait examiner avec une extrême attention.

Je m'avançai dans la pièce et il leva les yeux.

— J'ai ramené Charlotte, dis-je. Lily est en train de la sécher. Elle cherchait des mûres.

Je m'approchai de lui et offris mes paumes ouvertes à la chaleur de l'âtre.

— Que regardez-vous?

— Le dessin qu'elle vient de faire. Elle est très douée.

Il me le tendit et s'éloigna de quelques pas pour s'abandonner aux vastes profondeurs du vieux fauteuil de Chips. Avec son menton appuyé sur sa poitrine, il me parut soudain fatigué. Je baissai les yeux sur le dessin de Charlotte et compris immédiatement en quoi il l'appréciait. C'était certes un travail d'enfant, mais il avait été exécuté d'une façon à la fois imaginative et rigoureuse. Elle s'était servie de feutres, dont les fortes couleurs me rappelèrent certaines miniatures à l'huile de Phoebe. Un bateau rouge flottait sur une mer bleu cobalt, voile gonflée au vent. A la barre se tenait une silhouette coiffée d'une casquette à visière, tandis qu'à l'avant du pont était assis un chat à longues moustaches.

— J'aime beaucoup le chat, dis-je en souriant.

— Tout me plaît dans ce dessin.

— Il dégage une impression de gaieté. Et c'est curieux, parce que ce n'est pas une enfant particulièrement gaie.

— Je sais, répondit Daniel. C'est rassurant.

Je reposai le dessin sur le manteau de la cheminée, contre la pendule de Phoebe.

— Je lui ai dit que je l'emmènerais quelque part demain. Elle n'a pas beaucoup l'occasion de s'amuser avec sa grand-mère. Je pensais à une promenade en voiture.

— C'est gentil de votre part.

— Elle a l'air de penser que ce serait plus amusant si vous veniez aussi.

— Vraiment? fit Daniel, sans enthousiasme excessif.

Je me demandai s'il ne commençait pas à se lasser de notre compagnie exclusivement féminine. Peut-être n'était-il pas particulièrement enthousiasmé à la perspective de passer une journée avec Charlotte et moi. Je me pris à regretter de lui en avoir parlé.

— Vous avez sans doute mieux à faire, ajoutai-je.

— Oui, dit-il.

Puis, après un silence :

— Nous verrons.

Nous verrons... Sa réponse me fit aussitôt penser à ces adultes qui, dans mon enfance, prononçaient ces mots quand ils ne pouvaient pas — ou ne voulaient pas — s'engager.

Chips avait fabriqué ce manège pour moi. Il m'appartenait. Il avait dit en me l'offrant que, si je le souhaitais, je pouvais l'emporter à Londres, mais j'avais choisi de le laisser là. Le carrousel faisait partie de Holly Cottage, et je tenais plus que tout au maintien des traditions.

Il reposait là où il s'était toujours trouvé, dans le compartiment inférieur d'une énorme armoire qui trônait dans le salon de Phoebe. Ce soir-là, après le thé, Charlotte alla le sortir de son logement. Elle l'apporta avec précaution et le déposa sur la table, devant le feu.

Chips l'avait fabriqué à partir d'un gramophone à l'ancienne. Après en avoir retiré le couvercle et le bras, il avait découpé un cercle de contreplaqué de la taille d'un disque, et percé un trou en son centre pour pouvoir le placer sur l'axe central. Ce disque était peint en rouge brillant, et des animaux miniatures avaient été fixés sur son pourtour. Eux aussi étaient faits de contreplaqué. Il y avait là un tigre, un éléphant, un zèbre, un poney, un lion et un chien, tous peints de couleurs différentes. Chaque animal était équipé d'une selle et de petites sangles en ficelle dorée.

Ce carrousel permettait de jouer à plusieurs jeux. Quelquefois, associé à des cubes, des figurines de paysans et les quelques animaux de bois rescapés d'une défunte arche de Noé, il devenait partie intégrante d'un cirque. Mais en général, je l'utilisais pour ce qu'il était, et j'actionnais la poignée pour déclencher le mécanisme et faire tourner le plateau. Un levier permettait de régler la vitesse. On pouvait commencer très lentement — pour donner aux gens le temps de s'installer, disait Chips —, puis accélérer peu à peu, jusqu'à ce que les animaux s'effacent sous l'effet de la vitesse.

L'ayant mis en marche, Charlotte le regardait à présent comme elle eût fait d'une toupie. Au bout d'un moment, le mécanisme s'essouffla et le manège finit par s'arrêter.

Elle s'accroupit et fit tourner le plateau du bout des doigts, examinant tour à tour chaque figurine.

— Je n'arrive pas à décider lequel je préfère, dit-elle.

— J'ai toujours eu un faible pour le tigre, avouai-je. Je trouve son aspect particulièrement féroce.

— C'est vrai. Comment est-ce que ces vieux gramophones peuvent être accélérés ou ralentis sur commande ? La chaîne stéréo de mon père, dans notre maison de Sunningdale, a toutes les fonctions qu'il faut, mais je ne crois pas y avoir vu le réglage de la vitesse.

— C'était très amusant, déclara Phoebe. On pouvait mettre un disque très lentement, et on aurait dit une de ces fameuses voix russes *basso profundo*. Et soudain, on accélérait, et tout devenait suraigu, un peu comme un concert de souris.

— Mais pourquoi? A quoi ça servait?

— Je n'en ai pas la moindre idée, dit Phoebe, comme elle le faisait fort logiquement chaque fois qu'elle n'avait pas de réponse.

Charlotte se tourna vers moi.

— Et vous? Vous le savez?

— Non.

— Et vous? s'enquit-elle à l'adresse de Daniel.

Celui-ci était resté silencieux. En fait, il n'avait pratiquement pas dit un mot pendant que nous prenions le thé. De nouveau assis dans le fauteuil de Chips, il semblait observer le carrousel avec nous, mais ses pensées étaient en réalité à des années-lumière. Nous nous tournâmes toutes trois vers lui. Il n'avait pas encore réalisé que Charlotte venait de lui parler. Elle insista.

— Vous savez, Daniel?

— Si je sais quoi?

— Pourquoi la musique est suraiguë quand le plateau tourne vite, et très grave quand il va lentement.

Il soupesa la question et finit par suggérer que ce phénomène avait peut-être quelque chose à voir avec la force centrifuge.

Charlotte fit une grimace.

— Qu'est-ce que c'est que ce truc?

— C'est ce qui fait fonctionner ton essoreuse, par exemple.

— Je n'ai pas d'essoreuse.

— Tu en auras peut-être une plus tard, quand tu seras grande. En la regardant tourner, tu comprendras ce qu'est la force centrifuge.

Charlotte remonta la manivelle du gramophone. Sur le manteau de la cheminée, la pendule sonna cinq heures.

— Charlotte, il est temps que tu rentres chez toi, remarqua Phoebe.

— Il faut vraiment que je parte maintenant? demanda la fillette d'un ton gémissant.

— J'ai dit que tu rentrerais vers cinq heures.

— Je ne veux pas y aller. De toute façon, il pleut encore.

— Virginia va te raccompagner en voiture.

Elle était au bord des larmes. Terrifiée à l'idée de la voir pleurer, je m'empressai d'ajouter:

— N'oublie surtout pas que nous avons rendez-vous demain. Nous partons pour une balade en voiture. Veux-tu que je vienne te chercher?

— Non. J'ai horreur qu'on vienne me chercher, parce que j'ai horreur d'attendre. J'ai toujours peur qu'on m'oublie. Je viendrai ici à pied, comme ce matin. A quelle heure je dois arriver?

— Disons vers dix heures et demie. Ça te va?

— D'accord.

Daniel s'était levé.

— Où vas-tu? lui demanda Phoebe.

— Il faut que je parte, moi aussi.

— Je pensais que tu resterais pour le dîner avec Virginia et moi. Lily a fait une poule au pot.

— Non, vraiment, je ne peux pas, il faut que j'y aille. J'ai un coup de fil important à passer. J'ai promis à Peter Chastal de me mettre en contact avec Lewis Falcon, et je n'ai toujours pas décroché mon téléphone.

— Très bien, dit Phoebe, qui acceptait toujours les décisions d'autrui sans discuter. Dans ce cas, tu ferais bien de partir avec Virginia. Elle te ramènera à Porthkerris après avoir déposé Charlotte.

Daniel se tourna vers moi.

— Cela ne vous dérange pas?

— Bien sûr que non.

Ce n'était pas vrai. J'aurais préféré qu'il reste dîner avec Phoebe et moi. Il embrassa ma tante et lui dit au revoir. Elle lui tapota affectueusement le bras, sans poser de question.

« C'est comme ça que je dois être, me dis-je en allant chercher mon manteau. Si je ne veux pas perdre son amitié, c'est comme ça que je dois être. »

Il s'assit à l'avant de la voiture, tandis que Charlotte se mettait à genoux sur la banquette arrière pour pouvoir approcher de nous son visage pâlot.

— Où on ira demain? demanda-t-elle.

— Je ne sais pas. Je n'y ai pas encore pensé. Qu'y a-t-il à voir?

— On pourrait monter à Skadden Hill. On y trouverait peut-être des mûres. Le sommet est couvert de gros rochers, et l'un d'eux porte une empreinte de pas géante. Vraiment énorme!

— Vous pourriez aussi choisir Penjizal, suggéra Daniel.

— Qu'y a-t-il à Penjizal? demandai-je.

— Une promenade le long des falaises. Et à marée basse, une piscine naturelle se forme dans les rochers. Les phoques adorent y nager.

Charlotte oublia instantanément Skadden Hill. Face aux phoques, les empreintes géantes ne pesaient pas lourd.

— Oh oui, allons là-bas! s'écria-t-elle. Je n'ai jamais vu de phoques, en tout cas pas de près.

— Je ne sais même pas où se trouve Penjizal, remarquai-je.

— Daniel nous montrera comment y aller! lança Charlotte en abattant son petit poing sur l'épaule de mon voisin. Vous êtes d'accord pour venir avec nous? Oh, je vous en supplie, venez avec nous, dites oui!

Daniel ne réagit pas immédiatement à cet appel passionné. Je savais qu'il attendait que j'intervienne, peut-être pour lui trouver une excuse, mais je m'enfermai égoïstement dans le silence et maintins les yeux fixés sur le pare-brise. Devant nous, la route était couverte d'eau boueuse; la silhouette noire des chênes ruisselait.

— S'il vous plaît... insista Charlotte.

— Il se peut que je vienne.

Mais elle n'était pas prête à en démordre.

— Ça veut dire oui, ou non?

Il se tourna vers elle en souriant.

— Bon, d'accord, soupira-t-il. C'est oui.

— Génial! s'exclama-t-elle en frappant dans ses mains. Qu'est-ce que je dois apporter, Virginia? Mes bottes en caoutchouc, peut-être?

— Oui, et aussi un ciré, au cas où il pleuvrait.

— Mais on pique-niquera, n'est-ce pas? Même s'il pleut?

— Entendu. Nous trouverons bien un endroit abrité. Tu aimes les sandwiches au jambon?

— Oui. Et aussi le soda.

— Je ne crois pas que nous en ayons.

— Ma grand-mère doit en avoir. Sinon, j'irai en acheter. On en vend au village.

Nous avions atteint le portail de White Lodge. Je le franchis et m'engageai dans la courte allée qui menait à la maison. Celle-ci, comme la fois précédente, se dressait devant nous, rideaux tirés, impassible sous la pluie. Nous fîmes halte au bas du perron, et Daniel sortit de la voiture pour laisser passer Charlotte. Il resta un moment à la regarder. Elle portait son dessin. Phoebe l'avait repris sur le manteau de la cheminée pour le lui donner au moment du départ, en disant :

— N'oublie pas ça. Tu pourrais peut-être l'offrir à ta grand-mère.

Charlotte croisa le regard de Daniel.

— Ça vous ferait plaisir si je vous donnais ce dessin? demanda-t-elle, toute timide.

— Très. Mais n'est-il pas pour ta grand-mère?

— Pas vraiment. Ça ne l'intéresse pas.

— Dans ce cas, j'accepte, dit-il en prenant la feuille de papier qu'elle lui tendait. Merci. J'en prendrai grand soin.

— A demain. Au revoir. Au revoir, Virginia, et merci de m'avoir ramenée.

Nous la regardâmes gravir les marches du perron. Une fente de lumière jaune déchira la pénombre, et nous aperçûmes la silhouette de Mme Tolliver sur le pas de la porte. Elle fit un signe du bras — peut-être pour nous remercier, peut-être pour nous dire au revoir — et attira Charlotte à l'intérieur.

5

Nous nous mîmes en route pour Porthkerris. Ce n'était qu'un court trajet, mais ce soir-là Daniel et moi l'effectuâmes dans un silence total. Certains silences entre deux personnes sont positifs et plaisants; il arrive qu'ils soient plus parlants que tous les discours. En d'autres occasions, ils trahissent une tension lourde à porter. Notre silence était de ceux-là. J'aurais voulu briser la glace en lançant un sujet de conversation quelconque, mais le manque de coopération évident de mon voisin m'ôtait les mots de la bouche. Sa main, qui tenait toujours le dessin de Charlotte, reposait sur son genou. Il regardait de l'autre côté, vers les champs gris-vert, les murets de pierre, la pluie. Je ne trouvai rien à dire.

Nous rejoignîmes enfin le portail de l'hôtel et nous engageâmes dans l'allée, au bout de laquelle étaient garées un certain nombre de voitures de luxe. En cette lugubre soirée, l'opulent Château lui-même avait l'air en perdition, comme un paquebot en train de couler. La lumière de quelques rares fenêtres se reflétait dans les flaques d'eau.

Je coupai le moteur et attendis que Daniel descende. On n'entendait plus que le martèlement de la pluie sur le toit et le souffle du vent venu de la mer. En tendant l'oreille, je perçus le grondement des rouleaux qui s'écrasaient sur le rivage. Daniel tourna la tête et me regarda.

— Vous entrez?

Je me demandai pourquoi il se donnait la peine de me faire cette proposition.

— Non, répondis-je. Vous devez téléphoner à Lewis Falcon. D'ailleurs, il faut que je rentre.

— S'il vous plaît, insista-t-il d'un ton pressant. J'ai besoin de vous parler.

— De quoi?

— Venez prendre un verre.

— Daniel...

— S'il vous plaît, Virginia.

J'éteignis les phares et nous sortîmes de la voiture. Une fois de plus, les portes pivotantes nous précipitèrent dans un univers chaud, moelleux et parfumé. Ce soir-là, peut-être en raison du mauvais temps, il y avait davantage de monde. Les gens étaient assis en groupes autour des tables à thé; ils lisaient leur journal, bavardaient, tricotaient. L'air était lourd de l'ennui des fins d'après-midi. Daniel se dirigea vers le bar, mais il était trop tôt et celui-ci n'était pas encore ouvert.

— Bon sang! lâcha-t-il devant la porte close, assez fort pour faire tourner plusieurs têtes.

J'étais embarrassée. Je savais à quel point nous avions piètre allure et paraissions incongrus dans ce décor : Daniel, avec son jean délavé et son chandail de grosse laine; moi, avec mes cheveux ébouriffés par le vent et mon vieux duffle-coat bleu marine, qui avait connu des jours meilleurs. Je mourais d'envie de m'éclipser.

— De toute façon, je n'ai pas soif, dis-je.

— Moi si. Venez, nous allons monter dans ma chambre.

Et, sans attendre ma réponse, il partit à l'assaut du grand escalier et avala les marches trois par trois. N'ayant rien de mieux à faire, je le suivis, parfaitement consciente de l'intérêt que suscitait notre comportement. Je savais que nous serions soupçonnés du pire, mais l'attitude de Daniel m'intriguait tellement que je n'y attachai pas d'importance.

Sa chambre était située au premier étage, tout au bout d'un couloir long et large. Il sortit la clé de sa poche, ouvrit la porte et fit de la lumière. En le suivant à l'intérieur, je constatai qu'on lui avait attribué l'une des meilleures chambres de l'établissement, avec vue sur un parcours de golf à neuf trous dont le gazon ras descendait vers un petit bois. Nous dominions le paysage de si haut que la mer, par temps clair, devait être visible au-dessus de la cime des arbres. Ce soir-là, malgré l'horizon bouché, la fenêtre était grande ouverte, et le vent s'engouffrait à l'intérieur de la chambre, faisant onduler les lourds rideaux comme des voiles mal hissées.

Daniel referma la porte, puis la fenêtre. Les rideaux cessèrent leur danse frénétique. Je balayai du regard la pièce, luxueusement meublée à la façon d'un intérieur de manoir. La cheminée était surmontée d'un joli miroir délicatement encadré. Deux fauteuils tapissés de perse lui faisaient face, et l'on retrouvait la même étoffe sur une table voisine. Un téléviseur reposait sur une table basse, juste à côté d'un petit réfrigérateur. Je remarquai encore un bouquet de fleurs sur le manteau de la cheminée, ainsi qu'une corbeille de fruits frais à portée de main du grand lit double.

Daniel alla mettre en marche le feu électrique. Les fausses bûches s'embrasèrent aussitôt. Il n'avait toujours pas lâché le dessin de Charlotte, qu'il finit par poser au centre de la cheminée. Je pouvais voir son visage fermé dans le miroir.

Je me contentai de l'observer et d'attendre.

— C'est ma fille, lâcha-t-il.

Derrière son reflet, je voyais aussi le mien — mon visage blême, mes mains profondément enfoncées dans mes poches de manteau. Mon image tout entière était déformée par un défaut du miroir qui me donnait l'aspect d'une sorte de spectre, ou d'une noyée.

J'avais soudain beaucoup de mal à parler.

— Charlotte...? lâchai-je dans un souffle.

— Oui, Charlotte, répondit-il en se tournant vers moi. C'est mon enfant.

— Pourquoi dites-vous cela?

— C'est mon enfant, répéta-t-il.

— Daniel...

— Il y a bien des années, j'ai eu une liaison avec sa mère. Je n'ai jamais aimé Annabelle. Elle était mariée et elle avait déjà un fils. Nous n'avions rien en commun. Et pourtant, contre toute raison, c'est arrivé. Charlotte est le résultat d'un été trop long et trop chaud — un été de folie totale.

— J'étais au courant. Je veux dire : je savais qu'il s'était passé quelque chose entre Annabelle Tolliver et vous.

— C'est Phoebe qui vous l'a dit?

— Oui.

— Je m'attendais à ce qu'elle vous en parle. En fait, j'en étais sûr.

Nous nous regardâmes en silence. Mes pensées s'agitaient en tous sens, sans direction précise. Je tentai de me rappeler les mots employés par Phoebe. «Je crois que c'est Annabelle qui a été conquise la première. Daniel était quelqu'un de très taciturne. De toute façon, il s'agit d'une histoire sans conséquence. »

— Mais je croyais que... Je veux dire... Je ne pensais pas que...

Il vint à mon secours.

— Que nous étions allés aussi loin? J'espérais bien que Chips et Phoebe n'y verraient qu'une simple amourette. Comme vous pouvez le constater, ce n'était pas tout à fait aussi innocent.

— Vous... vous êtes sûr que Charlotte est votre fille?

— Je l'ai su dès l'instant où je l'ai vue cet après-midi, assise sur son tabouret pliant au bout de la jetée. Immobile dans le froid et la pluie, bien décidée à terminer son dessin... Vous êtes pâle comme un linge, Virginia. Je crois que nous avons tous les deux besoin de prendre un verre.

Je le regardai ouvrir le réfrigérateur. Il en sortit deux verres, des glaçons, de l'eau gazeuse et une bouteille de scotch, puis posa le tout sur la table.

— Je ne bois pas de whisky, Daniel.

— C'est tout ce que j'ai, répondit-il en dévissant le bouchon.

— Elle ne vous ressemble pas, dis-je.

— Elle ne ressemble pas non plus à Annabelle. Mais j'ai une photo de ma mère à son âge — neuf ou dix ans. Charlotte est son portrait craché.

— Vous saviez qu'Annabelle avait eu un enfant de vous?

— C'est ce qu'elle m'a dit à l'époque.

— Cela ne vous a pas suffi?

— Apparemment non.

— Je ne comprends pas.

Il repoussa la porte du réfrigérateur pour s'y adosser, un verre à whisky dans chaque main.

— Enlevez votre manteau, Virginia. Il vous donne un aspect... éphémère. Sans compter qu'il est probablement trempé. Je ne veux pas que vous attrapiez un rhume.

La remarque me parut dénuée d'intérêt, mais j'obtempérai néanmoins et déposai mon duffle-coat sur le dossier d'un fauteuil. Il me tendit mon verre, que je pris. Il était glacé.

— Je ne comprends pas, Daniel, répétai-je.

— Vous ne pouvez pas comprendre sans connaître Annabelle. Ne l'avez-vous jamais rencontrée à l'occasion de vos séjours chez Phoebe?

— Non. Nos routes ne se sont jamais croisées. Je suppose que c'est parce qu'elle venait surtout l'été, quand j'allais chez mon père dans le Northumberland.

— C'est une explication.

— L'avez-vous aimée ? demandai-je d'un ton indifférent.

— Non. Tout bien réfléchi, je n'avais même pas beaucoup d'estime pour elle. Mais il y avait quelque chose de si... fascinant en Annabelle que cela éclipsait tout le reste. J'avais vingt ans, et elle vingt-huit. Elle était mariée et mère d'un enfant, mais ce détail n'a pas pesé lourd.

— Mais les gens n'ont-ils pas... jasé ? J'imagine que Phoebe et Chips...

— Ils savaient, bien sûr, mais ils s'étaient mis en tête qu'il s'agissait d'un simple flirt. De plus, Annabelle était maligne. Elle savait se protéger en veillant à se montrer toujours entourée d'une pléiade d'autres admirateurs.

— Elle devait être très belle, dis-je, songeant qu'on ne m'avait jamais accolé l'adjectif « fascinante ».

— Même pas. Mais elle était grande et mince, et ses traits rappelaient ceux d'une chatte siamoise, avec un petit nez bien dessiné et un sourire chargé de secrets. Peut-être devrais-je dire « énigmatique ». Elle avait des yeux incroyables : immenses, en amande, d'un gris très sombre.

— Comment l'avez-vous rencontrée ?

— Phoebe et Chips m'avaient traîné dans une soirée. Je ne voulais pas y aller, mais ils disaient que c'était indispensable, étant donné qu'on s'était donné la peine de m'inviter. Annabelle y était elle aussi. Je l'ai vue dès mon entrée dans le salon. Elle se tenait à l'extrémité opposée, entourée de plusieurs invités. Dès que je l'ai vue, mes doigts ont brûlé d'envie de la dessiner. Sans doute l'ai-je fixée avec un peu trop d'insistance, car au bout d'un moment, elle a braqué les yeux sur moi et soutenu mon regard, comme si elle était consciente de ma présence depuis le début. Instantanément, j'ai oublié mon désir de la dessiner... C'était comme si je venais de recevoir un coup dans le bas-ventre.

— Voilà une sensation que je ne risque pas d'éprouver, dis-je d'un ton qui se voulait léger.

Ma remarque tomba à plat. Il se mit à faire les cent pas dans la pièce, verre en main, comme s'il lui était physiquement impossible de parler en restant immobile.

— La deuxième fois, nous nous sommes rencontrés sur la plage. J'avais une planche de surf australienne — une Malibu. Un ami me l'avait rapportée de Sydney. Le vent soufflait du nord, et d'énormes rouleaux déferlaient sur le rivage. J'ai surfé jusqu'au changement de marée, et à ma sortie de l'eau, j'étais bleu de froid parce que je n'avais pas les moyens de m'offrir une combinaison. C'est alors que j'ai aperçu Annabelle, assise sur une dune. Elle m'observait. Depuis combien de temps était-elle là? Je n'en avais aucune idée. Elle portait une jupe rouge. Ses cheveux noirs flottaient au vent. Il n'y avait personne d'autre sur la plage, et j'ai su que c'était moi qu'elle attendait. J'ai escaladé la dune jusqu'à l'endroit où elle était assise, et nous nous sommes mis à parler en fumant des cigarettes. Autour de nous, les joncs étaient couchés par le vent, et je me souviens avoir pensé qu'ils ressemblaient à une fourrure qu'on caresse. Plus tard, nous sommes rentrés à pied. Un parfum de thym sauvage montait du terrain de golf. Plusieurs hommes — des golfeurs — sont passés à notre hauteur. Ils regardaient Annabelle, puis moi, et leurs traits exprimaient l'envie. Je me sentais bien. Il en a été ainsi jusqu'à la fin : chaque fois que nous entrions dans un bistrot ou que nous nous arrêtions à un feu rouge dans sa décapotable, tous les hommes nous regardaient.

— Sans doute trouvaient-ils que vous formiez un beau couple.

— Ils se demandaient plus probablement ce qu'une créature aussi sensationnelle faisait avec un grand dadais comme moi.

— Combien de temps cela a-t-il duré?

— Deux mois, trois peut-être. C'était un été très chaud — trop chaud, prétendait-elle, pour qu'elle ramène son fils à Londres. Elle a donc prolongé son séjour à Penmarron.

— Vous parlait-elle de son mari?

— De Leslie Collis? Très peu. D'après la rumeur, elle l'avait épousé pour son argent. Ce qui est sûr, c'est qu'elle ne parlait pas de lui avec une affection débordante. Cela ne me gênait pas. Je n'avais aucune envie d'entendre parler de lui et de me laisser envahir par un sentiment de culpabilité. Quand on le veut vraiment, il n'est pas difficile de réduire sa conscience au silence. Je ne me connaissais pas ce talent, mais il m'a bien facilité les choses.

— Peut-être est-ce tout simplement ainsi qu'on appréhende la vie à vingt ans.

Il sourit.

— Vous parlez comme une vieille dame pleine de sagesse. Comme Phoebe.

— J'aimerais lui ressembler.

Il allait toujours de long en large, comme un tigre en cage.

— Tout s'est terminé vers la mi-septembre, reprit-il. A peu près à la même époque que maintenant, sauf qu'il ne pleuvait pas. Le soleil et la chaleur n'avaient pas cédé un pouce de terrain ; c'est pourquoi j'ai été pris au dépourvu quand Annabelle m'a soudain annoncé qu'elle rentrait à Londres. Nous étions sur la plage, en fin d'après-midi. Nous venions de nager. La mer montait. Les vagues recouvraient peu à peu le sable chaud, et je me rappelle que l'eau était couleur de jade. Nous étions en train de fumer quand elle m'a fait part de son intention de repartir. Je m'attendais à éprouver une profonde désolation, mais je n'ai pas tardé à m'apercevoir que je n'étais pas malheureux le moins du monde. Bizarrement, j'étais plutôt soulagé. J'avais toujours souhaité que notre liaison s'interrompe avant que l'ennui ne s'installe. En outre, il fallait que je me remette au travail. La peinture était toute ma vie, et l'envie commençait à me démanger de retrouver mon chevalet. Je souhaitais tourner le dos aux occupations mondaines pour me concentrer sur mes toiles. Il y avait presque un an que j'habitais chez Chips. Je voulais voyager, apprendre, repartir pour l'Amérique. Bref, j'étais en train de répondre à Annabelle quelque chose de parfaitement banal quand elle m'a coupé la parole pour me dire qu'elle était enceinte. « C'est ton enfant, Daniel », a-t-elle ajouté.

Il respira profondément.

— Quand j'étais plus jeune, je redoutais par-dessus tout qu'une telle catastrophe m'arrive. Pensez donc, une fille enceinte de moi, et surtout une fille que je n'avais aucune envie d'épouser ! Affronter une recherche en paternité, un père furibond, un mariage forcé... Le cauchemar ! Et voilà que cette tuile me tombait dessus — à ceci près que rien ne se passait comme je l'avais imaginé. Annabelle a continué de parler, et l'idée s'est progressivement insinuée dans mon cerveau paralysé qu'elle n'attendait rien de moi. Elle ne cherchait pas le divorce, ne voulait pas que je l'enlève, n'avait pas la moindre intention de se remarier avec moi et ne réclamait pas d'argent.

Il secoua la tête.

— Je me suis dit qu'il devait y avoir un piège quelque part. A la fin, quand elle a cessé de parler, je lui ai demandé : « Et ton mari ? » Annabelle a éclaté de rire et m'a assuré qu'il ne poserait pas de questions. Je lui ai dit que je ne pouvais pas le croire : aucun homme n'était capable d'accepter sans broncher le fils d'un autre. Mais Annabelle m'a soutenu que Leslie Collis le ferait, pour sauver la face, car plus que tout au monde il détestait paraître ridicule. Il attachait une suprême importance à ce que ses collègues, son entourage disaient de lui. Il s'était construit une image d'homme d'affaires dur et réaliste et ne permettrait pas qu'un élément extérieur vienne la détruire. A ce moment-là, elle a regardé ma mine déconfite, s'est remise à rire et a lâché : « Ne te fais aucun souci, Daniel, il ne te poursuivra pas avec un fusil ! » J'ai dit quelque chose sur l'enfant — mon enfant — et elle a répondu : « Ne t'inquiète pas pour lui. Il ne manquera de rien. » On aurait dit qu'elle parlait d'un chien.

Il cessa de faire les cent pas. Planté au milieu de la pièce, il contempla un instant le fond de son verre. Il y restait un peu de whisky, qu'il avala d'un mouvement rapide. Je me pris à espérer qu'il ne se resservirait pas. Il me paraissait dans l'état d'esprit d'un homme prêt à s'enivrer pour oublier, mais il se contenta de reposer son verre sur le réfrigérateur. Puis, remarquant que la nuit était tombée, il alla à la fenêtre et tira les lourds rideaux, comme pour repousser les ténèbres. Ensuite, il se retourna vers moi.

— Vous ne dites rien.

— Je ne trouve rien d'intelligent à dire.

— Vous êtes sous le choc.

— C'est un mot excessif. Je ne suis pas en position d'être choquée. En revanche, je suis désolée que ce soit arrivé.

— Je ne vous ai pas encore tout dit. Voulez-vous entendre la suite ?

— Si vous souhaitez que je l'entende.

— Je crois, oui. Je... Il y a des années que je n'ai plus parlé de tout cela. D'ailleurs, je ne suis pas sûr de pouvoir m'arrêter, même si je le voulais.

— N'en avez-vous jamais parlé à personne ?

— Si. J'ai tout dit à Chips. Dans un premier temps, j'ai cru que je n'y arriverais pas. J'avais trop honte. Leslie Collis n'était pas le seul homme au monde à détester le ridicule. Mais je n'ai jamais été très doué pour dissimuler mes sentiments, et, après m'avoir vu passer quelques jours à tourner stupidement en rond dans son atelier, Chips a perdu patience. Il est venu me trouver et m'a demandé de but en blanc ce qui n'allait pas. J'ai vidé mon sac, je lui ai tout raconté, sans qu'il m'interrompe une seule fois. Il n'a pas ouvert la bouche ; il a continué de fumer sa pipe, assis dans son vieux fauteuil. Lorsque j'ai eu terminé, je me suis senti envahi d'un tel soulagement que j'ai regretté de ne pas l'avoir fait plus tôt.

— Comment a-t-il réagi ?

— Pendant un moment, il est resté silencieux, fumant toujours, le regard perdu dans le vide. Il méditait. Je ne savais pas ce qu'il pensait. Je m'attendais presque à ce qu'il m'ordonne de faire mes valises et de ne plus jamais remettre les pieds à Holly Cottage. En fin de compte, il a vidé sa pipe, l'a fourrée dans sa poche et m'a dit : « Mon gars, on te mène en bateau. » Et il m'a parlé d'Annabelle. Il m'a expliqué qu'elle avait toujours été immorale et débauchée. Cet été-là, elle n'avait pas failli à la règle. Elle avait connu un autre homme, un fermier de Falmouth, marié et père de famille. Pour Chips, il ne faisait guère de doute que ce fermier était le père de l'enfant et qu'Annabelle savait.

Il marqua une pause.

— Cette révélation n'a fait qu'ajouter à ma confusion. En un sens, j'étais soulagé ; mais d'un autre côté, je me sentais trahi. Ma fierté était blessée, ainsi que ma virilité toute neuve. Certes, j'avais moi-même dupé Leslie Collis, mais j'étais humilié de savoir qu'Annabelle avait joué double jeu avec moi également. C'est une réaction méprisable, n'est-ce pas ?

— Non. Elle est compréhensible. Mais si c'était vrai, pourquoi vous aurait-elle dit que l'enfant était de vous ?

— C'est précisément la question que j'ai posée à Chips. Il m'a répondu qu'Annabelle était ainsi faite. Elle aimait non seulement semer le trouble sur son passage, mais aussi laisser derrière elle un sillage de culpabilité et de remords. C'est difficile à croire, n'est-ce pas ?

— J'ai du mal à le croire, en effet. Mais si Chips l'a dit, ce devait être vrai.

— J'ai pensé comme vous. Il est allé trouver Annabelle le soir même, pour mettre les points sur les i. Il s'est rendu à White Lodge et l'a vue seule. Elle a d'abord essayé de soutenir que cet enfant ne pouvait être que le mien, mais quand il lui a répété ce qu'il m'avait dit sur l'autre homme, Annabelle a craqué et admis qu'il avait raison : l'enfant pouvait aussi bien être de lui, mais elle préférait penser qu'il était de moi. Je ne l'ai jamais revue. Elle est repartie pour Londres quelques jours plus tard, avec son fils et sa gouvernante. Chips et moi étions convenus qu'il était temps que je parte, moi aussi. Je repoussais ce moment depuis trop longtemps.

— Phoebe sait-elle tout cela?

— Non. Je ne voulais pas qu'elle l'apprenne, et Chips était d'accord. Avec un peu de chance, cette affaire ne devait pas avoir de répercussions, et il nous paraissait inutile de la perturber ou de la mettre dans une position délicate vis-à-vis de Mme Tolliver. Penmarron est un village. Il fallait qu'ils continuent de tenir leur rôle au sein de cette communauté plus que réduite.

— Chips était un sage.

— Et quelqu'un de compréhensif. Je ne saurais vous décrire à quel point il a été bon pour moi à cette époque-là. Il a été plus que le meilleur des pères. Il a tout arrangé. Il m'a même prêté de l'argent pour me mettre le pied à l'étrier, et m'a donné des lettres d'introduction pour ses amis de New York. Et surtout, il a fait le nécessaire pour que je sois reçu par Peter Chastal, à Londres. Sa galerie n'était ouverte que depuis quelques années, mais il s'était déjà fait un nom dans le milieu artistique. Je lui apporté quelques-unes de mes toiles, et quand je suis parti en Amérique, il avait d'ores et déjà accepté de m'exposer et de devenir mon agent. Il l'est resté.

Je revis mentalement la magnifique plaquette que j'avais lue dans le train.

— Il a fait du bon travail avec vous, remarquai-je.

— Oui. J'ai eu de la chance.

— Chips disait toujours qu'il ne sert à rien d'avoir du talent si on ne le travaille pas.

— Chips disait des choses très sensées.

— Est-ce votre travail qui vous a empêché de revenir pendant onze ans?

— Je me plais à le penser. Je n'aime pas l'idée que j'ai fui le passé pendant tout ce temps. Et pourtant, c'est peut-être ce que j'ai fait. J'ai fui. Toujours plus loin. D'abord New York, puis l'Arizona, et ensuite San Francisco. C'est là-bas qu'est né mon intérêt pour l'art nippon. San Francisco abrite une importante communauté japonaise, et je me suis trouvé intégré au sein d'un groupe de jeunes peintres de ce pays. Plus je travaillais avec eux, plus je m'apercevais de l'étendue de mon ignorance. Les traditions et la discipline de la peinture japonaise remontent à des siècles. J'étais fasciné. Je me suis donc rendu au Japon, où je suis redevenu un simple étudiant, agenouillé aux pieds d'un maître très vieux et très célèbre. J'ai perdu toute notion du temps. Je suis resté quatre ans. Parfois, ces années paraissaient filer comme des jours. A d'autres moments, elles prenaient des allures d'éternité. L'exposition en cours chez Peter Chastal est le résultat direct de ces années-là. Je vous ai parlé de mon peu d'enthousiasme à rentrer pour le vernissage. C'est le genre de chose qui me terrifie. Mais en fait, j'avais surtout peur de rentrer en Angleterre. A l'autre bout du monde, il m'était facile de ne pas penser à Annabelle et à ce bébé qui pouvait être le mien. Mais ici... Plusieurs fois, j'ai fait des cauchemars dans lesquels je voyais Annabelle et mon enfant venir à ma rencontre sur un trottoir.

— N'était-il pas risqué de revenir en Cornouailles ?

— Quand j'ai rencontré ce type dans un bar qui m'a proposé de faire la route avec lui, j'ai eu l'impression que tout était écrit là-haut. J'ai bien failli refuser, mais je mourais d'envie de revoir Phoebe.

Je repensai à la veille. Je me rappelai comment il était resté silencieux, au bar de l'hôtel, pendant que je parlais de Mme Tolliver et de Charlotte.

— Daniel... Quand je vous ai dit que Charlotte était à Penmarron chez sa grand-mère, vous avez forcément pensé que c'était l'enfant.

— Bien sûr, j'y ai pensé. Et j'ai aussi compris qu'il était inévitable que je la rencontre. Tout cela faisait partie d'un plan mystérieux, qui échappait totalement à mon contrôle. Quand nous sommes arrivés en voiture chez Phoebe cet après-midi, j'ai tout de suite senti que Charlotte était quelque part dans les parages. Je l'ai su avant même que Lily ne nous le dise. Et en allant la chercher sur la jetée pour le thé, je me suis répété qu'après toutes ces années d'incertitude j'allais enfin savoir. Elles ne m'ont pas entendu approcher. Toutes deux étaient bien trop absorbées par leur travail. Au bout d'un moment, Phoebe m'a aperçu. Elle a prononcé mon nom. Charlotte a levé la tête à son tour, et j'ai vu son visage. J'ai compris sur-le-champ que, peut-être sans le savoir, Annabelle m'avait dit la vérité.

C'était le fin mot de l'histoire. Toujours debout, j'avais l'impression d'écouter Daniel depuis une éternité. Mon dos me faisait mal, et je me sentais épuisée, vidée. Je n'avais aucune idée de l'heure. Des bruits et des odeurs nous parvenaient depuis le rez-de-chaussée, centre névralgique de l'hôtel — voix, tintements de vaisselle, bribes de musique. Bientôt, je devrais m'en retourner vers Holly Cottage, Phoebe et la poule au pot de Lily. Mais pas encore.

— Si je ne m'assieds pas, je vais mourir, dis-je juste avant de me laisser tomber dans un fauteuil, près du feu.

Les flammes artificielles dansaient joyeusement autour des fausses bûches. Je me laissai aller en arrière, le menton enfoui dans le col de mon chandail, et observai un moment leur danse.

J'entendis Daniel se servir un autre verre. Il revint et s'assit face à moi dans l'autre fauteuil. Je levai les yeux, et nos regards se rencontrèrent. Nous étions tous deux très solennels.

Je souris.

— Donc, vous m'avez tout dit. Reste à savoir pourquoi.

— Il fallait que je le dise à quelqu'un. Et pour je ne sais quelle raison, il m'a semblé que cette histoire vous concernait.

— Ce n'est pas le cas.

C'était même la seule chose dont j'étais sûre, me dis-je en m'interrompant un instant pour réfléchir. Le problème de Daniel me paraissait insoluble.

— A vrai dire, je ne crois même pas que vous soyez concerné, ajoutai-je. C'est le passé, Daniel. Tout cela est fini. Enterré. Vous avez longtemps pensé que Charlotte pouvait être votre enfant. Maintenant, vous le savez. C'est la seule chose qui a changé. Charlotte reste Charlotte Collis, la fille de Leslie Collis, la petite-fille de Mme Tolliver et l'amie de Phoebe. Acceptez-le et oubliez le reste, car il n'y a pas d'alternative. Le fait que vous ayez découvert la vérité ne change rien. Charlotte n'a jamais été sous votre responsabilité, et elle ne l'est pas davantage à présent. Contentez-vous de voir en elle une petite fille rencontrée sur la jetée — une petite fille dont les traits vous rappellent ceux de votre mère et qui partage votre talent de dessinateur.

Il ne répondit pas aussitôt.

— S'il n'y avait que cela à résoudre, ce ne serait pas si grave.

— Que voulez-vous dire au juste?

— Je veux parler de ce que vous avez observé dans le train, et de ce sur quoi Lily Tonkins, à qui on ne la fait pas, a immédiatement mis le doigt. Non seulement Charlotte porte des lunettes, mais elle se ronge les ongles, elle est seule, malheureuse, et apparemment négligée.

Je détournai le regard vers la cheminée, en quête d'une diversion. Si elle avait contenu un vrai feu, j'aurais pu franchir ce cap difficile en jouant avec le tisonnier ou en rajoutant une bûche. Je savais, comme Phoebe et comme Lily Tonkins, que tout ce que venait de dire Daniel était probablement vrai. Mais reconnaître qu'il avait raison ne pouvait faire aucun bien à Charlotte et ne réussirait qu'à rendre la situation plus difficile à accepter pour lui.

Je soupirai, cherchant mes mots.

— Il ne faut pas prendre au pied de la lettre tout ce que dit Lily. Elle a tendance à dramatiser, et il est parfois difficile de comprendre les petites filles de l'âge de Charlotte. Elles peuvent être secrètes et se replier sur elles-mêmes. Sans compter que c'est une enfant plutôt timide, et...

Je croisai de nouveau son regard et esquissai un sourire forcé.

— ... et il faut bien l'admettre, Mme Tolliver aurait bien du mal à remporter la palme de la meilleure grand-mère du monde. C'est la raison pour laquelle Charlotte apprécie tant Phoebe. Quoi qu'il en soit, je ne crois pas qu'elle passe de mauvaises vacances à White Lodge. Je sais qu'elle n'a pas d'amie de son âge, parce que les enfants du village ont déjà repris l'école. Et en dépit de ce qu'a dit Lily, je suis sûre que Betty Curnow lui consacre du temps. Il ne faut surtout pas noircir le tableau. Demain, nous l'emmenons en pique-nique; ne me dites pas que vous avez oublié. Vous avez promis de nous emmener à Penjizal pour nous montrer les phoques. Vous ne pouvez plus vous dédire.

— Je ne me dédirai pas.

— Je comprends maintenant pourquoi vous avez montré tant de réticence. Pour vous, cette excursion risque de n'être pas facile.

Il secoua la tête.

— Je ne crois pas qu'un jour de plus ou de moins puisse faire une différence dans un sens ou dans l'autre.

J'hésitai.

— Je ne sais pas exactement ce que vous entendez par là, mais je suis sûre que vous avez raison.

Il s'esclaffa. Au rez-de-chaussée, l'orchestre venait d'attaquer un morceau au rythme très enlevé. Une délicieuse odeur de cuisine vint flatter mon odorat.

— Venez avec moi, dis-je. Rentrons à Holly Cottage. Phoebe sera ravie. Nous dégusterons la poule au pot de Lily, comme prévu. Elle en a fait assez pour nourrir un régiment.

Il refusa.

Je baissai les yeux sur son verre de whisky, posé par terre à ses pieds.

— Me promettez-vous de ne pas passer la soirée à vous saouler à mort?

— Vous me connaissez si peu... En fait, nous ne savons presque rien l'un de l'autre. Je n'ai pas l'habitude de boire de cette façon. Cela ne m'a jamais intéressé.

— Vous descendrez au moins manger quelque chose en bas?

— Oui. Plus tard.

— Je vais devoir repartir. Sinon, Phoebe pensera que je l'ai oubliée, ou que j'ai eu un accident.

Je me levai, et Daniel m'imita. Nous étions tous deux très raides.

— Bonsoir, Daniel.

Il posa les deux mains sur mes épaules et se pencha pour m'embrasser sur la joue. Je restai immobile un long moment, à le regarder. Puis je nouai les bras autour de son cou, attirai son visage vers le mien, et nos lèvres se rencontrèrent. Je sentis ses mains se plaquer dans mon dos, et aussi son cœur battre à travers la laine épaisse de son chandail.

— Virginia...

Je laissai ma joue reposer contre son épaule, tandis que ses lèvres se promenaient sur mon front. Ses baisers étaient tendres, dénués de passion, et apparemment de signification. Pourquoi, dans ces conditions, me sentais-je subitement envahie d'une telle soif, d'un besoin que je n'avais jamais éprouvé jusque-là? Pourquoi mes jambes étaient-elles prêtes à me trahir? Pourquoi mes yeux menaçaient-ils de s'emplir stupidement de larmes? Pouvait-on tomber amoureuse aussi brusquement?

Nous nous étreignîmes un moment en silence, comme des enfants en quête de réconfort. Enfin, Daniel se décida à parler :

— Au sujet de cette maison en Grèce... Je ne voudrais surtout pas que vous croyiez que j'ai parlé en l'air quand je vous ai proposé de venir m'y retrouver.

— Me demandez-vous de vous suivre maintenant?

— Non.

Je m'écartai pour contempler son visage.

— Je ne peux pas continuer à me fuir moi-même, reprit-il. Plus tard, peut-être.

Il m'embrassa de nouveau, brièvement, puis consulta sa montre.

— Il faut que vous partiez. La poule au pot risque de brûler, et Phoebe m'accusera de vous avoir enlevée.

Il prit mon duffle-coat sur le fauteuil et me le présenta. Je l'enfilai, et il en referma tous les boutons.

— Je descends avec vous, dit-il en ouvrant la porte.

Nous longeâmes côte à côte l'immense couloir, jusqu'au sommet de l'escalier. Nous passâmes un certain nombre de portes closes, derrière lesquelles bien des couples inconnus s'étaient aimés, avaient passé leur lune de miel ou leurs vacances, s'étaient querellés, et avaient fini par résoudre leurs différends dans un grand éclat de rire.

Au rez-de-chaussée, l'animation était à son comble dans le foyer. Des clients surgissaient du bar pour se diriger vers le restaurant, d'autres étaient assis autour des tables basses, buvant des cocktails et grignotant des cacahouètes. Le bourdonnement des conversations le disputait à la musique de l'orchestre; les messieurs portaient cravate sombre et veste de velours, les dames étaient en robe du soir.

Nous traversâmes la salle, soulevant au passage un léger émoi en raison de notre tenue peu conforme. Les gens cessaient un instant de parler en nous voyant, certains haussaient les sourcils. Nous atteignîmes la porte à tambour et fûmes précipités dans la nuit obscure. Il avait enfin cessé de pleuvoir, mais un vent sinistre soufflait encore à travers les branches des arbres.

Daniel leva les yeux vers le ciel.

— Comment sera le temps demain?

— Beau, sans doute. Il y a de bonnes chances pour que ce vent chasse le mauvais temps.

Nous rejoignîmes la voiture. Il m'ouvrit la portière.

— A quelle heure nous retrouvons-nous?

— Vers onze heures. Si vous voulez, je peux passer vous prendre.

— Non. Je viendrai en stop ou je prendrai le car. Mais surtout, attendez-moi, car je ne vous ferai pas faux bond.

— Je l'espère. Nous avons besoin de vous pour nous montrer le chemin.

Je m'installai au volant.

— Je vous présente mes excuses pour ce qui s'est passé ce soir, dit-il.

— Je suis contente que vous m'ayez dit la vérité.

— Moi aussi. Merci de m'avoir écouté.

— Bonne nuit, Daniel.

— Bonne nuit.

Il claqua la portière. Je démarrai et suivis la courbe de l'allée à la lumière de mes phares. J'ignore combien de temps il resta immobile après mon départ.

6

Ce soir-là, Phoebe et moi parlâmes jusqu'à une heure avancée de la nuit. Nous échangeâmes de nombreux souvenirs, du temps où Chips vivait encore, et plus loin encore, jusqu'au Northumberland et à Windyedge, où Phoebe avait passé son enfance à trotter sur son poney le long des plages glaciales du Nord. Nous parlâmes de mon père, du bonheur qu'il avait trouvé avec sa seconde femme. Ma tante me conta leurs expéditions d'enfants vers Dunstanbrugh et Bambrugh, ainsi que leurs parties de chasse hivernales, quand les vestes des veneurs luisaient comme des fruits dans l'air glacé et que les chiens de la meute galopaient à travers les prairies enneigées.

Nous parlâmes de Paris, où elle avait été étudiante, puis de la petite maison en Dordogne que Chips et elle avaient achetée au terme d'une période faste, et où elle retournait tous les ans pour peindre.

Nous parlâmes de Marcus Bernstein. De mon travail. De mon petit appartement d'Islington.

— A mon prochain passage à Londres, je m'installerai chez toi, me promit-elle.

— Je n'ai pas de chambre d'amis.

— Je dormirai par terre.

Phoebe parla de la Société des arts, tout récemment créée à Porthkerris, et dont elle était membre fondateur. Elle me décrivit la maison d'un célèbre potier, fils de pêcheur, revenu terminer sa vie à Porthkerris où il était né quatre-vingts ans plus tôt.

Nous parlâmes aussi de Lewis Falcon.

En revanche, nous ne dîmes pas un mot sur Daniel. Liées par

une sorte d'accord tacite, nous ne prononçâmes son nom à aucun moment.

Il était plus de minuit lorsque Phoebe alla se coucher. Je la suivis à l'étage pour l'aider à tirer ses rideaux, rabattre son couvre-lit et se déshabiller. Ensuite, je redescendis chercher une bouillotte que j'emplis d'eau brûlante, et la lui rapportai avant de la laisser bien au chaud dans son énorme lit, un livre entre les mains.

Je ne me couchai pas immédiatement. Mon esprit était en effervescence, aussi agité que si j'avais absorbé un excitant surpuissant. Je ne me voyais pas m'allonger dans le noir, en attente d'un sommeil dont je savais qu'il ne viendrait pas de sitôt. Je retournai à la cuisine, me servis un bol de café et allai le boire devant la cheminée. Les flammes mourantes ne laissaient derrière elles qu'un lit de cendres. Je jetai quelques bûches dans le foyer, et attendis de les voir s'embraser avant de me pelotonner dans le vieux fauteuil de Chips dont les profondeurs avaient quelque chose de réconfortant. Je me pris à penser à Chips. Comme j'aurais eu besoin de sa présence... Combien j'aurais voulu qu'il ne soit pas mort! Oui, je l'aurais voulu vivant, ici, dans cette pièce, près de moi. Nous avions été très proches.

Plus que le meilleur des pères... Je revis le vieil homme, sa pipe à la bouche, et me le représentai écoutant Daniel au moment où celui-ci lui faisait ses confidences au sujet d'Annabelle Tolliver et du bébé. Annabelle, avec ses cheveux sombres, son visage félin, ses yeux gris, son sourire énigmatique...

C'est ton enfant, Daniel.

D'autres voix s'élevèrent. Celle de Lily Tonkins : *Si Mme Tolliver n'a pas envie de s'occuper de sa petite-fille, qu'elle engage donc quelqu'un pour le faire.* Je la revis indignée, passant sa colère sur la crème qu'elle était en train de fouetter.

Je revis aussi la colère de ma mère, exaspérée par mon refus de me conformer au modèle qu'elle avait passé sa vie à construire pour moi.

Honnêtement, Virginia, je ne sais pas ce que tu cherches.

Je lui avais répondu que je ne cherchais rien.

Et cependant, je venais de trouver quelqu'un : Daniel. Je l'avais vu descendre à la halte du train, longer la jetée, se diriger vers moi, entrer dans ma vie. « Nous ne savons presque rien l'un de l'autre », m'avait-il dit tout à l'heure. C'était vrai, jusqu'à un certain point. Un jour, deux au maximum... Trop peu, a priori, pour établir autre chose qu'une relation superficielle.

Mais entre nous, c'était différent. Le temps avait miraculeusement suspendu son cours, et j'avais l'impression d'avoir vécu avec lui une vie entière en vingt-quatre heures. J'avais du mal à admettre que je ne le connaissais pas depuis toujours et que nos existences n'étaient pas inextricablement liées.

Je voulais que notre histoire continue. J'étais prête à le laisser suivre sa voie. J'étais assez raisonnable pour cela. Ce que je ne voulais pas, en revanche, c'était le perdre. Mais je savais que les circonstances jouaient contre moi ; d'abord parce que Daniel était un artiste, sans cesse en mouvement, en quête d'autre chose, et qu'il aurait toujours besoin de liberté ; surtout, il y avait l'ombre formidable d'Annabelle Tolliver qui planait entre nous. Et il y avait Charlotte.

Charlotte... Qui sait quels traumatismes cette enfant avait subis, imposée à un homme qui savait forcément qu'il n'était pas son père ? Ce personnage m'avait déplu dès que je l'avais vu dans le train, déplu par son impatience, son manque total de chaleur et la brusquerie avec laquelle il avait fourré un billet de dix livres dans la main de ma petite voisine, comme s'il réglait à contrecœur une dette odieuse.

Quant à Annabelle... Elle était responsable de bien des souffrances. *Elle aimait non seulement semer le trouble sur son passage, mais aussi laisser derrière elle un sillage de culpabilité et de remords.* Elle y avait réussi avec ses caprices, plus destructeurs qu'une tornade. Cette tornade semblait s'être levée de nouveau, et elle me terrifiait, parce qu'elle menaçait de nous séparer à tout jamais, Daniel et moi.

Je ne peux pas continuer à me fuir moi-même.

Je repensai à la maison en Grèce, à cette maison semblable à un morceau de sucre, à cette maison qui dominait la mer avec sa terrasse dallée et ses géraniums éclatants.

Sur le manteau de la cheminée, la pendule de ma tante sonna un seul coup. Une heure du matin. Je reposai mon bol vide et m'extirpai du fauteuil avec effort. Je n'avais pas sommeil. Je m'approchai du poste de radio et tournai le bouton, en quête d'un programme musical. Je finis par m'arrêter sur un classique de la musique pop qui remontait au temps de mon adolescence.

Le carrousel était toujours posé sur la table, là où Charlotte l'avait laissé. Personne n'avait songé à le remettre à sa place. Je décidai de le faire, craignant que la poussière ne détériore son fragile mécanisme. L'idée qu'il puisse être immobilisé à jamais m'était insupportable.

Je n'arrive pas à décider lequel de ces animaux je préfère...

Mais d'abord, je remontai la manivelle et appuyai doucement sur le levier. Lentement, paisiblement, les animaux se mirent à tourner, et leurs brides peintes scintillèrent à la lueur du feu, comme des décorations d'arbre de Noël.

Il me restait encore le lendemain. Je ne savais pas trop si je devais redouter notre excursion à trois, ou l'attendre avec impatience. L'enjeu me paraissait considérable. Tout ce que je savais, c'était que nous devions aller voir les phoques à Penjizal. Au-delà, je n'étais plus sûre de rien. Je devais me contenter d'imaginer, d'espérer qu'il en sortirait quelque chose de positif. Pour le bien de Daniel. Pour celui de Charlotte. Et, très égoïstement, pour le mien.

Le mécanisme du carrousel finit par s'essouffler. Son plateau cessa de tourner. Je le replaçai dans sa niche, refermai la porte de l'armoire et tournai la clé. Je déployai le pare-feu devant l'âtre, coupai la radio et éteignis la lumière. Dans l'obscurité, je remontai à l'étage.

Je me réveillai tôt, à sept heures, aux cris d'une mouette qui fêtait l'arrivée du jour nouveau depuis le toit de l'atelier de Chips. Mes rideaux ouverts encadraient un ciel d'un bleu très pâle, voilé par un brouillard qui rappelait les jours les plus chauds de l'été. Il n'y avait pas de vent, aucun bruit, hormis les cris de la mouette et le murmure de la marée montante qui recouvrait peu à peu les sables de l'estuaire. Je me levai, allai à la fenêtre et constatai qu'il faisait très froid, comme après une gelée. L'air répandait des senteurs d'algues, de cordages mouillés et de sel. C'était une journée idéale pour un pique-nique.

Je m'habillai, descendis au rez-de-chaussée, fis du café et préparai le petit déjeuner de Phoebe. Je lui portai son plateau et la trouvai éveillée, assise sur ses oreillers. Elle ne lisait pas, se contentant d'admirer la douce lumière du soleil qui, en cette belle matinée d'automne, était en train de dissiper les derniers lambeaux de brume.

236

Je déposai le plateau sur ses genoux.

— Il existe certains matins, déclara-t-elle sans préambule, dont je suis sûre qu'on se les rappelle quand on est très, très vieux. Bonjour, ma chérie. Quelle journée pour un pique-nique!

Nous nous embrassâmes.

— Si tu venais avec nous?

Elle parut tentée.

— Tout dépend de l'endroit où vous allez.

— Daniel nous emmène à Penjizal. Il nous a parlé d'une piscine naturelle où les phoques viennent nager.

— C'est un endroit sublime! Vous allez l'adorer. Mais je ne crois pas qu'il soit raisonnable que je vienne. Le sentier des falaises est un peu trop escarpé pour une vieille manchotte comme moi. Je ne voudrais pas gâcher votre promenade en allant m'écraser sur les rochers, ajouta-t-elle avec un petit rire que je connaissais bien. Cela dit, la montée vers le sommet est magique. On trouve là-bas des milliers de fuchsias sauvages, et en été la vallée tout entière résonne du bourdonnement des libellules. Qu'allez-vous emporter à manger? Des sandwiches au jambon, peut-être? Mais avons-nous seulement du jambon? Dommage que tu ne puisses pas en préparer avec les restes de la poule au pot d'hier! Au fait, je me demande si Daniel a réussi à joindre Lewis Falcon. J'ai entendu dire qu'il avait un magnifique jardin à Lanyon, et...

Elle continua sur le même ton, voletant comme à son habitude d'un sujet à l'autre. La tentation était forte d'oublier mon programme du jour — de perdre toute notion du temps et de rester simplement assise là, sur le rebord du lit de ma tante. La cafetière se vida peu à peu, et tandis que les rayons du soleil envahissaient la chambre, j'entendis claquer la porte de la cuisine. Lily Tonkins venait d'arriver sur son vélo.

Je jetai un coup d'œil sur la pendule.

— Mon Dieu, il est plus de neuf heures! Il faut que je me prépare.

A contrecœur, je descendis du lit et rassemblai tasses et soucoupes sur le plateau.

— Moi aussi, fit Phoebe.

— Oh non, ne te lève pas tout de suite. Reste plutôt au lit encore une heure ou deux. Cela fera plaisir à Lily. Elle pourra terminer de cirer le parquet sans avoir à protester contre tes allées et venues.

— Je vais réfléchir, répondit ma tante.

En sortant, je la vis prendre son livre. Il y avait peu de chances pour qu'elle soit debout avant midi.

Dans la cuisine, je trouvai Lily en train de nouer son tablier.

— Bonjour, Virginia, comment allez-vous ce matin? Il fait un temps magnifique, n'est-ce pas? Ernest l'avait prévu dès hier soir. Il n'a pas été long à comprendre que le vent allait chasser le mauvais temps. Sur la route de l'église, il fait si doux qu'on se croirait en juin. Ma foi, j'ai bien failli ne pas venir travailler. Je mourais d'envie de courir jusqu'à la plage et de laisser les vagues me lécher les pieds.

Dans le vestibule, le téléphone sonna.

— Qui cela peut-il bien être? marmonna Lily, respectant un rituel immuable.

— J'y vais, dis-je.

Quelques secondes plus tard, je décrochai l'appareil, posé sur un coffre sculpté du couloir de l'étage.

— Allô?

— Phoebe?

C'était une voix de femme.

— Non. Virginia.

— Oh, Virginia... Ici Mme Tolliver. Phoebe est-elle ici?

— Je crains qu'elle ne soit encore au lit.

Je m'attendais qu'elle s'excuse, en disant qu'elle rappellerait plus tard. Au lieu de cela, elle insista.

— Il faut absolument que je lui parle. Pourrait-elle venir jusqu'au téléphone?

Il y avait dans sa voix une angoisse, une nervosité qui firent naître en moi une grande appréhension.

— Il s'est passé quelque chose?

— Non... Oui. Virginia, il faut que je lui parle.

— Je vais la chercher.

Je reposai l'appareil et courus jusqu'à la chambre de ma tante. Je passai la tête par l'embrasure de la porte, et Phoebe leva les yeux de son livre.

— Mme Tolliver est au téléphone. Elle veut te parler. Elle a l'air bizarre. Tendue.

Phoebe fronça les sourcils et reposa son livre.

— C'est à quel sujet?

— Je n'en sais rien. Peut-être cela a-t-il quelque chose à voir avec Charlotte.

238

Sans hésiter, Phoebe repoussa ses couvertures et sortit du lit. Je l'aidai à mettre sa robe de chambre, à la manière d'une cape du côté de son bras plâtré, puis trouvai ses pantoufles. Ses épais cheveux, encore nattés, retombaient sur une de ses épaules, et ses lunettes avaient glissé jusqu'au bout de son nez. Elle me précéda dans le couloir, s'assit là où je me trouvais quelques minutes plus tôt, souleva le combiné.

— Oui ?

La communication était manifestement importante, et peut-être confidentielle. Peut-être aurais-je dû me retirer hors de portée de voix, dans la cuisine par exemple. Mais Phoebe m'expédia un regard m'intimant de rester, comme si elle s'attendait à avoir besoin de mon soutien moral. A mi-escalier, je m'assis sur une marche, d'où je pouvais l'observer à travers les barreaux de la rampe.

— Phoebe ? nasilla la voix de Mme Tolliver, nettement audible depuis l'endroit où je me tenais. Je suis désolée de vous tirer du lit, mais je devais vous parler.

— Oui ?

— Il faut que je vous voie.

— Comment ça ? Tout de suite ? demanda Phoebe, légèrement interdite.

— Oui. Tout de suite. Je... j'ai besoin de vos conseils.

— J'espère qu'il n'est rien arrivé à Charlotte.

— Non, Charlotte va bien. Mais je vous en supplie, venez. Il faut vraiment que je vous parle d'urgence.

— Laissez-moi au moins le temps de m'habiller.

— Venez aussi vite que possible. Je vous attends.

Et elle raccrocha avant que Phoebe ait pu émettre la moindre objection. Ma tante resta là, appareil en main, à écouter la tonalité. Nous échangeâmes un regard interloqué. J'aurais pu dire à son expression qu'elle était aussi inquiète que moi.

— Tu as entendu ?

— Oui.

Phoebe, songeuse, reposa l'écouteur. Le tintement cessa.

— Qu'est-ce qui a pu se passer ? On dirait qu'elle a perdu les pédales.

On entendait, dans la cuisine, Lily en train de briquer le sol en chantant un cantique — signe indiscutable qu'elle était au sommet de sa forme.

Phoebe se leva.

— Il faut que j'y aille.

— Je t'emmène en voiture.

— Aide-moi d'abord à m'habiller.

De retour dans sa chambre, elle prit dans ses placards et tiroirs un assortiment de vêtements encore plus audacieux qu'à l'ordinaire. Une fois prête, elle s'assit devant sa coiffeuse et je refis sa natte, que j'enroulai en chignon sur sa nuque. Pendant que je la maintenais en place, elle la fixa au moyen d'une antique épingle à cheveux en forme de carapace de tortue.

Je m'agenouillai pour lacer ses souliers.

— Descends préparer la voiture, me dit-elle dès que j'eus fini. J'arrive dans une minute.

J'attrapai ma veste, l'enfilai et sortis. Le matin gorgé de rosée scintillait autour de moi. J'ouvris la porte du garage et réussis à persuader la vieille Volkswagen de démarrer. Quand Phoebe apparut, j'avais effectué ma marche arrière et garé l'auto devant la porte d'entrée. Elle s'était coiffée d'un chapeau particulièrement grand et voyant; contre le froid, ses épaules étaient recouvertes d'une sorte de poncho aux couleurs éblouissantes, probablement l'œuvre de quelque artisan du Moyen-Orient. Ses lunettes glissaient sur son nez, et son chignon, à peine façonné par mes mains inexpertes, menaçait déjà de s'effondrer. Mais rien de tout cela ne comptait; ce qui me frappa, c'était que pour une fois elle n'avait pas le sourire aux lèvres, et cela seul suffit à me mettre en colère contre Mme Tolliver.

Phoebe s'assit à côté de moi, et nous nous mîmes en route.

— Ce que je ne comprends pas, dit-elle, enfonçant un peu plus son chapeau, c'est pourquoi elle m'a appelée, moi. Nous ne sommes pas particulièrement amies, elle est mille fois plus proche de ces dames respectables avec lesquelles elle joue au bridge. Peut-être ceci a-t-il quelque chose à voir avec Charlotte. Elle sait que j'adore la petite. Oui, c'est ça. Je suppose que...

Elle s'arrêta net.

— Virginia, pourquoi roules-tu si lentement? Tu es encore en seconde. Dois-je te rappeler que nous sommes censées être pressées?

J'enclenchai la troisième, et nous poursuivîmes notre route à un train à peine plus rapide.

— Je sais, répondis-je. Mais j'ai quelque chose à te dire, et je ne veux pas arriver chez Mme Tolliver avant d'en avoir terminé.

240

— Que veux-tu me dire?

— Ça n'a peut-être aucun rapport avec ce qu'elle va t'expliquer, mais j'ai la désagréable sensation que si. Je ne sais pas si je fais bien de t'en parler. Mais tant pis, je me jette à l'eau.

— Cela concerne Charlotte, n'est-ce pas? soupira ma tante.

— Oui. Daniel est son père.

Les mains de Phoebe, nouées sur ses genoux, ne bougèrent pas.

— Il te l'a dit?

— Oui. Il me l'a dit hier.

— Tu aurais pu m'en parler hier soir.

— Il ne m'a pas demandé de le faire.

Nous avancions si lentement que je dus rétrograder, tandis que la voiture montait à l'assaut de la côte de l'église.

— Ils ont donc eu une liaison... Annabelle et lui.

— Oui. Tu vois, ce n'était pas un simple flirt. A la fin de cet été-là, Annabelle a annoncé à Daniel qu'elle était enceinte de lui. Daniel s'est confié à Chips, qui lui a fait remarquer que cet enfant pouvait aussi bien être celui d'un autre. Chips est allé ensuite trouver Annabelle, l'a mise au pied du mur, et elle a fini par admettre qu'elle n'avait aucune certitude.

— Je me suis toujours demandé pourquoi Daniel était reparti si précipitamment pour l'Amérique. Bien sûr, il en parlait depuis le début de l'été, et je savais qu'il avait l'intention de nous quitter. Mais la chose s'est faite d'un seul coup.

— Et il a mis onze ans à revenir.

— Quand a-t-il compris que Charlotte était sa fille?

— Dès qu'il a posé les yeux sur elle. Pendant qu'elle était assise au bout de la jetée, en train de finir son tableau sous la pluie.

— Mais *comment* a-t-il su?

— Apparemment, Charlotte est le portrait de la mère de Daniel au même âge.

— Donc, il n'y a pas de doute.

— Non. Pas dans l'esprit de Daniel. Pas le moindre doute.

Phoebe se réfugia dans le silence, puis laissa échapper un long soupir.

— Mon Dieu...

— Je suis navrée, Phoebe. Ce n'est pas une chose agréable à dire.

— Peut-être le savais-je déjà, sans me l'avouer. Je me suis toujours sentie si proche de Charlotte... Comme de toi, comme de Daniel. Il y avait deux ou trois choses dans son attitude qui me paraissaient étrangement familières. Sa façon de tenir un crayon, par exemple... Daniel tient le sien de la même manière.

— Chips ne t'a jamais rien dit?

— Pas un mot.

— J'aurais peut-être dû me taire. Mais si tu dois subir je ne sais quelle horrible révélation de la part de Mme Tolliver, autant que tu aies quelques informations en poche.

— Message reçu. Mais peut-être veut-elle seulement me parler du thé du Cercle des femmes, ajouta-t-elle sans grande conviction. Dans ce cas, tu auras largué ta bombe pour rien.

— Ce n'est pas *ma* bombe. Si je ne t'en avais pas parlé, Daniel l'aurait fait. Et tu sais pertinemment que ce n'est pas du Cercle qu'elle va te parler.

Nous n'eûmes pas le temps d'en dire plus. Même en avançant à une allure d'escargot, nous avions déjà couvert la quasi-totalité de la faible distance qui séparait Holly Cottage de White Lodge. Nous franchîmes le portail, l'allée parfaitement dessinée et nous arrivâmes sur la terrasse de gravier qui bordait l'austère demeure. Ce jour-là, la porte d'entrée était ouverte. Tandis que nous nous garions au pied des marches, Mme Tolliver descendit l'escalier pour venir à notre rencontre. Peut-être nous avait-elle attendues dans son vestibule, sur un de ces sièges aussi laids qu'inconfortables qui servent moins à s'asseoir qu'à recevoir des pardessus ou des paquets.

Il n'y avait rien de remarquable dans son aspect. Je notai sa jupe bien coupée, comme à l'ordinaire, son chemisier tout simple, un cardigan couleur corail, des perles autour de son cou et aux lobes de ses oreilles, ses cheveux gris impeccablement coiffés.

Et cependant, son tourment intérieur était plus qu'évident. Elle semblait en proie à une grande détresse. Son visage était bouffi, comme si elle venait de pleurer.

Phoebe ouvrit la portière.

— Phoebe, merci... merci d'être venue!

En se penchant pour aider ma tante à sortir, elle m'aperçut au volant. J'esquissai un sourire gêné.

— Virginia a dû m'accompagner, expliqua Phoebe. Vous ne voyez pas d'inconvénient à ce qu'elle entre avec nous, je suppose?

— Oh...

A l'évidence, Mme Tolliver y voyait un inconvénient, mais son désarroi était tel que ses protestations n'allèrent pas au-delà.

— Non, ajouta-t-elle. Non, bien sûr que non.

Pour ma part, je ne tenais pas le moins du monde à entrer. Ces deux derniers jours, j'avais eu ma dose avec la famille Tolliver, mais Phoebe souhaitait visiblement que je l'accompagne. Je m'efforçai de me faire toute petite et je suivis les deux femmes dans la maison.

Le vestibule, dallé de pierre, était décoré d'antiques tapis persans, et un gracieux escalier à rampe de fer forgé s'élevait vers les étages supérieurs. Mme Tolliver nous introduisit dans son salon. Préoccupée, elle attendit que nous en ayons franchi le seuil pour refermer la porte avec fermeté, comme si elle craignait les oreilles indiscrètes.

C'était une pièce aussi vaste que bourgeoisement meublée, avec de hautes fenêtres à guillotine donnant sur le jardin. Le soleil matinal n'y avait pas encore pénétré, et le fond de l'air était glacé. Mme Tolliver eut un frisson.

— Il fait froid. J'espère que vous n'êtes pas trop frileuses... Tellement tôt... Peut-être... qu'allumer un feu...?

— Je n'ai pas froid, déclara Phoebe.

Elle choisit un siège et s'assit avec autorité, toujours drapée dans son poncho chatoyant, les chevilles croisées à la façon d'une altesse royale.

— Eh bien, ma chère, de quoi s'agit-il?

Mme Tolliver fondit sur la cheminée et s'arrêta là, une main en appui sur le manteau.

— Je... je ne sais pas par où commencer...

— Par le commencement, peut-être.

— Bien. Vous connaissez la raison de la présence ici de Charlotte?

— Oui. La chaudière de son pensionnat a explosé.

— Certes. Mais la raison profonde, c'est que sa mère — Annabelle — se trouve à Majorque. C'est pourquoi il n'y avait personne pour la garder chez elle. Bref... J'ai reçu un coup de téléphone hier soir, vers neuf heures et demie...

Elle retira sa main du manteau de la cheminée. Elle serrait entre ses doigts un minuscule mouchoir de dentelle avec lequel elle jouait tout en parlant, si nerveusement que j'eus l'impression qu'elle essayait de le déchirer en morceaux.

— C'était Leslie Collis, mon gendre. Annabelle l'a quitté. Elle ne reviendra pas. Elle est avec cet homme... Un professeur d'équitation. Il est sud-africain. Elle part avec lui en Afrique du Sud.

L'énormité de la nouvelle nous laissa sans voix. Heureuse de n'avoir pas à intervenir, j'observai Phoebe. Elle ne bougeait pas. Je ne pouvais voir l'expression de son visage, caché par le rebord de son chapeau.

— C'est désolant, lâcha-t-elle enfin d'un ton compatissant.

— Attendez, ce n'est pas tout. Je... je ne sais vraiment pas comment vous dire le reste.

— J'imagine, dit Phoebe, que ce reste a quelque chose à voir avec Charlotte.

— Leslie affirme que Charlotte n'est pas sa fille. Apparemment, il l'a toujours su. S'il l'a acceptée, c'est uniquement pour le bien de Michael, parce qu'il voulait maintenir un foyer uni. Mais il n'a jamais aimé Charlotte. J'avais bien remarqué qu'il n'était jamais disponible pour elle, mais je n'avais pas deviné pourquoi. En leur présence, j'étais constamment mal à l'aise. Il se montrait extrêmement brusque avec elle, comme si elle ne valait rien à ses yeux.

— Etes-vous déjà intervenue?

— Je ne voulais pas causer de problème.

— Elle m'a toujours semblé être une petite fille très solitaire.

— Solitaire? Oui. Elle n'a jamais l'air d'être à sa place. Elle n'est ni aussi jolie, ni aussi charmante qu'Annabelle a pu l'être. N'allez pas croire que Leslie la maltraitait. Simplement, son temps et son affection semblaient tellement accaparés par Michael... qu'il ne lui restait plus rien à offrir à Charlotte.

— Et leur mère?

Mme Tolliver partit d'un petit rire indulgent.

— J'ai bien peur qu'Annabelle n'ait jamais eu la fibre maternelle. Comme moi, d'ailleurs. Je ne me suis pas montrée très maternelle non plus. Mais à l'époque d'Annabelle, la vie était plus facile. Mon mari était encore là. Nous avions les moyens de payer une nourrice, et j'avais de l'aide à la maison.

— Votre gendre savait-il qu'Annabelle avait une liaison avec ce... professeur d'équitation?

Mme Tolliver eut l'air embarrassée, comme si Phoebe venait délibérément de l'offenser. Elle détourna le regard et se mit à jouer avec une bergère de porcelaine posée sur la cheminée.

— Je... je ne lui ai pas posé la question. Mais... vous connaissez Annabelle, Phoebe. Elle a toujours été...

Elle hésita. J'attendais la suite avec intérêt. Quels mots une mère peut-elle trouver pour décrire sa fille unique quand celle-ci est, de toute évidence, une nymphomane ?

— ... très attirante. Pleine de vie. Leslie passait tout son temps à Londres. Ils ne se voyaient pas beaucoup.

— Donc, il ne savait pas, fit Phoebe. Ou il n'avait que des soupçons.

— Oui. Peut-être avait-il des soupçons.

— Bien. Et que va devenir Charlotte ?

Mme Tolliver reposa la bergère à sa place. Quand son regard affronta celui de Phoebe, ses lèvres tremblaient. Etait-ce d'indignation ou de larmes contenues, je n'aurais su le dire.

— Il ne veut plus d'elle, Phoebe. Il jure que Charlotte n'est pas sa fille, et que maintenant qu'Annabelle est partie, il est bien décidé à s'en débarrasser.

— Il ne peut pas faire ça, dit Phoebe, soudain hérissée.

— Je n'en sais rien. Je ne sais plus où j'en suis.

— C'est à sa mère de la reprendre. Annabelle doit l'emmener en Afrique du Sud.

— Je... je ne crois pas qu'Annabelle veuille emmener Charlotte.

L'énormité de cette affirmation réduisit Phoebe au silence. Nous nous contentâmes de braquer sur Mme Tolliver nos regards incrédules. Celle-ci s'empourpra.

— Vous voulez dire que Charlotte ne fait pas partie des projets d'Annabelle ? demanda enfin ma tante.

— Je ne sais pas. Annabelle...

Je m'attendais qu'elle dise qu'Annabelle n'avait pas plus d'affection pour Charlotte que son mari. Mais Mme Tolliver ne put se résoudre à un tel aveu.

— Je ne sais pas ce que j'essaie de dire. Je suis déchirée. Je suis navrée pour la petite... mais, Phoebe, je ne peux vraiment pas la garder. Je suis trop vieille. Ce n'est pas une maison pour une enfant. Il n'y a pas de chambre appropriée, pas le moindre jouet. La maison de poupée d'Annabelle a été jetée il y a des années, et j'ai donné tous ses livres à l'hôpital.

Rien d'étonnant à ce que Charlotte aime tant le carrousel de Chips, me dis-je.

— Sans compter que j'ai ma vie, mes propres activités, mes amis... Si au moins elle avait l'air heureuse ici! Mais elle passe le plus clair de son temps à broyer du noir, sans rien dire, immobile. C'est une enfant difficile, il faut l'admettre. Et Betty Curnow ne vient que le matin. Ce n'est pas comme si j'étais vraiment aidée. Je... je ne sais plus à quel saint me vouer. J'ai la tête sens dessus dessous.

Depuis notre arrivée, les larmes n'avaient jamais été très loin. A bout de forces, Mme Tolliver perdit tout contrôle. Les larmes des vieilles dames ne sont pas belles à voir. Honteuse, ou désireuse de nous éviter cet embarras supplémentaire, elle s'éloigna de la cheminée pour rejoindre la haute fenêtre, devant laquelle elle se planta, comme pour admirer son jardin. Le bruit de ses sanglots nous parvint.

Je n'avais rien à faire ici et n'aspirais qu'à m'échapper. A force d'insistance, je réussis à attirer le regard de Phoebe.

— Vous savez, dit instantanément celle-ci, je crois qu'une tasse de café nous ferait le plus grand bien.

Mme Tolliver ne se retourna pas, mais bredouilla d'un ton pathétique :

— Il n'y a personne pour en faire. J'ai envoyé Betty Curnow avec Charlotte au village. Charlotte voulait acheter une bouteille de soda. Nous... nous n'en avons plus, et j'ai trouvé que c'était un bon prétexte pour l'éloigner de la maison. Je ne voulais pas qu'elle soit ici pendant notre entretien.

— Je peux en faire, proposai-je.

Mme Tolliver se moucha, et ce geste parut l'aider quelque peu. Elle me considéra par-dessus son épaule. Son visage était brouillé.

— Vous ne le trouverez pas.

— Je peux chercher. Si vous me permettez d'entrer dans votre cuisine...

— Oui. Oui, bien sûr. Vous êtes vraiment très...

Je les quittai. Sitôt sortie du salon, j'en refermai la porte et m'y adossai, comme font les gens dans les films. Si je ne pouvais me résoudre à aimer Mme Tolliver, il m'était impossible de ne pas avoir pitié d'elle. Son existence bien organisée s'écroulait. Annabelle, après tout, était sa fille unique. Son mariage venait d'être réduit à néant, et elle allait partir à l'autre bout du monde avec son nouvel amant, abandonnant à la fois ses enfants et ses responsabilités.

246

Le coup le plus dur de tous, pour l'orgueil d'une femme comme Mme Tolliver, était la honteuse révélation selon laquelle Charlotte n'était pas la fille de Leslie Collis, mais le fruit de l'une des nombreuses aventures d'Annabelle.

Je me demandai si elle soupçonnait l'identité du père. Pour notre salut à tous, j'espérais que non.

Quant à Charlotte... Je ne pouvais pas penser à elle. Je m'écartai de la porte et partis à la recherche de la cuisine.

En procédant par éliminations successives, en ouvrant force placards et tiroirs, je parvins à dénicher un plateau, des tasses et des soucoupes, un sucrier, ainsi que des cuillers. Je remplis la bouilloire électrique et trouvai un pot de café instantané. Je décidai que nous pouvions nous passer de biscuits, et quand la bouilloire eut sifflé, je remplis les trois tasses et regagnai le salon avec mon plateau.

Mme Tolliver, en mon absence, semblait avoir cessé de pleurer et s'être reprise. Elle était assise dans un ample fauteuil victorien, face à Phoebe.

— Peut-être, disait ma tante, votre gendre changera-t-il d'avis en ce qui concerne Charlotte. Après tout, elle a un frère, et les séparer serait une grave erreur.

— Mais Michael est beaucoup plus vieux que Charlotte, beaucoup plus mûr. Je ne crois pas qu'ils aient grand-chose en commun.

Elle leva les yeux au moment où j'apparus sur le seuil, et aussitôt un sourire poli ourla les commissures de ses lèvres. Les réflexes mondains lui venaient automatiquement, même en situation de grande détresse.

— Merci mille fois, Virginia. Et bravo.

Je déposai le plateau sur une table basse.

— Oh... Vous avez pris le service d'apparat, fit-elle avec un petit froncement de sourcils.

— Je suis désolée. J'ai pris les premières tasses que j'ai trouvées.

— Je comprends... Après tout, cela n'a aucune importance.

Je tendis une tasse à Phoebe, qui la souleva d'un air songeur. Puis je m'assis, et pendant un long moment le silence régna, seulement rompu par le tintement des petites cuillers, comme si nous étions réunies pour fêter un joyeux événement.

Phoebe reprit la parole.

— A mon sens, dit-elle, il n'est pas question que Charlotte rentre chez elle. Du moins, pas avant que les choses se soient décantées et que votre gendre ait eu le temps de réfléchir.

— Mais... et son école?

— Ne la renvoyez pas dans cette école. Elle ne me dit rien de bon, surtout depuis cette histoire de chaudière. Il faut qu'elle soit bien mal administrée! De toute façon, Charlotte est beaucoup trop jeune pour aller en pension, surtout si sa vie familiale est en lambeaux. Il y aurait de quoi précipiter n'importe quel enfant dans la dépression nerveuse.

Tasse et soucoupe sur ses genoux, elle expédia à Mme Tolliver un regard appuyé et sévère.

— Vous allez devoir être très prudente. Vous ne voulez pas assumer la responsabilité d'élever Charlotte, et je peux vous comprendre, mais pour le moment, si je ne m'abuse, vous l'avez. Sa vie est entre vos mains. C'est une jeune vie, pleine de sensibilité. Elle va beaucoup souffrir en apprenant la vérité sur sa mère. A nous de veiller à ce qu'elle ne souffre pas plus que le strict nécessaire.

Mme Tolliver s'apprêtait à dire quelque chose, quand Phoebe, avec une brusquerie inhabituelle, la coupa.

— Je comprends votre situation, vous dis-je. De gros problèmes vous attendent. Pour cette raison, je pense que ce serait mieux si vous étiez seule ici, sans avoir Charlotte dans vos jambes. Elle risquerait de surprendre des conversations et des coups de téléphone qu'elle n'a pas à entendre. Comme elle est intelligente, elle comprendrait d'instinct qu'il y a anguille sous roche. Je vous suggère donc de lui annoncer simplement qu'elle va habiter quelque temps chez moi.

Oh, Phoebe, tendre, adorable Phoebe...

— Je sais que je ressemble un peu trop à une vieille impotente ces jours-ci, mais Virginia va rester encore dix jours, et Lily Tonkins sait se retrousser les manches en cas d'urgence.

— Mais, Phoebe, c'est trop...

— J'aime beaucoup Charlotte. Nous nous entendrons très bien.

— Je le sais. Tout comme je sais qu'elle vous adore. Cela dit... N'allez pas me prendre pour une ingrate, mais... les gens trouveront cela très étrange. Quitter la maison de sa grand-mère pour s'installer chez vous... Que dira-t-on? C'est un tout petit village, et vous savez comme moi que Betty Curnow et Lily Tonkins ont la langue bien pendue.

— Elles parleront. Les gens parlent toujours. Mais mieux vaut subir tous les ragots du monde que d'accroître inutilement la souffrance d'une enfant. En outre, ajouta Phoebe en reposant sa tasse vide, nous avons le dos large, et il nous en faudrait davantage pour nous ébranler. Alors, qu'en dites-vous ?

Visiblement soulagée, Mme Tolliver succomba.

— Je ne vous cache pas que cet arrangement me faciliterait grandement les choses.

— Allez-vous reparler avec votre gendre ?

— Oui. Je lui ai dit que je le rappellerais ce soir. Hier, nous étions tous deux à bout. Je pense qu'il avait trop bu. Je ne lui en veux pas, mais nous nous sommes dit des choses absurdes.

— Dans ce cas, vous lui direz que Charlotte va s'installer pour quelque temps à Holly Cottage. Dites-lui aussi qu'elle ne retournera pas dans sa pension. Nous devrions peut-être l'inscrire à l'école du village. Vous verrez cela avec lui.

— Oui. D'accord, je m'en charge.

— C'est donc une affaire réglée, déclara Phoebe en se levant. Charlotte devait de toute façon venir à Holly Cottage ce matin. Virginia l'emmène pique-niquer. Préparez son sac et demandez-lui de l'apporter avec elle. Mais surtout, ne lui dites rien au sujet de sa mère.

— Il faudra bien qu'elle sache...

— En tant que grand-mère, vous êtes trop proche, trop impliquée. Je lui dirai.

L'espace d'un instant, je crus que Mme Tolliver allait émettre une objection. Elle ouvrit la bouche, mais croisa le regard de ma tante et préféra se taire.

— Comme vous voudrez, Phoebe.

— Ce sera plus facile. Pour nous tous.

Nous repartîmes vers la maison, toujours à un train d'escargot. Nous redescendîmes l'allée de White Lodge, passâmes le portail, puis le petit bois de chênes. Nous tournâmes au coin de l'église, et la route de Holly Cottage se déroula devant nos regards, le long du bras de mer qui scintillait sous le soleil.

— Arrête-toi un moment, Virginia.

Je fis ce qu'on m'ordonnait. Je garai la voiture sur le bas-côté et coupai le moteur. Pendant de longues secondes, nous restâmes là, comme deux touristes désœuvrées, contemplant le panorama familier comme si nous ne l'avions jamais vu. Sur le rivage opposé, les collines, quadrillées de champs minuscules, semblaient somnoler dans la douceur du matin. Un tracteur rouge, réduit par la distance à la taille d'un jouet, était en train de labourer, entraînant dans son sillage une nuée de mouettes blanches et braillardes.

Au bout de la route, sur le versant abrité de l'estuaire, Holly Cottage nous attendait, tapi derrière le sommet de la butte. Mais ici, à flanc de colline, les brises marines ne se taisaient jamais. Le vent aplatissait les herbes pâles du fossé et arrachait leurs premières feuilles aux arbres qui bordaient l'ancien cimetière.

— Un endroit si paisible... soupira Phoebe, comme si elle pensait à haute voix. On serait tenté de croire qu'ici, au bout du monde, on n'a rien à craindre. En tout cas, c'est ce que j'ai cru en venant m'y installer avec Chips. Je pensais être à l'abri. Mais il n'y a aucun moyen d'échapper à la réalité. A la cruauté, à l'indifférence, à l'égoïsme...

— Tous ces défauts font partie de la nature humaine, dis-je. Et il y a des gens partout.

— Ils ne pensent qu'à détruire.

Phoebe médita un instant avant d'ajouter, d'une voix changée :

— Pauvre femme...

— Mme Tolliver? Moi aussi, je suis désolée pour elle. Mais je n'ai pas compris pourquoi elle a choisi de se confier à toi.

— Voyons, ma petite, c'est évident! Elle sait que je suis une vieille dévergondée. Elle n'oubliera pas de sitôt que Chips et moi avons allègrement vécu dans le péché pendant des années. Jamais elle n'aurait pu se confier à ses fréquentations habituelles — tu imagines la tête de la femme du colonel Danby ou de la veuve du directeur de banque de Porthkerris? Elles auraient tourné de l'œil! Et bien sûr, son orgueil a été le premier atteint dans cette histoire.

— C'est aussi mon impression. En tout cas, tu as été merveilleuse. Tu l'es toujours, mais ce matin tu t'es surpassée.

— Je n'ai rien constaté de tel.

— J'espère seulement que tu n'as pas vu trop grand. Supposons que Leslie Collis persiste à ne plus vouloir de Charlotte : tu l'auras sur les bras indéfiniment.

— Ça ne m'inquiète pas.

— Mais, Phoebe...

Je m'interrompis. Impossible de dire à une personne aimée qu'elle est trop vieille, même quand on le pense.

— Tu me crois trop vieille?

— Il n'y a pas que cela. Tu as ta vie à toi, au même titre que Mme Tolliver. Pourquoi devrais-tu te sacrifier? Et voyons les choses en face, nous vieillissons tous. Moi-même, je...

— J'ai soixante-trois ans. Si je réussis à tenir dix ans de plus, ça ne m'en fera jamais que soixante-treize. Si tu compares à Picasso ou à Arthur Rubinstein, c'est encore jeune.

— Que viennent-ils faire là-dedans?

— A ce moment-là, Charlotte aura vingt ans, et elle saura se débrouiller seule. Sincèrement, je ne vois pas où est le problème.

Le pare-brise de la Volkswagen était crasseux. Je pris un vieux chiffon dans le vide-poches et entrepris de le nettoyer sans conviction.

— A-t-elle fait allusion à Daniel pendant que j'étais en train de préparer le café dans la cuisine? demandai-je.

— Pas une seule fois.

— Tu ne lui as rien dit?

— Pour l'amour du ciel!

Constatant que je ne faisais qu'aggraver l'état du pare-brise, je rangeai mon chiffon.

— Il doit venir ce matin, pour le pique-nique. J'ai proposé d'aller le chercher en voiture, mais il a dit qu'il viendrait par ses propres moyens.

— C'est aussi bien.

Je la dévisageai.

— Tu vas lui parler?

— Bien sûr que oui! Je vais tout lui dire. Trois cerveaux valent mieux que deux, et je suis fatiguée de tous ces secrets. Peut-être rien de tout cela ne serait-il arrivé si nous n'avions pas fait tant de mystères.

— Je ne crois pas, Phoebe.

— Tu as peut-être raison. Mais tâchons quand même d'être francs et sincères. De cette manière, nous saurons tous où nous en sommes. D'ailleurs, Daniel a le droit de savoir.

— Que crois-tu qu'il fera?

— Que veux-tu qu'il fasse? interrogea Phoebe en m'adressant un coup d'œil perplexe.

— Il est le père de Charlotte.

— C'est Leslie Collis qui est le père de Charlotte.

C'était exactement ce que j'avais dit à Daniel, assise avec lui devant un simili-feu. Je m'étais efforcée d'être réaliste, sensée, bref, de l'amadouer. Mais brusquement, les choses venaient de prendre un tour différent.

— Il n'est peut-être pas responsable, dis-je, mais cela ne l'empêchera pas de se sentir responsable.

— Et toi? Que crois-tu qu'il fera?

— Je ne sais pas.

— Je vais te le dire, reprit ma tante. Il ne fera rien. Parce qu'il n'y a rien qu'il puisse faire. Et quand bien même il y aurait quelque chose à faire, il ne le ferait pas.

— Comment le sais-tu?

— Je connais Daniel.

— Moi aussi, je le connais, répliquai-je.

— J'aimerais que tu aies raison.

— Que veux-tu dire par là?

— Rien, soupira Phoebe. J'ai simplement peur que tu ne sois tombée amoureuse de lui.

Le ton de sa voix, comme d'habitude, était détaché, comme si elle discutait d'un sujet dénué d'importance. Je fus prise au dépourvu.

— Je ne sais pas ce que « tomber amoureuse » veut dire, ripostai-je, m'efforçant moi aussi de prendre un ton léger. Pour moi, cette expression a toujours représenté un non-sens. Exactement comme le verbe « pardonner ». Je n'ai jamais compris la signification de ce mot. Quand on ne pardonne pas, on est considéré comme quelqu'un de méchant, d'amer et de rancunier. Et si on pardonne, on est un tartufe.

Phoebe refusa de se laisser entraîner dans cette captivante discussion, et revint au vif du sujet.

— Parlons plutôt d'« amour », insista-t-elle. C'est peut-être une notion plus facile à définir.

— Puisque tu veux des définitions, disons que j'ai l'impression de le connaître depuis toujours. Comme si nous avions déjà un passé en commun. Et je ne veux pas le perdre, parce que j'ai le sentiment que nous avons besoin l'un de l'autre.

— Avais-tu déjà ce sentiment avant qu'il ne te raconte la grande saga d'Annabelle?

— Je crois. Oui. Tu vois, ce n'est pas seulement de la pitié que j'ai pour lui.

— Et pourquoi aurais-tu pitié de lui? Daniel a tout pour lui — la jeunesse, un talent fou, et maintenant la gloire et l'argent.

— Mais comment peux-tu écarter d'un revers de main ce qui s'est passé entre Annabelle et lui? Il s'est senti coupable pendant onze ans, parce qu'il ne savait pas si l'enfant était ou non de lui. Comment n'avoir pas pitié d'un homme qui aurait porté un tel fardeau pendant toutes ces années?

— Cette culpabilité, il se l'est créée lui-même, en prenant la fuite.

— Peut-être n'a-t-il pas pris la fuite, objectai-je. Peut-être s'est-il contenté de faire ce que Chips lui disait — ce qui était la seule chose sensée à faire.

— Il t'en a parlé?

— Oui. Il m'a aussi demandé de le suivre en Grèce. A Spetsai. C'était avant qu'il ne me parle d'Annabelle et de Charlotte. Mais nous en avons reparlé par la suite, et il m'a dit que cela ne nous ferait aucun bien, parce qu'il ne servait à rien de se fuir soi-même.

— Y serais-tu allée? En Grèce?

— Oui.

— Et après?

— Je ne sais pas, avouai-je.

— Tu vaux mieux que cela, Virginia.

— Tu parles comme ma mère.

— Au risque de parler comme ta mère — qui, incidemment, n'a rien d'une cruche —, je le dis et je le répète : tu ne connais pas Daniel. C'est un vrai artiste. Instable, agité, et absolument dépourvu de sens pratique.

— Je sais qu'il est dépourvu de sens pratique, dis-je en souriant. Il m'a raconté qu'il avait eu une voiture et qu'au bout de trois ans il avait tout juste appris à faire fonctionner le chauffage.

Phoebe ignora ma tentative d'humour.

— On ne peut pas se fier à lui. Il est toujours perdu dans sa propre quête de création. En un sens, cela fait de lui un être négatif. Insupportable, en tout cas.

— N'en rajoute pas, Phoebe. Je sais que tu l'adores.

— C'est vrai, Virginia, c'est vrai. Mais il est imprévisible dès lors qu'il s'agit de décisions et de responsabilités quotidiennes.

— Serais-tu en train de l'imaginer en mari potentiel?

— Je n'irais pas jusque-là.

— Tu l'as connu quand il avait vingt ans. Tu n'as pas le droit de le juger sur ce qu'il était il y a onze ans. Daniel est devenu un homme.

— Je sais. Soit, les gens mûrissent. Mais leur personnalité change-t-elle vraiment? Je tiens énormément à toi, Virginia, et pour rien au monde je ne voudrais te voir souffrir. Or Daniel risque de te faire souffrir. Pas délibérément, mais plutôt par omission. Son art l'accapare entièrement, au point que je ne sais pas s'il lui reste un peu de place pour des choses aussi personnelles que l'amour, le plaisir d'être avec d'autres, et le désir de veiller sur eux.

— Peut-être suis-je capable, moi, de veiller sur lui.

— Sans doute, pendant un temps. Mais pas indéfiniment, je ne crois pas. Je ne vois pas comment tu pourrais partager la vie d'un homme qui redoute toute idée de permanence, et pour qui le moindre engagement sentimental équivaut à un piège.

Il ne servait à rien de se quereller avec elle. Je restai sans rien dire, à scruter sans rien voir au-delà du pare-brise crasseux. Le plus drôle, c'était que nous étions du même bord. Elle posa une main sur la mienne. Ses doigts étaient chauds, mais je sentis aussi le contact froid et dur de ses bagues énormes.

— Il ne faut pas trop rêver en ce qui concerne Daniel. Ces rêves ne se réaliseront probablement jamais. Et si tu n'attends rien de lui, au moins tu ne risques pas d'être déçue.

Je repensai à Charlotte.

— Je ne crois pas qu'il soit homme à fuir ses responsabilités.

— Et moi, je crois qu'il n'a pas le choix. Toi aussi, tu devrais peut-être fuir. Rentre à Londres. Remets ta vie en perspective. Téléphone à ce charmant jeune homme qui t'a offert des chrysanthèmes morts.

Il me fallut faire un gros effort pour extirper le nom du jeune homme en question de ma mémoire. Nigel Gordon... Je ne l'accompagnerais sans doute jamais en Ecosse.

— Voyons, Phoebe... Ils n'étaient pas morts quand il me les a offerts!

— Quand tu le reverras, tes dispositions auront peut-être changé.

— Non. Je ne le reverrai pas. Il ne me fait pas rire.

— A toi de décider, dit ma tante en me tapotant la main puis en croisant les siennes dans son giron. J'ai dit ce que j'avais à dire. J'ai la conscience tranquille. Et maintenant, rentrons à la maison pour prévenir Lily Tonkins de l'arrivée de Charlotte. Si cela peut l'inciter à cesser de chanter ses cantiques, ce sera toujours ça de pris. D'ailleurs, elle a toujours raffolé des drames; peut-être réagira-t-elle bien. Charlotte peut arriver d'une minute à l'autre, et nous avons ce pique-nique à organiser, comme si la vie n'était pas assez compliquée comme cela.

J'avais oublié le pique-nique. Je redémarrai en songeant que Phoebe aurait pu s'abstenir de me rafraîchir la mémoire.

— Franchement, je ne sais pas, fit Lily Tonkins quand nous lui eûmes annoncé l'arrivée de Charlotte. Quelle idée de laisser sa grand-mère pour venir ici! C'est bizarre.

Son regard glissa du visage innocent de Phoebe vers le mien. Je souris à la hâte, un peu confuse.

— Tout bien réfléchi, continua-t-elle, ce n'est pas tellement surprenant. Chaque fois qu'elle séjourne chez Mme Tolliver, la petite passe le gros de son temps ici. Autant lui donner une chambre, ce sera plus clair.

Phoebe parut soulagée.

— Vous êtes un ange, Lily. Et j'espère que votre charge de travail n'en sera pas trop augmentée. Je sais que vous avez déjà bien assez à faire, mais dès que mon bras sera déplâtré, je...

— Ne vous en faites pas, mademoiselle Shackleton, nous nous en tirerons. Cette petite est sage comme une image, elle ne me causera pas d'embarras. Sans compter qu'elle a un appétit de moineau.

De nouveau, ses yeux allèrent de Phoebe à moi, et elle fronça les sourcils.

— Il ne s'est rien passé, au moins?

Un bref silence s'ensuivit.

— Non, répondit enfin Phoebe. Enfin, pas vraiment. Disons que Mme Tolliver trouve... un peu difficile d'avoir Charlotte à White Lodge avec elle. Je ne crois pas qu'elles s'entendent très bien. Bref, nous avons décidé d'un commun accord que ce serait mieux si elle venait s'installer quelque temps ici.

— Ce qui est sûr, c'est que ce sera plus amusant pour la petite, dit Lily. Betty Curnow a du cœur, mais pour s'amuser, ce n'est pas l'idéal. A l'école, on l'appelait Mlle La-di-dah, et son mariage avec un inspecteur sanitaire n'a rien fait pour la dérider.

— Certes. Peut-être Joshuah Curnow n'est-il pas le roi des boute-en-train, mais ce que je sais, c'est qu'il fait un mari merveilleux pour Betty. A votre avis, où allons-nous installer Charlotte?

— Dans l'ancien vestiaire de M. Armitage. Le lit est fait. Il faudra juste aérer un peu.

— Et le pique-nique? N'oubliez pas : ils partent tous en pique-nique.

— Je sais. J'ai préparé des sandwiches au jambon et une petite salade dans une boîte en plastique. Il y a aussi du gâteau au chocolat glacé à l'orange.

— Merveilleux! J'aimerais pouvoir y aller. C'est mon dessert favori... Vous avez bien de la chance.

Sur ce, Phoebe s'en fut à l'étage pour se délester de son poncho et changer de souliers. Nous entendîmes bientôt résonner ses pas au-dessus de nos têtes.

— Vous êtes la force incarnée, Lily. C'est ce que Phoebe dit toujours de vous.

— Allons donc, protesta l'intéressée, ravie.

— Je voudrais vous aider. Donnez-moi quelque chose à faire.

— Vous pouvez retirer les fils des haricots pour ce soir. J'ai horreur de ça. Donnez-moi une carotte à éplucher, et vous me verrez gaie comme un pinson. Mais ces maudits haricots, je ne peux pas les voir en peinture!

J'étais donc dans le jardin, à préparer les haricots au soleil, installée dans un des vieux fauteuils grinçants de Phoebe, lorsque j'entendis le ronronnement d'un moteur. Je posai couteau et panier, et m'avançai jusqu'à l'entrée de la maison, où Phoebe et Lily m'avaient précédée. Betty Curnow venait d'amener Charlotte dans la voiture de Mme Tolliver. La fillette en était déjà sortie, et Lily était en train d'extraire sa valise du coffre. Charlotte portait sa gabardine de flanelle grise, avec son sac à main rouge en bandoulière. Sa tenue de voyage, en somme. Je me demandai ce qu'elle avait ressenti en la remettant. En s'habillant pour un autre voyage, pour rejoindre une autre maison, ballottée d'un endroit à l'autre parce que personne ne voulait d'elle, parce que personne ne voulait se donner la peine de s'occuper d'elle.

— Salut, Charlotte.

Elle se retourna et me vit.

— Salut.

Très pâle, elle ne souriait pas, et ses lunettes étaient de travers. Ses cheveux semblaient gras, comme s'ils avaient grand besoin d'un shampooing, et quelqu'un — sans doute Charlotte elle-même — les avait peignés à la va-vite avant de les fixer au moyen d'une barrette de plastique bleu.

— Je suis contente de te voir ici. Tu veux monter voir ta chambre?

— D'accord.

Lily et Phoebe étant en grande conversation avec Betty Curnow, je pris sa valise et nous nous dirigeâmes vers l'entrée. Tout à coup, Charlotte eut un réflexe de courtoisie et s'arrêta.

— Merci beaucoup de m'avoir amenée, madame Curnow.

— Ce n'est rien, mon petit, répondit Betty. Essaie d'être sage, d'accord?

Nous gagnâmes l'étage. La petite pièce qui avait été jadis le vestiaire de Chips était voisine de ma chambre. Lily y était passée comme une tornade, laissant derrière elle une puissante senteur de cire et de linge propre. Phoebe avait trouvé le temps de cueillir des fleurs pour la coiffeuse, et la fenêtre s'ouvrait, comme la mienne, sur le jardin, la haie d'escallonies et les flots de l'estuaire en arrière-plan.

La chambre, toute petite, était charmante, parfaite pour une enfant, au point que je m'attendais à une manifestation d'enthousiasme. Mais Charlotte était comme aveugle. Son visage ne montra pas la moindre émotion.

Je posai sa valise.

— Veux-tu défaire tes bagages maintenant, ou plus tard?

— Je voudrais seulement sortir Teddy.

Son ours en peluche gisait, à moitié aplati, sur le dessus de la valise. Elle le souleva et le plaça sur son oreiller.

— Et le reste?

— Ce n'est pas pressé. Je rangerai plus tard.

— Bien... Si tu veux bien ôter ton manteau, nous pourrions redescendre ensemble au jardin. Lily m'a demandé de préparer des haricots pour ce soir, et j'aurais bien besoin d'un coup de main.

Elle retira son sac rouge, le posa sur la coiffeuse, puis déboutonna son manteau. Je lui trouvai un cintre et l'accrochai dans la penderie. Dessous, elle portait un tee-shirt bleu et une jupe de coton passée.

— Tu as besoin d'un chandail?

— Non, ça ira.

Nous redescendîmes. Dans le placard de l'entrée, je pris une vieille couverture de voiture. Je trouvai un second couteau à la cuisine, et nous sortîmes dans le jardin. J'étalai la couverture sur la pelouse. Nous nous assîmes dessus, autour du panier de haricots et de la plus grande casserole de Lily.

— Ces couteaux sont très aiguisés. Fais attention à ne pas te couper.

— J'ai fait ça cent fois.

Silence.

— Quelle journée magnifique! Tu n'as pas oublié notre piquenique?

— Non.

— Daniel viendra, c'est sûr. Il devrait arriver d'une minute à l'autre. Figure-toi qu'il envisageait de venir en stop de Porthkerris.

Nouveau silence.

— J'aurais voulu que Phoebe vienne avec nous à Penjizal, mais elle a peur que le vent ne la précipite en bas de la falaise. As-tu pensé à apporter une bouteille de soda?

— Oui. Mme Curnow doit la remettre à Lily.

— Lily nous a fait des sandwiches au jambon, exactement comme tu voulais. Et aussi un gâteau au chocolat.

Charlotte leva les yeux sur moi.

— Vous n'êtes pas obligée de chercher à me consoler, vous savez.

Je me sentis soudain terriblement stupide, non sans raison.

— Je suis désolée, dis-je.

Elle se remit à enlever ses fils de haricots.

— Charlotte... N'es-tu pas contente de t'installer ici, avec Phoebe?

— Ça ne m'était jamais arrivé.

— Je... je ne comprends pas ce que tu veux dire.

— Il s'est passé quelque chose. Et personne ne veut me le dire.

— Qu'est-ce qui te fait croire ça? demandai-je, folle d'appréhension.

Elle ne répondit pas. Un mouvement derrière moi venait d'attirer son regard. Je me retournai et vis Phoebe émerger de la porte du jardin. Elle portait encore son chapeau, mais avait renoncé au poncho ; son foulard flottait dans la brise comme un étendard, et les chaînes d'or autour de son cou lançaient des éclairs sous le soleil. De son bras valide, elle attrapa un siège de jardin, que je m'empressai de déplier près de notre couverture. Elle s'y laissa tomber, et ses genoux jaillirent sous l'ourlet de sa jupe.

Il semblait vain de tergiverser. J'interceptai son regard.

— Charlotte et moi étions en train de parler, dis-je.

Les yeux de Phoebe étaient sereins, dénués de trouble. Je savais qu'elle avait compris. Je me rassis sur la couverture et repris mon couteau.

— Elle se demandait pourquoi elle était ici.

— Avant tout, répondit Phoebe, parce que nous avions envie de t'avoir avec nous.

— Maman ne rentrera pas de Majorque, n'est-ce pas ?

— Qu'est-ce qui te fait dire ça ?

— Elle rentrera ?

— Non, fit Phoebe.

Je choisis un haricot et entrepris très méticuleusement de lui ôter ses fils.

— Je le savais, avoua Charlotte.

— Pourrais-tu nous dire comment tu le savais ?

— A cause de cet ami. Il s'appelle Desmond. Il venait souvent nous voir. Il avait une école d'équitation près de notre maison de Sunningdale. Maman et lui avaient l'habitude de faire du cheval ensemble. A leur retour, il restait pour prendre un verre, ou un truc de ce genre. Elle est partie à Majorque avec lui.

— Comment le sais-tu ?

— A cause d'une nuit, vers la fin des vacances. C'était avant la chaudière. Papa était à Bruxelles, pour ses affaires. Je me suis levée au milieu de la nuit pour aller aux toilettes. Ensuite, j'ai eu soif, alors j'ai voulu descendre dans la cuisine pour prendre un peu de soda dans le frigo. Je n'en ai pas le droit, mais je le fais quelquefois. A mi-escalier, j'ai entendu des voix. Un homme parlait, et j'ai cru que c'était un voleur. Je me suis dit : c'est peut-être un bandit qui va tirer sur maman ; mais il a dit quelque chose qui m'a fait comprendre que c'était Desmond. Je me suis assise sur une marche et j'ai écouté. Ils parlaient de Majorque. Maman avait raconté à papa qu'elle irait en vacances là-bas avec une ancienne camarade de classe. Je l'avais entendue dire ça un matin au petit déjeuner. Mais ce n'était pas vrai : elle partait avec Desmond.

— Et tu n'as rien dit?

— Non. De toute façon, papa ne m'écoute jamais, et j'avais peur.

— Peur de sa réaction?

— Non. Peur tout court. Peur qu'elle ne revienne plus.

— Sais-tu que ton père a téléphoné à ta grand-mère hier soir?

— Je ne dormais pas. J'ai entendu la sonnerie. Le salon de Bonne-Maman est juste sous ma chambre. On entend les gens parler, mais on ne comprend pas ce qu'ils disent. Mais j'ai quand même entendu Bonne-Maman dire son nom. Mon père s'appelle Leslie. J'ai su que c'était lui. Je me suis dit qu'il appelait peut-être simplement pour avoir de mes nouvelles. Mais ce matin, la maison était tellement sinistre que j'ai compris qu'il se passait quelque chose. Bonne-Maman était toute drôle; elle m'a envoyée au village avec Betty Curnow pour acheter du soda. Là, j'ai su que quelque chose clochait, parce que d'habitude on me laisse aller au village toute seule.

— Je crois que ta grand-mère ne voulait pas que tu entendes certaines choses qui t'auraient fait de la peine.

— A notre retour, Bonne-Maman m'a annoncé que je viendrais habiter chez vous.

— J'espère que tu as été contente.

Pendant toute la durée de son récit, Charlotte avait maintenu le regard baissé, jouant avec un haricot qu'elle avait lentement et délibérément mis en miettes. Enfin, elle leva les yeux sur Phoebe. Ses prunelles étaient anxieuses derrière ses inélégantes lunettes. Elle luttait pour se contenir.

— Elle ne reviendra jamais, n'est-ce pas?

— Non. Elle part vivre en Afrique du Sud.

— Qu'est-ce qu'on va devenir, Michael et moi? Papa ne peut pas s'occuper de nous. A la limite, il le ferait pour Michael. Ils font tout le temps des choses ensemble, comme aller à la chasse ou aux matches de rugby; ce genre de truc. Mais il ne sera pas d'accord pour s'occuper de moi.

— Peut-être, dit Phoebe. Mais moi, c'est différent. C'est pourquoi j'ai prié ta grand-mère d'accepter que je t'héberge.

— Mais... pas pour toujours?

— Rien n'est jamais pour toujours.

— Est-ce que je ne reverrai plus papa et Michael?

— Si, bien sûr. Après tout, Michael est ton frère.

Charlotte fit la grimace.

— Il n'est pas très gentil avec moi. Je ne l'aime pas tant que ça.

— C'est quand même ton frère. Peut-être aimerait-il venir lui aussi pour les prochaines vacances. Mais je suppose que ta grand-mère voudra l'héberger.

— Moi, elle ne tient pas à me garder, remarqua Charlotte.

— Ne dis pas cela. Simplement, elle ne trouve pas toujours facile d'avoir chez elle quelqu'un de ton âge. Beaucoup de gens très gentils ne savent pas comment s'y prendre avec les enfants.

— Ce n'est pas comme vous.

— C'est parce que je les aime, fit Phoebe en souriant. Toi en particulier. Et c'est pour cette raison que je voudrais que tu restes.

— Et mon école? interrogea Charlotte, toujours inquiète. Je dois y retourner à la fin de la semaine.

— J'en ai touché deux mots à ta grand-mère. Est-ce que tu te plais là-bas?

— Je déteste cette boîte. Je suis une des plus jeunes. En tout cas, chez les internes. Il y a aussi des filles qui sont externes, mais elles restent entre elles. Elles se voient pendant le week-end et ne veulent pas entendre parler de moi. Moi aussi, j'aurais voulu être externe, mais maman m'a expliqué que c'était beaucoup mieux en internat. Je ne vois pas pourquoi. Je trouve que c'est horrible.

— Cela ne te dérangerait donc pas trop de ne pas y retourner?

Hésitante, Charlotte examina la question. Pour la première fois, une lueur d'espoir affleura dans son regard.

— Pourquoi? J'y suis obligée, non?

— Pas sûr. Si tu t'installes ici, il sera beaucoup plus commode pour nous tous que tu ailles à l'école du village. Elle n'a pas d'internat, et je crois que tu t'y plairas.

— Je ne suis pas très bonne élève.

— On ne peut pas être bon en tout. Tu es douée pour le dessin et les travaux manuels. Si tu aimes la musique, ils ont un très bon professeur, et même un orchestre qui donne des concerts. Je connais un petit garçon de ton âge qui joue de la clarinette.

— Je pourrais y aller?

— Si c'est ce que tu veux, je crois que nous pouvons arranger ça.

— C'est ce que je veux.

— Alors, tu es d'accord pour habiter ici?

— Est-ce que ça veut dire que... je ne retournerai plus jamais chez papa?

— Oui, répondit Phoebe d'une voix douce. C'est possible.

— Mais... vous venez de dire que... rien n'est jamais pour toujours.

Ses yeux s'emplissaient de larmes. Je trouvais la scène de plus en plus insoutenable.

— Je ne peux pas rester ici.

— Si. Aussi longtemps que tu voudras. Tu vois, le pire est arrivé, mais la vie continue. Tu peux nous parler, à Virginia et à moi. Tu n'as plus besoin de tout garder pour toi. Ne cherche plus à cacher tes émotions. Tu peux pleurer, cela n'a aucune importance.

Un flot de larmes surgit tout à coup, incontrôlable. La bouche de Charlotte se tordit, comme celle de tous les enfants qui pleurent, mais les sanglots qui secouaient son petit corps ressemblaient pourtant davantage à ceux d'un adulte frappé d'un profond chagrin.

— Charlotte...

Phoebe se pencha en avant sur son siège et lui ouvrit les bras — le plâtré comme le valide — en signe d'invitation. A un autre moment, son geste aurait pu paraître comique, mais je ne lui trouvai rien de drôle.

— Viens ici, ma petite chérie.

Charlotte se leva maladroitement et se précipita dans les bras de Phoebe. Elle l'enlaça, enfouit le visage au creux de son épaule et déséquilibra son chapeau.

Je ramassai mes haricots, la casserole, et repartis vers la maison. Parce que ce moment n'appartenait qu'à elles deux. Parce que Charlotte était l'enfant de Daniel. Et parce que moi aussi, j'étais au bord des larmes.

La cuisine était vide. A travers la porte vitrée, je vis Lily en train d'étendre un jeu de serviettes immaculées sur le fil à linge, dans la cour. Elle chantait un nouveau cantique.

Je déposai mon fardeau sur la table de sapin et courus jusqu'à ma chambre, à l'étage. J'avais fait mon lit le matin, mais depuis, Lily était « passée », comme elle disait : une forte odeur de cire planait dans la pièce, et tout était impeccablement aligné sur la coiffeuse. Je m'assis au bord du lit et m'aperçus au bout d'un court moment que je n'allais pas pleurer. En revanche, je me sentais vide et désorientée, comme si je venais de passer trois heures dans la salle obscure d'un cinéma, envoûtée par une histoire profondément dramatique, pour me retrouver tout à coup en pleine rue, éblouie par la lumière, marchant d'un pas hésitant sur un trottoir inconnu.

Maman ne reviendra pas de Majorque, n'est-ce pas? De toute façon, papa ne m'écoute jamais. Il ne voudra pas s'occuper de moi. Moi aussi, j'aurais voulu être externe, mais maman m'a expliqué que c'était beaucoup mieux en internat. Ma grand-mère ne tient pas à me garder.

Où trouvons-nous la capacité d'infliger de telles épreuves à nos enfants?

Devant la fenêtre ouverte, les rideaux ondulaient sous la brise. Je me levai et m'approchai pour contempler le jardin. Plus bas, sur la pelouse, Phoebe et Charlotte étaient assises. Apparemment, le temps des larmes était passé, et l'on percevait le doux murmure de leur conversation. Charlotte avait repris sa place sur la couverture. Assise en tailleur, elle s'affairait à confectionner une tresse de pâquerettes. En observant sa tête penchée et sa nuque vulnérable, je me souvins de ce que j'étais à son âge. Mes parents étaient divorcés, et je vivais avec ma mère, mais jamais je n'avais manqué d'amour. Jamais on ne m'avait expédiée dans de lointains pensionnats. J'allais souvent retrouver mon père dans le Northumberland, priant pour que le train qui fonçait vers le Nord roulât encore plus vite. Je revis nos retrouvailles à la gare de Newcastle, je me revis courant sur le quai pour me jeter dans ses bras vigoureux, qui sentaient le tweed.

Je revis la petite maison de ma mère à Londres, la chambre qu'elle avait décorée pour moi, exactement selon mes goûts. Et les vêtements qu'elle m'achetait, et que j'avais le droit de choisir. Le plaisir des cours de danse en hiver, les fêtes de Noël, le spectacle de pantomime du Palladium, *La Belle au Bois dormant* à Covent Garden.

Je me rappelai les courses que nous faisions chez Harrod's,

l'ennui des achats d'uniformes scolaires, vite effacé par un milk shake au chocolat. Je revis nos sorties estivales sur la Tamise, en compagnie de mes petites camarades, et le délicieux frisson d'angoisse que nous donnait l'idée de notre imminente visite à la Tour de Londres.

Et bien sûr, il y avait eu la Cornouailles. Penmarron. Et Phoebe.

Phoebe. Je fus soudain saisie d'une indicible appréhension. Dans quel guêpier venait-elle de se fourrer, elle qui était toujours aussi impulsive, toujours aussi tendre ? Elle avait soixante-trois ans. Elle était tombée d'une chaise vermoulue et s'était cassé un bras. Et si elle s'était cassé la hanche, ou la nuque ? Et si elle était tombée sur la tête et était restée là des heures, sans que personne songe à l'y chercher ? Mon imagination voulut se détourner de ces pensées, mais ce ne fut que pour se laisser entraîner dans des perspectives encore plus sinistres.

Je vis Phoebe dans sa vieille voiture. Elle n'était jamais très concentrée au volant, perpétuellement distraite par ce qui se passait au bord de la route, du mauvais côté de la ligne blanche plus souvent qu'à son tour, et persuadée qu'il lui suffisait de klaxonner pour éviter un accident grave.

Et si elle mourait subitement, frappée d'une crise cardiaque ? Ce genre de chose arrivait à d'autres. Pourquoi pas à elle ? Et si, par une belle journée d'été, elle descendait sur la jetée pour aller nager, comme elle aimait tant le faire, avec son vieux maillot et son bonnet de bain, et si, ayant plongé, elle ne reparaissait plus jamais ? La liste des périls semblait illimitée. S'il lui arrivait quelque chose, qui s'occuperait de Charlotte ? Mon cerveau s'emballa de nouveau, avide de trouver une solution à cet hypothétique problème.

Qui la recueillerait ? Moi ? Dans un appartement en sous-sol d'Islington ? Ma mère ? Mon père peut-être ? C'était bien le genre d'homme à recueillir une âme en peine. J'essayai d'imaginer Charlotte à Windyedge, mais quelque chose ne cadrait pas. Ma jeune belle-mère accepterait certainement une enfant aimant monter ses chevaux, nettoyer l'écurie, cirer la sellerie et aller à la chasse, mais qu'aurait-elle en commun avec une petite fille qui ne pensait qu'à jouer de la clarinette et à dessiner ?

Ces lugubres pensées auraient pu se dévider éternellement, mais je fus soudain ramenée à la réalité par le cliquetis du train de

Porthkerris, qui venait de s'engouffrer dans la trouée, derrière la maison. Il déboucha à la sortie de la courbe et s'arrêta à l'emplacement de la halte côtière, sifflant comme un jouet mécanique — de ceux que l'on remonte avec une clé. Il resta un moment immobile, puis quelqu'un souffla dans un sifflet, agita un fanion vert, et le convoi s'ébranla, abandonnant sur le quai une silhouette solitaire.

Daniel.

Le pique-nique.

Dès que la voie fut libre, il la traversa, escalada une clôture, rejoignit le chemin, passa devant le petit mouillage où s'ancraient des voiliers à marée haute et atteignit la jetée. Il portait un jean, un chandail bleu marine et sa veste de grosse toile blanche.

A le voir approcher, avec ses longues jambes et ses mains dans les poches, j'eus envie de le considérer comme quelqu'un vers qui je pourrais courir pour lui confier mes problèmes, comme je le faisais autrefois avec mon père à la gare de Newcastle. J'avais besoin d'être embrassée, rassurée, aimée. Je brûlais de lui raconter d'un seul trait tout ce qui s'était passé au cours de cette interminable matinée, et surtout de l'entendre dire que rien de tout cela n'avait d'importance, que je n'aurais plus jamais à m'inquiéter, qu'il allait s'occuper de tout...

Mais Phoebe, malgré son amour pour Daniel, était plus raisonnable que moi.

Il est imprévisible dès lors qu'il s'agit de décisions et de responsabilités quotidiennes.

Ce n'était pas cette sorte d'homme que je voulais qu'il soit. Je voulais qu'il assume. En le voyant approcher, je sentis que si ce qui nous arrivait à tous avait été une histoire inventée par moi, ce moment précis aurait marqué le commencement de la fin. Daniel aurait déjà tout résolu, pris les bonnes décisions et formé de merveilleux projets. Un film se déroula dans mon esprit, comme au ralenti : Daniel franchissait le portail aménagé dans la haie d'escallonies, se mettait à courir d'une foulée aérienne sur la pelouse pentue. Il embrassait Phoebe, soulevait sa fille dans ses bras, me faisait signe de descendre de ma fenêtre afin que nous puissions parler de notre avenir. Les violons se mettaient à vibrer. Le mot « FIN » apparaissait sur l'écran. Le générique défilait, et nous vivions heureux jusqu'à la fin de nos jours.

Il ne faut pas trop rêver en ce qui concerne Daniel. Ces rêves ne se réaliseront probablement jamais. La réalité ? Phoebe allait l'entraîner à l'écart et lui raconter froidement ce qui s'était passé. *Cessons là les secrets, Daniel. Annabelle est partie, et personne ne veut de Charlotte. Personne ne veut de ta fille.*

Et lui ? Que ferait-il ? Je ne voulais pas y penser. Je ne voulais pas savoir ce qui allait se passer.

Il avait disparu, caché à ma vue par la pente de la berge et la hauteur de la haie. Je fermai ma fenêtre et me retournai vers ma chambre. Dans le miroir de la coiffeuse, j'aperçus mon reflet. Mon aspect était si effarant que je passai cinq bonnes minutes à essayer de l'améliorer. Je me lavai le visage avec un gant de toilette imbibé d'eau fumante, me frottai les ongles avec le savon parfumé à la lavande de Phoebe, et me coiffai. Je continuai avec un chemisier de coton propre, une nouvelle paire de chaussures, du mascara et une touche de parfum.

— Virginia !

La voix de Charlotte.

— Je suis ici. Dans ma chambre.

— Est-ce que je peux entrer ?

La porte s'ouvrit, sa tête apparut dans l'embrasure.

— Daniel est arrivé, annonça-t-elle.

— Je l'ai vu descendre du train.

— Phoebe l'a emmené à l'atelier. Elle voulait lui montrer quelque chose qui a appartenu à Chips. D'après elle, ils en ont pour dix minutes. Qu'est-ce que ça sent bon !

— Du Dior. Mon parfum préféré. Tu en veux un peu ?

— Ça ne t'embête pas ?

— N'en mets pas trop.

Elle vaporisa un peu de parfum, qu'elle huma d'un air extatique. J'attrapai ma brosse et la coiffai, arrangeant au passage sa raie et sa barrette.

— Nous devrions peut-être descendre à la cuisine et commencer à préparer notre panier de pique-nique, proposai-je après avoir terminé mon œuvre. Et ce serait une bonne idée si tu sortais tes bottes et ton ciré.

— Il ne va pas pleuvoir aujourd'hui.

— Nous sommes en Cornouailles. Qui peut dire le temps qu'il fera tout à l'heure ?

Nous étions dans la cuisine quand Phoebe vint nous retrouver. Je la vis arriver par la fenêtre, le long de l'allée de brique, venant de l'atelier. Seule. Elle marchait comme une vieille dame. En franchissant la porte, elle nous vit, immobiles. Elle nous annonça que Daniel était parti. Finalement, il ne pouvait pas participer à notre pique-nique. Il en était désolé.

— Mais il avait promis... commença Charlotte, au bord des larmes. Il avait dit qu'il viendrait!

Phoebe fuyait obstinément mon regard.

Nous n'allâmes pas à Penjizal. Plus personne n'avait le cœur à aller où que ce fût. Nous mangeâmes notre pique-nique dans le jardin de Holly Cottage. Nous ne vîmes pas l'ombre d'un phoque.

Je dus attendre le soir pour me retrouver seule avec Phoebe, profitant de ce que Charlotte était rivée devant la télévision. Je coinçai ma tante près de l'évier.

— Où est-il allé?

— Je t'avais prévenue, dit Phoebe.

— Où est-il allé?

— Je n'en ai pas la moindre idée. Je suppose qu'il est reparti à Porthkerris.

— Je vais prendre la voiture. Je vais aller le trouver.

— Ne fais pas ça.

— Et pourquoi? Comptes-tu m'en empêcher?

— S'il le faut. Téléphone-lui d'abord. Parle-lui. Assure-toi qu'il veut te voir.

J'allai droit au téléphone. Bien sûr, il voudrait me voir. Je composai le numéro du Château, et quand la standardiste répondit, je demandai Daniel Cassens. Mais on me passa la réception, où une voix de femme m'annonça que M. Cassens avait quitté l'établissement sans laisser d'adresse.

7

Je lavai les cheveux de Charlotte et les égalisai avec les ciseaux de couturière de Phoebe. Ils retrouvèrent ainsi leur teinte noisette, aux reflets cuivrés par endroits.

Phoebe téléphona au directeur de l'école locale et y emmena Charlotte pour un entretien. La fillette en revint débordante d'enthousiasme. Elle aurait bientôt un nouvel uniforme, bleu marine et blanc. Il y avait un tour de potier dans l'atelier de dessin, et elle allait apprendre à jouer de la clarinette.

Nous regardâmes, à la télévision, une petite fille nous expliquer comment on fabriquait une maison de poupée avec des boîtes en carton. Nous allâmes en voiture à Porthkerris, où nous rendîmes visite au marchand de vin, qui nous fit don de quatre caisses ayant contenu des bouteilles de whisky. Nous achetâmes un cutter, des petits pots de peinture, des pinceaux, des tubes de colle. De retour à la maison, nous entreprîmes aussitôt de mesurer et de marquer l'emplacement de la porte et des fenêtres. Le sol de la cuisine était jonché de feuilles de journal, de morceaux de carton et d'outils.

Une nouvelle lune brillait dans la nuit. Son croissant d'argent était suspendu à l'est, réfléchi dans les eaux noires de l'estuaire en une succession d'éclats vacillants.

— Virginia ?
— Qu'y a-t-il ?

— Où est parti Daniel?

— Je n'en sais rien.

— Pourquoi est-il parti?

— Je ne le sais pas non plus.

— Est-ce qu'il reviendra un jour?

— Je l'espère.

— Les gens s'en vont toujours. Ceux que j'aime bien, en tout cas. La première fois que Michael est parti en pension, la maison m'a paru toute drôle sans lui. Silencieuse, et tellement calme... Il y a eu aussi cette nounou que j'ai eue. J'étais petite. Je devais avoir six ans. Je l'aimais beaucoup. Mais un jour, elle a dû partir pour s'occuper de sa mère. Et maintenant, c'est au tour de Daniel.

— Tu le connais à peine.

— Mais j'ai toujours entendu parler de lui. Phoebe me racontait des choses. Elle me montrait des coupures de journaux sur ses expositions en Amérique, ce genre de truc. Elle aimait me parler de lui.

— N'empêche que tu le connais à peine. Tu ne l'as vu qu'un seul jour.

— Même. J'aurais voulu qu'il reste. Ce n'est pas seulement à cause du pique-nique. Ni des phoques. Ça, on peut le faire sans lui.

— C'était quoi?

— J'avais envie de lui dire des choses, de lui montrer ce que je faisais. J'aurais voulu lui montrer la maison de poupée. J'aurais voulu lui poser des questions. Papa n'a jamais le temps de répondre aux questions qu'on lui pose. Daniel, lui, me parle comme si j'étais une grande personne. Il ne me traite jamais de petite peste, il ne passe pas son temps à me dire que je suis stupide.

— Je vois. Il se peut que vous ayez des points communs. Vous avez les mêmes centres d'intérêt. C'est peut-être pour cela que tu te sens si proche de lui.

— Si seulement il pouvait revenir...

— C'est un homme occupé, Charlotte. Un homme important. Et maintenant, il est célèbre. Il a mille choses à faire. Et les artistes... sont différents des gens ordinaires. Il a besoin d'être libre. Les gens comme lui ont du mal à s'enraciner, à passer tout leur temps au même endroit, à voir sans cesse les mêmes gens.

269

— Phoebe est une artiste, et pourtant elle vit ici toute l'année.

— Phoebe est différente. Phoebe est unique.

— Je sais. C'est pour ça que je l'adore. Mais j'aime aussi Daniel.

— Mieux vaut ne pas trop l'aimer, Charlotte.

— Pourquoi ?

— Parce qu'il n'est jamais bon d'aimer trop une personne, surtout si on risque de ne plus la revoir. Non, ne pleure pas ! Je t'en prie... C'est la vérité pure et simple, il ne servirait à rien de la nier.

Nous peignîmes la porte en rouge, le cadre des fenêtres en noir. Lily nous avait trouvé une vieille boîte à vêtements, dont le couvercle nous servit à confectionner un toit à pignon que nous décorâmes de tuiles peintes.

Un jour de pluie, le vent se mit à souffler violemment. Charlotte et moi longeâmes le parcours de golf et descendîmes sur la plage. Le sable volait autour de nous. La mer était zébrée de rouleaux jusqu'à un kilomètre de la côte. Les herbes des dunes se couchaient sous les rafales, et les mouettes avaient abandonné le rivage pour venir planer en criaillant au-dessus des champs fraîchement labourés.

Nous ne reçûmes aucune lettre pour Charlotte, pas même une carte postale d'Afrique du Sud. Nous apprîmes, par Betty Curnow et Lily Tonkins, que Mme Tolliver était partie passer quelques jours à Helford chez une amie. Et de trois pour les défections.

Avec des boîtes d'allumettes, nous construisîmes des meubles pour notre maison de poupée. Nous fouillâmes le sac de couturière de Phoebe et transformâmes des chutes de tweed en tapis. Il faut que ce soit comme dans la vie, décréta Charlotte quand nous installâmes le tout. Après avoir refermé la porte de la maison, elle colla un œil à la fenêtre, avide d'admirer la petitesse de ce monde rassurant.

— Je ne peux plus supporter de te voir aussi malheureuse, me glissa Phoebe un soir.

Je feignis de ne pas l'entendre. Je ne voulais pas parler de Daniel.

Daniel était parti. Il avait repris sa vie nomade. Il était revenu à sa peinture, à son exposition, à Peter Chastal. Peut-être était-il déjà rentré en Amérique. Plus tard, quand il en aurait la force, il m'enverrait peut-être une carte postale. Je la voyais déjà en train de tomber dans la fente de ma boîte aux lettres d'Islington. Une photo de la statue de la Liberté, à moins que ce ne soit le Golden Gate ou le Fuji-Yama.

Dommage que tu ne sois pas ici pour partager ces agréables moments. Daniel.

L'avenir existait. Mon avenir. Mon appartement, mon travail, mes amis. J'allais rentrer à Londres et reprendre les fils de ma vie là où je les avais laissés. Mais je serais seule, comme je ne l'avais jamais été auparavant.

Je fis encore ce rêve — ce rêve de bain. C'était le même : une eau rase, puis profonde, chaude. Un courant furieux qui m'emportait, et cette sensation d'être consentante. Je ne mourais pas, me disais-je à la fin du rêve. Je ne mourais pas, je tombais amoureuse. Dans ce cas, pourquoi me réveillai-je avec les joues mouillées de larmes ?

Les jours qui passaient avaient perdu leur nom, et moi, j'avais perdu le sens de leur durée. Tout à coup, nous nous retrouvâmes un mardi. Le temps était venu de faire preuve de sens pratique. Phoebe avait décidé la veille que je la conduirais à Penzance avec Charlotte, qui devait acheter son nouvel uniforme d'écolière. Peut-être irions-nous ensuite déjeuner au restaurant, avant de faire un tour au port pour voir si le vapeur des îles Scilly était à l'ancre.

Ces beaux projets ne se réalisèrent pas. Car ce matin-là, de bonne heure, Lily Tonkins téléphona pour dire qu'Ernest, son mari, était souffrant. Phoebe tenait l'appareil. Charlotte et moi attendions à proximité, tendant l'oreille pour entendre la voix nasillarde de Lily.

— Il n'a pas dormi de la nuit, expliqua-t-elle à ma tante.

— Dieu du ciel...

Lily entra dans le détail, et le visage de Phoebe prit une expression horrifiée.

— Dieu du ciel!

Elle interdit à Lily de quitter le chevet de son époux avant l'arrivée du médecin, puis raccrocha. Lily ne viendrait pas travailler ce jour-là.

Nous modifiâmes nos plans en hâte. Je resterais à Holly Cottage pour faire un brin de ménage et préparer le déjeuner, et M. Thomas, dans son antique taxi, se verrait confier la tâche de conduire Phoebe et Charlotte à Penzance.

Charlotte se montra un tant soit peu indignée.

— Et notre déjeuner au restaurant?

— Ce ne serait pas drôle sans Virginia, objecta Phoebe. Nous irons une autre fois, à mon prochain rendez-vous à la banque ou chez mon coiffeur.

Suite à un nouveau coup de téléphone, M. Thomas arriva dix minutes plus tard, avec sa casquette de chauffeur vissée sur le crâne. Les pneus de son tacot étaient couverts de purin. Phoebe et Charlotte y montèrent. Après leur avoir dit au revoir, je rentrai pour me mettre à l'ouvrage.

Mes corvées n'avaient rien d'herculéen. Lily nettoyait si bien la maison chaque jour qu'après avoir fait les lits, rincé la baignoire et retiré les cendres de la cheminée du salon je laissai tout en ordre. Je me rendis à la cuisine, fis une tasse de café et entrepris d'éplucher des pommes de terre. C'était un jour gris, sans vent. Il y avait de la pluie dans l'air. J'enfilai une paire de bottes en caoutchouc et allai cueillir un chou-fleur dans le potager. En revenant vers la maison, j'entendis s'approcher le ronronnement d'un moteur. Un coup d'œil à ma montre m'apprit que Phoebe et Charlotte n'étaient parties que depuis une heure. Il était impossible qu'elles soient déjà de retour.

La voiture franchit le pont qui enjambait la voie ferrée, et je sus alors qu'elle venait à Holly Cottage, dernière maison avant le bout de la route en cul-de-sac, qui se terminait devant le portail de fer de l'ancien chantier naval.

Je me hâtai de rentrer. De retour dans la cuisine, je posai couteau et chou-fleur près de l'évier; puis, toujours vêtue du tablier de Lily et de mes bottes, je traversai le vestibule pour rejoindre la porte principale.

Sur l'aire de gravier, une automobile inconnue était garée. Une

Alfa Romeo vert bouteille, fine et racée, toute crottée par un long parcours. La portière, côté conducteur, était déjà ouverte. Assis derrière le volant, le regard braqué sur moi, se tenait Daniel.

En ce matin brumeux, les bruits étaient rares. Dans le lointain, quelques mouettes riaient au-dessus des sables déserts de l'estuaire. Très lentement, il sortit de voiture, redressa sa longue carcasse, leva une main pour se masser la nuque. Ses vêtements formaient un assortiment aussi insolite que d'habitude, et une barbe de deux jours couvrait ses joues. Ayant refermé la portière, il prononça mon nom.

C'était la preuve que je ne rêvais pas. Il n'était pas à Londres. Il n'était pas à New York. Il n'était pas à San Francisco. Il était ici. Revenu. A la maison.

— Qu'est-ce que vous faites? demandai-je.

— A votre avis?

— A qui est cette voiture?

— A moi, dit-il en s'avançant.

— Vous détestez les voitures.

— Je sais, mais elle est quand même à moi. Je l'ai achetée hier.

Il me rejoignit, posa les mains sur mes épaules, se pencha et m'embrassa sur la joue. Son menton piquait. Je levai les yeux sur lui. Son visage était livide, gris de fatigue, mais un rire contenu faisait pétiller ses yeux.

— Vous portez le tablier de Lily.

— Lily n'est pas là. Ernest est malade. Vous n'êtes pas rasé.

— Pas eu le temps. J'ai quitté Londres à trois heures du matin. Où est Phoebe?

— Charlotte et elle sont parties faire des courses.

— Vous ne me proposez pas d'entrer?

— Si... bien sûr. Excusez-moi, mais vous êtes la dernière personne que je m'attendais à voir. Entrez. Je vais vous faire du café, avec du bacon et des œufs si vous avez faim.

— Un café fera l'affaire.

Nous rentrâmes. Il faisait bon dans la maison, par rapport au froid pénétrant de l'extérieur. Je le précédai et l'entendis refermer la porte derrière lui. Dans la cuisine, je vis le chou-fleur et le couteau là où je les avais laissés. Mon désarroi était tel que je me demandai ce que j'avais eu l'intention d'en faire.

Je remplis la bouilloire électrique et la mis en marche. En me retournant, je constatai que Daniel avait pris une chaise et s'était assis à un bout de la longue table. Un coude sur la table, il se frottait les yeux, comme pour chasser sa fatigue.

— C'est la première fois que je conduis aussi longtemps et aussi vite, marmonna-t-il.

Il laissa retomber sa main et leva les yeux sur moi. J'avais oublié les ténèbres de ses pupilles noires. Il semblait épuisé, mais il y avait aussi autre chose, une sorte d'exaltation que je ne pouvais définir, ne l'ayant jamais vue chez lui.

— Qu'est-ce qui vous a fait acheter une voiture?

— Je voulais revenir vous retrouver toutes les trois, et il m'a semblé que c'était le moyen le plus rapide.

— Avez-vous compris comment marche le chauffage?

La plaisanterie n'était pas fameuse, mais elle contribua à briser la glace. Il sourit.

— Pas encore. Comme je vous l'ai dit, je ne l'ai que depuis hier, répondit-il en croisant les bras sur la table. Phoebe m'a tout dit, Virginia. Sur Annabelle, sur Leslie Collis et sur Mme Tolliver.

— Je sais.

— Et aussi sur Charlotte.

— Oui.

— Charlotte était-elle déçue pour le pique-nique?

— Oui.

— Je ne pouvais pas rester, Virginia. Il fallait que je parte. Seul. Vous me comprenez?

— Où êtes-vous allé?

— Je suis rentré à Porthkerris. Je suis rentré à pied, par les dunes et le long des falaises. En arrivant au Château, j'ai bouclé mon sac sans avoir une idée claire de ce que j'allais faire ensuite. Une fois prêt, j'ai téléphoné à Lewis Falcon. Je voulais le contacter depuis mon arrivée, mais je n'avais pas eu le temps de le faire. Il a été génial. Je lui ai dit qui j'étais. Il m'a répondu qu'il me connaissait de nom, qu'il avait entendu parler de moi par Peter Chastal. Pourquoi ne viendrais-je pas le voir à Lanyon? J'ai accepté, en précisant que j'avais besoin d'être hébergé pendant un jour ou deux, et, là encore, il a dit oui. Bref, j'ai quitté l'hôtel et pris un taxi jusqu'à Lanyon.

« C'est un type merveilleux. Adorable, et totalement dénué de curiosité. Avec lui, j'ai eu l'impression de pouvoir couper les ponts et tirer un rideau sur tout ce que venait de me révéler

Phoebe. Il m'a montré son atelier, son travail, et nous avons parlé peinture comme si rien d'autre ne comptait.

« Tout s'est très bien passé pendant quelques jours, jusqu'à ce que je sente que je devais rentrer à Londres. Il m'a conduit à la gare et j'ai pris le train du matin.

« A Londres, je suis allé voir Peter à la galerie. J'étais encore dans cet extraordinaire état d'esprit... comme coupé de la réalité. L'écran était toujours là. Je savais qu'Annabelle et Charlotte attendaient derrière, mais pour l'heure elles avaient tout bonnement cessé d'exister, et je n'avais qu'à poursuivre mon petit bonhomme de chemin comme si de rien n'était. Je n'ai rien dit à Peter. L'exposition continuait, la galerie était noire de monde. Nous nous sommes assis dans son bureau, nous avons mangé des sandwiches et bu de la bière en contemplant tous ces gens à travers la porte vitrée, comme s'il s'agissait de poissons rouges dans un bocal. Ils étaient là pour regarder mes tableaux, mais je ne parvenais pas à faire le lien entre eux et moi, ni entre ces toiles et moi. Rien de tout cela ne semblait avoir le moindre rapport avec ma personne.

« J'ai quitté Peter et je me suis mis à marcher. C'était un après-midi magnifique. J'ai longé les quais sur des kilomètres, jusqu'au moment où je me suis aperçu que j'étais à Millbank, aux portes de la Tate Gallery. Vous la connaissez?

— Bien sûr.

— Vous y allez?

— Souvent.

— Vous connaissez la collection Chantrey?

— Non.

— Je suis entré, et je me suis bientôt retrouvé dans la salle où elle est exposée. Il y a là un tableau de John Singer Sargent. Une huile. Très grande. Elle représente deux petites filles dans un jardin, la nuit, en train d'allumer des lanternes japonaises. Toutes deux portent une robe blanche à col plissé. On voit des lis et des roses. Ce tableau s'appelle *Lis Incarnat, Rose Lis*. L'une des fillettes a les cheveux noirs et courts, et un cou très mince, délicat comme la tige d'une fleur. Ce pourrait être Charlotte.

« Je ne sais pas combien de temps je suis resté planté là. Mais au bout d'un moment, petit à petit, j'ai compris que le rideau était en train de se déchirer, et je me suis senti envahi par... des sentiments extraordinaires, que j'ignorais posséder. De la tendresse. Une sorte d'instinct protecteur. De la fierté. Et puis de la colère. Je me suis mis en colère. Contre tout le monde. Contre Annabelle, son mari, sa mère... Mais surtout, contre moi-même. Qu'est-ce que je faisais ici, me suis-je dit, alors que Charlotte était ma fille, alors que j'étais son père ? Comment osais-je me décharger sur Phoebe de toutes mes responsabilités ? La réponse était d'une simplicité biblique. Je ne faisais rien, je n'avais rien fait depuis trois jours. Je faisais du sur-place. Je n'allais nulle part. Le néant absolu.

« J'ai quitté la salle, je suis redescendu et j'ai trouvé un téléphone. J'ai appelé les renseignements pour avoir le numéro de Mme Tolliver. Et j'ai appelé White Lodge. Mme Tolliver n'était pas là, mais...

— Elle est allée voir une amie à Helford, dis-je.

Daniel ne parut pas m'entendre.

— ... sa femme de ménage a répondu. Je lui ai dit que j'étais un ami de Leslie Collis et que je cherchais à le joindre. Elle m'a donné le nom de la société pour laquelle il travaille à la City.

La bouilloire sifflait. Nous avions tous deux oublié le café. Je la débranchai, pris une chaise et m'assis à l'autre bout de la table, face à Daniel.

— Bref, nouveau coup de fil. J'appelle Leslie Collis. Je lui dis que je veux le voir. Il commence par me répondre que ça ne l'arrange pas, mais j'insiste, et il accepte de m'accorder un quart d'heure si je viens tout de suite.

« Je suis sorti de la Tate Gallery, j'ai sauté dans un taxi et je suis allé à son bureau. J'ai trouvé la City magnifique. J'avais oublié à quel point elle était belle, avec ses grands immeubles, ses ruelles étroites, et ces visions furtives de la cathédrale St. Paul qui surgissent à tout bout de champ. Un de ces jours, il faudra que j'y retourne pour faire des croquis...

Sa voix mourut. A l'évidence, il venait de perdre le fil de ses pensées.

— Leslie Collis, lui rappelai-je à mi-voix.

— Oui, bien sûr, dit-il en se passant une main dans les cheveux. Nous avons eu un entretien particulièrement grotesque. Pour commencer, j'avais l'air encore plus louche que d'habitude. Je crois que je n'étais pas rasé. J'avais toujours la chemise que je portais dans le train, et mes mocassins troués. De son côté, il était impeccable dans son costume d'homme d'affaires, avec son col amidonné et son pantalon rayé. Nous faisions une paire parfaitement incongrue. Quoi qu'il en soit, je me suis assis et j'ai commencé à parler. Dès que j'ai mentionné Mme Tolliver et Charlotte, il s'est mis en tête que je cherchais à le faire chanter. Il s'est levé d'un bond, m'a insulté, a menacé d'appeler la police. Moi aussi, je me suis mis à crier, pour me faire entendre, et nous avons passé un bon moment à brailler en nous accusant mutuellement, et en accusant aussi Annabelle.

« Enfin, au moment où il me paraissait au bord de la crise cardiaque et où j'en étais à craindre de me retrouver avec un cadavre sur les bras, il a compris qu'il n'avait pas affaire à un ruffian. A partir de là, les choses se sont légèrement améliorées. Nous nous sommes rassis, il a allumé une cigarette, et nous avons tout repris de zéro.

— Il ne vous a pas paru sympathique, n'est-ce pas?

— Pourquoi? A vous non plus?

— La seule fois où je l'ai vu, dans le train, il m'a fait l'effet d'un triste sire.

— Il n'est pas si méchant que cela.

— Quand je pense qu'il ne veut plus de Charlotte...

— Je sais. C'est assez répugnant. Mais d'une certaine manière, je comprends son point de vue. Collis est un ambitieux. Il a travaillé dur toute sa vie pour gagner beaucoup d'argent et satisfaire cette ambition. Je crois qu'il a sincèrement aimé Annabelle. Mais il doit savoir depuis longtemps, peut-être depuis le début, qu'elle était incapable de lui rester fidèle. Malgré cela, il s'est accroché, il lui a donné tout ce qu'elle voulait. Il a acheté cette maison à Sunningdale pour que leur fils grandisse à la campagne. Elle avait sa voiture à elle, sa bonne, son jardinier, elle prenait ses vacances en Espagne, le tout dans une absolue liberté. Il m'a répété plusieurs fois : «Je lui ai tout donné. J'ai tout donné à cette maudite femme. »

— Savait-il depuis le début que Charlotte n'était pas sa fille?

— Bien sûr. Il n'avait pas vu Annabelle depuis trois mois quand elle lui a annoncé qu'elle était enceinte à son retour de Cornouailles. Et croyez-moi, c'est un sale coup pour tout homme qui se respecte.

— Pourquoi n'a-t-il pas rompu à ce moment-là?

— Il voulait maintenir un foyer uni. Il adore son fils. Je suppose qu'il ne voulait pas non plus perdre la face auprès de ses amis.

— Mais il n'a jamais aimé Charlotte, objectai-je.

— Peut-on lui en vouloir?

— A-t-il reconnu qu'il ne l'aimait pas?

— Plus ou moins. Il la trouve hypocrite. Il paraît qu'elle ment.

— Si elle l'a fait, c'est sa faute à lui.

— C'est ce que je lui ai dit.

— Ça n'a pas dû lui plaire.

— Il a encaissé. Nous en étions au stade où les cartes étaient sur la table. Nous pouvions nous jeter toutes les horreurs du monde à la figure, l'autre n'en prenait pas ombrage. C'était presque comme si nous étions devenus amis.

J'avais du mal à m'imaginer une chose pareille.

— Mais de quoi donc avez-vous parlé?

— De tout. Je lui ai dit que Charlotte allait rester chez Phoebe, et il a fini par admettre que ça l'arrangeait. Il a aussi apprécié qu'elle ne retourne pas dans son pensionnat. C'est Annabelle qui l'avait choisi, mais à ses yeux cet établissement n'a jamais valu les sommes mirobolantes qu'il devait payer chaque trimestre. Je l'ai interrogé sur Michael, mais Collis a eu l'air de dire qu'il n'y avait pas de problème. A quinze ans, il est apparemment assez mûr pour se prendre en main. On dirait qu'il a grandi trop vite pour sa mère, et Collis n'est pas mécontent de pouvoir l'arracher à son influence. Il va vendre leur maison et trouver un appartement à Londres pour son fils et lui.

— Pauvre Michael...

— Je suis navré pour lui et pour tous ceux qui sont mêlés à cet imbroglio. Mais je pense que Michael s'en tirera plutôt bien. Son père n'a que des éloges à lui décerner. Ils semblent s'entendre comme larrons en foire.

— Et en ce qui concerne Annabelle?

— Il a contacté son avocat, et la procédure de divorce est en cours. Collis n'est pas homme à rester les bras croisés.

J'attendis la suite, mais Daniel garda le silence.

— Ce qui nous ramène à la case départ, dis-je. Que va devenir Charlotte? A moins que vous n'ayez pas parlé d'elle?

— Bien sûr que si. C'était le but.

— Leslie Collis sait que vous êtes son père?

— C'est la première chose que je lui ai dite. Et je vous confirme qu'il ne veut plus d'elle.

— Et Annabelle? Que compte-t-elle faire pour Charlotte?

— Elle n'en veut pas davantage. Et quand bien même elle en voudrait, je ne crois pas que Leslie Collis la laisserait faire. Libre à vous de trouver cela sordide, mais je crois que c'est ce qui pouvait arriver de mieux à Charlotte.

— Pourquoi?

— Parce que, ma chère Virginia, si ni Leslie Collis ni Annabelle ne veulent de Charlotte, la voie est libre pour que je l'adopte.

Je restai pétrifiée, me contentant de fixer sur lui un regard incrédule.

— Mais... ils ne vous laisseront pas faire.

— Et pourquoi?

— Vous n'êtes pas marié.

— La loi a évolué. Un célibataire a désormais le droit d'adopter. Certes, la procédure est plus longue. Il y a des obstacles, mais la chose est parfaitement possible. A condition, bien sûr, qu'Annabelle soit d'accord, et je ne vois pas pourquoi elle ne le serait pas.

— Mais vous n'avez pas d'adresse, pas de résidence fixe.

— Si. Lewis Falcon part travailler dans le sud de la France pour plusieurs années, et il est prêt à me louer sa maison de Lanyon et son atelier. Je vais donc rester dans la région. Je suppose que je n'aurai pas le droit d'avoir Charlotte près de moi avant que l'adoption ne soit officielle, mais j'espère que Phoebe acceptera de rester sa tutrice légale jusque-là.

— Je ne... Oh, Daniel, tout ça me paraît trop beau pour être vrai!

— Je sais. Et comme je l'ai dit, le plus extraordinaire, c'est qu'à la fin de notre conversation, on aurait presque pu croire que Leslie Collis et moi étions amis. Nous nous comprenions. Finalement, nous sommes allés déjeuner ensemble, dans un bouge crasseux où nous étions sûrs qu'aucun de ses collègues ne pourrait l'apercevoir. A la fin du repas, nous nous sommes livrés à une nouvelle pantomime pour savoir qui réglerait l'addition. Personne ne voulait devoir quoi que ce soit à l'autre. Au bout du compte, nous avons fait moitié-moitié. Nous sommes sortis du restaurant, nous nous sommes dit au revoir, et j'ai promis de maintenir le contact. Il est reparti vers son bureau, j'ai pris un taxi et je suis retourné à la galerie pour parler à Peter Chastal.

« Il me fallait un bon avocat, et dans la mesure où Peter s'est toujours occupé de tout pour moi, je n'en connaissais aucun. Je n'avais pas davantage de comptable, de banquier ou d'agent. Peter m'a pris en main dès que je lui ai été envoyé par Chips. Il a été génial. Il m'a mis en contact avec son propre avocat, et en faisant ses comptes il a découvert que j'avais de côté dix fois plus d'argent que je ne le pensais. Il m'a dit qu'il était grand temps que j'assume mon nouveau rôle de chef de famille en surmontant ma terreur de la mécanique et en m'achetant une voiture. Nous sommes sortis, et c'est ce que j'ai fait. Ensuite, nous avons dîné ensemble. Quand je me suis retrouvé seul, j'ai senti que je ne pouvais plus attendre. Il fallait que je vous voie toutes les trois. Alors, je suis monté dans ma voiture toute neuve et j'ai mis le cap sur la Cornouailles.

— Et Phoebe et Charlotte qui ne sont pas là !

— C'est mieux ainsi. Parce que la chose la plus importante que j'ai à vous dire ne concerne que vous. En fait, il s'agit plutôt d'une demande. Je pars en Grèce. En vacances. Pour une dizaine de jours. Je vous ai parlé de cette maison à Spetsai, je vous ai déjà demandé de venir avec moi là-bas, et je renouvelle ma demande. J'ai réservé deux places sur un vol pour Athènes. Si Lily et Phoebe peuvent s'occuper de Charlotte, accepterez-vous de venir avec moi?

Je pensai à cette maison en forme de morceau de sucre que je croyais bien ne jamais voir. A la terrasse blanchie à la chaux, aux géraniums, au petit bateau dont la voile ressemblait à une aile de mouette...

— Venez avec moi, Virginia.

Mon esprit s'emballa. J'avais des choses à faire, des dispositions à prendre, des gens à prévenir. Ma mère. Marcus Bernstein. Il faudrait aussi que j'écrive à Nigel Gordon.

— Oui, m'entendis-je répondre.

Nos regards se croisèrent au-dessus de la table. Il sourit.

— Nous ne savons presque rien l'un de l'autre, murmura-t-il. Est-ce moi qui l'ai dit, ou vous?

— Vous.

— Après deux semaines en Grèce, nous nous connaîtrons beaucoup mieux.

— Oui. Je l'espère.

— Et ensuite — après notre retour —, nous pourrions peut-être nous installer ensemble à Lanyon. Il faudrait d'abord nous

280

marier, mais nous ne sommes pas obligés d'y penser tout de suite. Cela vaut mieux. Après tout, ni vous ni moi ne souhaitons nous engager pour la vie, n'est-ce pas?

Il n'y avait rien que je souhaite davantage. Et à voir la façon dont Daniel me dévorait du regard, j'étais sûr qu'il pensait comme moi. Je souris à mon tour.

— Non, dis-je. Nous ne souhaitons pas nous engager.

Quand M. Thomas ramena Charlotte, Phoebe et leurs emplettes, nous nous trouvions toujours dans la cuisine, même si nous n'étions plus assis chacun à un bout de la table. Nous entendîmes arriver l'antique véhicule et sortîmes pour l'accueillir.

M. Thomas resta interdit en découvrant la voiture de Daniel qui, garée devant la maison, l'empêchait de faire son demi-tour. Eblouissante dans sa plus belle cape de tweed marron, Phoebe était déjà sortie du taxi et s'efforçait de le guider par signes.

— Un peu plus à gauche, monsieur Thomas. Non, je voulais dire à droite, à droite...

— Phoebe? lança Daniel.

Elle se retourna et le vit.

— Daniel!

Les problèmes de manœuvre de M. Thomas furent aussitôt oubliés. Dégoûté, celui-ci coupa le moteur et resta assis là, pris au piège. Le radiateur de son auto était face au museau de l'Alfa. Ses roues arrière butaient contre la rangée de briques qui bordait les plates-bandes de Phoebe.

Daniel vint à sa rencontre. Ils s'embrassèrent avec passion, et le chapeau de ma tante bascula dangereusement.

— Espèce de garnement! s'exclama-t-elle en lui martelant affectueusement l'épaule de son poing valide. Où étais-tu donc passé?

Elle ne lui laissa pas le temps de répondre. Par-dessus l'épaule de Daniel, elle venait de m'apercevoir, plantée là avec le tablier de Lily, et surtout incapable de réprimer un immense sourire. Elle lâcha Daniel et vint vers moi. Même si elle ne pouvait pas savoir ce qui s'était passé, ce qui se passait et ce qui allait se passer, je vis mon propre bonheur reflété sur son visage, et nous nous étreignîmes et rîmes ensemble, parce que Daniel était revenu, et parce que tout, soudainement, semblait aller pour le mieux.

Et Charlotte... A la même seconde, nous nous souvînmes d'elle. Nous nous retournâmes pour la voir sortir doucement de l'arrière de la voiture, les bras chargés d'une inquiétante pile de boîtes et de paquets. Je savais qu'elle nous avait observés et qu'elle avait tenu à rester en retrait, persuadée sans doute de n'avoir pas sa place dans ce genre d'épanchements. Avec mille précautions, de la pointe du pied, elle referma la portière du taxi. Quand elle se retourna, le menton posé sur le sommet de sa montagne de paquets, ce fut pour se retrouver nez à nez avec Daniel. Elle leva très lentement la tête, le regard grave derrière ses lunettes rondes. Pendant un moment, le silence régna. Enfin, Daniel sourit et dit :

— Bonjour, mon petit amour. Je suis revenu.

Il ouvrit les bras. C'était tout ce qu'elle attendait.

— Daniel!

Les paquets glissèrent. Elle n'y fit pas attention et se jeta dans les bras de son père. Il la souleva de terre, la fit tourner en rond, et les paquets restèrent là où ils venaient de tomber, en pagaille sur le gravier.

DES VOIX EN ÉTÉ

Pour Mark,
qui comprendra pourquoi.

1

HAMPSTEAD

La secrétaire du médecin, une jolie femme aux lunettes à monture d'écaille, accompagna Laura jusqu'à la porte. L'ayant ouverte, elle s'effaça en souriant, comme s'il s'était agi d'une visite de courtoisie qu'elles auraient toutes deux appréciée. Derrière la porte, quelques marches usées descendaient sur Harley Street. L'ombre des maisons d'en face découpait la rue en rectangles de lumière vibrante et en recoins sombres.

— Belle journée! s'exclama la secrétaire.

Elle n'avait pas tort. Belle journée de fin juillet, en effet, claire et légère. Elle portait une jupe et un chemisier de couleur vive, et ses belles jambes rondes étaient protégées par des bas en nylon. Laura, quant à elle, ne portait qu'une robe de coton et elle allait jambes nues. Il y avait toutefois une fraîcheur dans le fond de l'air qui soufflait le long de ces rues d'été, et elle avait jeté un cardigan de cachemire de couleur pâle sur ses épaules.

Elle acquiesça, mais ne trouva rien d'autre à dire sur le temps. Elle se contenta d'un remerciement, quoique la secrétaire n'eût pas fait grand-chose pour elle, si ce n'est annoncer son arrivée pour son rendez-vous avec le Dr Hickley et, quinze minutes plus tard, la raccompagner.

— Je vous en prie... Au revoir, madame Haverstock.

— Au revoir.

La porte laquée de noir se referma derrière elle. Laura tourna le dos à la façade de l'élégante maison d'aspect imposant et descendit le long des bâtiments tous semblables, jusqu'à un emplacement de parking qu'elle avait miraculeusement découvert pour garer sa voiture. Elle se baissa pour la déverrouiller. On entendit un gémissement provenant du siège arrière et, quand la jeune femme se fut assise devant le volant, Lucy se jeta sur ses genoux... Debout sur ses pattes arrière, la queue remuant frénétiquement, la petite chienne s'appliqua à débarbouiller le visage de Laura avec sa longue langue rose.

— Oh! pauvre petite Lucy, tu dois étouffer!

Malgré la vitre qu'elle avait laissée entrouverte, il faisait chaud comme dans un four. Elle tendit le bras et poussa le toit ouvrant. Elle se sentit mieux aussitôt. L'air frais circulait et le soleil réchauffait le haut de sa tête.

Lucy haleta consciencieusement, comme pour faire savoir à sa maîtresse combien elle avait souffert, mais qu'elle lui pardonnait et qu'elle l'aimait. Elle réservait tout son amour à Laura. Elle n'en restait pas moins une petite créature bien élevée et aux manières charmantes, qui ne manquait jamais d'accueillir gentiment Alec lorsqu'il rentrait de son travail. Alec disait toujours que lorsqu'il avait épousé Laura, il avait hérité d'un lot supplémentaire, comme dans les ventes aux enchères : une nouvelle femme, avec un chien en prime.

Quand elle mourait d'envie de se confier, Laura disait à Lucy des choses, des secrets qu'elle n'aurait pu divulguer à quiconque. Pas même à Alec (surtout à lui, puisque les pensées secrètes de la jeune femme, en général, le concernaient). Elle se prenait parfois à songer aux autres femmes mariées. Avaient-elles, elles aussi, des pensées secrètes, qu'elles dissimulaient à leur mari? Marjorie Anstey, par exemple, qui était mariée à George depuis seize ans et dont elle organisait la vie tout entière, depuis les chaussettes propres jusqu'aux billets d'avion. Et Daphné Boulderstone, qui flirtait outrageusement avec tous les hommes qu'elle rencontrait et que l'on avait plusieurs fois surprise déjeunant dans de discrets restaurants avec le mari d'une autre... Est-ce que Daphné mettait Tom dans la confidence, pour pouvoir rire, peut-être, de sa propre folie? Ou bien Tom gardait-il son calme, avec ce détachement — ce désintérêt, même — dont il faisait habituellement preuve? Peut-être ne s'en souciait-il pas, au fond? Lorsqu'ils se retrouveraient tous bientôt à Glenshandra, en Ecosse, pour la semaine de repos et de pêche qu'ils avaient programmée depuis longtemps, peut-être Laura aurait-elle le temps d'observer ces couples et parviendrait-elle à quelque conclusion...

Elle prit une profonde inspiration, furieuse de sa propre stupidité. A quoi servait-il de rester là à échafauder toutes ces hypothèses alors que maintenant, elle n'irait même pas en Ecosse? Le Dr Hickley n'avait pas mâché ses mots :

— Débarrassons-nous-en le plus vite possible. Inutile de perdre du temps. Deux jours d'hôpital et puis du repos.

Ce que Laura avait craint s'était donc produit. Elle cessa de penser à Daphné et Marjorie. Alec. Elle devait se concentrer sur Alec. Elle devait s'activer, prendre une décision et mettre un plan en action. Parce que, quoi qu'il arrive, il fallait qu'Alec aille à Glenshandra avec les autres. Elle devait se sacrifier. Evidemment, il lui faudrait être persuasive. Elle devait élaborer un plan à toute épreuve, quelque chose de convaincant, auquel personne ne pourrait rien trouver à redire.

Affalée au volant de sa voiture, elle ne se sentit pas la force de s'activer ni de prendre la moindre décision...

Sa tête lui faisait mal. Tout son corps lui faisait mal. Elle songea à rentrer chez elle, dans sa haute maison étroite d'Islington. Ce n'était pas très loin, mais trop loin toutefois pour qui se sentait fatiguée et découragée, par un après-midi chaud de juillet. Elle se voyait rentrer à la maison, monter les étages en courant, se jeter sur son lit tout frais et y dormir le reste de l'après-midi... Alec croyait beaucoup en la nécessité de se vider l'esprit pour donner à son subconscient une chance de résoudre des problèmes apparemment insolubles. Peut-être le subconscient de Laura saurait-il s'affairer pendant son sommeil pour lui présenter à son réveil, comme d'un coup de baguette magique, un plan aussi brillant qu'évident? Elle soupira. Elle n'avait pas vraiment foi en son subconscient. A vrai dire, elle n'avait guère foi en elle-même.

— Je ne vous ai jamais vue aussi pâle, avait dit le Dr Hickley. (Ce qui était assez dérangeant, le Dr Hickley étant une femme calme et très professionnelle, qui faisait rarement des remarques aussi impulsives.) Il vaudrait mieux effectuer une petite prise de sang.

Cela se voyait donc tant?

Laura baissa le pare-soleil et s'inspecta dans le miroir de courtoisie. Un instant plus tard, elle sortit sans grand enthousiasme un peigne de son sac et tenta de faire quelque chose de ses cheveux... Puis du rouge à lèvres — il était trop brillant pour la pâleur de son teint.

Elle se regarda dans les yeux, ses grands yeux d'un brun sombre que frangeaient de longs cils épais. « Trop grands pour mon visage, songea-t-elle. Comme deux trous découpés dans une feuille de papier. » Elle se contempla avec sévérité. « Rentrer à la maison et t'endormir ne résoudra rien. Tu le sais, n'est-ce pas ? » Il devait bien y avoir quelqu'un qui pourrait l'aider, quelqu'un à qui parler. Personne chez elle, en tout cas, puisque Mme Abney, qui vivait au sous-sol, regagnait consciencieusement son lit chaque après-midi de deux à quatre heures. Elle se plaignait de toute intrusion, même si c'était urgent, le relevé des compteurs, par exemple.

Il devait y avoir quelqu'un à qui parler.

Phyllis.

Riche idée. *Quand je sortirai de l'hôpital, j'irai m'installer chez Phyllis. Et si je suis chez Phyllis, alors Alec pourra aller en Ecosse.*

Elle se demanda pourquoi une solution aussi évidente ne lui était pas apparue plus tôt. Soudain enchantée d'elle-même, Laura commença à sourire... mais, à cet instant précis, un coup de klaxon la ramena brutalement à la réalité. Une grosse Range Rover bleue était garée le long de sa voiture. Le chauffeur, le visage écarlate, voulait savoir si elle allait s'incruster là tout le reste de la journée à se pomponner devant son miroir...

Embarrassée, Laura repoussa le pare-soleil. Elle fit démarrer le moteur, parvint à sourire avec plus de charme que nécessaire et, légèrement nerveuse, manœuvra sans rien emboutir. Elle se dirigea dans Euston Road, poursuivit jusqu'au coin de Eversholt Street, au milieu de l'embouteillage des voitures qui roulaient sur trois files, tourna vers le nord et remonta la colline en direction de Hampstead.

Elle se sentit soudain un peu mieux. Une idée lui était venue et elle allait la mettre en œuvre. La circulation étant moins dense, elle put prendre de la vitesse, de l'air frais s'engouffra par le toit ouvrant. La route qu'elle suivait lui semblait accueillante et familière : plus jeune, du temps où elle vivait chez Phyllis, elle avait fait ce trajet chaque jour en bus, d'abord vers l'école, puis vers le collège. Aux feux rouges elle se souvint des maisons de chaque côté de la rue, de ces maisons un peu délabrées, ombragées par des arbres. Certaines d'entre elles semblaient maintenant renaître à la vie, avec leurs murs fraîchement repeints et leurs portes brillantes de laque. Les trottoirs grouillaient de gens en vêtements d'été, de filles aux bras nus et de mères portant des bébés légèrement vêtus. Les petites boutiques semblaient avoir suivi le mouvement et annexé une partie du trottoir. Elle vit des légumes en piles impeccables, une paire de vieux fauteuils en rotin et de grands pots verts remplis de roses et d'œillets. Il y avait même quelques tables disposées devant un petit restaurant, avec des parasols rayés et des chaises en fer forgé. « Comme à Paris, songea Laura. J'aimerais vivre à Hampstead. » Tout à coup, le klaxon d'une voiture retentit derrière elle. Elle comprit que le feu était passé au vert.

Au moment de s'engager dans Hampstead High Street, l'idée lui vint que Phyllis ne serait peut-être pas chez elle.

Elle pensa qu'elle aurait dû s'arrêter pour téléphoner. Elle essaya d'imaginer ce que Phyllis pouvait être en train de faire par un bel après-midi d'été. Ce n'était guère facile, la liste des possibles paraissant illimitée : visite des magasins de mode et des antiquaires ; incursion dans ses galeries d'art favorites ; participation à un comité désireux d'insuffler aux masses le goût de la musique ; ou bien campagne pour sauver de la démolition quelque vieux manoir de Hampstead.

Trop tard pour faire quoi que ce soit, Laura étant pratiquement arrivée. Un moment après, elle tournait dans une rue étroite qui serpentait jusqu'au haut de la colline, avant de poursuivre entre les terrasses et les façades de ces maisons George III qui semblaient chacune bâtie un pas plus haut que la précédente. Leurs portes d'entrée se dressaient orgueilleusement au-dessus de leur portion de trottoir, et il y avait une voiture devant celle de Phyllis. C'était bon signe, quoique cela ne signifiât pas que Phyllis fût à l'intérieur. C'était une marcheuse infatigable qui ne prenait sa voiture que pour « descendre à Londres ».

Laura se gara derrière la voiture, referma le toit de son véhicule, prit Lucy dans ses bras et sortit. Il y avait des massifs d'hortensias de chaque côté de la porte de la maison. Laura actionna le heurtoir et croisa les doigts. *Si elle n'est pas là, il ne me reste plus qu'à redescendre la colline, rentrer chez moi et lui téléphoner.* Mais presque au même moment, elle perçut le bruit caractéristique des hauts talons — Phyllis les choisissait très très hauts — qui s'approchaient. La porte s'ouvrit. Tout finissait bien.

— Chérie !

C'était le meilleur accueil qu'on pût lui faire. Les deux femmes s'embrassèrent. Ce jour-là, Phyllis était habillée dans des tons abricot, avec au cou un collier de grosses perles de verre et des boucles d'oreilles qui cliquetaient comme des décorations de Noël. Ses mains, de la taille de celles d'un enfant, étaient couvertes de bagues et son visage était comme d'habitude parfaitement maquillé. Seuls ses cheveux paraissaient un peu moins apprêtés. Relevés au-dessus du front, ils commençaient à grisonner, ce qui n'entamait en rien l'enthousiasme juvénile de son visage.

— Tu aurais dû appeler, fit-elle.

— Je suis venue comme ça, sur un coup de tête.

— Oh! chérie, mais c'est une idée délicieuse! Entre donc.

Laura la suivit à l'intérieur. Phyllis referma la porte. Il ne faisait pas sombre dans le vestibule étroit qui traversait toute la maison et donnait sur le jardin, par une porte ouverte. Laura pouvait apercevoir, par l'embrasure, le chemin pavé et brillant, la verdure et, tout au fond, le treillis blanc du jardin d'hiver.

Elle se baissa et posa Lucy sur la moquette rouge rubis. La chienne haletait de nouveau et Laura se dirigea vers la cuisine pour lui remplir un bol d'eau. Phyllis la regardait depuis la porte.

— J'étais assise au jardin, dit-elle, mais il fait presque trop chaud. Allons au salon, il y fait frais et les portes-fenêtres sont ouvertes. Chérie, ajouta-t-elle, tu as l'air bien mince, as-tu perdu du poids?

— Je ne sais pas, mais c'est possible. Ce n'est pas volontaire, en tout cas.

— Est-ce que tu veux boire quelque chose? Je viens juste de faire une citronnade. Elle est dans le réfrigérateur.

— Avec grand plaisir.

Phyllis alla chercher des verres.

— Mets-toi à l'aise. Tu es chez toi et nous allons bavarder. Il y a des lustres que je ne t'ai vue... Comment se porte le bel Alec?

— Il va bien.

— Tu vas tout me dire.

C'était merveilleux de s'entendre commander de se mettre à l'aise. Comme autrefois. Laura fit ce qui lui était demandé et se renversa dans un coin du grand sofa usé. Par la porte ouverte, elle voyait les feuilles des arbres qui s'agitaient sous la brise en bruissant légèrement. L'air embaumait du parfum des fleurs grimpantes.

Tout était si serein! Ce qui était curieux, d'ailleurs, parce que Phyllis, elle, était tout sauf sereine. Elle ressemblait plutôt à une petite souris toujours affairée, ses jambes grêles l'entraînant cent fois par jour à monter puis descendre les escaliers.

Phyllis était sa tante, la plus jeune sœur de son père. Ce dernier avait eu pour père un pasteur anglican sans grande fortune, et des économies constantes avaient été nécessaires pour permettre au père de Laura d'étudier la médecine.

Il n'était rien resté pour Phyllis.

Bien que, heureusement, on n'en fût plus au temps où les filles de pasteur devaient rester tristement à la maison pour aider leur mère à faire des bouquets et à organiser l'école du dimanche, l'avenir de Phyllis, dans le meilleur des cas, aurait été d'épouser un brave homme bien convenable. Mais Phyllis, depuis son plus jeune âge, avait d'autres idées en tête. Elle parvint à suivre des cours de secrétariat et partit pour Londres — non sans quelques tiraillements du côté de ses parents. Là, en un temps record, elle trouva non seulement à se loger mais aussi un travail. Elle commença comme secrétaire débutante chez Hay Macdonalds, une vénérable maison d'édition. Peu de temps après, son enthousiasme et son dynamisme la faisaient remarquer. Elle fut nommée secrétaire du directeur littéraire puis, à vingt-quatre ans, assistante personnelle du président, Maurice Hay.

C'était un célibataire de cinquante-trois ans et tout le monde pensait qu'il demeurerait le reste de sa vie en cette heureuse disposition. Ce ne fut pas le cas. Il tomba follement amoureux de Phyllis, l'épousa et l'enleva — pas vraiment sur un destrier blanc mais dans une très large et très impressionnante Bentley — pour la déposer dans son bijou de petite maison de Hampstead. Elle le rendit très heureux, ne gâchant pas la moindre journée qu'ils passèrent ensemble, ce qui fut d'autant mieux venu que, trois ans plus tard, il succombait à une crise cardiaque.

Il laissait la maison à Phyllis, tous les meubles et son argent. Ce n'était pas un homme jaloux ni rancunier et son testament ne comportait aucun codicille mal intentionné qui l'aurait obligée à renoncer à l'héritage si elle se remariait. Mais même sans cela, Phyllis ne se remaria pas. C'était un mystère pour tous ceux qui la connaissaient. Et l'on ne pouvait pas dire qu'elle manquait d'admirateurs, bien au contraire. Il y avait même un flot continu de gentlemen téléphonant, envoyant des fleurs, l'invitant à dîner, en vacances à l'étranger, au théâtre en hiver et à Ascot l'été.

— Mais, mes chéris, répliquait-elle quand on lui reprochait l'indépendance de son style de vie, je ne veux pas me remarier. Je ne rencontrerai jamais personne comme Maurice. De toute façon, c'est bien plus amusant d'être seule. Spécialement quand on est riche.

Du temps de l'enfance de Laura, Phyllis avait été une sorte de légende dans la famille. Ses parents emmenaient parfois la fillette à Londres, à Noël, par exemple, pour admirer les décorations sur Regent Street et aller au Palladium ou voir un ballet. Ils séjournaient alors toujours chez Phyllis, et Laura, élevée dans l'environnement affairé et un peu désordonné d'un médecin de campagne, avait l'impression d'être transportée par magie dans un rêve. Tout était si élégant, si brillant, si parfumé! Et Phyllis...

— Elle n'est qu'un oiseau de nuit, disait gentiment sa mère quand ils retournaient dans le Dorset, tandis que Laura s'asseyait bien droit sur le siège arrière, enivrée par ces souvenirs délicieux. On ne peut pas imaginer qu'elle puisse prendre des responsabilités ou faire quelque chose de pratique. D'ailleurs, elle a bien raison.

En cela, la mère de Laura se trompait. Parce que, quand Laura eut treize ans, ses parents furent tués en rentrant d'une innocente soirée par une route qu'ils connaissaient depuis toujours. Cette tragédie fut le résultat d'une réaction en chaîne effrayante : un croisement mal dégagé, un énorme camion, une voiture roulant trop vite avec des freins défaillants, tout cela se mêla en un désastre hideux. Et avant même que Laura eût compris toutes les conséquences de cet accident, elle sut que Phyllis était là.

Phyllis n'avait rien demandé à Laura. Ni d'être courageuse, ni de ne pas pleurer. Elle ne parla pas même de la volonté de Dieu. Elle se contenta de serrer sa nièce dans ses bras et de lui demander humblement si elle pourrait être assez charmante pour bien vouloir vivre un moment à Hampstead auprès d'elle, afin de lui tenir compagnie.

Laura y alla et y resta. Phyllis s'occupa de tout : les funérailles, le notaire, la vente du cabinet médical et celle des meubles. Elle ne conserva que quelques objets qui étaient précieux pour Laura et les mit dans la chambre qui allait devenir celle de la fillette : le bureau de son père, sa maison de poupée, ses livres et un centre de table en argent qui avait appartenu à sa mère.

— Tu vis chez qui, alors? demandaient les filles dans sa nouvelle école londonienne, quand, à force de questions brutales, elles avaient découvert qu'elle était orpheline.

— Chez ma tante Phyllis.

— Dis donc, j'aimerais pas vivre avec ma tante. Elle est mariée?

— Non, elle est veuve.

— Plutôt sinistre.

Laura ne répliquait pas. Elle savait que puisqu'elle ne pouvait vivre dans le Dorset avec ses parents, la chose qu'elle souhaitait le plus au monde était de vivre auprès de Phyllis.

Ce fut, sous bien des rapports, une relation extraordinaire. La fillette studieuse et calme, et sa tante extravertie, adorant la foule, devinrent les meilleures amies du monde, ne se querellant jamais, ne s'agaçant jamais. Leur premier différend n'apparut pas avant que Laura eût terminé ses études et se décidât à gagner sa vie. Phyllis voulait que Laura rejoigne Hay Macdonalds. Pour elle, c'était une solution évidente, naturelle.

Laura se cabra à cette idée. Elle pensait que ce serait une forme de népotisme et que cela minerait sa détermination à être indépendante.

Phyllis rétorqua qu'elle serait indépendante, puisqu'elle gagnerait sa vie.

Laura fit alors remarquer qu'elle devait déjà trop à Phyllis. Elle voulait commencer sa carrière — quelle qu'elle fût — sans être l'obligée de quiconque.

Mais *personne* ne parlait d'obligations. Pourquoi rejeter une vraie chance, simplement parce qu'elle était la nièce de Phyllis?

Laura répliqua qu'elle voulait se débrouiller seule.

Phyllis soupira et expliqua patiemment qu'elle devrait se débrouiller toute seule, qu'il n'était pas question de népotisme, que si elle n'était pas bonne dans son travail ils ne prendraient pas de gants pour la licencier.

La dispute se poursuivit par à-coups, durant trois jours, et Laura finit par se soumettre. Dans le même temps, elle annonça à Phyllis qu'elle avait trouvé un petit deux-pièces à Fulham et qu'elle quittait Hampstead pour s'y installer. Elle avait pris cette décision bien avant qu'éclate leur dispute. Cela ne signifiait pas qu'elle ne voulait *plus* vivre avec Phyllis. Elle aurait pu vivre toujours dans la chaude et luxueuse petite maison en haut de la colline qui dominait Londres; mais elle savait que cela n'irait pas.

Leurs relations s'étaient insensiblement altérées. Elles n'étaient plus une tante et sa nièce, mais deux femmes adultes qui risquaient à présent de mettre en danger les liens délicats et précieux qu'elles s'étaient forgés.

Phyllis avait sa propre vie à mener — toujours bien remplie et excitante, bien qu'elle eût dépassé les cinquante ans. Et, à dix-neuf ans, Laura avait sa propre vie à bâtir, ce qu'elle ne parviendrait pas à faire en restant dans le nid douillet de Phyllis.

Après un moment de dépit, Phyllis comprit cette décision.

— Ce ne sera pas pour longtemps, prophétisa-t-elle. Tu te marieras.

— Pourquoi donc?

— Parce que tu es de ce genre-là. Tu es le type de femme qui a besoin d'un mari.

— C'est ce que les gens disaient de toi après la mort de Maurice.

— Tu n'es pas moi, chérie. Je te donne trois ans de vie professionnelle. Pas plus.

Là, Phyllis s'était trompée. Parce qu'il fallut neuf années avant que Laura ne pose les yeux sur Alec Haverstock, et six autres — Laura avait alors trente-cinq ans — avant qu'elle ne l'épouse.

— Et voilà!

Le tintement de la glace contre le verre, le bruit des hauts talons... Laura ouvrit les yeux et aperçut Phyllis à côté d'elle, en train de déposer un plateau sur la table basse.

— Tu dormais?

— Non, je rêvassais. Les souvenirs, je suppose.

Phyllis s'assit sur le deuxième sofa. Elle ne s'appuya pas contre le dossier, la relaxation étant quelque chose d'absolument étranger à son caractère. Elle restait assise au bord du sofa, avec l'air d'être sur le point de bondir pour filer vers quelque course urgente.

— Dis-moi tout. Qu'as-tu fait? Du shopping, j'espère.

Elle versa de la limonade dans un grand verre et le tendit à Laura. Le verre était tellement glacé que la jeune femme en eut presque mal aux mains. Elle but une gorgée et le reposa.

— Non, je n'ai pas fait de courses. Je suis allée voir le Dr Hickley.

296

Il y eut une expression de curiosité sur le visage de Phyllis qui s'était redressée, les sourcils relevés et les yeux arrondis.

— Non, fit Laura. Je n'attends pas d'enfant.

— Alors pourquoi es-tu allée la voir?

— La même vieille histoire.

— Oh! ma chérie.

Il n'était pas nécessaire d'en dire plus. Elles échangèrent un long regard triste. Lucy surgit du jardin où elle était allée faire une petite promenade hygiénique; ses griffes produisaient un bruit de grattement sur le parquet. Elle sauta doucement sur les cuisses de Laura et se prépara à faire la sieste.

— Quand est-ce que ça s'est déclaré?

— Oh! depuis un bout de temps. Mais je repoussais l'idée de voir le Dr Hickley. Je ne voulais pas y penser. Tu sais, si tu ne t'occupes pas de quelque chose, eh bien, cette chose peut disparaître toute seule...

— Ce serait stupide de ta part.

— C'est ce qu'elle m'a dit. Cela ne fait pas beaucoup de différence. Il faut que je retourne à l'hôpital.

— Quand?

— Le plus tôt possible. Dans deux ou trois jours.

— Mais, chérie, tu vas en Ecosse.

— Hickley dit que je ne peux pas.

— C'est épouvantable, dit Phyllis d'une voix assourdie, en rapport avec la gravité de la situation. Tu attendais cela avec tant d'impatience... Tes premières vacances en Ecosse avec Alec... Et que va-t-il faire? Il ne voudra pas partir sans toi.

— C'est aussi pour cela que je suis venue te voir. Je voudrais te demander un service.

— Je t'en prie.

— Est-ce que je pourrais venir chez toi après l'hôpital? Si Alec sait que je suis ici avec toi, il ira à Glenshandra avec les autres. C'est si important pour lui! Et tout a été planifié depuis des mois, il a retenu la chambre d'hôtel et une place pour pêcher sur la rivière. Sans parler des Boulderstone et des Anstey.

— Ce serait quand?

— La semaine prochaine. Je ne resterai que quelques jours à l'hôpital et je n'ai pas besoin d'infirmière...

— Chérie, c'est affreux, mais je ne serai pas là.

— Tu... (C'était impensable. Laura fixait Phyllis dans les yeux, pour un peu elle aurait éclaté en sanglots.) Tu... tu ne seras pas là?

— Je pars à Florence pour un mois. Avec Laurence Haddon et les Birley. Nous ne nous sommes décidés que la semaine dernière. Oh, mais si cela te désespère... je pourrais remettre.

— Bien sûr que non. Il n'en est pas question.

— Et le frère d'Alec et sa femme? Celui qui vit dans le Devon. Ils ne pourraient pas s'occuper de toi?

— Que j'aille à Chagwell, tu veux dire?

— Tu n'as pas l'air enthousiaste. Je croyais pourtant que tu avais apprécié leur compagnie, à Pâques.

— Je les aime bien, c'est vrai. Ils sont adorables. Mais ils ont cinq enfants et ce sera les vacances. Jenny aura beaucoup à faire, sans avoir besoin de s'embarrasser de mon arrivée. Et tu m'imagines, pâle et défaite, attendant qu'on me serve le petit déjeuner au lit?... Je sais trop comment on se sent après ces opérations. Complètement épuisée, à cause de l'anesthésie, je suppose. Et le bruit à Chagwell n'est jamais inférieur à un million de décibels, avec cinq gosses dans la maison...

Phyllis acquiesça, abandonnant l'idée de Chagwell. Elle chercha une solution de rechange.

— Il y a toujours Mme Abney.

— Alec ne me laisserait jamais avec Mme Abney. Elle ne peut pas supporter les escaliers.

— Et ne pourrait-on pas remettre ton opération?

— Non. J'ai demandé au Dr Hickley et elle a dit non, soupira Laura. C'est dans ces occasions, Phyllis, que je meurs d'envie de faire partie d'une grande famille. Avoir des frères et des sœurs, des cousins et des grands-parents, une mère et un père...

— Oh! chérie! s'exclama Phyllis, et Laura eut immédiatement honte de ce qu'elle venait de dire.

— Pardon... C'est stupide de dire ça.

— Peut-être que si tu engageais une infirmière, ce serait suffisant entre elle et Mme Abney?

— Et si je restais à l'hôpital?

— Ce serait ridicule... En fait, toute cette conversation est ridicule. Il est clair qu'Alec ne voudra pas te laisser. Après tout, vous en êtes encore pratiquement au voyage de noces...

— Nous sommes mariés depuis neuf mois.

— Pourquoi n'annule-t-il pas tout ça et ne t'emmène-t-il pas à Madère quand tu iras mieux?

— Il ne peut pas. Il ne peut pas partir en vacances quand bon lui semble. Il a trop de responsabilités. Et Glenshandra est une sorte de... tradition. Il y va depuis toujours, chaque mois de juillet, avec les Anstey et les Boulderstone. Il attend cela toute l'année. Rien ne change jamais. C'est ce qu'il m'a dit et c'est ce qu'il aime. Le même hôtel, la rivière, les mêmes amis... C'est sa soupape de sécurité, sa bouffée d'air frais, la seule chose qui lui permette de continuer à s'épuiser en ville le reste de l'année.

— Tu sais bien qu'il aime s'épuiser. Il aime être occupé, réussir, diriger ceci et cela.

— Et il ne peut pas abandonner les autres au dernier moment. S'il ne part pas, ils penseront tous que c'est ma faute. Mes actions vont dégringoler si je leur gâche ça...

— Je ne crois pas que tes actions auprès des Anstey et des Boulderstone aient tant d'importance que cela. Il n'y a qu'Alec qui compte, en l'occurrence.

— Tout à fait, et j'ai l'impression de le laisser tomber.

— Oh! ne sois pas ridicule. Ce n'est pas ta faute si tu fais une rechute, et tu avais envie de ces vacances en Ecosse tout autant que lui. Je me trompe?

— Oh! Phyllis, je ne sais pas. S'il n'y avait qu'Alec, ce serait différent. Quand nous sommes ensemble, juste tous les deux, je peux m'arranger. Nous pouvons être heureux. Je peux le faire rire. C'est comme d'être avec l'autre moitié de moi-même. Mais quand les autres sont là, j'ai l'impression de m'être fourvoyée dans une espèce de club dont je ne serai jamais membre, quels que soient mes efforts.

— Et le veux-tu?

— Je ne sais pas. Seulement... ils se connaissent si bien... depuis tant d'années... Alec était alors marié avec Erica. Daphné était la meilleure amie d'Erica, elle est la marraine de Gabriela. Erica et Alec avaient encore cette maison qui s'appelait Deepbrook, dans la New Forest, et ils avaient l'habitude d'y aller le week-end. Tout ce qu'ils ont toujours fait, tout ce dont ils se souviennent remonte à quinze ans et même plus.

— C'est assez décourageant, soupira Phyllis. Il n'est pas facile de lutter contre les souvenirs des autres, je sais. Mais tu aurais dû t'en douter en épousant Alec.

— Je n'ai pas réfléchi à ça. Je savais seulement que je voulais l'épouser. Je ne voulais pas penser à Erica ni à Gabriela. J'ai tout simplement fait comme si elles n'existaient pas, ce qui était assez simple puisqu'elles étaient chacune en sécurité à des kilomètres de là, de l'autre côté de l'Atlantique.

— Mais tu ne voudrais pas aujourd'hui qu'Alec s'éloigne de ses vieux amis? Les vieux amis font partie de la vie d'un homme, ils font partie de sa personne. Tu sais, ça ne doit pas être facile pour eux non plus, mets-toi à leur place.

— Sans doute, en effet.

— Est-ce qu'ils parlent d'Erica et de Gabriela?

— De temps en temps. Mais il y a alors un affreux silence et quelqu'un change aussitôt de sujet...

— Peut-être pourrais-tu amener toi-même ce sujet?

— Phyllis, comment pourrais-je faire cela? Comment pourrais-je parler de la ravissante Erica qui a laissé Alec pour un autre homme? Comment pourrais-je évoquer Gabriela, quand Alec ne l'a pas revue depuis la séparation?

— Est-ce qu'elle lui écrit?

— Non, mais lui le fait. Depuis le bureau. Un jour, sa secrétaire a oublié de poster la lettre et il l'a rapportée à la maison. J'ai vu l'adresse, tapée à la machine. Je suppose qu'il lui écrit chaque semaine. Mais on dirait qu'il ne reçoit jamais de réponse. Il n'y a pas de photo d'Erica dans la maison, seulement une de Gabriela sur sa table de nuit et un dessin qu'elle avait fait pour lui quand elle avait cinq ans. Il l'a mis dans un cadre en argent, de chez Asprey. J'ai l'impression que si la maison brûlait et qu'il ne devait emporter qu'un objet, ce serait celui-là.

— Ce dont il a besoin, c'est d'un autre enfant, dit fermement Phyllis.

— Je sais. Mais il se peut que je ne puisse pas en avoir.

— Bien sûr que si!

— Mais non, fit Laura en tournant la tête vers sa tante. Peut-être que non. Après tout, j'ai près de trente-sept ans.

— Ce n'est rien.

— Et si cette histoire se reproduit, alors je devrai subir une hystérectomie, selon le Dr Hickley.

— Laura, n'y pense pas.

— Je veux un bébé. J'en veux vraiment un.

— Tout ira bien... Cette fois-ci, tout se passera bien. Ne te déprime pas. Sois positive. Quant aux Anstey et aux Boulderstone, ils comprendront. Ce sont des gens tout à fait gentils. Je les ai trouvés charmants quand je les ai rencontrés à ce dîner que tu avais donné en mon honneur.

— Daphné aussi?

Le sourire de Laura était sarcastique.

— Elle aussi, bien sûr, dit bravement Phyllis. Je sais bien qu'elle a passé la soirée à flirter avec Alec, mais il y a des femmes qui ne peuvent s'empêcher d'agir ainsi. Même si elles sont assez âgées pour connaître la vie. Tu ne penses quand même pas qu'il y a quelque chose entre eux?

— Parfois, quand je suis un peu triste, je me le demande... Quand Erica l'a quitté, il est resté seul pendant cinq ans.

— Quelle folie... Comment peux-tu imaginer un homme de l'intégrité d'Alec ayant une aventure avec la femme de son meilleur ami? Impossible. Tu te sous-estimes, Laura. Et, ce qui est infiniment plus nocif, tu sous-estimes Alec.

Laura replaça sa tête contre le coussin du sofa et ferma les yeux. Il faisait plus frais maintenant, mais le corps de Lucy qui pesait sur ses genoux agissait comme une bouillotte.

— Que dois-je décider? dit-elle.

— Rentre chez toi, répondit Phyllis. Prends une douche et mets ta plus jolie robe. Quand Alec sera de retour, sers-lui un Martini dry et parle-lui. Et s'il veut renoncer à ses vacances pour rester avec toi, laisse-le faire.

— Mais je veux qu'il y aille! Je le veux vraiment.

— Alors, dis-le-lui. Et dis-lui que, au pire, j'annulerai Florence et que tu pourras t'installer chez moi.

— Oh! Phyllis...

— Mais je suis certaine qu'il trouvera une bonne solution et que toutes ces inquiétudes auront été vaines, alors ne perdons plus notre temps à parler de cela. (Elle regarda sa montre.) Il est près de quatre heures. Que dirais-tu d'une délicieuse tasse de thé de Chine?

2

DEEPBROOK

Ancien de Winchester et de Cambridge, analyste financier, directeur du Forbright Northern Investment Trust et directeur adjoint de la banque d'affaires Sandberg Harpers, Alec Haverstock était originaire du cœur des provinces de l'Ouest, ce qui en étonnait plus d'un.

Il était né à Chagwell, deuxième fils d'une famille qui exploitait depuis trois générations un domaine d'un millier d'acres sur les contreforts ouest de Dartmoor. La ferme, construite en pierre, était un bâtiment long et bas avec de vastes pièces faites pour recevoir de grandes familles. Solide et confortable, elle donnait au sud-ouest sur un paysage de bocage verdoyant où paissaient des troupeaux de vaches de Guernesey. Plus loin, on distinguait les riches labours qui bordaient la petite rivière de la Chag, puis, à l'horizon, c'était la Manche, souvent voilée par un rideau de bruine et de pluie, et parfois — les jours de beau temps — aussi bleue que de la soie sous le soleil.

Les Haverstock étaient une famille prolifique qui avait essaimé dans divers lieux du Devon et de la Cornouailles. Quelques-uns d'entre eux s'étaient tournés vers des professions urbaines — avocats, médecins et comptables —, mais la plupart étaient restés fermement attachés à la terre. Ces derniers se passionnaient pour l'élevage, surveillaient leurs troupeaux de moutons et de poneys qui couraient sur la lande, s'adonnaient à la pêche et, durant les mois d'hiver, se joignaient aux équipes locales pour chasser le renard. Il y avait, en général, un jeune Haverstock qui montait lors de la course annuelle du Hunt steeple-chase, et les os cassés étaient alors traités aussi légèrement qu'un rhume.

L'héritage de la terre passant traditionnellement du père au fils aîné, les fils cadets étaient obligés de regarder ailleurs pour s'installer dans la vie. Souvent, à l'instar des hommes du Devon, ils entraient dans la marine. De même qu'il y avait toujours eu des fermiers nommés Haverstock dans le pays, les listes de la marine comportaient, depuis une centaine d'années, un certain pourcentage de Haverstock, depuis les jeunes aspirants jusqu'aux commandants. Il y eut même un amiral ou deux.

Gerald, l'oncle d'Alec, avait suivi cette tradition et rejoint la Royal Navy. Chagwell devant revenir à son frère aîné, on s'était attendu qu'Alec fasse de même. Mais il était né sous une autre étoile que ses ancêtres coureurs de mers, et cela le mena dans une direction tout à fait différente. Il apparut très tôt, après un premier trimestre à l'école communale, que s'il était robuste et plein de ressources, il était aussi particulièrement intelligent. Encouragé par l'instituteur de sa petite école, il demanda et obtint une bourse pour Winchester. De là, il fut admis à Cambridge, où il étudia l'économie, et obtint son diplôme avec mention. Avant même d'avoir quitté Cambridge, il avait été repéré par un chasseur de têtes de Sandberg Harpers, qui lui proposa de travailler pour eux à Londres.

Il avait vingt-deux ans. Il s'acheta deux costumes sombres, un parapluie, un attaché-case et se lança dans ce nouveau monde excitant avec l'enthousiasme sans faille d'un Haverstock qui pousse son cheval vers un obstacle à cinq barres parallèles... Il fut nommé dans le département de l'analyse financière et c'est là qu'il rencontra Tom Boulderstone. Tom était chez Sandberg Harpers depuis six mois déjà, mais les deux jeunes gens avaient beaucoup en commun et lorsque Tom proposa à Alec de partager son appartement, celui-ci accepta sans hésiter.

Ce fut une période très heureuse. Bien qu'ils fussent tous deux très impliqués dans leur travail chez Sandberg Harpers, il leur restait assez de temps pour jouir de cette douce insouciance qui n'est en général offerte qu'une seule fois dans la vie. Le petit appartement recevait un flot de jeunes et brillantes personnes. Des soirées impromptues étaient organisées, avec platées de spaghettis et bouteilles de bière entassées dans l'évier... Alec acheta bientôt sa première voiture et, en fin de semaine, Tom et lui invitaient régulièrement quelques jeunes filles pour des séjours à la campagne, des matches de cricket ou des week-ends de chasse.

C'est Alec qui avait présenté Daphné à Tom. Alec avait été à Cambridge avec le frère de Daphné, qui lui avait demandé ensuite d'avoir la gentillesse de jeter un œil sur cette innocente créature qui venait d'atterrir à Londres pour y travailler. Alec avait accepté sans trop d'enthousiasme, jusqu'à ce qu'il découvrît avec délice que la jeune fille était aussi ravissante que drôle. Il sortit une fois ou deux avec elle et, un dimanche soir, elle l'accompagna dans l'appartement où elle cuisina pour Tom et lui les pires œufs brouillés qu'ils eussent jamais goûtés.

Malgré ce désastre, et à la surprise d'Alec, Tom tomba instantanément amoureux de Daphné. Elle résista longtemps à ses avances et continua de mener sa vie indépendante, mais Tom était tenace et la suppliait régulièrement de l'épouser, chacune de ses demandes étant rejetée avec des excuses et des atermoiements sans fin. L'humeur de Tom variait, par conséquent, de l'euphorie la plus éclatante à une tristesse noire... Ce n'est que lorsqu'il eut renoncé et décidé qu'il valait mieux s'éloigner de Daphné que celle-ci fit une soudaine *volte-face* [1]. Elle repoussa tous ses autres prétendants et lui dit qu'en définitive elle acceptait de l'épouser. Alec fut leur témoin et Daphné s'installa dans l'appartement de Tom — devenant la très jeune et très inexpérimentée Mme Boulderstone.

Alec dut alors déménager et c'est à ce moment qu'il acheta la maison d'Islington. Aucune de ses relations n'habitait Islington, mais quand il visita l'endroit pour la première fois, la maison lui sembla plus grande et plus agréable que ces petites maisons et ces *mews* [2] de poche où vivaient la plupart de ses amis. Elle avait pour autre avantage de coûter considérablement moins cher que dans les autres quartiers de Londres, tout en étant à quelques minutes du centre.

La banque accorda à Alec un crédit hypothécaire et il put s'installer. La maison était haute et étroite, mais elle possédait un vaste sous-sol dont il n'avait pas vraiment l'usage. Il passa donc une petite annonce dans un journal local et une certaine Mme Abney y répondit. C'était une veuve d'âge moyen. Son mari avait dirigé une petite entreprise de construction et elle n'avait

---

1. En français dans le texte. *(N.d.T.)*
2. Ecuries transformées en appartements de luxe. *(N.d.T.)*

pas d'enfant... sinon Dick, son canari. Il n'était pas question qu'elle l'abandonne. Alec lui assura qu'il n'avait rien contre les canaris et Mme Abney s'installa donc au sous-sol. Cet arrangement leur convenait à tous les deux, Mme Abney ayant trouvé un logement et Alec une personne qui pouvait surveiller et entretenir la maison... et repasser ses chemises.

Alec était chez Sandberg Harpers depuis cinq ans quand il fut muté à Hong Kong.

Tom restait à Londres et Daphné en fut violemment jalouse.

— Je ne comprends pas pourquoi tu y vas et pas Tom.

— Il est plus intelligent que moi, dit bravement Tom.

— Pas du tout. Il est seulement plus costaud et plus élégant.

— Ecoute, ça suffit!

Daphné éclata de rire. Elle adorait quand Tom jouait à faire de l'autorité.

— De toute façon, mon cher Alec, reprit-elle, tu vas beaucoup t'amuser et je vais te donner les coordonnées de ma meilleure amie. Elle vit là-bas chez son frère.

— Il travaille à Hong Kong?

— Sûrement un Chinois, dit Tom.

— Cesse de faire l'idiot.

— M. Hoo Flung Dung... plaisanta Tom.

— Tu sais parfaitement que le frère d'Erica n'est pas chinois. Il est capitaine aux Queen's Loyals.

— C'est ton amie Erica, dit Alec.

— Oui. Erica Douglas. Elle est terriblement sexy, drôle et tout ce qu'on veut.

— Et elle a un bel appétit... murmura Tom qui commençait à s'énerver.

— Oh, d'accord! Si tu veux tout gâcher!... (Daphné se retourna vers Alec.) Ce n'est pas vrai. Elle est simplement quelqu'un de merveilleux, de terriblement attirant.

Alec lui affirma qu'il n'en doutait pas. Et quand il fut arrivé à Hong Kong, une semaine plus tard, il se mit à la recherche d'Erica. Il la trouva, qui vivait avec des amis dans une belle maison sur les hauteurs de la ville. Un domestique chinois ouvrit la porte et le conduisit à travers la maison, jusqu'à une terrasse ombragée qui surplombait un jardin baigné de soleil et une piscine bleue de forme oblongue. « Mademoiselle Erica est en train de nager », lui dit le domestique avec un geste aimable de la main. Alec le remercia et descendit l'escalier. Six ou sept personnes se trouvaient autour de la piscine. Alors qu'il s'approchait, un homme plus âgé qui l'observait depuis son arrivée se leva de sa chaise longue pour l'accueillir. Alec se présenta et expliqua la raison de sa visite. L'homme sourit et se tourna vers la piscine.

Une jeune fille était en train de nager, seule, remontant et descendant le long de la piscine en un crawl parfait.

— Erica !

Elle se retourna sur le dos, aussi à l'aise et brillante qu'une loutre. Ses cheveux noirs collaient à son visage.

— Quelqu'un pour toi.

Elle nagea jusqu'au bord et sortit sans effort de l'eau. Elle était très belle. Grande, avec de longues jambes fuselées couleur de bronze. Elle s'avança vers le jeune homme, son visage et son corps brillants de gouttelettes d'eau.

— Bonjour, dit-elle en souriant d'un large sourire franc qui découvrait de belles dents blanches. Vous êtes Alec Haverstock, je présume. Daphné m'a écrit... J'ai reçu sa lettre hier. Venez donc prendre un verre.

Alec eut peine croire en une pareille chance. Il invita Erica à dîner le soir même et, après cela, ils ne se quittèrent pratiquement plus. Comparé au Londres brumeux et nuageux, Hong Kong semblait un immense champ de foire plein de plaisirs à portée de main... Un champ de foire grouillant de monde, où pauvreté et richesse se côtoyaient à chaque coin de rue ; un monde de contrastes qui choquait et ravissait à la fois. Un monde de chaleur, de soleil et de ciel bleu.

Il y avait soudain tant de choses à faire... Ils nageaient et jouaient ensemble au tennis, ils montaient à cheval au petit matin et naviguaient à bord du petit canot du frère d'Erica, sur les eaux bleues et frémissantes de Repulse Bay. Et le soir, ils se laissaient prendre au scintillement et au charme de la vie sociale trépidante de Hong Kong. Des dîners étaient donnés dans des endroits dont le luxe semblait inouï à Alec. On se rendait à des cocktails sur les paquebots en escale. Chaque événement, chaque anniversaire était prétexte à une fête ; anniversaire de la reine, commémoration des batailles navales... Pour ces deux jeunes gens sur le point de tomber amoureux, la vie semblait d'une richesse sans limite ; et il vint rapidement à l'esprit d'Alec qu'Erica était en elle-même le bien le plus précieux de ce trésor. Un soir, en rentrant d'un dîner, il lui demanda sa main. Elle eut un de ses petits cris typiques qui exprimaient un plaisir sans borne et se jeta dans ses bras, manquant de lui faire quitter la route.

Ils se retrouvèrent le lendemain et achetèrent une bague de fiançailles ornée du plus gros saphir qu'Alec pouvait offrir. Le frère d'Erica donna une réception au mess des officiers, où l'on absorba une quantité extraordinaire de champagne.

Les deux jeunes gens furent mariés par l'évêque de la cathédrale de Hong Kong. Les parents d'Erica étaient venus de Londres pour la cérémonie, et la jeune femme portait une robe de soie blanche incrustée de dentelle. Les mariés passèrent leur lune de miel à Singapour puis rentrèrent à Hong Kong.

Leur première année de vie commune se déroula ainsi en Extrême-Orient, mais le rêve devait avoir une fin... Alec avait terminé sa mission et fut rappelé à Londres. Ils rentrèrent au mois de novembre — période de l'année en soi déjà terriblement déprimante — et se rendirent à Islington. Alec prit Erica dans ses bras pour lui faire passer le seuil de la maison, ce qui permit au moins à la jeune femme de garder les pieds au sec malgré le déluge de pluie qui tombait sur eux.

Erica ne fut pas emballée par la maison. La regardant au travers des yeux de sa femme, Alec dut admettre que la décoration manquait d'inspiration. Il demanda à Erica de changer tout ce qu'elle souhaiterait. Il paierait la note. Cette tâche délicieuse l'occupa plusieurs mois et, au moment où la maison était pratiquement reconstruite, redécorée et meublée selon le goût d'Erica, ce fut la naissance de Gabriela.

Tenir sa fille dans ses bras pour la première fois représenta une expérience inoubliable pour Alec. Rien ne l'avait préparé à l'émoi, la tendresse et la fierté qu'il ressentit quand il fit glisser le châle qui recouvrait la tête du bébé et vit pour la première fois son petit visage chiffonné. Il scruta le bleu brillant de ses yeux grands ouverts, ses sourcils haut placés, son grand front et la touffe de cheveux noirs et soyeux qui se dressait sur sa tête.

— Elle est jaune, dit Erica. On dirait une Chinoise.

— Elle n'est pas vraiment jaune, rétorqua Alec.

Quelques mois après la naissance de sa fille, il fut de nouveau envoyé en Extrême-Orient, au Japon, cette fois. Mais tout avait changé pour lui et il eut presque honte de la répugnance qu'il éprouvait à laisser son enfant, même pour trois mois. Il ne confia ce sentiment à personne, pas même à Erica.

Surtout pas à Erica, en vérité. Erica n'était pas faite pour être mère de famille. Elle avait toujours été plus intéressée par les chevaux que par les enfants, et elle n'avait guère ressenti d'enthousiasme quand elle avait appris qu'elle était enceinte. Les contraintes physiques de la grossesse la révoltaient... Elle détestait ses seins gonflés et son ventre qui grossissait. La longue attente l'ennuyait et le plaisir de décorer la maison ne lui faisait pas oublier les nausées matinales, la lassitude et les périodes de fatigue.

A présent, elle était furieuse qu'Alec parte sans elle en Extrême-Orient. Elle lui en voulait d'être indépendant alors qu'elle-même devait rester en arrière à moisir à Londres à cause de Gabriela.

— Ce n'est pas la faute de Gabriela, dit Alec. Même si nous ne l'avions pas eue, tu n'aurais pas pu m'accompagner, ma mission ne le permet pas.

— Et que dois-je faire de moi-même, pendant que tu feras la cour aux geishas?

— Tu pourrais t'installer chez ta mère.

— Je ne veux pas aller chez elle. Elle se tracasse tant pour Gabriela que j'ai toujours envie de hurler.

— Bien, alors je vais te dire... (Elle était allongée sur leur lit pendant cette conversation et il s'assit auprès d'elle, posant la main sur la courbe soyeuse de sa hanche.) Tom Boulderstone ne cesse de me parler d'une idée qu'il vient d'avoir. Il veut aller passer le mois de juillet avec Daphné en Ecosse... pour la pêche. Les Anstey y vont aussi et ils pensaient que nous pourrions nous joindre à leur groupe.

— Où cela en Ecosse? demanda Erica après un moment de réflexion.

Elle semblait toujours mécontente, mais Alec comprit qu'il avait réussi à retenir son attention.

— Dans le Sutherland. Cela s'appelle Glenshandra. Il y a un hôtel merveilleux, avec une nourriture excellente et tu n'aurais rien d'autre à faire que t'amuser.

— Je sais. Daphné m'en a parlé. Ils y sont allés l'année dernière.

— Tu aimeras la pêche, j'en suis sûr.

— Et Gabriela?

— Ta mère pourrait s'en occuper? Qu'en penses-tu?

Erica se retourna sur le dos, repoussa une mèche de cheveux de ses yeux et regarda son mari. Elle commença à sourire.

— Je préférerais aller au Japon, dit-elle.

Alec se pencha sur elle, embrassant cette bouche qui souriait.

— Et quoi d'autre? demanda-t-il.

— Quoi d'autre...

La vie continua sur ce modèle. Les années glissèrent. La carrière d'Alec prenait de l'ampleur. Ses responsabilités s'accrurent à mesure qu'il avançait sur la route du succès. Gabriela eut quatre ans. Puis elle en eut cinq et entra à l'école. Quand Alec avait le temps de songer à sa vie de famille, il se disait qu'elle devait être aussi heureuse que celle de ses amis. Il y avait des hauts et des bas, bien sûr, mais c'était inévitable. Et puis — comme une récompense qui attendait d'être décernée au bout d'une longue course —, il y avait ces vacances en Ecosse, qui étaient devenues l'événement annuel. Erica elle-même les adorait, ces vacances, elle les attendait avec autant d'impatience qu'Alec. Possédant les qualités naturelles d'un athlète — la vivacité et un regard perçant —, elle était devenue experte à la pêche à la mouche. Le jour où elle ferra son premier saumon, elle éclata en un mélange de rire et de larmes, et le spectacle de cette excitation enfantine aurait pu ranimer l'amour qu'Alec avait éprouvé pour elle.

Ils étaient heureux en Ecosse. Les journées s'écoulaient sans souci. Comme si un vent frais s'était mis à souffler dans une vieille maison, dispersant la tristesse, rafraîchissant l'air vicié.

Quand Gabriela fut assez grande, ils l'emmenèrent avec eux.

— Elle va être un problème, avait dit Erica.

Elle se trompait. Ce n'était pas une enfant difficile. Elle était charmante et c'est à Glenshandra qu'Alec se mit vraiment à connaître sa fille, lui parler, l'écouter ou, simplement, jouir de son silence quand elle s'asseyait sur la berge pour le regarder s'avancer dans l'eau brune et boueuse.

Mais Glenshandra ne suffisait plus. Erica ne se calmait pas. Elle continuait de reprocher à Alec ses voyages à l'étranger, cette façon de l'abandonner constamment pour visiter de merveilleux pays. Chaque fois qu'il partait, ils se disputaient et lui s'envolait malheureux, avec dans la tête le souvenir de la scène furieuse qu'Erica lui avait faite. Elle ne supportait plus la maison. Elle la trouvait trop petite maintenant, elle s'y ennuyait. Elle s'ennuyait à Londres. Et elle se demandait si elle allait oser avouer à Alec qu'elle s'ennuyait aussi près de lui.

Il pouvait se montrer têtu. Au terme d'une journée longue et fatigante, notamment, quand une épouse maussade l'accueillait au salon... Il lui confirma qu'il n'avait pas l'intention de quitter cette maison pour en acheter une plus grande, dans un quartier chic de Londres. Cela lui coûterait une fortune et l'obligerait à des trajets plus longs encore.

Erica devint soudain folle de rage.

— Tu ne penses qu'à toi! Ce n'est pas toi qui passes tes journées enfermé dans cette maison immonde, au fond d'Islington. Et Tom et Daphné? N'ont-ils pas acheté une maison sur Campden Hill?

C'est à ce moment-là qu'Alec comprit qu'il se pouvait qu'un jour son mariage avec Erica fît naufrage. Elle l'accusait de ne penser qu'à lui-même et, bien que ce ne fût pas tout à fait vrai, il était indéniable que le plus clair de son temps était absorbé par son travail, à l'exclusion de toute autre chose. La situation était bien différente pour Erica. Les soins de la maison et la vie de mère de famille ne lui suffisaient plus et, bien que leurs soirées fussent prises par des sorties au point qu'Alec avait l'impression de ne jamais dîner chez lui, il était naturel que l'énergie d'Erica réclamât d'autres occupations.

Quand elle eut déversé le chapelet de ses plaintes et qu'elle se fut tue, il lui demanda ce qu'elle voulait.

Elle le lui dit.

— Je veux de l'espace. Un plus grand jardin. De l'espace pour Gabriela. C'est ça que je veux. De l'espace et de la liberté. Des arbres. Un endroit où monter à cheval. Tu sais, je n'ai plus fait cela depuis Hong Kong, avant je montais chaque jour. Je veux un endroit où pouvoir être quand tu es en déplacement. Je veux pouvoir inviter des gens. Je veux...

Ce qu'elle voulait, c'était évidemment une maison de campagne.

Alec la lui acheta. Dans la New Forest. C'est Erica qui la trouva, après trois mois de recherches frénétiques. Alec inspira bien à fond et signa l'énorme chèque qu'on lui réclamait.

C'était un compromis, mais il avait reconnu les signaux d'alarme que sa femme lui envoyait désespérément. Et puis sa situation financière lui permettait de supporter cette nouvelle charge. Etait-ce d'ailleurs vraiment une charge? Cela allait signifier des week-ends à la campagne et des vacances pour Gabriela, sans compter que ce genre de propriété, avec l'inflation, était toujours un bon investissement.

La maison s'appelait Deepbrook. Datant du début de l'ère victorienne, sainement bâtie, elle comprenait de nombreuses chambres, une serre, un grand jardin et une prairie d'un hectare pour les chevaux. Une énorme glycine mauve courait sur la façade, un grand cèdre était planté au milieu de la pelouse et il y avait une quantité de rosiers tout à fait charmants qui croulaient sous leurs fleurs.

Erica était enfin heureuse. Elle meubla la maison, dénicha un jardinier, acheta un couple de chevaux pour elle-même et un poney pour Gabriela. La petite fille avait maintenant sept ans mais elle n'aimait pas beaucoup son poney. Elle préférait passer des heures à jouer sur la balançoire qu'Alec avait fixée au cèdre.

Tout en offrant l'apparence d'une bonne entente, Gabriela et sa mère n'avaient pas grand-chose en commun. Quand la fillette eut huit ans, Erica commença à évoquer l'idée de la pension. Alec fut épouvanté. Il n'approuvait déjà pas que l'on envoie en pension des petits garçons d'un âge aussi tendre, alors sa fille... La dispute se poursuivit un moment, sans aboutir. Puis Alec dut partir trois mois à New York.

Il n'y eut cette fois-ci ni plainte, ni récrimination. Erica entraînait un jeune cheval pour la compétition et elle laissa Alec partir sans presque un regard, occupée qu'elle était par sa nouvelle passion. Alec espérait qu'au moins elle n'aurait pas de nouvelles idées, mais quand il rentra de New York, elle lui annonça avoir trouvé le plus parfait petit pensionnat pour Gabriela : elle l'y avait inscrite et l'enfant commencerait dès le trimestre suivant.

C'était un dimanche. Alec avait atterri à Heathrow le matin même et avait roulé directement jusqu'à Deepbrook. Et Erica l'avait mis devant le fait accompli alors qu'il lui servait un verre. C'est là qu'ils eurent leur plus grave dispute, face à face devant la cheminée comme deux adversaires.

— Tu n'avais pas le droit...

— Je t'avais dit que je le ferais.

— Je t'avais dit, moi, que tu ne devais pas. Je ne veux pas que tu te débarrasses de Gabriela en l'envoyant en pension.

— Je ne me débarrasse pas d'elle. Je l'y envoie, c'est tout. Pour son bien.

— Qui es-tu pour décider de ce qui est bon pour elle?

— Je sais au moins ce qui n'est pas bon. Rester dans cette petite classe miteuse à Londres. C'est une enfant intelligente...

— Elle n'a que dix ans.

— ... Et elle est fille unique. Elle a besoin de compagnie.

— Tu pourrais lui en donner si tu n'étais pas si occupée avec ces fichus chevaux!

— C'est parfaitement faux. Et d'ailleurs pourquoi devrais-je me passer de mes chevaux? Dieu sait que j'ai donné de mon temps pour m'occuper de Gabriela... Et tu ne m'as pas beaucoup aidée, tu es absent la moitié du temps. (Elle arpentait la pièce.) Et j'ai essayé de l'intéresser à ce que je fais... Dieu sait que j'ai essayé. Je lui ai acheté ce petit poney mais elle préfère regarder la télévision ou lire des livres. Alors comment pourrait-elle se faire des amis?

— Je ne veux pas qu'elle aille en pension.

— Oh! pour l'amour de Dieu, cesse d'être aussi égoïste...

— Je pense à elle, tu ne comprends pas? Je pense à Gabriela.

Alec était blême de rage. Il ressentait sa colère comme quelque chose de physique, qui battait durement contre sa poitrine. Erica ne répliqua pas. Elle avait tourné les yeux vers l'autre bout de la pièce et s'était soudainement figée. Elle ne regardait plus Alec, mais fixait un point derrière lui. Son expression ne changea pas. Elle demeurait la même, calme et déterminée, les mains jointes, et son visage semblait vidé de son sang, au-dessus du rouge écarlate de son gilet.

Devant ce silence, Alec reposa son verre et tourna la tête. Gabriela se tenait derrière lui, dans l'embrasure de la porte. Elle portait un vieux jean et un sweat-shirt orné d'un grand Snoopy. Elle était pieds nus, ses longs cheveux bruns descendant sur ses épaules comme un rideau de soie.

Il la regarda un long moment dans les yeux. Elle finit par détourner le regard et resta là, à jouer avec le bouton de porte, attendant qu'on lui dise quelque chose, n'importe quoi.

Alec prit une profonde inspiration.

— Qu'est-ce qu'il y a? demanda-t-il.

— Rien. (Elle haussa les épaules.) Je vous ai entendus.

— Je suis navré.

— J'ai parlé à papa pour l'école, Gabriela, dit Erica. Il ne veut pas que tu y ailles. Il pense que tu es trop petite.

— Qu'en penses-tu, toi? demanda doucement Alec.

Gabriela recommença à jouer avec le bouton de porte.

— Ça m'est égal, dit-elle finalement.

Il savait qu'elle dirait n'importe quoi pour que ses parents cessent de se quereller et il s'aperçut soudain, tandis que sa colère faisait place à de la tristesse, qu'il n'avait qu'une alternative : ou bien il faisait de ce problème une question de principe, ce qui signifiait que Gabriela serait mêlée à la dispute, ou bien il cédait. Quelle que fût sa décision, il savait que Gabriela serait perdante.

Plus tard, après qu'elle eut pris son bain et se fut changée, il alla dans sa chambre pour lui souhaiter bonne nuit. Elle était en chemise de nuit et en chaussons, et regardait la télévision, agenouillée dans l'obscurité. Alec s'assit sur le lit et observa son visage, son profil, ses traits illuminés par la lueur de l'écran. A dix ans, elle n'était pas aussi mignonne qu'elle l'avait été ni aussi belle qu'elle le serait, mais elle lui parut si précieuse, si vulnérable qu'il crut que son cœur allait se déchirer à la pensée de ce qui attendait sa fille.

Quand l'émission prit fin, elle se leva et éteignit le poste, avant d'allumer sa lampe de chevet et d'aller tirer les rideaux. C'était une enfant très ordonnée. Alec s'approcha, la prit par le bras et l'attira vers lui. Elle s'assit sur ses genoux et il l'embrassa.

— La dispute est oubliée, dit-il doucement. Je suis navré, nous n'aurions pas dû faire tant de bruit. J'espère que tu ne nous en veux pas.

Gabriela posa la tête contre son épaule; il lui caressa les cheveux.

— La plupart des enfants vont en pension un jour ou l'autre, dit-elle.

— Ça t'ennuie?

— Tu viendras me voir?

— Bien sûr. Chaque fois que je pourrai. Et puis il y aura toutes les vacances scolaires.

— Maman m'a emmenée voir l'école.

— Qu'en as-tu pensé?

— Ça sentait l'encaustique... Mais la directrice avait l'air gentille. Elle est assez jeune. Et elle veut bien qu'on apporte ses ours en peluche.

— Ecoute... Si tu ne veux vraiment pas y aller...

Gabriela s'écarta de son père, haussant les épaules.

— Ça m'est égal, fit-elle.

C'était tout ce qu'Alec pouvait faire... Il l'embrassa et redescendit au rez-de-chaussée.

Une fois de plus, Erica avait gagné. Trois semaines plus tard, Gabriela, en serrant son ours contre la veste de son uniforme gris, entra dans sa nouvelle école. Pour Alec c'était comme laisser là-bas une partie de lui-même et il lui fallut du temps pour supporter de rentrer le soir dans une maison quasiment vide.

Leur style de vie changea totalement. Libérée de la responsabilité de Gabriela, Erica trouvait des excuses sans fin pour ne plus venir à Londres et rester à la campagne. Il y avait un nouveau cheval à dresser, une compétition à préparer ou un gymkhana à organiser... Alec eut vite l'impression qu'ils n'étaient plus jamais ensemble. Parfois, quand il y avait une soirée à Londres, ou quand Erica avait besoin d'aller chez le coiffeur ou de s'offrir une nouvelle robe, il lui arrivait de se rendre en ville au milieu de la semaine. Quand Alec rentrait le soir, il trouvait alors la maison d'Islington pleine de fleurs qu'elle avait rapportées de Deepbrook. Il distinguait aussi le parfum d'Erica. Il remarquait son manteau de fourrure posé sur la rampe de l'escalier et il entendait sa voix qui bavardait avec une amie... probablement Daphné.

— ... pour un jour ou deux seulement, disait-elle. Tu vas à la soirée des Ramsey? Bon, alors pourquoi ne pas déjeuner ensemble demain? Au Caprice? D'accord, disons une heure. Je réserve la table.

Quand Erica s'absentait, Mme Abney s'occupait d'Alec. Elle remontait lourdement du sous-sol pour venir lui servir un pâté en croûte ou un ragoût qui avait mijoté dans sa cuisine. Souvent, le soir, il s'asseyait seul, regardait la télévision ou lisait un journal, un whisky-soda à la main.

Ne fût-ce que pour le bien de Gabriela, il était important de sauver la face et de donner l'image d'un mariage sans histoire. Ses efforts ne convainquaient personne sinon lui-même, mais quand Alec était à Londres, le vendredi soir — ses voyages à l'étranger se multipliant —, il ne manquait jamais de se rendre à Deepbrook.

Pourtant, là aussi, les choses avaient changé. Erica lançait des invitations. On aurait dit qu'elle bâtissait une sorte de muraille défensive contre Alec, comme si l'idée de passer quelques heures seule avec son mari lui était devenue intolérable. A peine s'était-il péniblement extrait de sa voiture qu'il se retrouvait à accueillir de nouveaux arrivants, à porter des valises, préparer des boissons ou ouvrir le vin. Naguère, il avait pu apprécier le caractère apaisant du jardinage : tailler une haie, tondre la pelouse... choisir le moment pour rempoter et celui pour planter, pour désherber les massifs de roses, scier quelques bûches ou encore réparer une barrière branlante.

Mais maintenant il devait s'occuper de tant de gens qu'il n'avait plus un instant à lui. Il était un hôte bien trop courtois et consciencieux pour perdre patience devant ces invités exigeants et refuser de leur détailler les merveilles de la région ; leur indiquer la route pour le jardin botanique ; installer leurs chaises de jardin et leur servir leurs maudits verres d'alcool.

Un samedi soir du caniculaire été 1976, Alec monta dans sa voiture, claqua la portière et se mit en route pour Deepbrook. Il aimait Londres, y avait sa maison et, comme Samuel Pepys, n'en était jamais rassasié. Mais cette fois-ci, il quittait la ville avec soulagement. Cette chaleur étouffante, ces orages qui n'éclataient jamais, cette poussière et cette saleté répandues partout le déprimaient. Les parcs, d'habitude si verts, étaient jaunes et secs comme des morceaux de désert... L'herbe rase semblait morte et, ici et là, on remarquait une mauvaise herbe sinistre. L'air lui-même était saturé, immobile, les portes des maisons restaient ouvertes le soir pour accueillir une brise qui ne venait pas, et le soleil qui sombrait à l'horizon, orange dans le ciel blême, ne promettait rien d'autre qu'un lendemain étouffant.

En roulant, Alec repoussa les problèmes de la semaine au fond de son esprit. Ses responsabilités étaient maintenant si importantes qu'il y était contraint. C'était pour lui une sorte d'auto-discipline, qui avait le mérite de clarifier et rafraîchir ses pensées. De plus, son subconscient lui présentait souvent, le lundi matin, une solution originale à un problème qui l'avait occupé plusieurs jours.

Alors qu'il se dirigeait vers le sud, à travers la banlieue écrasée de chaleur, il songea aux deux journées qui l'attendaient. Il ne craignait pas trop ce week-end. Il l'attendait même avec une certaine impatience. Pour une fois, la maison ne serait pas envahie par des inconnus. Erica et lui n'étaient rentrés de Glenshandra que depuis un mois et la jeune femme avait invité cette fois les Anstey et les Boulderstone.

— Nous prendrons du bon temps, leur avait-elle dit. Nous parlerons de Glenshandra et de nos exploits de pêcheurs.

Et puis, Gabriela serait là. Elle avait treize ans, maintenant. Cet été-là, Alec lui avait acheté une petite canne à pêche et elle s'était beaucoup amusée avec Jamie Rudd, le gardien, à en apprendre l'utilisation. L'école, qui avait tant fait peur à Alec, s'était révélée parfaite, aussi étrange que cela pût paraître, un succès complet. Erica n'était pas si sotte et elle avait soigneusement sélectionné l'établissement qui répondrait aux besoins de sa fille. Il fallait avouer qu'après un ou deux trimestres de mélancolie, Gabriela s'était parfaitement intégrée et s'était fait de nombreuses amies. Et puis avoir les Boulderstone et les Anstey à la maison, c'était comme recevoir des membres de sa famille. Ils étaient venus si souvent qu'ils étaient autonomes. Peut-être Alec réserverait-il un après-midi qu'il passerait seul avec Gabriela. Ils pourraient aller nager. Cette simple idée le submergea de plaisir. Il venait d'atteindre l'autoroute et il put prendre de la vitesse. Sa voiture puissante fit un bond en avant.

Il faisait tout aussi chaud qu'à Londres dans la New Forest, mais au moins était-ce la campagne. Deepbrook semblait assoupi. L'ombre du cèdre tachait de noir la pelouse et les roses répandaient leur parfum dans l'air du soir. On avait tiré le store au-dessus de la terrasse, ce qui dispensait de l'ombre sur les fauteuils du jardin. Pour conserver le plus de fraîcheur possible, Erica avait fermé tous les rideaux. Cela donnait à la maison un air étrange, comme si les fenêtres avaient été des yeux aveugles.

Alec gara sa voiture sous l'ombre avare d'un bouleau argenté et sortit. Il était content de se dégourdir les jambes et de se débarrasser d'un début de crampe à l'épaule. Il entendit Gabriela appeler « Papa! », avant de la voir courir vers lui. Elle portait un bikini et des sandales en caoutchouc. Ses cheveux étaient relevés en chignon et cela lui donnait un air très adulte. Elle portait au creux de son bras un bouquet de fleurs jaunes.

— Regarde, dit-elle, des boutons-d'or.

— Où les as-tu trouvés?

316

— Près du ruisseau. Maman voulait fleurir la table du dîner et tout est en train de mourir dans le jardin. Tu sais qu'on n'a pas le droit d'arroser. Bien sûr, on triche un peu, mais il ne reste pas grand-chose à cueillir... Comment vas-tu? demanda-t-elle en se haussant sur la pointe des pieds pour l'embrasser. Il fait chaud, n'est-ce pas? Une véritable étuve.

Il lui accorda qu'il faisait très chaud et retourna à sa voiture. Il sortit sa valise et rejoignit Gabriela pour remonter vers la maison.

— Où est maman? demanda-t-il en la suivant dans la cuisine.

— Elle doit être dans les écuries, je crois. (La fillette remplit un vase d'eau et disposa les fleurs. Alec ouvrit le réfrigérateur et se servit un verre de jus d'orange.) Elle m'a demandé de mettre la table parce qu'elle n'aurait pas le temps. Les autres ne sont pas encore arrivés... Je veux dire les Boulderstone et les Anstey. Viens voir la table et dis-moi si je ne me suis pas trompée. Maman sera furax si j'ai oublié quelque chose.

La salle à manger, avec les rideaux tirés, était plongée dans l'obscurité et répandait un vague relent d'anciennes réceptions, de cigare et de vin. Gabriela alla ouvrir les rideaux.

— Il fait plus frais, maintenant. Maman serait d'accord.

Une lumière dorée envahit la pièce au travers des fenêtres à petits carreaux, faisant étinceler l'argenterie, le cristal et le verre. Alec inspecta la table et dit à Gabriela que c'était parfait. Ce qui était vrai. Elle avait choisi une nappe en lin blanc et des serviettes jaune pâle. Les bougies, dans les chandeliers en argent, étaient jaunes, elles aussi.

— C'est pour ça que j'ai pensé aux boutons-d'or, dit-elle. Ça va avec le reste. J'ai pensé à les mettre dans un bol en argent. Maman fait si bien les bouquets... Qu'est-ce qui se passe? ajouta-t-elle en regardant Alec.

Il avait les sourcils froncés.

— Tu as mis le couvert pour huit. Je croyais que nous ne serions que six.

— Sept avec moi. Je dîne avec vous. Et puis il y aura un monsieur qui s'appelle Strickland Whiteside.

— Strickland Whiteside? (Il faillit rire devant un nom aussi grotesque). Qui peut bien être ce... Strickland Whiteside?

En répétant ce nom, une corde familière se mit à jouer au fond de sa mémoire. Il l'avait déjà entendu.

— Oh! papa, mais c'est le nouveau favori de maman... Il est

très connu. C'est un Américain épouvantablement riche. Il vit en Virginie et il fait beaucoup de cheval.

La mémoire lui revint totalement. Alec claqua des doigts.

— C'est ça. Je savais qu'on m'en avait parlé. Il y avait un article dans *The Field* sur lui et ses chevaux. Sur l'un en particulier. Une bête énorme, de la taille d'un éléphant.

— C'est ça. Il s'appelle White Samba.

— Et que fait ce monsieur quand il n'est pas à cheval?

— Il ne fait rien d'autre. Il ne va pas au bureau. Rien d'ennuyeux comme ça. Il monte, c'est tout. Il a une grande maison sur la rivière James et des hectares de prairie — il m'a montré des photos —, et il a gagné des tas d'épreuves de jumping en Amérique. Il est venu ici pour entraîner quelques-uns de nos chevaux.

— Ça me semble formidable.

Gabriela éclata de rire.

— Tu connais les amis de maman qui sont dingues de chevaux... Mais en fait, il est assez gentil... d'une façon un peu écrasante.

— Il va rester ici?

— Oh! non, il n'en a pas besoin. Il s'est installé dans une maison à Tickleigh.

Alec commençait à être intrigué.

— Où est-ce que maman l'a rencontré?

— Au Alverton Horse Show, je crois. Je n'en suis pas sûre. Dis-moi, est-ce que j'ai mis les bons verres à vin? Je me trompe toujours entre le sherry et le porto.

— Non. Tout est bien, fit-il en souriant. Devons-nous l'appeler Strickland? Si je dois l'appeler comme ça, je ne suis pas certain de garder mon sérieux.

— Tout le monde l'appelle Strick.

— C'est encore pire, observa Alec.

— Oh! il n'est pas si mal. Et pense au plaisir que Daphné Boulderstone aura à lui faire les yeux doux... Il n'y a rien qu'elle préfère à un nouvel homme, ça nous changera de ce vieux raseur d'Anstey.

— Et ton vieux raseur de père?

Gabriela passa les bras autour de la taille d'Alec et appuya la joue contre sa poitrine.

— Tu ne seras jamais un raseur, toi. Tu es juste super, adorable et gentil.

Elle se recula, l'air préoccupée.

— Bon, il faut que je fasse quelque chose pour ces boutons-d'or.

Alec se prélassait dans un bain froid quand il entendit Erica monter et entrer dans leur chambre. Il l'appela et elle apparut par la porte ouverte, les bras croisés et une épaule appuyée contre le mur. Elle était très bronzée et semblait avoir eu très chaud. Elle semblait fatiguée aussi. Elle avait tiré ses cheveux bruns en arrière et les avait retenus avec un mouchoir en coton. Elle portait un vieux jean fatigué, des bottes d'équitation et une chemise qui avait appartenu à Alec. C'était son uniforme de cavalière.

— Salut, dit-il.

— Bonsoir. Tu es arrivé vite. Je ne t'attendais pas si tôt.

— Je voulais me rafraîchir avant que les autres n'arrivent.

— Comment était Londres?

— Un four.

— Il a fait chaud ici aussi. Nous manquons d'eau.

— On m'a dit qu'il y avait un invité ce soir.

Erica soutint son regard et sourit.

— Gabriela te l'a dit?

— Il a l'air intéressant.

— Je ne sais pas si tu le trouveras particulièrement intéressant, mais j'ai pensé qu'il serait bien de l'inviter ce soir pour qu'il fasse la connaissance de notre petit groupe.

— Tu as eu raison. Peut-être nous découvrirons-nous des amis américains en commun et pourrons-nous en parler. Qu'as-tu prévu comme dîner?

— Du saumon fumé et puis des perdrix.

— Très chic. Vin blanc ou rouge?

— Un peu des deux, non? Ne te mets pas en retard, veux-tu, Alec? J'aimerais prendre un bain moi aussi et il fait trop chaud pour se presser.

Elle retourna dans la chambre. Il l'entendit qui ouvrait les tiroirs de sa commode. Il l'imaginait se tenant devant le miroir, décidant de ce qu'elle allait mettre. Il essora l'éponge pensivement et attrapa sa sortie-de-bain.

Les invités étaient tous assis et Alec se déplaçait autour de la table pour servir le vin. Les fenêtres de la salle à manger étaient grandes ouvertes. Il faisait encore clair à l'extérieur, et très chaud. Il n'y avait pas la moindre brise sur le jardin assoupi dans l'air parfumé du soir. La flamme des bougies éclairait faiblement la table, se reflétant doucement sur le cristal et sur l'argent. Les boutons-d'or, d'un jaune brillant, semblaient étinceler d'une lumière intérieure.

Alec reposa la bouteille de vin sur une desserte et reprit sa place en bout de table.

— ... Bien sûr, vous allez sans doute penser que ça doit être terriblement ennuyeux après les rivières furieuses des Etats-Unis, mais il y a quelque chose de spécial à Glenshandra. Nous adorons tous cet endroit... Nous sommes comme des enfants, là-bas.

C'était Daphné, qui monopolisait la conversation sans reprendre son souffle.

Strickland, ou Strick — Alec ne parvenait pas à décider quel nom était le plus malsonnant —, prit une expression modeste.

— Je ne suis pas un grand spécialiste de la pêche, je dois avouer.

— Non, bien sûr, que je suis bête... vous n'auriez pas le temps.

— Pourquoi n'aurait-il pas le temps? demanda Tom.

— Voyons, chéri, comment pourrait-il l'avoir avec toute cette préparation pour des concours équestres internationaux?

— Equestres?... (C'était George.) Daphné, j'ignorais que tu connaissais des mots aussi compliqués.

Elle lui fit une grimace et Alec revit soudain la jeune fille qu'elle n'était plus depuis longtemps.

— C'est le mot correct, non?

— Tout à fait, dit Strickland.

— Oh! merci. Vous êtes adorable de prendre mon parti.

Elle piqua de sa fourchette une fine tranche de saumon fumé.

Erica avait placé les invités comme à son habitude. Alec présidait en bout de table, mais elle-même s'était placée de côté, laissant l'autre extrémité à Strickland Whiteside, en sa qualité d'invité d'honneur. Alec et lui se faisaient donc face d'un bout à l'autre de la table. En fait, bien qu'ainsi placés, ils ne pouvaient guère s'observer, à cause des chandeliers d'argent qui leur masquaient en partie la vue. Quand c'était Erica qui s'asseyait là, Alec s'en irritait car pour lui dire un mot ou lui adresser un regard, il

320

fallait opérer toute une manœuvre. Mais, ce soir-là, il n'y vit pas d'inconvénient.

Il voulait profiter du dîner sans être toujours conscient du regard déconcertant de Strickland Whiteside, avec ses yeux d'un bleu pâle.

Daphné et Erica encadraient Strickland, et Marjorie Anstey et Gabriela étaient assises de chaque côté d'Alec. Tom et George se faisaient face par le milieu de la table.

— Vous montez? demanda Strickland à Marjorie en prenant sa fourchette.

— Oh! grands dieux, non! Je n'ai jamais monté, même à l'école. J'avais toujours trop peur.

— Elle ne distingue pas le cul d'un cheval de son coude, s'esclaffa George avant que sa femme émette un «voyons, George!» irrité en fixant Gabriela des yeux.

— Pardon, Gabriela, j'avais oublié ta présence.

Gabriela eut l'air embarrassée, mais Erica rejeta sa tête en arrière et se mit à rire, tout autant de la gêne de George que de sa plaisanterie.

L'observant, Alec s'aperçut que le temps qu'elle avait passé devant son miroir n'avait pas été perdu. Elle portait un caftan de soie thaïlandaise bleu pâle, avec les boucles d'oreilles qu'il lui avait données pour quelque anniversaire lointain. Sur ses fins poignets bronzés brillaient des bracelets en or. Elle paraissait extraordinairement jeune, ce soir-là. Son visage toujours éclatant, la ligne ferme de ses mâchoires, ses cheveux sans une trace de gris... De tous ceux qui étaient présents, elle était celle, se dit-il, qui avait le moins vieilli. Peut-être parce que les autres — sans être encore âgés — avaient été jeunes tous ensemble et ne l'étaient plus.

Il se demanda ce que Strickland pouvait penser d'eux. Quelle impression retirait-il de ce groupe d'amis, habillés et pomponnés, assis très formellement autour de la table? C'étaient les plus vieux amis d'Alec. Il les connaissait depuis si longtemps que leur apparence ne pouvait le surprendre aucunement. Mais voilà que ses yeux glissaient autour de la table pour les observer délibérément, et qu'il essayait de se mettre dans la peau d'un étranger qui aurait été assis à la place d'Erica. Daphné était toujours aussi élancée... mais ses cheveux blonds prenaient des reflets d'argent. Le visage cramoisi de George Anstey s'était alourdi et les boutons de sa chemise contenaient difficilement son embonpoint. Marjorie semblait la seule parmi eux à prendre de l'âge avec sérénité.

Et Tom... Tom Boulderstone. Le cœur d'Alec se gonfla d'affection pour celui qui était son meilleur ami depuis tant d'années. Mais c'était là une constatation objective, dénuée de sentimentalité. Alors, que voyait réellement Alec? Un homme de quarante-trois ans, passablement dégarni, portant des lunettes, un homme pâle et intelligent. Un homme dont l'expression pouvait s'animer d'un rire sous cape. Un homme qui, lorsqu'on l'en priait, pouvait faire un discours après un dîner avec tant d'esprit qu'on se le répétait des mois durant dans tout Londres.

Daphné était enfin arrivée à bout de son monologue, ce qui permit à George Anstey de se jeter dans cet intervalle béni pour demander à Strickland pourquoi il était venu dans le pays.

— Eh bien... (L'Américain regarda autour de la table et eut un sourire vaguement méprisant.) J'ai eu l'impression d'avoir épuisé tout ce qui m'était offert aux Etats-Unis et je me suis dit que je pourrais trouver de nouveaux défis dans votre pays.

— Cela a dû vous poser de terribles problèmes d'organisation, fit remarquer Marjorie. (Marjorie était passionnée par l'organisation. Elle organisait un tas de comités caritatifs.) Je veux dire, poursuivit-elle, louer une maison pour vous et faire venir vos chevaux... et les lads?

— Je les ai fait venir des Etats-Unis.

— Ils sont blancs ou noirs? voulut savoir Daphné.

— Il y a des deux, répondit Strickland en grimaçant.

— Et avez-vous trouvé une femme de ménage? insista Marjorie. Ou l'avez-vous fait aussi venir de là-bas?

— Oui. Il aurait été absurde de louer le château de Tickleigh sans avoir de personnel.

Marjorie s'enfonça dans sa chaise avec un soupir.

— Eh bien, je ne sais pas, mais tout cela me paraît délirant. Ma femme de ménage ne vient que deux matins par semaine et elle n'a jamais pris l'avion.

— Tu devrais être satisfaite, répliqua sèchement Tom. La nôtre s'est envolée pour Majorque, où elle a épousé un garçon de café. Elle n'est jamais revenue.

Tout le monde éclata de rire, mais Tom n'eut pas même un sourire. Alec se demandait ce que Tom pensait de Strickland Whiteside, mais son visage intelligent ne livrait aucune réponse.

L'Américain était arrivé alors qu'ils étaient réunis pour prendre un verre, après s'être baignés, rasés, changés et parfumés. Quand ils avaient entendu le bruit de sa voiture qui remontait l'allée, Erica s'était levée pour l'accueillir. Ils étaient revenus ensemble et il n'y avait aucune raison de croire qu'ils s'étaient embrassés, mais Erica rapportait avec elle dans cette soirée parfumée un élément de nervosité, comme une petite flamme... Elle avait fait les présentations. Strickland n'avait pas eu l'air embarrassé de se trouver en face d'un groupe d'inconnus. Ses manières avaient été tout au contraire d'une courtoisie satisfaite, comme s'il renversait les rôles et que c'était lui qui tentait de mettre les autres à l'aise.

Alec s'était dit qu'il avait dû beaucoup réfléchir à ce qu'il allait mettre. Il portait une veste de gabardine marron avec des boutons de cuivre, d'une coupe assez lâche, un simple col roulé en coton léger bleu clair, un pantalon de laine marron et bleu pâle et des chaussures blanches. Il arborait une fine montre en or à son poignet et une grosse chevalière à sa main gauche. C'était un homme de grande taille, élancé et musclé, à l'évidence d'une grande vigueur physique, mais il était difficile de deviner son âge à travers ses traits taillés à la serpe, son nez crochu, ses mâchoires proéminentes, son bronzage, et ses yeux plus pâles que la lune. Ses cheveux, de la couleur du blé, étaient aussi fournis que ceux d'un garçonnet, coiffés dans un mouvement qui partait du front pour retomber en vague depuis le haut de son crâne.

— Ravi de faire votre connaissance, avait-il dit à Alec quand celui-ci lui avait serré la main. (C'était comme serrer la main d'un robot en acier.) Erica m'a tant parlé de vous, c'est un vrai privilège que de pouvoir vous rencontrer enfin.

Il avait continué son numéro de charme. Il avait embrassé Gabriela — « Ma petite chérie » — et s'était autorisé à prendre un Martini avant de s'asseoir au milieu d'un sofa, une cheville négligemment posée sur un genou des plus musculeux. Il avait commencé par poser des questions sur Glenshandra, comme s'il se doutait que c'était le meilleur moyen d'engager la conversation et de briser la glace. Marjorie avait été désarmée par le procédé et Daphné pouvait à peine le quitter des yeux. Pendant les cinq premières minutes, elle était restée sans voix, ce qui ressemblait à un exploit. Elle s'était vite rattrapée ensuite.

— A quoi ressemble le château de Tickleigh? questionna Daphné. Est-ce que les Gerrard n'y vivaient pas?

— Ils y sont toujours, dit Erica.

Ils avaient commencé les perdrix et Alec versait le vin.

— Mais ils ne peuvent pas vivre là si Strick s'y est installé.

— Oh! non. Ils sont partis à Londres pour quelques mois.

— C'était prévu ou est-ce que Strick les a chassés?...

— Je les ai chassés, fit Strickland.

— Il leur a offert de l'argent, expliqua Erica. Tu sais, cette vieille chose que l'on range dans un porte-monnaie...

— Tu veux dire qu'il les a... soudoyés?

— Daphné, voyons!

Erica riait mais il y avait une pointe d'exaspération dans son amusement. Alec se demandait comment l'amitié entre deux femmes aussi différentes avait pu perdurer aussi longtemps. Elles se connaissaient depuis les années d'école et il était douteux qu'il y eût un seul secret qu'elles n'eussent pas partagé. Elles n'avaient pourtant rien en commun. Et c'était peut-être cela qui avait cimenté leur amitié. Leurs intérêts ne se concurrençaient jamais, aussi leur relation était-elle dénuée de toute jalousie.

Daphné n'avait qu'un sujet d'intérêt, les hommes. Elle était ainsi faite, et continuerait probablement de l'être à quatre-vingt-dix ans passés. Son attention ne s'éveillait que s'il y avait un homme dans la pièce et, si elle n'avait pas sous la main quelque admirateur pour l'emmener déjeuner ou lui parler au téléphone des matinées entières, lorsque Tom était parti à son travail, la vie perdait pour elle tout attrait : elle sombrait alors dans une mélancolie maussade.

Tom avait fini par accepter cette façon d'être. Un soir, très tard, il en avait parlé avec Alec.

— Je sais qu'elle est folle, avait-il dit. Mais c'est une folle tout à fait adorable et je ne veux pas la perdre.

Quant à Erica... Erica, elle, ne s'intéressait pas vraiment aux hommes. Alec savait cela. Depuis plusieurs années, Erica et lui vivaient plus ou moins séparés, mais il ne s'était jamais soucié de sa façon d'occuper sa solitude. Au vrai, cela avait été le moindre de ses soucis.

Si elle n'avait pas toujours été à proprement parler frigide, on ne pouvait lui accorder une sexualité débordante. Les émotions nécessaires aux autres femmes — la passion, l'excitation, le défi, l'affection —, tout cela semblait chez elle avoir trouvé un substitut dans son amour pour ses chevaux. Parfois, Alec songeait aux petites filles qui hantaient le poney club... Leurs nattes, leur passion pour les poneys... presque une obsession. Elles les bouchonnaient des heures durant.

— C'est un substitut sexuel, lui avait un jour déclaré un ami à qui il avait fait part de ses observations. Attendez qu'elles aient quatorze ou quinze ans, et ce ne seront plus les chevaux qui les intéresseront, mais les hommes. C'est un fait bien connu, quelque chose de tout à fait naturel.

Erica avait dû être une de ces fillettes. *J'ai monté tous les jours de ma vie jusqu'à ce que je m'installe à Hong Kong.* Mais Erica, pour une raison obscure, n'avait pas grandi. Sans doute avait-elle aimé Alec. Quelque temps. Mais elle n'avait jamais voulu d'un enfant, ni partagé les instincts maternels des autres jeunes femmes. Dès qu'elle l'avait pu, elle était retournée à sa passion première. C'est pour cela qu'elle lui avait fait acheter Deepbrook. C'est pour cela aussi, profondément, que Gabriela avait été envoyée au pensionnat.

Et à présent sa vie tournait autour des chevaux. Ils en étaient le centre, ils étaient tout ce qui comptait pour elle. Et tous ses nouveaux amis partageaient cette passion.

Deux mois après ce week-end, par un triste et sombre soir de novembre, Alec rentrait de son bureau et s'attendait à trouver la maison aussi vide que d'habitude. Il n'avait rien prévu pour la soirée. Il s'en félicita. Son attaché-case était plein de dossiers qu'il n'avait pas eu le temps d'examiner pendant la journée et il y avait, le lendemain, une réunion de direction où il devrait intervenir. Il dînerait tôt, ferait un feu, chausserait ses lunettes et s'assiérait pour travailler.

Il quitta City Road et s'engagea dans sa rue, Abigail Crescent. Sa maison se dressait à l'autre bout et il aperçut la lumière brillant aux fenêtres. A sa grande surprise, Erica était à Londres. Le temps était mauvais et il savait qu'elle n'avait pas prévu de mondanités cette semaine-là.

Un rendez-vous chez le dentiste, peut-être, ou son check-up annuel chez un médecin de Harley Street?

Il gara la voiture et resta un moment assis à considérer la maison illuminée. S'il avait fini par prendre l'habitude d'être seul, il ne s'y était jamais vraiment résolu. Il se souvint de leur retour de

Hong Kong, quand ils étaient venus vivre ici pour la première fois. Il revoyait Erica qui arrangeait les meubles, installait les rideaux et se débattait avec les échantillons de moquette... mais trouvait toujours le temps de venir l'accueillir dès qu'il passait la porte. Cela s'était passé ainsi. Pas très longtemps, peut-être, mais cela avait existé. Il tenta pendant un moment d'effacer le poids des années et de se dire que rien n'avait changé. Peut-être allait-elle apparaître sur le seuil pour lui souhaiter la bienvenue, pour l'embrasser, et lui servirait-elle ensuite un verre? Ils s'assiéraient côte à côte et échangeraient les menus incidents de la journée. Puis il prendrait le téléphone et réserverait une table de restaurant pour le dîner.

Il eut soudain l'impression que les fenêtres éclairées étaient en train de l'observer. Il se sentit tout à coup très fatigué. Il ferma les yeux, les couvrant de sa main comme s'il essayait d'éponger cette fatigue. Il finit par sortir de la voiture, qu'il verrouilla avant de remonter l'allée gorgée de pluie. Sa mallette gonflée de documents tapait contre son genou. Il sortit ses clés et ouvrit la porte.

Il aperçut le manteau d'Erica, qu'elle avait jeté sur une chaise du vestibule, et un foulard Hermès. Il reconnut son parfum. Il ferma la porte et reposa sa mallette.

— Erica!

Il se dirigea vers le salon. Elle était là, assise dans un fauteuil, lui faisant face. En train de lire un journal qu'elle replia et laissa tomber par terre. Elle portait un pull-over jaune, une jupe en laine grise et de longues bottes en cuir fauve. Ses cheveux, éclairés par la lampe, brillaient comme un vieux meuble précieusement ciré.

— 'jour, fit-elle.

— Quelle surprise! Je ne t'attendais pas.

— J'ai pensé t'appeler au bureau, mais ça ne valait pas la peine. Je savais que je te trouverais ici.

— J'ai cru un instant que j'avais oublié un dîner ou une soirée... Ce n'est pas ça, j'espère?

— Non, rien de tout ça. Je voulais te parler.

C'était inhabituel.

— Tu veux un verre? lui demanda-t-il.

— Oui, si tu m'accompagnes.

— Que boiras-tu?

— Un whisky serait parfait.

Il la laissa pour se rendre dans la cuisine, verser le whisky et fourrager dans le réfrigérateur pour trouver des glaçons.

Il revint et elle prit le verre qu'il lui tendait.

— Il n'y a pas grand-chose dans le frigo, dit-il, mais si tu veux, nous pouvons sortir pour...

— Je ne reste pas dîner, l'interrompit-elle.

Il haussa les sourcils.

— Je ne passerai pas non plus la nuit ici, poursuivit-elle plus doucement. Tu n'as pas à te soucier de moi.

Il alla chercher un fauteuil et s'assit en face d'elle, de l'autre côté de l'âtre.

— Alors, pourquoi es-tu venue?

Erica but une gorgée de whisky, puis reposa le verre sur la petite table à dessus de marbre placée à côté de son fauteuil.

— Je suis venue te dire que je te quitte, Alec.

Sur le moment, il ne répondit pas. A travers l'espace qui les séparait, son regard rencontra celui de sa femme, un regard qui ne cillait pas, un regard sombre, froid et déterminé.

— Pourquoi? finit-il par demander doucement.

— Je ne veux plus vivre avec toi.

— Nous ne vivons pratiquement plus ensemble.

— Strickland Whiteside m'a demandé de partir en Amérique avec lui.

Strickland Whiteside.

— Tu vas aller vivre avec... *lui*! s'exclama-t-il sans parvenir à déguiser son incrédulité.

— Tu trouves ça surprenant?

Il se rappela comment ils étaient entrés ensemble dans le salon en cette soirée parfumée de septembre... Il la revit : elle lui avait semblé plus que belle... radieuse, d'une façon qu'il n'avait jamais connue.

— Tu l'aimes? demanda-t-il.

— Je ne suis pas sûre d'avoir jamais su ce que ce mot signifie. Mais ce que je ressens pour Strick, je ne l'ai jamais ressenti auparavant. Ce n'est pas seulement un engouement, c'est le fait de partager des passions, de faire des choses ensemble. Et c'est ainsi depuis que je l'ai rencontré. Je ne peux pas vivre loin de lui.

— Tu ne peux pas vivre loin de Strickland Whiteside?

Ce nom lui paraissait toujours aussi absurde. La phrase même qu'il venait de prononcer était absurde. On aurait dit du mauvais théâtre.

Ce fut alors qu'Erica explosa.

— Cesse donc de répéter tout ce que je dis ! Je ne peux pas dire les choses mieux, je ne peux pas te les dire plus simplement. Et répéter chacun de mes mots ne va rien changer à ce que j'ai à te dire.

— Il est plus jeune que toi, fit Alec sottement.

Erica parut désarçonnée pendant une seconde.

— Oui, et qu'est-ce que ça peut faire ?

— Il est marié ?

— Non. Il n'a jamais été marié.

— Il veut t'épouser ?

— Oui.

— Tu veux divorcer ?

— Oui. Que tu acceptes ou non le divorce, je te quitte. Je vais en Virginie pour être auprès de lui. Je vais vivre avec lui, entends-tu ? J'ai passé l'âge de me préoccuper du qu'en-dira-t-on. Les conventions ne m'arrêteront pas.

— Quand pars-tu ?

— J'ai réservé un vol pour New York la semaine prochaine.

— Strickland voyagera avec toi ?

— Non, fit-elle. (Et, pour la première fois, elle baissa les yeux. Elle tendit la main vers son whisky avant de poursuivre :) Il est déjà rentré aux Etats-Unis. Il m'attend là-bas.

— Et tous ces grands championnats auxquels il voulait participer ?

— Il a tout annulé.

— Je me demande bien pourquoi.

Elle releva les yeux.

— Il a pensé que c'était mieux ainsi.

— Tu veux dire qu'il a la trouille. Il n'avait pas assez de tripes pour me dire ça en face.

— C'est faux.

— Il te laisse faire le sale travail.

— C'est mieux que ce soit moi. Je ne voulais pas qu'il reste. Je ne voulais pas de bagarres, de disputes, de toutes ces choses qu'il vaut mieux ne pas dire.

— Tu accepteras cependant que je ne sois pas ravi !

— Je m'en vais, Alec. Et je ne reviendrai pas.

— Tu quittes Deepbrook ?

— Oui.

Il fut plus surpris par cela que par le reste.

— J'ai toujours cru que cette maison était tout pour toi.

— Plus maintenant. Et puis c'est ta maison.

— Et tes chevaux?

— Je les emmène avec moi. Strickland s'est arrangé pour qu'on les transporte en Virginie.

Comme toujours lorsqu'elle était déterminée à faire quelque chose, elle lui présentait un projet complet, elle le mettait devant le fait accompli. Strickland, Deepbrook, les chevaux, tout avait été parfaitement organisé... Mais pour Alec, rien de tout cela n'avait vraiment d'importance. Il n'y avait qu'un seul problème, et un grave problème. Il savait Erica dépourvue de lâcheté morale. Il attendait en silence qu'elle poursuive. Mais elle se contentait de rester assise et de le regarder de ses yeux gris qui ne cillaient pas, d'un air de défi. Et il comprit qu'elle attendait qu'il ouvre les hostilités.

— Gabriela? fit-il.

— Je l'emmène avec moi, dit Erica.

La bataille s'engageait.

— Non! il n'en est pas question!

— Ecoute, nous n'allons pas nous disputer là-dessus. Il va falloir que tu m'écoutes. Je suis sa mère et j'ai autant de droits sur elle que toi — sinon plus. Je vais en Amérique. Je vais là-bas pour y vivre et rien ne me fera changer d'avis. Si je prends Gabriela avec moi, elle pourra vivre avec nous. La maison de Strickland est superbe, avec de l'espace et tout ce que l'on peut souhaiter. Il y a des courts de tennis, une piscine. C'est une chance extraordinaire pour une fille de l'âge de Gabriela — les jeunes ont vraiment du bon temps en Amérique —, une occasion merveilleuse. Laisse-la la saisir. Laisse-lui cette chance!

— Et l'école? demanda-t-il calmement.

— Je vais annuler son inscription. Elle peut suivre des cours là-bas. Il y a un établissement particulièrement bon dans le Maryland...

— Je ne la laisserai pas partir. Je ne veux pas la perdre.

— Oh! Alec, tu ne la perdras pas! Nous la partagerons. Tu pourras l'appeler quand tu voudras. Elle peut très bien prendre l'avion et passer des vacances avec toi. Tu l'emmèneras à Glenshandra avec les autres. En fait, il y aura peu de changements.

— Je ne la laisserai pas partir en Amérique.

— Mais tu ne vois pas que tu n'as pas le choix! Même si nous en arrivons à un procès et que tu me fasses tous les ennuis du monde, il n'empêche qu'à dix contre un, la garde de Gabriela me sera confiée. On ne sépare un enfant de sa mère que dans les circonstances les plus extrêmes. Il faudrait que je sois droguée, ou que l'on prouve d'une façon ou d'une autre que je suis incapable d'assumer sa garde pour qu'on ait seulement l'idée de te la confier. Et imagine quel déchirement ce serait pour Gabriela! Elle est déjà assez sensible pour que nous ne lui infligions pas ce genre d'épreuve.

— Est-ce pire que l'épreuve de voir ses parents divorcer? Est-ce pire que l'épreuve de devoir vivre dans un autre pays, dans une maison inconnue, sous le toit d'un homme qu'elle connaît à peine?

— Quelle est l'alternative? Il faut que nous prenions une décision, Alec. Maintenant. Il n'est pas question de la repousser à plus tard. C'est pour cela que je suis venue te voir ce soir. Gabriela doit savoir ce qui va lui arriver.

— Je ne la laisserai pas partir.

— Très bien, si ce que tu veux, c'est la garder pour toi-même. Mais tu ne peux pas t'en occuper, Alec. Tu n'en as pas le temps. Même si elle restait en pension ici, il y aurait quand même les vacances. Que se passera-t-il quand tu devras travailler toute la journée? Et ne me dis pas que tu peux la laisser avec Mme Abney. Gabriela est une enfant intelligente et personne n'oserait dire que Mme Abney est d'une compagnie particulièrement stimulante. Elle n'a que deux sujets de conversation : sa série télévisée préférée et son maudit canari. Et que feras-tu de Gabriela si tu dois partir en voyage d'affaires à Tokyo ou à Hong Kong? Tu peux difficilement l'emmener avec toi.

— Je ne peux pas te la donner, Erica, dit-il, comme je ne sais quel objet dont je n'aurais plus l'usage.

— Mais tu ne comprends pas que si l'on fait comme je dis, ce n'est pas me la donner! D'accord, nous nous séparons et c'est une chose terrible pour une enfant, mais elle n'est pas seule dans ce cas... Il faut trouver le moyen de la blesser le moins possible. Je crois que c'est l'avantage de mon plan. Elle voyagera avec moi la semaine prochaine. Comme cela, la coupure se fera vite et proprement. Avant qu'elle ait pu se retourner, elle sera engagée dans une nouvelle vie, elle ira dans une nouvelle école, elle se fera de nouveaux amis.

Erica sourit. Et, pour la première fois, Alec retrouva l'Erica d'autrefois, charmante, sympathique... et persuasive.

— Ne nous battons pas pour elle, Alec. Je sais ce que tu ressens, mais elle est aussi mon enfant et c'est moi qui l'ai élevée. Je ne crois pas avoir fait un si mauvais travail et je pense que je mérite que tu me l'accordes. Ce n'est pas parce que tu ne seras pas là que je vais cesser de m'en occuper. Et Strick l'aime beaucoup. Avec nous, elle aura le meilleur de chaque chose. Une vie heureuse.

— Je croyais que c'était ce que je lui avais offert, dit-il.

— Oh! Alec, bien sûr. Et tu peux continuer. Quand tu le voudras, elle viendra te voir. Nous sommes d'accord là-dessus. Tu pourras l'avoir pour toi tout seul. Tu aimeras ça. Allons, dis-moi que tu es d'accord. Pour le bien de nous tous. Laisse-la partir avec moi. C'est le mieux que tu puisses faire pour elle, je le sais. Fais ce sacrifice... pour le bien de Gabriela.

— Je sais que ta mère t'a tout dit, murmura-t-il. Mais je voulais te parler moi-même, comme ça, si quoi que ce soit te donne du souci...

Au moment même où il prononçait ces mots, Alec sut qu'ils étaient ridicules. Le monde de Gabriela s'effondrait, et il parlait comme s'il s'agissait d'un menu désagrément domestique qu'il pourrait régler dans la minute qui allait suivre.

— Je veux dire... reprit-il. Ça s'est passé si vite! Nous n'avons pas eu beaucoup de temps pour nous parler... et tu pars la semaine prochaine. Je ne voulais pas que tu partes en pensant que je n'ai pas... fait des efforts pour te... pour te voir. J'aimerais avoir plus de temps pour parler de tout ça... avec toi. Est-ce que tu as été blessée que nous n'en ayons pas discuté avec toi?

Gabriela haussa les épaules.

— Ça n'aurait pas changé grand-chose.

— Tu as été surprise quand ta mère t'a dit, pour Strickland et elle?

— Je savais qu'elle l'aimait bien. Mais elle aime des tas de gens passionnés de chevaux. Je n'aurais jamais cru qu'elle veuille aller vivre avec lui aux Etats-Unis.

— Elle va l'épouser.

— Je sais.

Ils marchaient ensemble, faisant lentement le tour d'un terrain de jeu. C'était une journée lugubre, l'hiver anglais à son pire moment. Froid, silencieux, piquant, humide et brumeux. Il n'y avait pas un souffle de vent, les branches nues des arbres demeuraient immobiles. Seul le cri des corneilles troublait le silence. Les bâtiments de l'école étaient tout proches. Ce devait être jadis une élégante propriété de campagne, avec des écuries et des ailes, aujourd'hui transformée en classes et en gymnases. A l'intérieur, les cours se poursuivaient, mais Gabriela avait été autorisée à manquer le cours de sciences naturelles pour rester avec son père. Bientôt on entendrait sonner une cloche et l'endroit s'emplirait de fillettes harnachées pour le hockey ou les jeux de ballon, engoncées dans leurs pull-overs et leurs écharpes rayées, courant, criant, riant, s'interpellant et se plaignant du froid. Mais en cet instant, en dehors de la lueur blême des fenêtres éclairées, tout semblait désert, sans vie.

— C'est une aventure, n'est-ce pas, d'aller en Amérique, reprit Alec.

— C'est ce que maman m'a dit.

— Au moins, tu n'auras pas à faire du sport par un temps pareil. C'est autre chose de jouer au soleil. Tu pourrais même devenir une championne de tennis...

Gabriela baissa la tête et enfonça plus encore ses poings au fond de ses poches. Avisant une branche morte, elle donna un coup de pied dedans. Voilà pour le tennis. Alec se sentit glacé, désorienté par son silence. Il s'était plu à croire qu'il savait lui parler. Maintenant, il n'en était plus très sûr.

— Je n'ai jamais voulu que ça arrive, dit-il. Tu dois le comprendre. Mais je n'ai aucun moyen de retenir ta mère auprès de moi. Tu sais comment elle est quand elle a quelque chose en tête. Même des chevaux sauvages ne la feraient pas changer d'avis...

— Je n'aurais jamais imaginé que vous puissiez divorcer, dit Gabriela.

— Tu sais, cela arrive à beaucoup d'enfants. Tu dois avoir pas mal d'amies dont les parents sont divorcés.

— Mais c'est de *moi* qu'il s'agit.

Une fois de plus, il ne sut quoi répondre. Ils continuèrent en silence, tournant au coin du terrain de jeu, près d'un petit poteau qui portait un reste de drapeau rouge.

— Quoi qu'il arrive, tu sais que tu es toujours ma fille. Je paierai tes frais scolaires et je te verserai une pension. Tu ne seras pas dépendante de Strickland. Tu n'as même pas à compter sur lui. Tu... tu l'aimes bien, n'est-ce pas? Tu ne le détestes pas?

— Il est pas mal.

— Ta mère dit qu'il t'aime beaucoup.

— Il est tellement jeune... Il est plus jeune que maman.

Alec inspira profondément.

— Je suppose, dit-il avec soin, que si on tombe amoureux de quelqu'un, l'âge ne compte guère.

Gabriela s'arrêta brusquement. Alec l'imita et ils se firent face, comme deux figures solitaires au milieu d'un désert. Leurs yeux ne s'étaient pas encore rencontrés une seule fois durant cet après-midi, et maintenant la fillette regardait devant elle, fixant d'un air furieux les boutons du manteau de son père.

— Je ne pouvais pas rester avec toi? demanda-t-elle.

Il fut envahi par le désir de la prendre dans ses bras, de l'embrasser, de briser ses réserves par une démonstration d'amour qui la convaincrait que cette monstrueuse séparation lui était tout aussi pénible qu'à elle. Mais il s'était juré en venant la voir à son école de ne pas faire ça. *Tu ne dois pas la bouleverser,* avait supplié Erica. *Va la voir et parlez, mais ne la bouleverse pas. Elle a accepté la situation. Si tu donnes libre cours à ton émotion, alors on retourne tous à la case départ et tu auras brisé Gabriela en petits morceaux.*

Il essaya de sourire.

— Il n'y a rien que je souhaiterais plus, dit-il sur un ton égal. Mais cela ne marcherait pas. Je ne pourrais pas m'occuper de toi, je suis si souvent absent. Tu as besoin de ta mère. Pour le moment, tu vas vivre avec elle. C'est mieux ainsi.

Gabriela serra les lèvres comme si elle tentait, en face de l'inévitable, de se donner du courage. Elle se détourna de son père et reprit sa marche.

— Tu reviendras me voir, lui dit Alec. Nous irons ensemble à Glenshandra l'été prochain. Tu pourras tenter ta chance au saumon, cette fois.

— Qu'est-ce que Deepbrook va devenir?

— Je suppose que je vais vendre. Il n'y a guère de raisons de conserver la maison si ta mère n'y vit pas.

— Et toi ?

— Je vais rester à Islington.

— Ma chambre à Londres... dit-elle avec peine.

— C'est toujours ta chambre. Ça le sera toujours.

— Ce n'est pas ça. C'est seulement quelques livres que je voudrais emporter avec moi. J'ai... j'ai fait une liste.

Elle sortit la main de sa poche et tendit à Alec une feuille arrachée à un cahier d'écolier. Il la prit et la déplia. Il lut :

Le Jardin secret
L'Aventure du monde
Autant en emporte le vent

Il y avait d'autres titres, mais il ne put poursuivre sa lecture.

— Bien sûr, dit-il d'une voix bourrue et il enfonça la feuille dans la poche de son manteau. Y a-t-il autre chose ?

— Non, les livres seulement.

— Je ne sais pas si ta mère t'a prévenue, mais je vous conduirai toutes les deux à l'aéroport. J'apporterai les livres avec moi. Si tu penses à autre chose d'ici là, fais-le-moi savoir.

Elle secoua la tête.

— Il n'y a rien d'autre.

La brume s'était transformée en pluie. De fines gouttes acérées s'écrasaient sur les cheveux de la fillette et sur son manteau bleu marine. Ils avaient fait le tour du terrain et s'approchaient des bâtiments de l'école. Délaissant l'herbe, ils se mirent à marcher sur le gravier qui crissait sous leurs pas. Ils semblaient ne plus rien avoir à se dire. Gabriela s'arrêta au bas des marches qui menaient à l'imposante porte d'entrée et fit de nouveau face à son père.

— Il faut que j'aille me mettre en tenue pour le sport, annonça-t-elle. Il vaut mieux que tu n'entres pas.

— Alors, je te dis au revoir maintenant. Je ne le ferai pas à l'aéroport.

— Alors au revoir.

La fillette garda ses mains enfoncées dans ses poches. Alec lui prit le menton et releva son visage.

— Gabriela...

— Au revoir.

Il se baissa et l'embrassa sur la joue. Pour la première fois, elle le regarda dans les yeux. Il ne vit ni larmes ni reproches. Puis elle s'éloigna entre les colonnes du porche et disparut par la porte.

Elles s'envolèrent pour l'Amérique le jeudi suivant. Sa femme et sa fille. Comme promis, il les conduisit à l'aéroport. Quand le vol eut été appelé et qu'il leur eut dit au revoir, il monta à la galerie d'observation. C'était une soirée humide et sombre, avec des nuages bas. Alec resta le nez collé à une vitre embuée, attendant que l'avion décolle. Le grand jet s'ébranla et roula sur la piste. Des lumières jaunes et rouges clignotaient à travers le brouillard. Il le vit s'arracher à la terre, monter et s'évanouir dans les nuages. Il attendit que le bruit des moteurs eût cessé pour s'éloigner. Il refit le chemin inverse vers l'escalator. Il y avait des gens partout ; mais il ne les voyait pas. Personne ne tourna la tête pour le regarder s'éloigner. Pour la première fois de sa vie, il sut ce que l'on ressent à se croire une nullité, un raté.

Il reprit sa voiture et roula vers sa maison vide. Les mauvaises nouvelles se répandent plus vite que la lumière et tout le monde savait maintenant que son mariage était fini, qu'Erica l'avait quitté pour un riche Américain, emmenant Gabriela avec elle. D'une certaine façon, c'était un soulagement. Alec n'avait rien à expliquer que ses amis ne sachent déjà. Mais il craignait de les rencontrer, d'avoir à subir leur sympathie et, bien que Tom Boulderstone l'ait invité ce soir-là à dîner, il avait refusé. Et Tom l'avait compris.

Il avait l'habitude d'être seul, mais désormais cette solitude prenait une dimension nouvelle. Il monta au premier et la chambre, débarrassée des affaires d'Erica, lui sembla vide, hostile. Il prit une douche, se changea puis redescendit au rez-de-chaussée. Le salon avait été comme dévasté. Les éléments de décoration chers à Erica avaient disparu. Il n'y avait plus de bouquets de fleurs. Tout semblait désolé et Alec se promit de s'arrêter un soir chez un fleuriste pour acheter une plante en pot.

Il était près de huit heures et demie, mais il n'avait pas faim. Il était trop fatigué, trop brisé, trop vidé pour avoir faim. Il irait voir plus tard ce que Mme Abney avait concocté et laissé dans le four. Plus tard. Il alluma la télévision et s'effondra devant l'écran, un verre à la main, le menton baissé contre sa poitrine.

Il regardait fixement les images qui défilaient. Il comprit au bout d'un moment qu'il regardait un documentaire sur les problèmes de l'agriculture. Pour illustrer leur propos, les présentateurs avaient choisi une ferme dans le Devon. On vit des moutons brouter en haut d'une colline de Dartmoor... La caméra redescendit vers la ferme, les grasses prairies de la campagne anglaise...

Ce n'était pas Chagwell, mais cela y ressemblait. Le film avait été tourné en été. Alec vit le ciel bleu, les petits nuages blancs tout en haut, et l'ombre qui courait sur les collines entre lesquelles brillaient les eaux d'une rivière à truites.

Chagwell.

Le passé est un autre pays. Voilà longtemps, Alec avait été conçu, mis au monde et élevé dans cette province. Ses racines s'accrochaient profondément aux riches terres du Devon. Mais, les années passant, diverti par ses propres succès, par sa vie de famille aussi, il avait perdu tout contact avec elles.

Chagwell. Son père était mort, et Brian et sa femme Jenny s'occupaient maintenant de la ferme. En l'espace de sept ans, Jenny avait donné à Brian cinq beaux gamins blonds, solides, et la vieille maison résonnait de leurs jeux et de leurs rires.

Erica n'avait pas eu de temps à perdre avec Brian et Jenny... Ils n'étaient pas son genre. Alec et elle n'avaient été à Chagwell que deux fois durant leur vie de couple, et ces deux fois avaient été si pénibles pour tout le monde que, par une sorte d'accord tacite, ils ne renouvelèrent pas l'expérience. Leurs relations se résumaient depuis lors à un échange de cartes à Noël et de lettres sans intérêt. Il y avait plus de cinq ans qu'Alec n'avait vu Brian.

Cinq ans. C'était trop long. Les mauvaises nouvelles se propagent plus vite que la lumière... mais elles ne devaient pas avoir atteint Chagwell. Il faudrait avertir Brian du divorce qui se préparait. Alec écrirait dès le lendemain, sans perdre de temps, parce qu'il était impensable que Brian apprenne la nouvelle de cette rupture par quelqu'un d'autre.

Ou il pourrait téléphoner...

Le téléphone sonna. Alec prit le combiné.

— Oui?

— Alec?

— Oui.

— C'est Brian.

Brian. Alec eut l'impression de sortir brusquement d'un mauvais rêve. Il se demanda s'il ne perdait pas la raison. Il se pencha automatiquement, éteignit la télévision.

— Brian...

— Qui d'autre?

C'était sa voix habituelle, chaleureuse, précise, aussi claire qu'un son de cloche. Quelle que fût la raison de son appel, la mauvaise nouvelle n'y entrait pour rien.

— D'où appelles-tu ? demanda Alec.

— De Chagwell, bien sûr, quelle question !

Il l'imagina assis derrière le vieux meuble à cylindre, dans cette pièce poussiéreuse et remplie de livres qui servait depuis toujours de bureau pour la ferme. Il vit les piles de formulaires administratifs, les dossiers entassés, et les photographies orgueilleuses des vaches de Guernesey au pedigree de championnes.

— Tu as l'air surpris, dit Brian.

— Cela fait cinq ans...

— Je sais. C'est bien trop long. Mais je pensais que tu aimerais apprendre une nouvelle assez extraordinaire. L'oncle Gerald se marie.

Gerald. Gerald Haverstock de Tremenheere. L'amiral Haverstock bardé de décorations, celui qu'on avait un jour appelé « le meilleur parti de toute la Royal Navy ».

— Quand as-tu appris ça ?

— Ce matin. Il a téléphoné pour nous avertir. Il avait l'air sur un petit nuage. Il veut que nous venions tous à la réception.

— Quand est-ce ?

— Dans deux semaines. Dans le Hampshire.

Gerald qui se mariait enfin.

— Il doit bien avoir soixante ans, fit Alec.

— Oui. Tu sais ce qu'on dit, le meilleur vin vient des vieilles bouteilles !

— Qui est l'heureuse élue ?

— Elle s'appelle Eve Ashby. C'est la veuve d'un de ses camarades de la marine. Tout ce qu'il y a de bien.

Alec avait peine à y croire. Gerald, le marin, le célibataire endurci, courtisé par les femmes... Gerald, chez qui Brian et Alec avaient passé des vacances d'été d'autant plus inoubliables qu'ils étaient alors les seuls adolescents de toute la maisonnée. Les courses sur la plage, le cricket sur les pelouses devant la maison... et être traités comme des adultes pour la première fois de leur vie. Autorisés à dîner avec les autres, à boire du vin et à utiliser le canot quand ils le souhaitaient. Gerald était devenu leur héros, ils suivaient sa brillante carrière avec une fierté possessive.

Gerald avait été le témoin de tant de mariages qu'il fallait beaucoup d'imagination pour se le représenter dans le rôle du marié.

— Tu iras ? demanda Alec.

— Oui, nous y allons tous. Les enfants et tout le monde.

Gerald veut toute la tribu. Ce n'est pas loin de Deepbrook. Tu pourrais partir dans l'après-midi. Je suppose qu'Erica ne souhaitera pas particulièrement venir, mais toi et Gabriela...

Il fit une pause, attendant une réaction à sa proposition. La bouche d'Alec était sèche soudain. Il revit l'avion qui s'élançait, décollait et disparaissait dans les nuages et la nuit obscure. *Elle est partie. Gabriela est partie.*

— Tout va bien, mon vieux? fit Brian sur un ton soudain tout à fait différent.

— Pourquoi me demandes-tu ça?

— Eh bien, vois-tu, ces derniers jours, j'ai pas mal pensé à toi... J'avais le sentiment que tout ne tournait pas rond... J'avais l'intention de te téléphoner. Je voulais absolument te parler. L'histoire de Gerald, en fait, c'est une bonne excuse pour t'appeler.

Je voulais absolument te parler.

Ils avaient été très proches dans leur enfance. Les aléas de la vie, les années qui passaient, leurs deux femmes incompatibles, l'absence de communication n'avaient pas détruit les liens subtils qui les unissaient. Comme si une corde invisible mais solide, une corde tissée par le sang et l'enfance les tenait attachés l'un à l'autre. Ce coup de téléphone inattendu était peut-être un signe du destin.

Alec se raccrocha à cette idée.

— Oui, dit-il. Ça ne va pas. En fait, rien ne va...

Et il se confia à Brian. Cela ne prit pas beaucoup de temps. Quand il eut fini, son frère dit simplement :

— Je vois.

— Je voulais justement t'écrire demain pour te mettre au courant. Ou te téléphoner... Je suis désolé de ne pas t'avoir prévenu plus tôt...

— Ce n'est rien, mon vieux. Ecoute, je vais à Londres la semaine prochaine pour la foire de Smithfield. On pourrait se voir, si tu veux?

Ni commentaires, ni pleurnicheries ni condoléances inutiles.

— Excellente idée, répondit Alec. Viens à mon club et nous déjeunerons.

Ils décidèrent de la date et de l'heure.

— Et que vais-je dire à Gerald? demanda Brian.

— Dis-lui que je viendrai à son mariage. Je ne manquerais pas ça pour tout l'or du monde.

338

Brian raccrocha. Alec reposa doucement le récepteur. *Le passé est un autre pays.*

Des images défilaient dans sa tête, pas seulement celles de Chagwell, mais maintenant le souvenir de Gerald et de Tremenheere. La vieille maison de pierre tout au bout de la Cornouailles, là où poussent les palmiers, les camélias et les citronniers, là où le parfum du jasmin blanc embaume les serres dans les jardins clos.

Chagwell et Tremenheere. Ses racines. Son identité. Il était Alec Haverstock et il ferait face. Le monde ne s'était pas arrêté. Gabriela était partie. Cette séparation avait été pour lui la plus douloureuse des épreuves. Mais maintenant le pire était passé. Il avait touché le fond et il ne pouvait plus que remonter.

Il se leva, prit son verre vide et se dirigea vers la cuisine en quête de quelque chose à manger.

3

ISLINGTON

Laura ne fut pas de retour chez elle avant cinq heures. La brise s'était adoucie et Abigail Crescent somnolait dans l'éclat ensoleillé de cette fin d'après-midi. Pour une fois, les rues étaient presque désertes. Les voisins étaient probablement assis dans leurs minuscules jardins, à moins qu'ils n'aient emmené leurs enfants dans les parcs des environs pour profiter de la douceur de l'herbe et de l'ombre des arbres. Seule une vieille dame remontait le trottoir. Elle poussait un chariot plein de paquets et tirait un chien aussi âgé qu'elle au bout d'une laisse. Quand Laura s'arrêta devant sa maison, la vieille dame disparut, comme un lapin dans son terrier, au bas des marches de son logement en sous-sol.

Laura rassembla les achats qu'elle avait faits, son sac à main et sa chienne. Elle sortit de la voiture, franchit le trottoir et monta les marches du perron. A chaque fois qu'elle utilisait sa clé, elle devait faire un effort pour s'assurer que c'était bien dans sa maison qu'elle entrait. Elle vivait là depuis neuf mois et pourtant cette maison ne lui était pas encore familière. Elle avait l'impression de n'être pas en phase avec elle. C'était surtout la maison d'Alec et cela avait été celle d'Erica. Laura entra une fois de plus avec le sentiment de pénétrer dans la propriété de quelqu'un d'autre.

Le silence était lourd, épais comme du brouillard. Aucun son ne montait de l'appartement de Mme Abney. Peut-être était-elle sortie? Peut-être faisait-elle la sieste? Laura finit par percevoir le ronronnement du réfrigérateur, puis le tic-tac d'une pendule. Elle avait acheté des roses la veille. Leur parfum qui émanait du salon embaumait tout le rez-de-chaussée. Un parfum lourd, chaud et sucré.

Je suis rentrée à la maison. Ma maison.

Ce n'était pas très grand : le domaine de Mme Abney et, au-dessus, trois niveaux avec deux pièces de taille moyenne par étage. Là, le vestibule vieillot et la rampe de l'escalier; d'un côté le salon, de l'autre la cuisine, assez spacieuse pour qu'on puisse y dîner. Au-dessus, la chambre principale avec une salle de bains et le dressing d'Alec, qu'il utilisait aussi comme bureau. Au-dessus encore, avec de petites fenêtres et un toit en pente, le grenier — une pièce dite « chambre d'amis » et qui était habituellement envahie de valises et de meubles en trop —, et la nursery, qui avait été la chambre de Gabriela.

Laura abandonna Lucy et se dirigea vers la cuisine pour poser les produits d'épicerie et les côtelettes qu'elle avait achetés pour le dîner. La pièce était lambrissée de panneaux de pin, et l'œil s'attardait sur la porcelaine bleue et blanche, sur la table ancienne et sur les chaises assorties. Des portes-fenêtres s'ouvraient sur un perron en teck d'où l'on gagnait, par des marches de bois, un petit jardin pavé, en contrebas, où poussait un cerisier et où l'on avait disposé des bacs de géraniums. Laura ouvrit les portes-fenêtres. Un peu d'air souffla dans la maison. Il y avait sur le perron deux fauteuils de jardin et une petite table en fer forgé. Tout à l'heure, quand Alec rentrerait du travail, pendant que les côtelettes cuiraient, ils s'assiéraient là pour boire un verre dans la lumière douce de ce début de soirée. Ils regarderaient le soleil décliner et savoureraient la fraîcheur du soir.

Ce serait peut-être le moment de lui annoncer qu'elle n'irait pas en Ecosse. Son cœur battait à cette idée, non pas qu'elle eût peur de lui, mais parce qu'elle détestait l'idée de gâcher son plaisir. La pendule de la cuisine marquait cinq heures dix. Il ne serait pas à la maison avant au moins une heure. Laura monta au premier et se déshabilla. S'étant enveloppée d'une fine chemise de nuit, elle s'effondra sur un côté de l'énorme lit double. Une demi-heure de repos, s'était-elle promis, puis elle prendrait une douche et se changerait. Mais, comme quelqu'un qui glisse au fond d'un puits, elle s'endormit instantanément.

Un hôpital... De longs corridors, des plafonds blancs, une rumeur de voix dans ses oreilles, des visages sous des masques blancs. Rien d'inquiétant. Une sirène se déclencha. Peut-être y avait-il le feu? Mais on l'avait attachée. Rien de vraiment inquiétant. Une sirène, ou une sonnerie?

Elle ouvrit les yeux. Resta à fixer le plafond. Son cœur cognait encore au souvenir de son rêve. Elle regarda sa montre. Cinq heures et demie. La sonnerie se fit de nouveau entendre.

Elle avait laissé la porte du bas ouverte pour que l'air circule et elle entendit Mme Abney monter du sous-sol de sa démarche pesante, en s'arrêtant à chaque marche. Laura écoutait sans bouger. Elle entendit le claquement du loquet de la porte d'entrée. Puis la porte fut ouverte.

— Oh! c'est vous, madame Boulderstone.

Daphné? Qu'est-ce que Daphné venait faire ici à cinq heures et demie de l'après-midi? Que pouvait-elle bien vouloir? Avec un peu de chance, Mme Abney penserait que Laura était absente et renverrait son amie.

— Il y a des heures que je sonne, fit la voix haut perchée de Daphné. Je suis sûre qu'il y a quelqu'un. La voiture de Mme Haverstock est là.

— Je sais. J'ai jeté un coup d'œil, moi aussi, quand je vous ai entendue sonner. Elle est peut-être dans sa chambre. (L'espoir disparaissait.) Entrez donc, je vais aller voir.

— J'espère que vous ne dormiez pas, madame Abney.

— Non. Je me faisais griller un toast pour mon thé.

Mme Abney reprenait son ascension... Laura se redressa d'un seul coup, rejeta la mince couverture et s'assit au bord du lit. La tête lui tournait, elle se sentait désorientée. Elle vit Mme Abney apparaître dans l'embrasure de la porte et s'arrêter un instant pour faire le geste de frapper.

— Mais alors, vous ne dormiez pas! s'exclama-t-elle avec ses cheveux gris et bouclés, ses chaussons d'intérieur et ses bas épais qui ne dissimulaient rien de ses jambes variqueuses. Vous n'avez pas entendu la sonnerie?

— Je dormais. Je suis désolée que vous ayez dû vous déplacer.

— Ça sonnait sans arrêt. J'ai cru que vous étiez sortie.

— Je suis navrée, répéta Laura.

— C'est Mme Boulderstone.

Daphné écoutait leur échange verbal depuis le rez-de-chaussée.

— Laura! cria-t-elle. C'est moi. Ne te lève pas, je monte!

— Non... (Elle ne voulait pas de Daphné dans sa chambre.) J'en ai pour un instant.

Mais ses protestations n'y firent rien. Une seconde plus tard, Daphné était là.

— Mon Dieu, pardonne-moi. Je n'aurais pas cru que tu serais au lit à cette heure. Pauvre Mme Abney... Merci beaucoup d'être venue à mon secours, maintenant vous allez pouvoir retourner tranquillement à votre thé. Nous nous faisions du souci pour toi, Laura. On aurait dit que tu avais disparu pour de bon.

— Elle n'a pas entendu la sonnerie, répéta inutilement Mme Abney. Bon, puisque tout va bien...

Et elle les quitta, ses chaussons glissant lourdement sur les marches grinçantes.

Daphné lança un sourire ironique en direction de la porte et reprit :

— J'ai essayé de téléphoner, mais personne ne répondait. Où étais-tu ?

— J'étais à Hampstead. J'ai pris le thé avec Phyllis.

Daphné jeta son sac et ses lunettes de soleil au pied du lit de Laura et s'approcha de la coiffeuse pour s'examiner dans le miroir.

— Je viens de chez le coiffeur. Le séchoir était brûlant.

— Ça te va très bien.

On devinait aisément d'où venait Daphné, non seulement à cause de ce casque de cheveux blonds parfaitement ordonné, mais aussi à cause du lourd parfum de laque qui l'accompagnait. Elle avait l'air furieusement chic, admit Laura d'une façon un peu désespérée, tout à fait à l'aise dans son pantalon en coton fin et sa chemise de soie rose. Sa silhouette était aussi fine que celle d'une adolescente et, comme toujours, elle était impeccablement bronzée, maquillée et parfumée.

— Qui te coiffe ? demanda Laura.

— Un garçon qui s'appelle Antony. Il est un peu grande folle, mais il coupe à la perfection. (Apparemment satisfaite du verdict du miroir, Daphné se retourna et s'assit dans un petit fauteuil de velours rose qui se trouvait près de la fenêtre.) Je suis épuisée, annonça-t-elle.

— Qu'est-ce que tu as fait de ta journée ?

— Oh !... J'avais des courses... Je me suis acheté une divine paire de knickerbockers chez Harrod's. Pour Glenshandra. Je l'ai laissée dans la voiture, sinon je te l'aurais montrée. J'ai eu un déjeuner merveilleux au Meridiana et puis je suis remontée

343

jusqu'à Euston pour prendre un paquet pour Tom. C'est une nouvelle canne pour le saumon, faite spécialement pour lui à Inverness. Ils l'ont envoyée par le train. Alors... et comme je passais dans les environs, je me suis dit que je pourrais faire un saut ici pour qu'on décide de nos projets... N'est-ce pas de l'organisation, ça?

Elle s'enfonça dans le fauteuil et étendit ses jambes. Ses yeux, grands et extraordinairement bleus, faisaient le tour de la pièce.

— Tu as changé des choses, n'est-ce pas? C'est un nouveau lit, non?

— Oui. Alec l'a acheté quand nous nous sommes mariés.

Le manque de tact était quelque chose que Laura, peu sûre d'elle-même, ne parvenait pas à supporter.

— Et de nouveaux rideaux, fit Daphné. C'est un très joli chintz.

Il apparut à Laura que Daphné avait dû venir dans cette chambre une centaine de fois déjà, commérer avec Erica de la même façon qu'elle bavardait maintenant avec elle. Elle les imaginait en train d'essayer de nouvelles robes, partager des confidences, discuter de telle ou telle soirée, faire des projets. Elle eut l'impression soudaine que sa chemise de nuit était froissée et humide de transpiration... Elle avait besoin d'une douche, plus que tout. Elle voulait que Daphné quitte cette pièce.

Comme c'est parfois le cas dans les situations désespérées, elle fut traversée par une idée lumineuse.

— Voudrais-tu boire quelque chose? demanda-t-elle.

— J'en serais ravie, répondit promptement Daphné.

— Tu sais où Alec met les boissons... dans le placard de la cuisine. Il y a du gin et du tonic, et du jus de citron dans le réfrigérateur. Pourquoi ne vas-tu pas te servir, et je te rejoins dans un instant? Il faut que je m'habille, je ne peux pas rester comme ça, Alec va finir par arriver.

Daphné ne fit pas de difficultés. Elle se leva, ramassa sac et lunettes et descendit. Laura attendit jusqu'à ce qu'elle entende le bruit de la vaisselle qu'on remuait. Quand elle fut bien sûre que Daphné n'allait pas réapparaître, elle se leva d'un bond, comme mue par un ressort.

Quinze minutes plus tard, douchée et changée, elle descendit et trouva Daphné se relaxant sur le sofa, une cigarette au bout des doigts et un verre posé à côté d'elle sur la table basse. Le salon était plein de la lumière du soir et du parfum des roses. Daphné se concentrait sur les pages de ragots du dernier *Harpers and Queen*. Quand Laura apparut, elle reposa le magazine.

— Tu n'as rien modifié dans cette pièce, n'est-ce pas ? dit-elle. Je veux dire, à part quelques objets.

— Ce n'était pas nécessaire. C'était déjà très joli comme ça.

— Tu aimes vivre ici ? J'ai toujours l'impression qu'Islington est un peu... décalé, non ? Et puis, c'est loin de tout...

— C'est pratique pour aller dans le centre.

— C'est ce qu'Alec dit toujours. Ce vieux démon. C'est pour ça qu'Erica lui avait fait acheter Deepbrook.

Laura, prise au dépourvu, ne put rien trouver à répondre. Daphné ne s'était encore jamais montrée si directe au sujet d'Erica. Pourquoi ? Peut-être parce que Tom n'était pas là pour servir de garde-fou ? Elle était seule avec Laura et elle pensait à l'évidence qu'il n'y avait pas lieu d'être délicate. Le cœur de Laura tambourinait. Elle se sentait prise au piège.

Daphné sourit.

— Nous ne parlons jamais d'Erica, n'est-ce pas ? Nous faisons toujours en sorte d'éluder le sujet. Mais après tout ça a existé, ça fait partie de l'histoire... Et puis de toute façon, de l'eau a passé sous les ponts.

— Je suppose que tu as raison.

Daphné se fit plus attentive ; ses yeux semblaient avoir rétréci. Elle alluma une autre cigarette avant de reprendre :

— Ça doit être étrange d'être la deuxième femme de quelqu'un. Je l'ai toujours pensé. C'est une expérience toute nouvelle et pourtant, elle a déjà eu lieu, avec une autre femme. C'est assez classique, bien entendu.

— Dans quel sens ?

— Eh bien, pense à Jane Eyre ou à la deuxième Mme de Winter dans *Rebecca*.

— Sauf qu'Alec n'est ni assassin, ni bigame.

Daphné n'avait pas sourcillé. Peut-être était-elle moins cultivée qu'elle voulait le faire croire. Laura songea à lui fournir une explication, puis préféra s'abstenir.

— Un autre gin-tonic ? demanda-t-elle.

— J'en serais ravie. (Cela semblait être la réponse d'usage de Daphné quand on lui offrait à boire.) Je vais aller me servir, ajouta-t-elle.

— Non, je vais le faire.

Laura prépara la boisson dans la cuisine et remplit le verre de glace. Daphné avait eu un déjeuner. Avec l'un de ses admirateurs, probablement. Sans doute aussi n'avait-elle pas refusé les Martini et le vin. Laura se demanda si, par hasard, elle n'était pas légèrement ivre. Comment expliquer autrement cette soudaine franchise ? Elle regarda la pendule et se mit à regretter qu'Alec ne soit pas de retour pour lui prêter main-forte. Elle retourna au salon.

— Oh ! Génial ! (Daphné lui prit le verre des mains.) Et toi, tu ne prends rien ?

— Non... je n'ai pas soif.

— Bon, à nous ! (Daphné se mit à boire puis reposa le verre.) J'étais en train de penser... Tu sais, il y a six ans qu'Erica est partie aux Etats-Unis. Cela fait si longtemps que cela paraît incroyable. Le temps file plus vite à mesure que nous vieillissons... Mais, vois-tu, j'ai l'impression que c'était hier. (Elle se rencogna un peu plus dans le sofa et ramena ses jambes sous elle, dans la position d'une femme qui s'apprête aux confidences.) C'était ma meilleure amie, tu le savais ?

— Oui.

— Nous étions à l'école ensemble. Nous avons toujours été amies. C'est moi qui l'ai présentée à Alec. En fait, pas directement, puisqu'elle était à Hong Kong, mais je les ai fait se rencontrer. Quand ils se sont mariés, j'étais très excitée et un tout petit peu jalouse... Tu sais, Alec a été l'un de mes premiers petits amis. Je l'ai connu avant de rencontrer Tom. C'est idiot de ressentir cela pour un homme, mais regardons les choses en face, on tient particulièrement à son premier amour.

— Moins qu'à son dernier.

Daphné parut à la fois surprise et blessée, comme si elle venait d'être piquée par une fourmi.

— Je ne joue pas à la garce, je te promets. Ce n'est qu'une minuscule confession. Après tout, il ne manque pas de charme.

— Je suppose, tenta Laura désespérément, qu'Erica te manque beaucoup.

— Oh ! affreusement. Au début, je n'ai pas pu croire qu'elle ne reviendrait pas. Et puis il y a eu le divorce et Alec a vendu Deepbrook. On aurait dit la fin d'une époque. Les week-ends sans Deepbrook me paraissaient si différents ! Nous nous faisions du souci pour Alec, aussi. Il était si souvent seul ! Et puis il s'est rapproché de son frère, il s'est mis à disparaître dans le Devon, les samedis soir. Il t'a emmenée là-bas, je suppose?

— A Chagwell, tu veux dire? Oui, nous y avons été pour Pâques. Mais la plupart du temps, nous restons ici.

Ces week-ends étaient agréables. Juste tous les deux et Lucy, la porte close, les fenêtres ouvertes et la petite maison pour eux seuls.

— Tu les aimes?... Je veux dire : Brian Haverstock et sa femme? reprit Daphné. Erica ne les supportait pas. Elle disait que les meubles chez eux étaient couverts de poils de chien et que les enfants n'arrêtaient pas de hurler.

— Avec une telle famille, il y a forcément un peu de désordre et de bruit... mais c'est drôle aussi.

— Erica ne supportait pas les enfants indisciplinés. Gabriela était charmante. (Daphné écrasa sa cigarette.) Est-ce qu'Alec a des nouvelles de Gabriela?

De mal en pis. Incontrôlable. Laura décida de mentir.

— Oh! oui.

Elle fut étonnée de son propre aplomb.

— Elle doit être une vraie petite Américaine, maintenant. Les jeunes ont vraiment du bon temps, là-bas. Je suppose que c'est pour cela qu'elle n'est jamais revenue pour voir Alec. Il croyait bien qu'elle le ferait. Tous les ans il en faisait des tonnes pour qu'elle nous accompagne à Glenshandra et il réservait une chambre pour elle. Mais elle n'est jamais venue. A propos, poursuivit Daphné sans changer de ton, c'est pour cette raison que je suis venue te voir, pas pour évoquer le passé. Glenshandra... Es-tu prête à affronter le temps frisquet du Nord? J'espère que tu as des tas de vêtements chauds, parce qu'il peut faire un froid mordant sur la rivière, même en juillet. Une année, il n'a pas cessé de pleuvoir et il y a presque eu des gelées. Il te faut aussi une tenue un peu formelle pour le soir, au cas où nous serions invités à dîner. C'est le genre de chose que les maris ne pensent pas à dire... Et là-bas, il n'y a pas une boutique à des kilomètres à la ronde.

Elle s'arrêta enfin pour souffler... et attendre que Laura risque un commentaire. Laura ne trouvait rien à dire. Daphné ne se découragea pas.

— Alec nous a dit que tu n'avais jamais vraiment pêché, reprit-elle, mais que tu veux essayer. Je me trompe? Autrement, tu t'ennuierais à rester seule à l'hôtel. Tu n'as pas l'air très excitée à cette idée... Tu as vraiment envie de venir?

— Mais... oui... mais...

— Un problème?

Elle le saurait tôt ou tard. Tout le monde l'apprendrait.

— Je ne crois pas que je pourrai venir, dit Laura.

— Ne pas venir!

— Je dois entrer à l'hôpital. Rien de grave... une petite opération, mais le médecin veut que je prenne du repos ensuite. Elle dit que je ne peux pas aller en Ecosse.

— Mais quand? Quand dois-tu entrer à l'hôpital?

— Dans un jour ou deux.

— Mais cela veut-il dire qu'Alec ne pourra pas venir?

Daphné avait l'air effondrée à cette perspective, comme si des vacances sans Alec étaient vouées au désastre.

— Pas du tout, répondit Laura. Il n'y a pas de raison pour qu'il reste à Londres.

— Mais tu... ça ne t'ennuie pas?

— Je veux qu'il parte. Je veux qu'il soit avec vous tous.

— Mais toi, ma pauvre! Quelle histoire idiote! Et qui va prendre soin de toi? Mme Abney?

— Je vais peut-être m'installer chez Phyllis.

— Tu veux dire ta tante qui vit à Hampstead?

Une voiture remontait la rue. Le moteur s'arrêta. Une portière claqua. Laura priait pour que ce soit Alec.

— C'est pour ça que je suis allée la voir cet après-midi.

Un bruit de pas. Une clé dans la serrure.

— C'est Alec, justement, dit Laura.

Elle s'avança vers lui. Elle n'avait jamais paru si heureuse de le voir.

— Laura...

Avant qu'il ait eu le temps de l'embrasser, elle dit d'une voix forte :

— Bonsoir. N'est-ce pas charmant, Daphné est ici!

Alec se raidit, un bras autour de sa taille, l'autre main tenant toujours sa serviette.

— Daphné...

Il avait l'air éberlué.

— Oui, c'est moi! cria Daphné depuis le salon.

Alec reposa sa serviette et ferma la porte derrière lui.

— N'est-ce pas une bonne surprise? fit encore la voix de Daphné.

Alec passa la porte du salon avec Laura sur les talons et alla se poster au milieu de la pièce, les mains dans les poches, un sourire en direction de Daphné.

— Que fais-tu là? demanda-t-il.

Elle lui rendit son sourire et remua la tête, ce qui fit tinter ses boucles d'oreilles.

— Je suis venue pour bavarder. Des cancans de femmes, tu sais ce que c'est... Je devais aller à Euston et j'ai pensé que ce serait une bonne idée de passer. Je vais rarement dans votre coin.

Il se pencha pour l'embrasser.

— Ravi de te voir.

— En fait, je venais parler à Laura de Glenshandra...

Laura fit une terrible grimace à l'adresse de Daphné pour l'arrêter, mais, soit que celle-ci ne l'eût pas remarquée, soit qu'elle fût trop occupée par Alec, elle poursuivit :

— ... mais elle m'a dit qu'elle ne pourrait pas venir.

Laura l'aurait volontiers étranglée. Ou se serait étranglée elle-même d'avoir été assez sotte pour se confier à elle.

Alec se retourna et regarda sa femme, les sourcils froncés, ne comprenant plus.

— Qu'elle ne pourrait pas venir? répéta-t-il.

— Oh, Daphné! fit Laura. Alec n'est pas encore au courant.

— Et tu voulais le lui dire toi-même! Quelle idiote je suis, maintenant j'ai tout gâché. Tom me dit toujours de surveiller mes paroles...

— Je t'ai pourtant expliqué que je n'ai vu le médecin que cet après-midi.

— Je ne savais pas que tu devais voir un médecin, intervint Alec.

— Je ne voulais pas te le dire avant de l'avoir consulté. Avant de savoir. Je ne voulais pas que tu te fasses du souci...

Horrifiée, elle entendit sa propre voix qui se brisait. Alec l'entendit aussi et vint à son secours, augmentant sa détresse et sa confusion.

— Nous n'avons pas besoin d'en parler maintenant, dit-il. Quand Daphné sera partie.

— Oh, Alec! Est-ce un message? Cela veut dire que je dois m'en aller...

— Non, bien sûr que non. Je vais prendre un verre. Je t'en sers un autre?

— Eh bien... un petit. Pas trop fort, il faut que je conduise jusqu'à la maison. Tom me tuerait si je défonçais la voiture.

Elle partit enfin. Ils regardèrent l'arrière de sa voiture disparaître au coin de la rue.

— J'espère qu'elle ne va pas se tuer, dit Alec.

Ils rentrèrent et Alec ferma la porte. Laura éclata en sanglots. Il l'entoura immédiatement de ses bras.

— Allons, viens. Calme-toi, que se passe-t-il?

— Je ne voulais pas qu'elle t'annonce ça. Je voulais te l'apprendre moi-même, pendant que nous aurions pris un verre... Je ne voulais pas lui dire, mais elle insistait et insistait au sujet de Glenshandra et, à la fin, je n'ai rien pu faire d'autre...

— Cela n'a aucune importance. Ce qui compte, c'est toi... Viens donc.

La tenant par l'épaule, il la guida dans le salon et la força doucement à s'asseoir. Il étendit ses pieds sur le sofa. Le coussin avait pris le parfum de Daphné. Laura ne pouvait s'arrêter de pleurer.

— Je... je repoussais ma visite chez le Dr Hickley parce que je ne voulais pas qu'on me dise que je devais subir une autre opération. J'espérais aussi que cela se réglerait tout seul. Mais non, au contraire, ça s'est aggravé.

Les larmes glissaient sur son visage. Alec s'assit sur l'accoudoir du sofa et lui tendit le mouchoir de lin blanc qui lui servait de pochette. Elle se moucha, sans grand effet.

— Quand dois-tu entrer à l'hôpital?

— Dans un jour ou deux. Le Dr Hickley va me téléphoner.

— C'est embêtant... Mais ce n'est pas la fin du monde.

— Ça le sera si ça ne marche pas cette fois-ci. Parce que si ça se reproduit, le médecin dit qu'il faudra que je subisse une hystérectomie et moi je ne veux pas. J'ai peur de ça... Je ne pourrais pas le supporter... Je veux avoir un bébé... je veux un bébé de toi...

Elle releva les yeux vers lui mais ne put le voir à cause de ses larmes. Elle sentit soudain qu'il la prenait dans ses bras. Son visage put enfin se poser au creux de l'épaule de son mari.

— Ça ne se reproduira pas, fit-il.

— C'est ce que m'a dit Phyllis, mais on ne sait jamais. (Elle pleurait contre sa veste bleu marine à fines rayures blanches.) Je veux savoir.

— On ne peut pas tout savoir.

— Je veux un enfant...

Je veux un enfant à cause de Gabriela.

Pourquoi ne pouvait-elle pas dire cette phrase? Qu'est-ce qui n'allait pas dans leur mariage pour qu'Alec ne parle jamais de sa fille, pour qu'il lui écrive des lettres dans le secret de son bureau et qu'il ne dise jamais si elle lui répondait ou non? Il n'aurait pas dû y avoir de secrets. Ils auraient dû pouvoir parler de tout, ils auraient dû pouvoir tout se dire.

Ce n'était pas comme si Gabriela s'était enfuie sans laisser de traces. Là-haut, au grenier, il y avait encore sa chambre, pleine de ses meubles, de ses jouets, de ses images, et son bureau. Il y avait aussi sa photo sur la commode du dressing d'Alec. Il y avait un dessin qu'elle avait fait, fièrement encadré d'argent. Pourquoi Alec ne comprenait-il pas que le refus d'admettre jusqu'à l'existence de son enfant créait un fossé entre eux, un fossé que Laura ne parvenait pas à combler?

Elle soupira profondément et s'éloigna de lui. Elle s'effondra sur le coussin, se haïssant d'avoir tant pleuré, d'avoir l'air si laide et d'être si malheureuse. Le mouchoir d'Alec était trempé de larmes. Elle l'entortilla et le lança méchamment dans sa direction.

— Si je ne peux pas te donner un enfant, c'est que je ne peux rien te donner.

Connaissant Alec, il ne fallait pas s'attendre qu'il la réconforte par un cliché.

— Tu as pris un verre? demanda-t-il d'une voix posée.

Laura secoua la tête.

— Je vais t'apporter un cognac.

Il se leva et sortit de la pièce. Elle l'entendit fouiller dans la cuisine. Lucy, dérangée par sa présence, quitta son panier. Laura perçut le grattement de ses griffes sur le linoléum. La chienne entra dans le salon et bondit sur les genoux de Laura. Elle lécha son visage et, attirée par le goût salé des larmes, le lécha encore. Puis elle se mit en boule et reprit son somme. Laura se moucha de nouveau et retira quelques poils noirs de son visage. Alec réapparut avec un whisky pour lui-même et un petit verre de cognac pour Laura. Il le lui donna et approcha un tabouret pour s'asseoir en face d'elle. Il sourit et elle lui rendit faiblement son sourire.

— Ça va mieux?

Elle fit oui de la tête.

— Le cognac a des vertus médicinales, lui dit-il.

Elle en but une gorgée qu'elle sentit descendre, brûlante, le long de sa gorge et jusqu'à son estomac.

— Maintenant, fit Alec, nous allons parler de Glenshandra. Le Dr Hickley dit que tu ne peux pas venir?

— C'est ça.

— L'opération ne peut pas être retardée?

Laura secoua la tête.

— Dans ce cas, je vais annuler Glenshandra.

Elle prit sa respiration.

— C'est exactement ce que je ne veux pas. Je refuse que tu n'y ailles pas.

— Mais je ne peux pas te laisser seule ici.

— Je savais que tu dirais ça. Je le savais.

— Eh bien, qu'attendais-tu que je dise?... Laura, Glenshandra n'a pas d'importance.

— Si. Cela en a, beaucoup.

Elle recommença à pleurer. Malgré tous ses efforts, elle ne put contenir ce nouveau flot de larmes.

— Tu attends cela toute l'année, reprit-elle. Ce sont tes vacances. Tu dois y aller. Et les autres...

— Ils comprendront.

Elle se remémora l'expression du visage de Daphné. *Tu veux dire qu'Alec ne pourra pas venir?*

— Ils ne comprendront pas. Ils penseront seulement que je suis ennuyeuse et sans intérêt. C'est d'ailleurs ce qu'ils pensent déjà de moi.

— C'est tout à fait injuste.

— Je veux que tu y ailles. Je le veux. Tu ne comprends pas que c'est pour cela que je suis si malheureuse? Parce que je sais que je ruine tes projets.

— Tu ne pourras pas te faire opérer si tu es dans cet état.

— Alors trouve une solution. Phyllis m'a dit que tu aurais une idée.

— Phyllis?

— Je suis allée la voir cet après-midi. En sortant de chez le Dr Hickley. Je voulais lui demander de m'héberger après l'hôpital. Cela t'aurait rassuré et tu serais allé à Glenshandra... Mais elle ne peut pas, elle va à Florence. Elle m'a dit qu'elle pourrait repousser son voyage, mais je ne veux pas.

— En effet, nous ne pouvons pas la laisser faire ça.

— Je lui ai dit que c'est la première fois de ma vie où j'ai autant rêvé d'avoir une famille à moi. Une vraie famille, avec une foule de gens. Je n'avais jamais songé à cela auparavant. Je voudrais tant avoir une mère chez qui je pourrais me réfugier, qui mettrait des bouillottes chaudes dans mon lit...

Laura regarda Alec, inquiète de voir s'il ne se moquait pas de cet enfantillage. Mais il ne souriait pas.

— Tu n'as pas de famille, mais moi j'en ai une, dit-il avec douceur.

Laura réfléchit un moment et lâcha, sans beaucoup d'enthousiasme :

— Tu veux dire Chagwell?

Il éclata de rire.

— Non, pas Chagwell. J'adore mon frère, sa femme et leur petit gang de gamins, mais on ne peut demeurer à Chagwell qu'avec la santé la plus robuste.

Laura se sentit soulagée.

— Je suis heureuse que ce soit toi qui le dises et pas moi.

— Tu pourrais aller à Tremenheere, dit Alec.

— Où est-ce?

— En Cornouailles. Tout au bout. C'est le paradis sur terre. Un vieux manoir élisabéthain avec vue sur la baie.

— Tu en parles comme une agence de tourisme. Qui vit là-bas?

— Gerald et Eve Haverstock. C'est mon oncle et elle est adorable.

Laura se souvint.

— C'est eux qui nous ont offert les verres de cristal pour notre mariage?

— C'est ça.

— Et qui nous avaient envoyé une lettre charmante?

— Tout à fait.

— C'est un amiral à la retraite?

— Qui ne s'est pas marié avant l'âge de soixante ans.

— Quelle famille compliquée tu as!

— Mais charmante! Comme moi.

— Et à quelles occasions allais-tu dans cet endroit... Tremenheere?

Le mot était difficile à prononcer, spécialement après un cognac.

— Quand j'étais gamin. J'ai passé un été là-bas avec Brian.

— Mais je ne les ai jamais rencontrés... je veux dire : Gerald et Eve.

— Ça ne fait rien.

— Nous ne savons même pas s'ils pourront me recevoir.

— Je vais leur téléphoner tout à l'heure pour arranger ça.

— Et s'ils disent non?

— Ils ne diront pas non, mais s'ils le faisaient, nous trouverions une autre solution.

— Je vais les déranger.

— Je ne crois pas.

— Comment me rendrai-je là-bas?

— Je t'y conduirai dès que tu sortiras de l'hôpital.

— Mais tu seras à Glenshandra.

— Je n'irai pas à Glenshandra tant que tu ne seras pas sortie d'affaire.

— Tu vas manquer une partie de tes vacances. La pêche.

— Ça ne me tuera pas.

Laura était à court d'objections. Tremenheere apparaissait comme une sorte de compromis. Cela signifiait qu'elle devrait rencontrer de nouvelles personnes, vivre dans la maison d'inconnus; mais cela permettrait à Phyllis d'aller à Florence et à Alec de partir pour l'Ecosse.

Elle tourna la tête et le regarda, assis avec son verre coincé entre ses genoux. Elle regarda ses cheveux épais, noirs et striés de gris, comme la fourrure d'un renard argenté. Et son visage, qui n'était pas d'une beauté conventionnelle, mais possédait la grâce de la distinction. Le genre de visage qu'on n'oublie pas. Elle observa ce grand corps souplement réparti sur le tabouret bas, les longues jambes étendues et les mains qui jouaient avec le bord du verre. Elle regarda son mari dans les yeux, dans ces yeux qui étaient aussi sombres que les siens. Il lui sourit. Et elle sentit son cœur battre de nouveau.

Après tout, il a beaucoup de charme.

Phyllis avait dit : *Peux-tu imaginer un homme comme lui avoir une aventure avec la femme de son meilleur ami?* Cependant, comme Daphné allait être heureuse de l'avoir pour elle seule à Glenshandra...

Cette idée remplit Laura d'une douleur qui lui parut grotesque. N'avait-elle pas tout fait pour qu'il parte? Honteuse d'elle-même, pleine d'amour pour Alec, elle tendit une main qu'il prit aussitôt.

— Si Gerald et Eve disent qu'ils peuvent m'héberger et si j'accepte, dit-elle, tu me promets que tu iras en Ecosse?

— Si c'est ce que tu veux.

— C'est ce que je veux, Alec.

Il baissa son visage, embrassa la paume de la main de Laura avant de refermer les doigts de la jeune femme autour du baiser, comme s'il s'était agi d'un précieux cadeau.

— Je n'aurais pas été très bonne pour la pêche, de toute façon, murmura-t-elle. Et tu aurais passé tout ton temps à me donner des leçons.

— Il y aura une autre fois.

Une autre fois. Cette fois-là, peut-être, tout irait mieux.

— Parle-moi de Tremenheere, dit-elle.

4

TREMENHEERE

La journée avait été parfaite. Longue, chaude, baignée de soleil. La marée était basse et Eve contemplait la plage depuis la mer. Elle avait nagé vigoureusement, luttant contre les vagues qui roulaient, et maintenant elle regardait la courbe des falaises, les rochers et la longue bande claire que formait la plage de sable.

Il y avait du monde sur cette plage. Du moins, selon les critères locaux. On était à la fin juillet et les vacances battaient leur plein. La plage était tachetée de signaux colorés : serviettes de bain, parasols, enfants en tenue de bain écarlate ou jaune canari, balles et ballons gonflables. Au-dessus de tout cela les mouettes volaient et criaient, certaines se perchaient en haut des falaises d'où elles surgissaient pour fondre sur quelque pique-nique oublié dans le sable. Leurs cris, transperçant l'air, ressemblaient fort à des cris humains : ceux de gamins jouant au football, de mères rappelant un bambin imprudent, d'une petite fille exprimant sa peur et sa joie alors que deux de ses amis tentaient de la jeter dans l'eau.

La mer avait semblé à Eve d'abord glaciale, mais quelques brasses avaient relancé sa circulation, et elle ne ressentait plus qu'une impression merveilleuse et revigorante de fraîcheur salée. Elle fit la planche et contempla le ciel sans nuage ; son esprit était comme vidé, tout se résumant pour elle à la perfection physique de l'instant.

« J'ai cinquante-huit ans », se rappela-t-elle. Mais elle avait décidé depuis longtemps que l'un des avantages de cet âge, c'est que l'on sait prendre le temps de savourer les bonnes choses qui peuvent encore advenir. Ce n'était pas vraiment le bonheur. Il y avait des années que le bonheur avait cessé de la surprendre avec la folle déraison de la jeunesse. C'était quelque chose de meilleur, en fait. D'ailleurs Eve n'avait jamais aimé être surprise, par le bonheur ou par autre chose. Elle craignait toujours d'être prise au dépourvu.

Elle se balançait au gré des vagues comme dans un berceau, et se laissa doucement ramener vers le bord par la marée montante. Elle sentit bientôt ses doigts toucher le sable. Une autre vague et elle se retrouva étendue sur le dos, des vaguelettes glissant sur son corps. L'eau du rivage lui parut chaude, comparée à celle où elle avait nagé.

Voilà, c'était terminé. Il était temps de sortir. Elle se remit sur ses pieds et marcha sur le sable vers le petit rocher où elle avait laissé sa sortie de bain blanche. Elle l'enfila, goûtant sa chaleur contre l'humidité froide de ses bras et de ses épaules. Elle noua la ceinture, chaussa ses sandales et commença la longue remontée par le petit sentier qui menait en haut de la falaise puis au parking.

Il était près de six heures. Des vacanciers commençaient à rassembler leurs affaires et les enfants, mécontents, protestaient, beuglaient d'énervement et de fatigue. Certains étaient déjà bien bronzés, mais les autres, qui avaient dû arriver la veille ou le jour même, étaient rouges comme des écrevisses. Ils étaient bons pour deux ou trois jours de souffrance, et leurs épaules pèleraient. Ils n'apprenaient jamais. Cela recommençait à chaque été un peu chaud, et l'antichambre des médecins était pleine de ces gens assis en rang avec des visages enflammés et des dos couverts d'ampoules.

Le sentier était escarpé. Eve s'arrêta en haut pour reprendre son souffle. Elle en profita pour regarder la mer, que deux pitons rocheux semblaient encadrer. Elle était couleur de jade près du rivage, mais plus loin s'étendait un ruban d'un profond bleu indigo. L'horizon était lavande et le ciel azur.

Eve fut rattrapée par une jeune famille. Le père portait un bébé et la mère tenait un petit enfant par la main. Il était en larmes.

— J'veux pas rentrer à la maison demain, geignait-il. J'veux rester une aut'semaine. J'veux rester tout le temps.

Eve croisa le regard de la jeune femme. Elle pouvait s'identifier à elle. Elle se souvint avoir eu cet âge et avoir traîné Ivan, un petit diablotin blond et costaud. Elle se souvenait de cette main, petite et rugueuse, qui s'accrochait à la sienne. Ne lui en veuillez pas, avait-elle envie de dire à cette jeune maman. Ne gâchez pas cet instant. Avant que vous vous en aperceviez, il sera grand et vous l'aurez perdu pour toujours. Savourez chaque moment de la vie de votre enfant, même si, de temps en temps, il vous tape sur les nerfs.

— J'veux pas rentrer!

Le petit continuait sa plainte. La mère adressa un regard résigné à Eve, qui répondit par un rapide sourire. Mais son cœur tendre souffrait pour ces gens qui allaient quitter la Cornouailles dès le lendemain et faire le long et fastidieux voyage vers Londres. Vers les foules, et les rues, et les bureaux, le boulot, les bus, l'odeur de gaz d'échappement. Il lui semblait terriblement injuste qu'ils doivent partir et qu'elle puisse rester. Elle pouvait rester là toujours, puisque c'était là qu'elle vivait.

Remontant vers sa voiture, elle pria pour que la chaleur continue. Alec et Laura arrivaient ce soir pour le dîner et c'est pourquoi elle n'avait pas le temps de se prélasser sur la plage. Ils venaient de Londres et demain matin, à une heure invraisemblable, Alec repartirait pour faire ce voyage incroyablement long vers l'Ecosse et la pêche. Laura resterait à Tremenheere une dizaine de jours et puis Alec reviendrait la chercher et ils rentreraient.

Eve connaissait Alec. Il était venu à son mariage, le visage blême et défait à la suite du récent départ de sa femme, et Eve lui avait toujours été reconnaissante d'avoir été présent. Depuis, il était revenu une fois ou deux, un peu moins triste déjà. Mais elle ne connaissait pas Laura. Celle-ci avait été malade, hospitalisée. Elle venait à Tremenheere pour sa convalescence.

Ce qui rendait plus nécessaire encore que le beau temps se maintienne. Laura prendrait son petit déjeuner au lit et resterait paisiblement allongée dans le jardin, sans que quiconque la dérange. Elle se reposerait. Elle reprendrait des forces. Et peut-être, quand elle serait plus forte, Eve l'emmènerait-elle ici pour se promener sur la plage et nager.

Tout était tellement plus simple quand le temps était beau! En vivant ici, à l'extrémité de la Cornouailles, Eve et Gerald étaient inondés chaque été de visiteurs : familiers, amis de Londres, familles ne pouvant se permettre le coût ahurissant des hôtels. Ils avaient toujours un séjour agréable, Eve y veillait. Mais quand la pluie et le vent se mettaient de la partie, elle ne parvenait pas à se défaire de l'idée que c'était un peu sa faute.

Ces réflexions la menèrent jusqu'à sa voiture. Elle était brûlante, bien qu'Eve l'eût garée à l'ombre maigrelette d'une aubépine. Eve se mit en route, toujours engoncée dans sa sortie-de-bain. L'air soufflait par la vitre ouverte sur ses cheveux trempés. Elle remonta une colline avant de rejoindre la route principale. Elle traversa un village et suivit le bord de mer. La route passait par-dessus une voie de chemin de fer et continuait, parallèle aux rails, jusqu'à la ville.

Gerald lui avait un jour raconté que jadis, avant la guerre, il n'y avait que des terrains agricoles, de petites fermes et des hameaux disposés autour de leur église à tour carrée. Les églises étaient toujours là, mais les champs où l'on avait cultivé brocolis et pommes de terre nouvelles subissaient la loi du progrès. Des maisons de vacances et des blocs d'appartements, des stations d'essence et des supermarchés bordaient la route.

Il y avait l'héliport qui desservait les îles Scilly et la façade imposante d'un château qui était maintenant un hôtel. Les arbres avaient été coupés pour faire place à une piscine d'un bleu étincelant.

Une route qui indiquait Penvarloe tournait à droite entre l'hôtel et l'entrée de la ville. Eve s'y engagea, laissant derrière elle le gros de la circulation. La route se rétrécissait bientôt jusqu'à la taille d'un chemin qui courait entre de hautes haies. Eve se retrouva dans un paysage rural qui n'avait pas été altéré : de petits champs enclos de murs de pierre où broutaient les vaches de Guernesey; des vallées profondes et de petits bois ombragés. Deux kilomètres plus loin, le village de Penvarloe était en vue, avec ses maisonnettes basses blotties le long de sa rue principale. Elle dépassa le pub, où quelques tables étaient disposées à l'extérieur, dans une cour pavée, et l'église du Xe siècle, enchâssée comme un roc préhistorique entre des ifs et d'antiques pierres tombales.

Le bureau de poste du village faisait aussi office de magasin général et vendait des légumes, des boissons fraîches et des produits surgelés. Sa porte grande ouverte (il ne fermait pas avant sept heures) était flanquée de cageots de fruits. Eve s'approcha alors qu'une femme élancée en sortait, arborant une crinière de cheveux gris et bouclés. Elle portait des lunettes de soleil et une robe bleu pâle sans manches. Elle tenait un panier à la main. Eve klaxonna. La femme la vit et lui fit un signe de la main. Eve ralentit pour se garer sur le bord de la chaussée.

— Silvia!

Silvia Marten traversa la route et s'approcha. Elle se pencha et posa une main sur le toit de la voiture. A distance, et malgré ses cheveux gris, son apparence était incroyablement jeune. On était alors presque choqué de remarquer de près sa peau ridée par le vent et le soleil, l'angle dur de ses mâchoires et un léger relâchement de son menton. Elle posa son panier et releva ses lunettes de soleil. Eve put alors contempler ses yeux incroyables, ni jaunes ni verts, largement fendus et entourés de cils couverts de mascara. Ses paupières étaient maquillées d'un fard vert translucide et les sourcils parfaitement soignés.

— Bonjour, Eve. (Sa voix était profonde et rauque.) Vous avez été vous baigner?

— Oui, je suis allée à Gwenvoe. Je n'ai pas arrêté de la journée et j'avais besoin de me rafraîchir.

— Comme vous êtes énergique! Gerald n'a pas voulu vous accompagner?

— Il coupe l'herbe, je crois.

— Serez-vous chez vous ce soir? J'ai quelques pieds de chrysanthèmes que je lui ai promis. Je n'ai plus de place dans ma serre. Je pourrais passer et m'imposer pour un verre?

— Quelle bonne idée! (Puis Eve hésita.) La seule chose, c'est... Alec et Laura arrivent ce soir...

— Alec? Alec Haverstock?... (Silvia sourit soudain et son sourire était aussi désarmant que celui d'un enfant. Il transformait son expression et faisait oublier la dureté de ses traits.) Il va rester? fit-elle.

— Non... pour une nuit, c'est tout. Laura, elle, va rester un peu. Elle sort de l'hôpital. Elle vient en convalescence. (Eve donna un coup du plat de la main contre le volant.) Mais j'oublie toujours que vous connaissez Alec depuis si longtemps!...

— Nous jouions sur la plage il y a des siècles. Eh bien... Je ne viendrai pas ce soir. Une autre fois.

Eve ne put supporter l'idée de désappointer Silvia. Elle l'imagina qui rentrait dans sa maison vide pour passer seule le reste de cette belle journée.

— Non, venez, fit-elle. Venez donc, Gerald sera enchanté de vous voir. Si je le lui demande, il nous préparera des Pimms.

— Je... Vous êtes sûre?

Eve acquiesça.

— Mon Dieu, alors, je serai ravie de venir. (Elle reprit son panier.) Je vais rentrer chez moi pour prendre les plantes et je passe dans une demi-heure.

Elles se séparèrent, Silvia remontant la rue à pied en direction de sa petite maison, Eve continuant après le village. Quelques centaines de mètres plus loin, elle roulait le long du jardin de Tremenheere. Le mur de pierre croulait sous la masse des rhododendrons. La grille était ouverte et l'allée se déployait, plantée d'azalées. Dans un crissement de gravier, la voiture s'arrêta devant la porte principale. Dès qu'Eve fut sortie de la voiture, elle reconnut la lourde odeur du chèvrefeuille qui poussait sur les murs de la maison, une odeur que ce jour de chaleur sans un souffle d'air rendait plus entêtante encore et plus sucrée.

Elle n'entra pas mais partit en direction du jardin à la recherche de Gerald. La pelouse était magnifiquement tondue, en bandes qui alternaient deux teintes de vert. Elle aperçut son mari allongé dans une chaise longue sur la terrasse, sa vieille casquette de marin sur la tête, un verre de gin-tonic à portée de main et le *Times* sur les genoux.

Le voir la réconfortait toujours. L'une des bonnes choses chez Gerald, c'est qu'il ne s'agitait pas pour rien. Eve connaissait beaucoup d'hommes qui bricolaient toute la journée sans jamais rien finir correctement. Gerald était différent : soit il était intensément occupé, soit il s'adonnait tout aussi intensément à la paresse. Il avait passé la journée au jardin et maintenant il s'accordait une heure ou deux de repos.

La tenue blanche d'Eve accrocha le regard du vieux marin. Il leva les yeux et, l'ayant vue, il reposa son journal et ôta ses lunettes.

— Bonsoir, chéri! lança-t-elle en s'approchant de lui.

Elle se baissa pour l'embrasser.

— Ton bain était agréable?

— Délicieux.

— Assieds-toi donc et raconte-moi.

— Je ne peux pas. Il faut que j'aille ramasser des framboises.

— Reste une seconde.

Elle s'assit à ses pieds, les jambes croisées. Une odeur de thym montait du sol de pierre. Elle arracha la tige d'une herbe vert pâle qu'elle réduisit en poussière entre ses doigts, libérant la riche odeur aromatique.

— Je viens de voir Silvia, dit-elle. Elle va passer prendre un verre. Elle a des pieds de chrysanthèmes pour toi. Je lui ai dit que tu pourrais nous faire des Pimms.

— Ne peut-elle pas venir un autre soir? Alec et Laura vont probablement arriver quand elle sera là.

— Je pense qu'elle aimerait voir Alec. Ils ont dit qu'ils n'arriveraient pas avant le dîner. Peut-être...

Elle allait suggérer qu'ils invitent Silvia à dîner mais Gerald l'interrompit :

— Tu ne vas pas lui dire de rester pour dîner?

— Pourquoi pas?

— Pense que Laura n'aura pas l'énergie suffisante pour rencontrer des étrangers... Pas après deux jours d'hôpital et un long voyage sous la chaleur.

— Mais c'est si embarrassant de devoir faire comprendre aux gens qu'ils doivent s'en aller parce que c'est l'heure de la soupe! C'est trop inhospitalier.

— Tu ne saurais être inhospitalière. Et avec un peu de chance, Silvia sera partie avant qu'ils arrivent.

— Tu es sans cœur, Gerald. Silvia est seule. Après tout, la mort de Tom remonte encore à peu de temps.

— Un an, tout de même. (Gerald n'avait pas l'habitude de mâcher ses mots ni de se réfugier dans des platitudes). Et je ne suis pas sans cœur, j'aime beaucoup Silvia que je trouve très amusante et parfaitement décorative, mais nous avons chacun nos vies, et je ne veux pas que tu t'épuises à réconforter tous ces canards boiteux en même temps. Ils doivent faire la queue. Chacun son tour. Et ce soir, c'est le tour de Laura.

— Gerald... j'espère qu'elle est gentille.

— Je suis sûr qu'elle est charmante.

— Comment peux-tu être aussi sûr de toi? Tu ne pouvais pas supporter Erica. Tu disais qu'elle avait creusé un fossé entre Alec et sa famille.

— Je n'ai jamais dit ça, je n'ai jamais rencontré cette femme non plus. C'est Brian qui ne pouvait pas la supporter.

— Mais les hommes qui se remarient suivent en général le même modèle... Je veux dire que leur seconde femme ressemble bien souvent à la première.

— Je ne crois pas que ce soit le cas pour Alec. Brian aime beaucoup sa nouvelle épouse.

— Elle est très jeune. A peine plus âgée qu'Ivan.

— Dans ce cas, tu pourras t'en occuper comme si elle était ta fille.

— Oui.

Eve, tout en songeant à ce que Gerald venait de dire, regardait le jardin et respirait l'odeur du thym.

La pelouse descendait en pente depuis la terrasse et la maison; celle-ci était entourée de camélias aux feuilles luisantes qui en mai offraient une débauche de fleurs blanches et roses. Au loin on apercevait la baie, une bande de mer bleue tachetée par le blanc des voiles des bateaux.

Eve continuait de se faire du souci pour Silvia.

— Si nous invitions aussi Ivan, dit-elle, cela ferait un nombre pair pour le dîner, et nous pourrions dire à Silvia...

— Non, reprit Gerald. (Il fixa Eve de ses yeux bleus et sérieux.) Vraiment non.

Elle capitula.

— Parfait.

Ils se sourirent avec compréhension. Ils étaient en parfait accord.

Elle était sa première femme et il était son second mari, mais elle l'aimait — bien que d'une façon toute différente — comme elle avait aimé Philip Ashby, le père d'Ivan. Gerald avait maintenant soixante-six ans. Ses cheveux blancs se raréfiaient et il portait des lunettes, mais il était toujours aussi distingué et attirant qu'en ce jour où Eve l'avait rencontré pour la première fois. Il était le supérieur hiérarchique direct de son mari et sa réputation de célibataire en vue n'était plus à faire. Actif et énergique, il portait toujours beau, avec ses longues jambes et sa silhouette élancée, et il continuait d'être entouré dans les soirées par des dames assez jeunes... Les plus âgées le coinçaient sur un sofa, fidèles au souvenir du beau Gerald qui n'avait cessé de les charmer. Eve ne s'en offusquait pas. Elle en était fière au contraire, car à la fin de la soirée, c'était elle qu'il venait chercher pour la ramener à Tremenheere.

Il avait remis ses lunettes et s'était de nouveau immergé dans les scores de cricket... Eve se releva et se dirigea vers la maison.

L'Empire britannique avait été bâti par des officiers de marine qui possédaient leur propre fortune. Bien que Gerald Haverstock fût né une centaine d'années trop tard pour prendre part à cette entreprise, ce vieux principe ne s'en appliquait pas moins à lui. Si son succès dans le service avait été dû pour une large part à son courage, son savoir-faire et son intelligence, il avait su aussi prendre de vrais risques et ne pas craindre de mettre sa carrière en jeu. Et cela, il avait pu le faire parce qu'il en avait les moyens. Il adorait la marine et ne manquait pas d'ambition, mais la promotion hiérarchique n'avait jamais été pour lui sous-tendue par la nécessité financière. En tant que commandant, face à des dilemmes graves qui impliquaient la sécurité de ses hommes, la perte d'équipements de grande valeur ou même qui pouvaient avoir d'importantes conséquences diplomatiques, il n'avait jamais choisi la facilité ou la modestie pour solution. Son comportement audacieux avait payé et lui avait valu une réputation d'homme courageux. Tout cela lui permettait aujourd'hui d'orner l'avant de sa grosse voiture noire officielle de l'insigne des officiers généraux.

Il n'avait pas manqué de chance, non plus, et Tremenheere en était un exemple. Le domaine lui avait été légué par une vieille marraine quand il n'avait que vingt-six ans. A cela s'était ajoutée une fortune coquette qui avait été amassée, à l'origine, grâce à d'heureux placements en actions du Great Western Railway. L'avenir financier de Gerald s'en était trouvé assuré pour le reste de sa vie. On avait cru alors qu'il quitterait la marine pour se retirer sur ses terres en hobereau, mais il aimait trop son métier et avait laissé Tremenheere somnoler à son rythme jusqu'au jour de sa retraite.

Un agent immobilier du coin s'était chargé de l'administration du domaine et l'on avait trouvé un métayer pour occuper la ferme. La maison avait été louée, pendant parfois de longues périodes. Dans les intervalles, un homme à tout faire jetait un œil sur la propriété et un jardinier à temps plein s'occupait des pelouses, des massifs de plantes et des deux jardins potagers entourés de murs de pierre.

De temps en temps, quand Gerald rentrait de l'étranger pour une permission, il lui arrivait d'y séjourner. Il invitait ses familiers, neveux, nièces, amis de la marine. La vieille maison reprenait vie et bruissait de voix et de rires. Des voitures se garaient devant la porte, des enfants jouaient au croquet sur la pelouse, les portes et les fenêtres restaient ouvertes, d'énormes repas étaient partagés autour de la table de la cuisine ou, plus formellement, dans la salle à manger lambrissée.

La maison avait subi ce traitement avec beaucoup de philosophie... Elle demeurait inchangée et d'humeur égale, comme une vieille tante au cœur tendre : les meubles hérités de la marraine de Gerald étaient toujours en place, ainsi que les rideaux qu'elle avait choisis, le tissu râpé des sièges, le style victorien des objets, les photos encadrées d'argent, les peintures et les porcelaines.

Eve n'avait apporté que quelques légers changements depuis qu'elle s'était installée là, six ans auparavant.

— C'est terriblement vieillot, lui avait dit Gerald. Mais tu peux en faire ce que tu veux. Change tout, si c'est là ton désir.

Elle ne l'avait pas voulu. Tremenheere lui semblait parfait ainsi. Il y avait une paix, une tranquillité dans son atmosphère. Elle aimait aussi le style orné de l'époque victorienne, les chaises basses, les pieds de lit en cuivre et les tapis aux couleurs passées. Elle n'avait pas envie de remplacer les rideaux et quand ils commencèrent à s'effilocher et à se déchirer par morceaux, elle passa des journées entières à rechercher dans les catalogues Liberty les dessins qui se rapprocheraient au plus près des originaux.

Eve entra dans la maison, franchissant les portes vitrées qui donnaient accès au salon. L'intérieur paraissait frais et sombre, après l'éclat de cette journée. Il y avait un parfum de pois de senteur, ceux qu'elle avait arrangés le matin même dans un grand bol et placés au milieu de la table décorée de marqueterie. Un passage tout en bois menait du salon au grand hall de réception et, de là, un escalier carré en bois lui aussi conduisait aux étages supérieurs.

Là se trouvaient de vieux portraits de famille et une armoire sculptée qui avait renfermé jadis du linge de maison. La porte de la chambre d'Eve était ouverte et il faisait frais dans la pièce, la brise du soir s'étant levée et commençant à souffler entre les rideaux à motifs de roses. Eve enleva sa sortie-de-bain et alla prendre une douche pour se débarrasser du sel qui desséchait ses cheveux. Elle se changea, choisit un jean rose et un chemisier de soie crème. Elle brossa ses cheveux qui avaient été blonds autrefois et qui étaient maintenant presque blancs, mit du rouge à lèvres et se parfuma d'eau de Cologne.

Eve était maintenant prête à aller cueillir des framboises. Elle quitta la pièce et longea le couloir jusqu'à une porte qui ouvrait sur un petit escalier menant à la cuisine. Elle hésita, la main sur la poignée, puis changea d'avis. Elle reprit sa marche le long du couloir vers ce qui avait été jadis l'aile de la nursery, là où maintenant vivait May.

Elle frappa à la porte.

— May?

Pas de réponse.

— May?

Elle ouvrit et entra. La pièce, qui donnait sur l'arrière de la maison, sentait le renfermé. La fenêtre offrait une vue charmante sur la cour et les prairies environnantes. Elle était fermée. L'âge venant, May s'était mise à souffrir du froid et ne voyait plus aucune raison de supporter ce qu'elle appelait les méchants courants d'air. Non seulement la chambre sentait le renfermé, mais elle était aussi pleine de meubles de nursery auxquels s'ajoutaient les objets et les trésors de May, apportés du Hampshire : son fauteuil, un service à thé dépareillé ainsi qu'un tapis de couleurs vives et décoré de roses, tapis que la sœur de May avait confectionné pour elle. Le dessus de la cheminée était recouvert d'objets souvenirs du bord de mer et d'une pléthore de photos qui représentaient Eve ou son fils Ivan quand ils étaient enfants. May avait été la nurse d'Eve et elle était restée ensuite à son service pour devenir — il n'y avait pas si longtemps — celle d'Ivan.

Une table se dressait au milieu de la pièce, là où May s'asseyait pour tricoter ou prendre son souper. Eve vit le bloc, les ciseaux et le pot de colle. C'était la dernière folie de May. Elle avait acheté ce bloc chez Woolworth lors de l'un de ses déplacements hebdomadaires à Truro (elle y déjeunait avec un vieil ami et faisait les magasins). C'était un bloc pour enfant, avec Mickey sur la couverture. Eve hésita, puis se décida à tourner les pages. Des photos de la princesse de Galles, un navire, une vue de Brighton, un bébé anonyme dans sa poussette... photos découpées dans des journaux ou des magazines, proprement disposées, mais sans raison apparente ni cohésion.

— Oh! May.

Eve referma le bloc.

— May?

Toujours pas de réponse. Eve sentit une sorte de panique monter en elle. Elle se faisait beaucoup de souci pour la vieille dame, craignant le pire. Une crise cardiaque, peut-être, ou une attaque. Elle entra dans la chambre à coucher. Allait-elle la trouver prostrée sur le tapis, ou bien morte dans son lit? Un petit réveil était posé sur la table de nuit; le lit se devinait sous la courtepointe au crochet.

Eve descendit et la trouva enfin là où elle le supposait : dans la cuisine, en train de tout désorganiser, de se tromper de récipients...

May n'avait rien à faire dans la cuisine, mais elle s'y faufilait toujours quand Eve avait le dos tourné, dans l'espoir de trouver quelques plats à rincer ou quelques pommes de terre à peler. Elle voulait être utile. Eve le comprenait et essayait de lui donner des tâches sans danger à accomplir pendant qu'elle-même cuisinait : éplucher les petits pois ou repasser les serviettes, par exemple.

Savoir May seule dans la cuisine était une source d'anxiété pour Eve. Les jambes de l'ancienne nurse n'étaient plus solides et elle risquait toujours de perdre l'équilibre et de faire une chute. Sa vue non plus n'était guère fameuse et sa coordination commençait à défaillir, au point que les choses les plus simples, comme faire cuire des légumes, préparer le thé ou monter et descendre un escalier, devenaient pour elle dangereuses. C'était un cauchemar pour Eve. Que May puisse se couper, se brûler ou se casser une jambe... Alors, il faudrait appeler un médecin et ce serait l'ambulance et l'hôpital. Et à l'hôpital, elle serait sans aucun doute une terreur... A peine auraient-ils commencé à l'examiner qu'elle les insulterait. Puis ferait quelque chose d'absurde ou d'irrationnel, comme de voler la nourriture d'un autre patient ou de jeter la sienne par la fenêtre. Les autorités se poseraient des questions. Et on la transférerait dans un asile.

C'était là le problème : Eve savait que May devenait sénile. Le bloc à l'effigie de Mickey n'était que l'un de ses achats. Un mois plus tôt, elle était revenue de sa promenade à Truro avec un bonnet d'enfant en laine qu'elle portait maintenant tiré sur ses oreilles à chaque fois qu'elle sortait. Eve avait aussi retrouvé dans le réfrigérateur une lettre qu'elle lui avait demandé de poster trois jours plus tôt. Et il y avait cette casserole toute neuve que May était allée ranger dans la porcherie.

Eve s'était confiée à Gerald, qui avait fermement répliqué qu'il serait temps de s'angoisser quand quelque chose se serait passé. Cela ne le gênait pas, lui assura-t-il, que May commence à être un peu « dingo », puisqu'elle ne faisait de mal à personne, qu'elle ne mettait pas le feu aux tapis ou qu'on ne la prenait pas à hurler au meurtre au milieu de la nuit — comme la pauvre Mme Rochester. Aussi, disait-il, elle pouvait rester à Tremenheere jusqu'à sa mort.

— Et si elle a un accident?

— Nous nous soucierons de ça le cas échéant.

Il n'y avait pas eu d'accident jusque-là. Cependant...

— May, ma chérie, que fais-tu?

— J'aimais pas l'odeur de ce lait. Vais l'faire bouillir.

— Mais il est absolument impeccable. Ce n'est pas nécessaire.

— Vous faites pas bouillir le lait à cette saison et nous allons tous attraper la diarrhée.

Elle avait été ronde et grassouillette jadis, mais aujourd'hui, à près de quatre-vingts ans, était devenue terriblement maigre. Les jointures de ses doigts étaient déformées et ses bas plissaient sur ses jambes.

Elle avait été une nurse parfaite, aimante, patiente et très intelligente. Mais avec toujours des idées bien arrêtées. Elle allait à l'église chaque dimanche et était fermement attachée à la tempérance. L'âge l'avait rendue intolérante et bigote. Quand elle vint s'installer à Tremenheere, elle refusa d'aller à l'église du village, mais rejoignit une obscure chapelle de la ville, un triste édifice dans une rue basse, où le pasteur lançait de terribles sermons sur les horribles dangers de la boisson. May et le reste de l'assistance renouvelaient leurs promesses et se mettaient à chanter des hymnes — sans joie.

La bouilloire fumait.

— Je m'en occupe, dit Eve.

L'expression de May s'assombrit. Pour la réconforter, Eve lui donna quelque chose à faire.

— Oh! May, je me demande si tu ne pourrais pas remplir les salières et les disposer sur la table de la salle à manger. Je me suis occupée des fleurs, mais j'ai oublié le sel.

Elle fouillait dans un placard.

— Où est le grand saladier avec la bande bleue? Je veux l'utiliser pour les framboises.

368

May, avec une certaine satisfaction, le sortit du placard réservé aux poêles à frire.

— A quelle heure arrivent M. et Mme Alec? demanda-t-elle pour la vingtième fois.

— Ils devraient être ici pour dîner. Mais Mme Marten va apporter quelques boutures pour nous... Elle sera là dans un moment. Elle va rester prendre un verre. Si vous l'entendez, dites-lui que l'amiral est sur la terrasse. Il s'occupera d'elle le temps que je revienne.

La bouche de May fit une grimace et ses yeux se rétrécirent. C'était son visage de désapprobation, qu'Eve connaissait bien. May n'appréciait ni la boisson ni Silvia Marten. Bien qu'on n'en parlât jamais, tout le monde — May incluse — savait que Tom Marten était mort d'un excès d'alcool. C'était une partie de la tragédie de Silvia qui se retrouvait veuve, avec très peu d'argent. Eve se sentait si triste pour elle qu'elle ne pouvait s'empêcher de l'aider et de la soutenir.

Quant à May, elle trouvait Silvia un peu trop volage. « Toujours en train d'embrasser l'amiral », grommelait-elle. Et il était inutile de lui dire qu'elle connaissait Gerald depuis toujours. May ne serait jamais convaincue par les justifications de Silvia.

— C'est gentil à elle de venir, dit Eve. Elle doit être affreusement seule.

— Hum, fit May, pas le moins du monde ébranlée. « Seule »... Je pourrais vous dire des choses que vous n'aimeriez pas entendre.

Eve perdit patience.

— Eh bien, en effet, je ne veux pas les connaître, répliqua-t-elle pour en finir avec cette conversation.

Elle tourna le dos à May et sortit. Elle se retrouva dans la cour spacieuse, abritée des vents et pour l'heure assoupie dans le soleil déclinant. Des garages se succédaient, précédant l'ancienne remise à diligence et une chaumière où avaient vécu autrefois les aides-jardiniers. Après un haut mur s'étendait l'un des potagers et il y avait en outre un colombier au centre de la cour. Des tourterelles blanches s'y prélassaient et roucoulaient entre deux mouvements d'ailes. Une corde était tendue entre le colombier et le mur du garage, sur laquelle étaient suspendus des vêtements, des serviettes et des nappes froissées et sèches. On voyait partout des plantes grimpantes et des géraniums. On sentait l'odeur épicée du romarin.

Quand Gerald avait pris sa retraite et était venu s'installer à Tremenheere, la remise et la chaumière n'étaient plus occupées depuis longtemps. Tombant en ruine, abandonnées, elles étaient devenues des entrepôts pour le matériel de jardin hors d'usage et les outils rouillés, ce qui choquait son sens militaire de l'ordre. Il avait finalement décidé de les remettre en état. Meublées et équipées, elles étaient à présent louées pour de courtes périodes, comme maisons de vacances.

Elles étaient toutes deux occupées en ce moment, mais pas par des vacanciers. Ivan, le fils d'Eve, vivait dans l'ancienne remise depuis près d'un an et payait un loyer substantiel pour ce privilège. Quant à la chaumière, elle était habitée par une certaine Drusilla et son gros bébé brun nommé Joshua. C'étaient les couches de Joshua qui pendaient au milieu du linge sur la corde. Jusqu'alors, Drusilla n'avait pas payé de loyer.

Ivan n'était pas chez lui. Sa voiture n'était pas là et la porte de sa maison, entourée de deux camélias, était fermée. Tôt ce matin, son associé Mathie Thomas et lui avaient chargé le camion de Mathie d'échantillons de meubles provenant de leur petite usine de Carnellow, et ils étaient partis les présenter à quelques grossistes de Bristol. Eve ne savait pas quand ils rentreraient.

La porte de Drusilla était ouverte. On ne voyait ni la jeune femme ni son bébé ; cependant, une note de musique s'échappa de la petite maison et la soirée chaude et parfumée s'emplit soudain de vagues musicales. Eve reconnut, charmée, un air de Villa-Lobos.

Drusilla travaillait sa flûte. Dieu seul savait ce que faisait Joshua.

Eve soupira.

Je ne veux pas que tu t'épuises à réconforter tous ces canards boiteux.

Tant de canards boiteux... Silvia, et Laura, et May, et Drusilla, et Joshua, et...

Elle se contraignit à s'arrêter. Non, pas Ivan. Ivan n'était pas un canard boiteux. C'était un homme de trente-trois ans, un architecte qualifié, totalement indépendant. Exaspérant, peut-être, et bien trop joli garçon pour que ça ne finisse pas par se retourner contre lui, mais tout à fait capable de veiller sur lui-même.

Elle irait cueillir des framboises. Et elle ne se ferait pas de souci pour Ivan.

Quand elle eut fini, elle constata que Silvia était arrivée. Eve sortit sur la terrasse et la trouva assise avec Gerald. Ils semblaient détendus et bavardaient doucement. Pendant qu'Eve était au jardin, Gerald avait préparé lui-même un plateau avec des verres et des bouteilles, des tranches de citron et de la glace.

Silvia releva la tête, vit Eve et ôta ses lunettes.

— On s'occupe de moi à la perfection ! lança-t-elle.

Eve approcha une chaise et s'assit auprès de son mari.

— Que veux-tu boire, ma chérie ? lui demanda celui-ci.

— Un Pimms, avec plaisir.

— Avec du citron vert en plus, quelle fête ! fit remarquer Silvia. Où les avez-vous trouvés ? Je n'en ai pas vu depuis des années.

— En ville, au supermarché.

— Il faut que j'y aille avant qu'ils aient tous disparu.

— Je suis navrée, mais je n'étais pas là quand vous êtes arrivée. Vous avez trouvé Gerald sans difficulté ?

— Eh bien, pas exactement. Quand je suis entrée dans la maison, j'ai commencé à appeler... C'était assez pathétique. May est venue finalement à mon aide et m'a dit où était Gerald. Je dois avouer qu'elle n'avait pas l'air ravie de me voir. Cela dit, maintenant que j'y songe, elle est toujours comme ça avec moi.

— Ne vous inquiétez pas pour May.

— C'est une femme un peu bizarre, non ? Je l'ai croisée dans le village l'autre jour, il faisait une chaleur épouvantable et elle portait le plus extravagant bonnet de laine que j'aie jamais vu. Je n'arrivais pas à y croire. Elle devait être en nage.

Eve s'adossa à sa chaise et secoua la tête. Elle souriait, déchirée ente l'anxiété et l'amusement.

— Je sais bien, ma chère. C'est assez triste. Elle l'a acheté à Truro il y a deux semaines et elle n'a pas cessé de le porter depuis. (Elle baissa automatiquement la voix, bien qu'il fût improbable que May pût les entendre.) Elle s'est acheté un bloc avec un Mickey sur la couverture et elle s'en sert pour coller des photos découpées dans les journaux.

— Il n'y a rien de bien méchant à cela, fit remarquer Gerald.

— Non, en effet. C'est seulement... imprévisible. Bizarre. Je ne sais jamais quelle sera sa prochaine lubie. Je...

Eve s'interrompit, comprenant qu'elle en avait déjà trop dit.

— Vous pensez qu'elle perd un peu la tête?

Silvia paraissait choquée.

— Non, pas du tout, rétorqua fortement Eve en se promettant de garder ses inquiétudes pour elle-même. Elle vieillit, c'est tout.

— Eh bien, je ne sais pas, mais je trouve que Gerald et vous avez une patience de saints à vous occuper ainsi de cette vieille femme.

— Je ne suis pas une sainte, vous savez. Je connais May depuis ma naissance. Elle s'est occupée de moi pendant des années. Puis d'Ivan. Elle a toujours été là dans les moments difficiles comme un roc dans la tempête. Quand Philip a été si malade... eh bien, je n'aurais pas supporté toutes ces épreuves sans elle. Non, je ne suis pas une sainte. Si quelqu'un l'est, c'est Gerald, pour l'avoir acceptée quand il m'a épousée et lui avoir donné un logis.

— Je n'avais guère le choix, commenta Gerald. J'ai demandé à Eve de m'épouser et elle m'a répondu qu'il me faudrait épouser May par-dessus le marché. (Il avait rempli le verre de sa femme et le lui tendait.) Une proposition un peu inhabituelle, non?

— May n'a pas fait de difficultés pour quitter le Hampshire et s'installer ici?

— Oh! non, elle a pris tout cela comme allant de soi.

— Elle est venue à notre mariage, reprit Gerald, et elle portait un chapeau vraiment extravagant. On aurait dit une boîte de gâteaux secs couverte de roses. Elle avait l'air d'une très vieille mariée, très mécontente aussi.

Silvia se mit à rire.

— Vous a-t-elle accompagnés pendant votre voyage de noces?

— Non, j'ai formellement refusé. Et quand nous sommes revenus à Tremenheere, elle s'était déjà installée et elle avait préparé une jolie liste de doléances.

— Oh! Gerald, tu es injuste...

— Je sais. Ce n'est pas méchant... En plus, depuis qu'elle est ici, mes chemises sont repassées et mes chaussettes reprisées. Evidemment, il me faut un certain temps pour les retrouver. Elle a une façon bien à elle de ranger.

— Elle s'occupe aussi du linge d'Ivan, dit Eve, et je suis sûre qu'elle meurt d'envie de mettre la main sur les couches du petit Joshua. En fait, je la suspecte de loucher sur le bébé lui-même, mais jusque-là, elle n'a pas bougé. Elle doit être déchirée entre ses instincts de nurse et le fait qu'elle ne sait pas encore quoi penser de Drusilla.

— Drusilla. (Silvia répéta ce nom improbable.) Quand on y pense... elle ne pouvait pas s'appeler autrement, non ? C'est tellement bizarre ! Elle va rester combien de temps ici ?

— Aucune idée, dit paisiblement Gerald.

— Elle ne pose pas de problèmes ?

— Pas le moindre, lui assura Eve. Nous la voyons très peu. En fait, elle est surtout l'amie d'Ivan. Le soir, ils s'assoient parfois sur des chaises de cuisine devant sa maison et ils boivent un verre de vin. Si vous ajoutez la corde à linge, les colombes qui roucoulent et le fait qu'ils ont tous deux un petit air bohème, Tremenheere prend tout à coup un air napolitain, ou rappelle ces petites cours intérieures ombreuses et inattendues qu'on voit en Espagne. C'est agréable. Et puis, à d'autres moments, on l'entend jouer de la flûte, comme tout à l'heure. C'est assez romantique.

— C'est ce qu'ils sont en train de faire maintenant, Ivan et elle, boire du vin sous la corde à linge ?

— Non. Ivan et Mathie sont partis à Bristol pour la journée, pour essayer de faire quelques affaires.

— Comment marche l'usine ?

— Très bien, d'après ce que nous savons, répondit Gerald. On dirait qu'ils ont évité la faillite. Silvia, votre verre est vide... permettez-moi...

— Eh bien... (Elle regarda sa montre.) Est-ce qu'Alec et sa femme ne doivent pas arriver dans un instant ?

— Ils ne sont pas encore là.

— Bon, je serais ravie de prendre un autre verre. Mais après, il faudra que je file.

— J'ai honte, dit Eve, de ne pas vous proposer de rester pour dîner, mais je crains que Laura ne soit épuisée et nous aurons un repas très léger, pour qu'elle puisse aller se coucher au plus vite.

— Je meurs d'envie de la connaître.

— Venez donc dîner un autre soir, quand je saurai si elle peut reprendre un peu de vie sociale.

— ... Et j'aimerais revoir Alec.

— Vous pourrez le voir quand il reviendra pour la ramener à Londres.

— La dernière fois que je l'ai vu, Tom était encore en vie... Oh ! merci, Gerald. Vous vous rappelez ? Nous avions tous été dîner au Lobster Pot.

Oui, songea Eve, *et Tom s'était enivré à ne plus pouvoir faire un geste.* Elle se demanda si Silvia se souvenait aussi de cela, mais il semblait que non. Dans ce cas, elle n'aurait jamais évoqué cette soirée. Les mois qui passaient depuis la mort de Tom avaient peut-être pour Silvia une vertu apaisante, brouillant sa mémoire afin que les mauvais moments s'estompent et que ne demeurent plus que les bons. C'était possible. Eve le savait. Mais cela ne lui était pas arrivé à elle. Quand Philip était mort, il n'y avait pas eu de mauvais souvenirs, juste la récapitulation de vingt-cinq années de bon compagnonnage, de rires et d'amour. Elle avait eu tant de chance dans sa vie! Et Silvia semblait en avoir si peu... La vie était injuste.

Le soleil baissait à l'horizon. Il faisait plus frais, mais les moustiques commençaient à piquer. Silvia en chassa un et s'adossa à son fauteuil en contemplant la pelouse fraîchement tondue.

— Tremenheere a toujours l'air si net! dit-elle. Pas une mauvaise herbe. Même dans les allées. Comment vous y prenez-vous, Gerald?

— C'est très banal. Je les asperge de désherbant.

— Tom faisait cela aussi, mais je préfère utiliser une binette. J'ai l'impression que le travail est mieux fait. Et puis, elles ne repoussent plus. A propos, j'ai rencontré le vicaire. Il m'a dit que vous vous chargiez du stand de jardinage pour la fête du mois prochain. Aurez-vous besoin de plantes?

— Sûrement.

— Je pourrais préparer quelque chose pour vous dans ma serre... (Silvia avait terminé son deuxième verre. Elle tendait la main vers son sac, prête à partir.) Je vous ai apporté de ces petits géraniums dont les feuilles ont une odeur de citron...

Eve cessa de les écouter. Elle avait perçu, dans le silence du soir, le ronronnement étouffé d'une voiture qui remontait du village. Un bruit de frein. La voiture s'engageait sous le porche. Le crissement des roues sur le gravier. Elle bondit sur ses pieds.

— Ils sont arrivés.

Les autres se levèrent et traversèrent la pelouse pour rejoindre une allée qui menait à la cour d'honneur. Devant la maison, un superbe coupé BMW rouge sombre s'était garé le long de la modeste voiture de Silvia. Alec était déjà sorti et il tenait la portière ouverte pour sa femme. Il avait avancé son bras pour qu'elle puisse s'y appuyer.

Eve eut pour impression première que cette femme était bien

plus jeune qu'elle se l'était imaginé. Une fille mince, avec des yeux sombres et des cheveux épais et bruns qui descendaient librement sur ses épaules. Elle portait, comme une adolescente, un vieux Levis passé et une large chemise de coton bleu. Elle était pieds nus dans des sandales et portait sur son bras un petit teckel à poils longs (qui ressemblait au croisement d'un renard et d'un écureuil). Ses premières paroles pour Eve furent :

— Je suis vraiment navrée, j'espère que vous ne m'en voulez pas d'avoir amené Lucy.

Silvia rentra chez elle dans sa petite voiture brimbalante. Il y avait un bruit nouveau dans le moteur et le changement de vitesses commençait à donner des signes de fatigue. La grille de sa maison était ouverte, au-dessus de laquelle le nom *Roskenwyn* était peint. Un nom prétentieux, avait-elle toujours pensé, pour une maison aussi petite et aussi ordinaire, mais c'est ainsi que la propriété s'appelait quand Tom et elle l'avaient achetée. Ils ne l'avaient pas débaptisée.

Elle se gara devant la porte, attrapa son sac à main et entra. Le couloir un peu délabré semblait calme. Elle jeta un regard à la boîte aux lettres, oubliant que le facteur était déjà passé et qu'il n'y avait rien pour elle. Elle fit tomber son sac au pied de l'escalier. Le silence était oppressant. Physiquement oppressant. Le silence... seulement remué par le tic-tac de l'horloge du premier.

Elle traversa le couloir et pénétra dans le salon. La pièce était si petite qu'il y avait à peine la place pour un sofa, deux fauteuils et un bureau sur lequel était posée une étagère pleine de livres. Il restait quelques traces de cendres dans l'âtre de la minuscule cheminée. Elle n'avait pourtant pas fait de feu depuis longtemps.

Silvia prit une cigarette et alluma la télévision. Elle changea de chaîne, mais tous les programmes l'ennuyaient. Elle éteignit le poste. Après ce moment bruissant de voix inconnues, le silence reprit son emprise. Il n'était que huit heures. Elle ne pouvait aller se coucher avant deux heures, au moins. Elle songea à se servir un verre, mais elle en avait pris deux avec Gerald et Eve. Il lui fallait faire attention avec l'alcool. Souper? Elle n'avait pas faim.

Une porte vitrée était ouverte et menait au jardin. Silvia jeta sa cigarette à demi fumée dans la cheminée et sortit, après avoir pris une paire de ciseaux dans une corbeille. Le soir était presque tombé et la pelouse se couvrait de longues ombres noires. Elle la traversa pour rejoindre ses rosiers et commença sans conviction à couper quelques branches mortes.

Une branche d'églantier se prit dans l'ourlet de sa robe, déchirant un peu le tissu. Furieuse, impatiente, Silvia la saisit pour s'en débarrasser et se piqua au pouce.

Elle émit un cri de douleur et regarda sa main. Du sang s'échappait de la petite blessure. Une goutte de sang, une perle, un filet... Un filet de sang comme une minuscule rivière écarlate, qui glissait vers la paume de sa main.

Les larmes gonflèrent ses yeux, se pressèrent et coulèrent enfin. Elle demeura ainsi dans l'ombre grise, écrasée par la détresse et la solitude, saignant et pleurant sur son sort.

La chambre qu'on leur avait donnée semblait immense, en comparaison de celle d'Abigail Crescent. Il y avait un tapis vieux-rose à motif de fleurs, deux hautes fenêtres avec des rideaux en chintz passé, et des embrasses râpées. Le lit à armature de cuivre était d'une taille imposante, garni de draps en lin et de taies d'oreiller délicatement brodés. Il y avait une coiffeuse en acajou pour Laura et une grande commode pour Alec. La salle de bains était attenante. Elle avait dû jadis faire office de chambre d'appoint et l'on avait remplacé le lit par une baignoire. Cela donnait à cette pièce une chaleur particulière, avec son tapis, ses fauteuils et sa cheminée qui rappelaient ceux d'un boudoir.

Laura était étendue dans le lit et attendait Alec. Elle s'était retirée juste après le dîner, une soudaine fatigue l'ayant submergée, mais Alec était resté en bas, dans la salle à manger, à boire un porto avec Gerald. Ils refaisaient le monde, sur leurs chaises poussées loin de la table, dans l'atmosphère indolente de l'après-dîner et dans l'odeur des cigares.

Laura avait été rassurée par le confort de cette maison. Ebranlée par l'opération, naturellement portée aux larmes et à l'appréhension, elle avait eu peur d'être livrée à elle-même et abandonnée à des étrangers. Elle n'avait pas fait part de ses craintes à Alec, pour qu'il ne change pas d'avis à la dernière minute en décidant d'abandonner ses vacances à Glenshandra... et le saumon qui attendait qu'il veuille bien le ferrer. Mais, plus le temps avait passé, pendant le long trajet qui l'amenait à Tremenheere, plus son appréhension avait grandi.

Elle avait craint que Tremenheere ne soit trop grandiose; que le brillant Gerald ne soit trop sophistiqué; qu'elle ne trouve rien à dire à Eve; qu'Eve et Gerald ne la prennent pour une timorée, et maudissent le jour où ils avaient accepté la demande d'Alec.

Mais elle savait à présent que tout allait bien se passer. Elle revoyait leurs visages sincèrement heureux, avait senti leur affection réelle pour Alec et la chaleur de leur accueil qui avait fait fondre sa timidité. Même Lucy leur avait plu. Quant à la maison, elle n'était pas grandiose, mais au contraire vieillotte, dans le sens le plus charmant du terme. Elle était aussi merveilleusement confortable. On avait proposé à Laura de prendre tout de suite un bain — ce dont elle rêvait —, puis ils avaient bu un verre de sherry dans le salon avant d'aller dans la salle à manger : une pièce lambrissée, éclairée aux bougies, avec sur les murs des marines victoriennes d'un grand charme. Le dîner avait consisté en des truites grillées, une salade et des framboises à la crème.

— Les framboises du jardin, lui avait dit Eve. Nous en ramasserons d'autres demain. Même si nous ne les mangeons pas toutes, nous pouvons les mettre au congélateur.

Demain. Demain, Alec serait parti.

Laura ferma les yeux et fit bouger ses pieds qui commençaient à souffrir d'une crampe à cause de Lucy, blottie sous la couette et installée sur eux. Elle avait l'impression de ne plus percevoir son corps, dans la douceur de ces draps; elle se sentait nue, absolument nue, d'une façon extraordinaire. Si elle ne souffrait pas de l'opération, elle se sentait en revanche vidée de toute son énergie et lourde de lassitude. C'était merveilleux d'être enfin au lit.

Elle était toujours éveillée quand Alec entra. Il referma la porte derrière lui et vint vers le lit pour l'embrasser sur le front. Puis il retourna la couette et sortit Lucy de sa cachette. Il alla la déposer dans son panier près de l'âtre. La chienne avait pris une expression de reproche, mais elle ne bougea pas. Elle savait reconnaître qui était le maître.

Alec se tenait le dos tourné à Laura et vidait ses poches, plaçant ses clés, sa montre, des pièces de monnaie et son portefeuille en rang sur la commode. Il dénoua sa cravate.

Le regardant, Laura se dit que la sécurité, c'était d'être au lit et d'observer son mari qui se préparait à la rejoindre. Elle se souvint que, des années plus tôt, après une maladie infantile, elle avait été autorisée à dormir avec sa mère. Etendue dans son lit comme aujourd'hui, elle avait regardé sa mère se brosser les cheveux, mettre de la crème sur son visage et passer sa chemise de nuit.

Alec éteignit les lumières et se coucha auprès d'elle. Elle releva sa tête de l'oreiller, afin qu'il puisse passer son bras dessous. Maintenant, ils étaient vraiment ensemble. Il se tourna vers elle, posant son autre main contre sa poitrine. Ses doigts bougeaient doucement, caressants, réconfortants. L'air chaud de la nuit s'infiltrait par les fenêtres ouvertes, gonflé de senteurs inconnues et traversé par les bruits et les craquements mystérieux de la campagne.

— Tout ira bien, lui dit-il.

C'était une affirmation, pas une question.

— Oui, souffla-t-elle.

— Ils t'aiment beaucoup. Ils te trouvent charmante.

Elle pouvait deviner, à l'entendre, qu'il souriait.

— C'est un bel endroit, dit-elle. Et ce sont des gens bien.

— Je commence à regretter d'aller en Ecosse.

— Alec !

— Tremenheere me fait toujours cet effet-là.

Elle songea qu'à cette remarque, d'autres femmes, d'autres épouses, plus sûres d'elles-mêmes, auraient dit en manière de taquinerie : *Tremenheere ! J'aurais cru que c'était moi que tu ne voulais pas quitter.* Mais elle n'en avait ni le cœur ni le courage.

— Dès que tu auras franchi les grilles de cette maison, tu penseras à Glenshandra, dit-elle.

Les autres seraient là-bas à l'attendre. Ses vieux amis. Il serait alors repris par son ancienne vie, sa vie d'avant Laura, cette vie dont elle savait à la fois trop et trop peu. Ses yeux s'emplirent de larmes. « Mais c'est ce que je veux qu'il fasse », pensa-t-elle.

— Dans les magazines, reprit-elle à voix haute, essayant de donner à sa voix le ton le plus léger possible, dans les magazines, ils vous disent toujours qu'une courte séparation pimente un mariage.

— On dirait une recette de cuisine !

Les larmes commençaient à couler des yeux de Laura.

— Et dix jours, ce n'est pas vraiment très long.

Elle essuya ses larmes. Alec l'embrassa.

— Quand je serai de retour, dit-il, je te retrouverai grossie, bronzée et en pleine forme. Allons, dors, maintenant.

Le réveil sonna le lendemain matin à cinq heures et demie.

Alec se leva. Laura resta allongée, ensommeillée, pendant qu'il se douchait et se rasait. Elle le vit s'habiller et ranger quelques affaires dans sa trousse de toilette. Quand il eut fini, elle se leva elle aussi et passa sa robe de chambre. Elle prit Lucy dans ses bras et ils quittèrent ensemble la chambre. La vieille maison et ses occupants dormaient. Alec déverrouilla la porte et ils sortirent dans l'aube fraîche. Laura déposa Lucy et resta là, tremblante, à le regarder qui mettait son sac dans la voiture. Il prit un chiffon et essuya la rosée du matin qui couvrait le pare-brise. Il rangea le chiffon et se tourna vers elle.

— Laura...

Elle s'approcha de lui et se glissa entre ses bras. Elle pouvait entendre le battement de son cœur à travers sa chemise. Elle songea à la journée qui l'attendait, aux kilomètres et aux kilomètres d'autoroute avant d'atteindre l'Ecosse.

— Sois prudent, dit-elle.

— Ne crains rien.

— Arrête-toi pour la nuit si tu es trop fatigué.

— Je le ferai.

— Tu es trop précieux pour qu'on te perde.

Il sourit et l'embrassa. Puis il s'éloigna. Il monta dans la voiture, attacha sa ceinture, referma la portière. Le puissant moteur se mit à vibrer. Un moment plus tard Alec était parti, longeant les azalées, passant la grille et descendant la route vers le village. Alors, Laura appela Lucy, rentra dans la maison et remonta dans sa chambre. Elle avait très froid, mais, quand elle se remit au lit, une sensation de chaleur la surprit délicieusement. Avant de descendre, Alec avait branché la couverture électrique.

Elle dormit jusqu'à midi, descendit à la cuisine d'où provenaient des bruits et des voix. Elle trouva Eve en tablier, penchée sur le four, et une très vieille dame assise à la table, en train d'écosser des pois. Elles tournèrent la tête quand Laura apparut.

— Je suis navrée, dit-elle, il est si tard.

— Aucune importance, vous êtes ici pour dormir. Alec a pu se lever sans difficulté?

— Oui, à environ six heures moins le quart.

— Oh!... Laura, je vous présente May... Vous ne l'avez pas rencontrée hier soir. May vit ici avec nous.

Laura et May échangèrent une poignée de main. Les doigts de May étaient froids à cause des petits pois, et déformés par l'arthrose.

— Bonjour, madame.

— Ravie de vous rencontrer, dit May avant de reprendre sa tâche.

— Puis-je faire quelque chose?

— Non, vous êtes ici pour vous reposer.

— Je vais m'ennuyer si l'on ne me donne pas quelque chose à faire.

— Dans ce cas (Eve laissa la poêle et se pencha pour prendre un bol dans le placard), nous aurons besoin de plus de framboises pour ce soir.

— Où puis-je les cueillir?

— Je vais vous montrer.

Eve conduisit Laura dans la cour et désigna du doigt la porte qui menait au jardin potager.

— Les framboisiers sont tout au bout, dit-elle, sous une sorte de cage, autrement les oiseaux mangent tous les fruits. Et si vous voyez quelqu'un en train de cueillir des légumes, c'est Drusilla. Je lui ai dit qu'elle pouvait le faire.

— Qui est-ce?

— Elle vit ici, dans cette maisonnette. Elle joue de la flûte et elle a un bébé qui s'appelle Joshua. Il doit être avec elle. Elle a l'air un peu bizarre, mais elle n'est pas méchante.

C'était un très vieux jardin potager, et chaque section était séparée de la suivante par des planches de bois. Il faisait très chaud entre les murs qui l'abritaient. Pas un souffle de brise. L'air embaumait d'un mélange de menthe, de thym et de terre fraîchement retournée. Laura remonta le sentier. Elle aperçut au bout de l'allée une énorme poussette à l'ancienne, occupée par un bébé non moins énorme. Il ne portait ni chapeau de soleil, ni le moindre vêtement. Il était aussi bronzé qu'un vieux pêcheur. Tout près, penchée entre deux rangées de tuteurs, sa mère s'activait à cueillir des petits pois.

Laura s'arrêta pour admirer le bébé. Drusilla, interrompue, releva la tête et leurs regards se rencontrèrent.

— Bonjour, dit Laura.

— Bonjour.

Drusilla reposa son panier et s'approcha pour bavarder. Elle croisa les bras et s'appuya d'une épaule contre un poteau.

— Quel beau bébé! dit Laura.

— Il s'appelle Joshua.

— Je sais. Eve me l'a dit. Je m'appelle Laura Haverstock.

— Moi, c'est Drusilla.

Elle avait un accent du Nord — ce qui semblait surprenant —, et son apparence était des plus extravagantes. C'était une jeune femme très petite et très mince — il était difficile de croire que le gros Joshua fût né d'une mère aussi maigre —, avec des yeux pâles et une masse de cheveux qui semblaient n'avoir jamais connu les ciseaux. Dans l'espoir insensé de leur donner un peu de forme, Drusilla les avait noués avec une sorte de galon d'ameublement. Le résultat était curieux : les cheveux retombaient par-dessus comme une espèce de bonnet et, en dessous, ils partaient dans tous les sens, épais, secs et frisés.

Ses vêtements étaient aussi peu conventionnels que sa chevelure. Elle portait un gilet noir d'homme sous lequel on apercevait des seins aussi plats que ceux d'un enfant. Par-dessus ce gilet, et malgré la chaleur, elle arborait une veste en velours d'où partaient quelques restes d'une fourrure pelée. Sa robe était une chose informe en coton qui descendait jusqu'à ses chevilles. Ses pieds étaient nus et sales.

Pour parachever le tableau, Drusilla avait ajouté à sa tenue une simple boucle d'oreille en pierres bleues, deux rangs de perles autour de son cou ainsi qu'une ou deux chaînes en argent. Ses mains, petites et étonnamment élégantes, ployaient sous les bagues (en les examinant bien, on comprenait sa capacité à jouer de la flûte).

— Eve m'a dit que je vous rencontrerais ici. Je viens cueillir des framboises pour elle.

— Elles sont là-bas, fit Drusilla. Vous êtes arrivée la nuit dernière? ajouta-t-elle.

— En effet.

— Vous restez combien de temps?

— Une dizaine de jours.

— Eve dit que vous êtes souffrante.

— J'ai passé quelques jours à l'hôpital. Rien de sérieux.

— Vous allez vous retaper, ici. C'est calme. Il y a de bonnes vibrations, vous ne pensez pas? De vraies bonnes vibrations.

Laura voulut bien en convenir et assura qu'elle avait déjà remarqué la qualité des vibrations.

— Elle est gentille, Eve, reprit Drusilla. C'est quelqu'un de bon. Elle m'a prêté ce landau, parce que je n'en avais pas pour

Josh. Je le traînais derrière moi dans un vieux carton de super-marché et il pèse une tonne... Ça change la vie, d'avoir un landau.

— Oui, sans doute.

— Bon, il faut que je continue ma cueillette. On va manger des petits pois aujourd'hui, mon canard, pas vrai ? fit-elle à l'adresse de son fils. Petits pois et macaronis. C'est ce qu'il préfère... A bientôt.

— A bientôt, répondit Laura.

Drusilla disparut entre les tuteurs et Laura, armée de son bol, se mit à la recherche des framboisiers.

Cet après-midi-là, Eve et Laura se tenaient allongées sur des chaises longues à l'ombre d'un mûrier. Il faisait trop chaud pour rester au soleil. Gerald était parti à Falmouth pour une réunion d'un club nautique et May, après avoir fait la vaisselle, était remontée chez elle.

— Nous pourrions aller à la plage, avait suggéré Eve.

Mais, après en avoir discuté, elles s'étaient mises d'accord pour ne pas bouger. Il faisait trop chaud pour prendre la voiture et conduire jusqu'à la plage. Même la perspective d'un bon bain ne compensait pas le désagrément de devoir rouler en plein soleil. Il régnait un parfum de roses dans l'air et les oiseaux chantaient.

Eve avait apporté sa tapisserie avec elle et s'y appliquait avec assiduité, cependant que Laura était enchantée de s'abandonner à la paresse de n'avoir rien à faire sinon regarder Lucy qui reniflait goulûment dans toutes les directions à la recherche de terriers. Cette passionnante occupation terminée, elle traversa vivement la pelouse et se jeta sur les genoux de Laura. Sa fourrure était douce comme du velours et chaude au toucher.

— Quel petit animal charmant ! dit Eve. Et si bien élevé ! Vous l'avez depuis longtemps ?

— Trois ans environ. Elle vivait avec moi dans mon appartement de Fulham et elle avait l'habitude de m'accompagner au travail et de dormir sous mon bureau.

— Je ne sais même pas ce que vous faisiez avant de rencontrer Alec.

— J'ai travaillé pour un éditeur, pendant quinze ans. Cela semble bien peu aventureux de rester si longtemps à la même place, mais j'y étais heureuse et, à la fin, j'étais responsable de collection.

— Pourquoi « peu aventureux » ?

— Oh! je ne sais pas. Les autres filles semblent toutes faire des choses si extraordinaires... être cuisinière sur un yacht ou faire du stop jusqu'en Australie. Je ne suis pas très aventureuse moi-même.

Elles restèrent silencieuses. La chaleur était étouffante, même à l'ombre du mûrier. Laura ferma les yeux.

— J'ai entrepris de refaire toutes les chaises de la salle à man-ger, lança Eve. Je n'en ai retapissé que deux. Il m'en reste huit. Au rythme où je vais, je serai morte avant d'avoir terminé.

— Votre maison est si charmante! Vous l'avez si bien arran-gée!

— Ce n'est pas moi. Je l'ai trouvée ainsi, c'est tout.

— Cela doit être lourd à entretenir, tout de même. Est-ce que vous avez de l'aide?

— Oui. Nous avons un jardinier qui vit au village, et sa femme vient presque tous les matins me donner un coup de main. Et puis, il y a May... bien qu'elle commence à vieillir... Elle a près de quatre-vingts ans, vous savez. C'est extraordinaire de penser qu'une personne puisse se souvenir de la vie d'avant la Première Guerre mondiale. May se rappelle parfaitement tout ce qui concerne son enfance, le moindre détail. En revanche, elle ne se souvient jamais de l'endroit où elle a caché les chaussettes de Gerald, ou bien de la personne qui a téléphoné en demandant qu'on la rappelle; elle vit avec nous parce qu'elle a été ma nurse et qu'ensuite elle s'est occupée d'Ivan.

Ivan. Le fils d'Eve. Alec en avait un peu parlé à Laura. Il l'avait rencontré au mariage d'Eve et de Gerald. Ivan s'y était rendu avec non pas une jeune femme, mais deux, à cause d'on ne sait quelle erreur dans ses invitations, chacune de ces demoiselles ne pouvant d'ailleurs pas supporter la vue de l'autre. Ivan, qui avait fait des études d'architecture, avait intégré un cabinet à Chelten-ham où il semblait promis à une brillante carrière. Pourtant, après s'être fiancé, il avait soudain rompu ses engagements. La chose n'aurait pas été si grave, avait fait remarquer Alec, s'il n'avait attendu pour annoncer sa décision que tous les faire-part aient été envoyés, les cadeaux reçus et qu'une immense tente ait été dres-sée pour la réception... Se souciant peu des répercussions de son incroyable comportement, Ivan avait ensuite abandonné son travail et était venu vivre en Cornouailles. Tout cela faisait un peu désordre.

— Ivan est votre fils, n'est-ce pas? demanda Laura.

— Oui. Mon fils, pas celui de Gerald. C'est vrai... j'oublie toujours que vous ne l'avez pas encore rencontré. Il vit dans l'ancienne remise, au fond de la cour. Il s'est rendu à Bristol, pour affaires. J'aurais cru qu'il serait déjà rentré. C'est peut-être bon signe... peut-être a-t-il vendu des meubles.

— Je croyais qu'il était architecte.

— Non. Il a monté une petite usine dans une chapelle désaffectée à Carnellow... à dix kilomètres d'ici, sur la lande. Il a un associé, Mathie Thomas. Il l'a rencontré dans un pub. Un garçon charmant.

— Vous devez être ravie de l'avoir si près de vous.

— Nous ne le voyons pas beaucoup.

— Il s'entend bien avec Gerald?

— Oh! oui. Ils s'aiment beaucoup. Mais vous savez, Gerald avait plus que de la sympathie pour le père d'Ivan. Il a connu mon fils petit garçon.

— Je trouve que Gerald est adorable, dit Laura.

Elle fut étonnée d'avoir fait cette remarque spontanée sans prendre garde.

Eve ne parut pas surprise. Elle avait l'air ravie.

— N'est-ce pas? Je suis si contente que vous pensiez cela.

— Il a beaucoup de prestance.

— Vous l'auriez vu quand il était jeune homme...

— Vous le connaissiez?

— Oui, mais pas très bien. J'étais mariée avec Philip et Gerald était son commandant. Je me sentais toute jeunette et pleine de respect. Puis quand ils ont pris leur retraite tous les deux, Gerald en Cornouailles et Philip et moi dans le Hampshire, nous nous sommes perdus de vue. Et puis Philip... est tombé malade. Gerald venait souvent le voir quand il allait à Londres ou quand il était dans les environs. Lorsque Philip est mort, il est venu à son enterrement. Puis il est resté auprès de moi un jour ou deux, pour m'aider à régler tous les problèmes légaux, financiers et administratifs. Je me souviens qu'il a réparé un toasteur qui ne marchait pas depuis des mois et qu'il m'a fait une scène terrible parce que je n'avais pas fait réviser la voiture.

384

— Votre mari a été malade longtemps?

— Six mois environ. Assez longtemps pour qu'on oublie de faire réparer la voiture.

— Et puis vous avez épousé Gerald.

— Oui, je l'ai épousé. Parfois, quand je songe à ma vie, je ne parviens pas à croire en ma bonne fortune.

— J'éprouve le même sentiment, dit Laura.

— J'en suis enchantée. Si Gerald est quelqu'un d'adorable, Alec doit l'être aussi. Vous devez être très heureuse avec lui.

— Oui, dit Laura.

Il y eut une petite pause. Elle avait fermé les yeux et devinait Eve assise près d'elle, jouant de l'aiguille tout en la regardant par-dessus ses lunettes bleu pâle.

— Ça a été dur pour lui, n'est-ce pas? fit Eve. Nous n'avons jamais rencontré Erica ni Gabriela. Gerald a toujours dit qu'Erica s'était interposée entre Alec et sa famille... les Haverstock, je veux dire. Mais après le divorce, quand il est venu nous voir, il n'a jamais parlé d'elle, alors nous ne savons pas vraiment ce qui s'est passé.

— Elle est partie pour les Etats-Unis avec un autre homme.

— Nous savons cela... mais à peine plus. Non pas d'ailleurs que nous le souhaitions. Lui donne-t-elle des nouvelles?

— Non.

— Et Gabriela?

— Je ne crois pas.

— Comme c'est triste! Comme les gens peuvent se faire du mal! Je me sens, par exemple, toujours coupable au sujet de Silvia Marten.

— La personne qui était là hier soir quand nous sommes arrivés?

— Je voulais lui demander de rester dîner, mais Gerald ne l'a pas voulu.

— Qui est-ce?

— Oh! elle a toujours vécu ici. Elle s'appelait Silvia Trescane. Quand Alec et son frère étaient jeunes, ils sont venus passer un été à Tremenheere et ils jouaient au cricket sur la plage avec elle. Elle a épousé un homme du nom de Tom Marten. Au début, ils ont été heureux, ils sortaient beaucoup, courant d'une soirée à l'autre. Et puis Tom s'est mis à boire. On aurait dit qu'il ne pouvait plus s'arrêter. C'était terrible à voir... Une sorte de déchéance physique. Il avait été très bel homme, mais à la fin, il était repoussant, avec un visage écarlate, et ses mains qui ne cessaient de trembler... et ses yeux... ses yeux qui n'arrivaient jamais à fixer les vôtres. Il est mort l'an dernier.

— C'est affreux!

— Oui. Horrible. Et particulièrement pour Silvia. C'est une de ces femmes qui ont vraiment besoin d'un homme dans leur vie. Il y avait toujours des hommes autour de Silvia, comme des abeilles autour d'un pot de miel. C'étaient en général les amis de Tom, mais il ne semblait pas s'en soucier. Certaines femmes ont besoin de ce petit plus d'attention et d'admiration. Je suppose que c'est sans gravité.

Laura songea immédiatement à Daphné Boulderstone.

— Je connais quelqu'un qui répond tout à fait à ce portrait, dit-elle. C'est la femme d'un ami d'Alec. Elle ne cesse d'avoir de mystérieux déjeuners intimes avec des hommes non moins mystérieux... Je ne sais pas où elle trouve le temps et l'énergie.

— Je comprends, dit Eve en souriant. C'est difficile à imaginer.

— Mais elle est si attirante... je veux dire : Silvia. Elle devrait pouvoir se remarier assez vite.

— Je le voudrais bien. Mais la vérité est plus triste. Dès l'annonce de la mort de Tom, ses admirateurs se sont faits plus rares. Je suppose que sa situation s'était gravement modifiée à leurs yeux. Elle était seule, libre... libre de se remarier. Personne ne souhaitait s'engager sérieusement.

— Et elle, le veut-elle?

— Evidemment.

— Ce n'est pas toujours le cas... Ma tante Phyllis, par exemple, est la plus jolie personne que l'on puisse imaginer et elle est restée veuve pendant des années. Simplement, elle ne voulait pas se remarier.

— N'avait-elle pas, comme on dit, de gros moyens financiers?

— Si, en effet, admit Laura.

— C'est toute la différence. Boire jusqu'à en mourir, c'est une façon très dépensière de se suicider. Tom a laissé peu d'argent à Silvia. C'est une des raisons pour lesquelles je me fais tant de souci pour elle. Je me sentais cruelle de la laisser retourner seule chez elle hier soir, alors que nous étions tous ensemble et tous heureux.

— Ne pourrait-elle revenir un autre soir?

— Oui! bien sûr, s'exclama gaiement Eve. Nous l'inviterons à dîner dans un jour ou deux. Et quand Alec reviendra vous chercher, nous sortirons tous ensemble. Dans un endroit terriblement chic. C'est cela que Silvia aime vraiment, un dîner dans un restaurant cher et élégant. Ce serait une fête pour elle. Et maintenant, vous n'allez pas me croire, mais il est presque quatre heures et demie. Que penseriez-vous de prendre le thé ici, dans le jardin?

5

LANDROCK

La vague de chaleur persistait. Dans le jardin potager, près des tuteurs, le jardinier travaillait dur, nu jusqu'à la ceinture, à planter de jeunes salades. Gerald était en train d'installer l'arrosage automatique sur un coin de pelouse qui jaunissait. Le soleil qui brillait par intervalles entre les pluies d'orage faisait naître des arcs-en-ciel. Eve baissait les stores du salon, Drusilla était assise devant sa maisonnette tandis que Joshua jouait près d'elle à creuser dans le sol au moyen d'une vieille cuiller en étain.

Mercredi. Le jour de sortie de May. Il fallait qu'on la conduise jusqu'au train pour Truro et Laura s'était portée volontaire. Elle avait emprunté la voiture d'Eve qu'elle avait garée avec précaution devant la porte d'entrée. Quand May était apparue sur le seuil, elle s'était penchée pour ouvrir la portière. La vieille dame s'était installée. Elle portait sa tenue de ville, une robe imprimée marron avec des motifs comme des gribouillis, et son couvre-chef d'enfant en laine avec un pompon sur le dessus. Elle portait un sac à main redoutable d'aspect et un sac en plastique orné d'un drapeau britannique. On aurait dit qu'elle allait applaudir la reine en visite.

Laura fit ce qu'on lui avait dit : elle lui acheta un billet aller-retour et s'assura qu'elle montait bien dans le train.

— Je vous souhaite une bonne journée, May.

— Merci beaucoup, ma chère.

Elle revint à Tremenheere et gara la voiture à l'ombre du garage. Drusilla et son fils avaient disparu. Ils avaient dû se retirer dans la fraîcheur de leur maison. Laura constata que Gerald lui-même était défait par la chaleur. Il était assis à la table de la cuisine, en train de boire force bières et de lire le *Times*. Eve s'activait près de lui, dressant la table du déjeuner.

— Oh! Laura, vous êtes un ange, dit-elle. Tout s'est bien passé?

— Oui. (Laura tira une chaise et s'assit en face du journal ouvert que tenait Gerald.) Mais ne va-t-elle pas mourir de chaleur?

— J'imagine... Se promener à Truro un jour pareil en portant un bonnet de laine! C'est jour de marché, en plus. Il vaut mieux ne pas y penser. En ce qui me concerne j'ai abandonné.

Gerald referma le *Times* et le posa près de lui.

— Laissez-moi vous servir un verre, toutes les deux. (Il alla jusqu'au réfrigérateur.) Il y a de la lager [1] ou du jus d'orange.

Elles optèrent toutes deux pour le jus d'orange. Eve ôta son tablier, passa une main dans ses cheveux courts et argentés, et se glissa sur une chaise au bout de la longue table.

— A quelle heure May doit-elle rentrer? demanda Laura.

— Vers sept heures, répondit Eve. Quelqu'un devra aller la chercher au train. Nous y penserons plus tard. Qu'allons-nous faire de beau, aujourd'hui? Il fait presque trop chaud pour prendre une décision... Oh, merci, chéri, comme c'est gentil.

Les cubes de glace cognaient contre les verres.

— Ne vous préoccupez pas de moi, dit Laura. Je suis très heureuse à lézarder dans le jardin.

— Nous pourrions aller à la plage. (Eve toucha la main de Gerald.) Et que vas-tu faire, toi, mon chéri?

— Une sieste. Quelques heures de repos et d'oubli. Et puis, quand il fera plus frais, je pourrai peut-être me mettre à biner. Les bordures ressemblent à une jungle.

— Vous n'aimeriez pas venir à la plage avec nous? demanda Laura.

— Vous savez, je n'y vais jamais en juillet ni en août. Je refuse d'être couvert de sable, rendu sourd par les transistors et cerné par l'odeur de l'huile solaire.

— Alors, peut-être...

Il l'interrompit :

— Il fait trop chaud pour se lancer dans des projets. Déjeunons d'abord et nous verrons ensuite.

---

1. Bière blonde. (*N.d.T.*)

Ils déjeunèrent de jambon, de tomates et de tartines d'un pain croustillant. Ils étaient en train de se régaler quand le calme alangui de cette chaude journée fut brisé par le bruit d'une voiture qui passait les grilles et continuait vers la cour. Il y eut un claquement de portière. Eve reposa sa fourchette et tendit l'oreille, la tête tournée vers la porte. On marchait sur le gravier; les bruits de pas se rapprochèrent. Une ombre enfin s'allongea sur le sol de la cuisine éclaboussé de soleil.

— Bonjour! bonjour!

Eve sourit.

— Chéri! tu es rentré, dit-elle en tournant son visage pour que son fils l'embrasse. Tu étais à Bristol tout ce temps-là?

— Suis rentré ce matin... Bonjour, Gerald.

— Bonjour, mon vieux.

Il baissa les yeux vers Laura :

— Ce doit être la Laura d'Alec.

Il avait dit ces mots — *la Laura d'Alec* — sans timidité ni retenue. Il tendit une main que Laura serra en souriant.

Elle avait devant elle un jeune homme athlétique et de bonne taille, quoique moins grand qu'Alec ou que Gerald. Large d'épaules et très bronzé, avec des traits ouverts, un peu enfantins et les extraordinaires yeux bleus de sa mère, il possédait en outre une masse de cheveux blonds épais. Il portait un pantalon usé en coton avec des reprises sur les genoux et une chemise bleue et blanche. Une grosse montre était accrochée à son poignet et l'on devinait, dans l'échancrure de sa chemise, un médaillon en or retenu par une chaîne en argent.

— Ravi de faire votre connaissance, dirent-ils tous deux en même temps.

Cela paraissait un peu ridicule et Ivan se mit à rire. Son sourire était large et ingénu, aussi désarmant que celui de sa mère, et Laura reconnut aussitôt le fameux charme qui avait dû lui causer quelques problèmes ces dernières années.

— Tu as déjeuné? lui demanda Gerald.

Ivan retira sa main de celle de Laura et se tourna vers son beau-père.

— En fait, non. Resterait-il quelque chose pour moi?

— Des tas de choses, lui dit sa mère.

Elle se leva et alla chercher une autre assiette et des couverts.

— Où est May? demanda-t-il. Ah! bien sûr, c'est mercredi, non?... Le jour de Truro. Elle va mourir par cette chaleur.

— Comment ça s'est passé, à Bristol? demanda Gerald.

— Très bien.

Il alla prendre une lager dans le réfrigérateur, revint près de la table et tira une chaise auprès de Laura. Il ouvrit la canette et versa la bière avec précision dans son verre.

— Nous avons obtenu deux commandes d'un magasin et une quasi-commande dans un autre, reprit-il. L'acheteur en chef était en vacances et l'autre type ne voulait pas s'engager. C'est pour cela que nous avons mis tant de temps.

— Oh! chéri, c'est une bonne nouvelle... Mathie doit être ravi.

— Oui, c'est encourageant.

Ivan se pencha en avant pour se couper une tranche de pain. Ses mains, en faisant ce geste, paraissaient nettes, fortes et compétentes, Laura remarqua, sur le dessus tout comme sur ses avant-bras, les poils décolorés par le soleil.

— Où as-tu dormi à Bristol? demanda Eve.

— Oh! dans un pub que Mathie connaissait.

— Beaucoup de circulation sur l'autoroute?

— Moyennement... la circulation d'un milieu de semaine.

Il prit une tomate qu'il commença à découper en tranches. Se tournant vers Laura, il ajouta :

— Vous avez amené le beau temps avec vous. J'ai écouté les prévisions à la radio, cela devrait se maintenir encore quelques jours. Au fait, comment va Alec?

— Très bien, merci.

— J'étais navré de l'avoir manqué. Mais il va repasser, n'est-ce pas? Ainsi, je pourrai le voir.

— Tu viendras dîner avec nous, dit Eve. Laura et moi avons décidé que nous irions dîner un soir dans un restaurant vraiment cher et chic, et nous proposerons à Silvia de nous accompagner.

— Elle sera enchantée, dit Ivan. Des serveurs partout et un rapide fox-trot entre les plats...

— Et qui va régler l'addition? demanda Gerald.

— Toi, bien sûr, mon chéri.

Il ne fut pas une seconde ennuyé par cette réponse, ce dont Eve ne doutait pas.

— Très bien, dit-il. Mais alors, pensez à réserver une table à temps. Et pas dans cet endroit où l'on nous a servi des scampi pourris. Il m'a fallu des jours pour m'en remettre.

Ivan se mit à préparer le café.

— Que faites-vous cet après-midi?

— Bonne question, dit Gerald.

— Vous allez à la plage?

— Nous n'avons pas décidé. (Eve but une gorgée de café.) Et toi, que vas-tu faire? Tu retournes à l'usine, je suppose?

— Non, il faut que j'aille à Landrock. Ce vieux Coleshill a reçu quelque bonnes pièces... de vieux meubles en pin. Il y a eu une vente dans un château. Il nous a laissé la priorité, mais si nous n'y allons pas aujourd'hui, les autres marchands se chargeront de tout rafler.

Eve prit une autre gorgée de café.

— Pourquoi n'emmènes-tu pas Laura avec toi? suggéra-t-elle. C'est une belle promenade et elle sera probablement heureuse de fouiner dans le capharnaüm de M. Coleshill.

— Bien sûr, répondit Ivan sur-le-champ. Ça vous dit? demanda-t-il en se tournant vers Laura.

Cette suggestion inattendue l'avait prise au dépourvu.

— Eh bien... oui. Mais... je vous en prie... Vous ne devez pas vous faire de souci pour moi.

Eve et Ivan éclatèrent de rire.

— Nous ne nous faisons aucun souci, lui dit Eve, et vous, vous n'avez pas à y aller si vous préférez vous reposer. Mais cela devrait vous distraire. La boutique est pleine de belles porcelaines qui trônent au milieu d'un bric-à-brac de choses poussiéreuses. C'est très amusant d'y fureter.

Laura aimait les magasins d'antiquités, tout autant que les librairies.

— Je crois que j'aimerais y aller, dit-elle. Cela ne vous ennuie pas si j'emmène mon chien?

— Pas du tout, à condition que ce ne soit pas un grand danois sujet au mal de cœur...

— C'est un adorable petit teckel femelle, dit Eve, mais je crois qu'elle sera plus heureuse si vous me la laissez. Elle pourra jouer dans le jardin.

— Eh bien, c'est décidé. (Ivan repoussa sa chaise.) Nous partons à Landrock. Et sur le chemin du retour, nous pourrions nous arrêter à Gwenvoe pour prendre un bain.

— J'y étais il y a deux jours, lui dit sa mère. La marée sera basse et l'eau est parfaite.

— Ça vous plairait, Laura?

— J'adorerais.

— Alors nous partons dans un quart d'heure. J'ai quelques coups de fil à donner... et n'oubliez pas vos affaires de bain.

C'était tout à fait le genre de voiture auquel elle s'était attendu. Un coupé décapotable. Ce qui signifiait que le vent soufflait sur ses cheveux et les répandait sur son visage. Elle essaya de les retenir, mais c'était une tâche impossible. Ivan lui tendit alors un vieux foulard en soie qu'elle noua sur sa tête en se demandant combien de ses petites amies avaient dû faire ce même geste.

Ils suivirent la grand-route, roulant à vive allure, puis ils tournèrent dans un lacis de petites routes tortueuses et bordées de haies touffues. L'étroitesse du chemin et les angles morts avaient amené Ivan à ralentir. Ils roulaient paisiblement, dépassant de temps en temps de petits villages ou des fermes isolées, où l'air était lourd d'une odeur de fumier et où les jardins croulaient sous les fleurs multicolores. Des fuchsias poussaient sur les bas-côtés, pourpres et roses, et les fossés offraient des boutons-d'or à foison, ainsi que les longues tiges crémeuses du cerfeuil sauvage.

— C'est si paisible ! dit Laura.

— Nous aurions pu prendre la route principale, mais je vais toujours à Landrock par ce chemin.

— Si vous construisez des meubles, pourquoi en achetez-vous des anciens ?

— Nous faisons les deux. Quand j'ai connu Mathie, il était dans le commerce de planches en pin. Cela ne se passait pas trop mal et il ne manquait pas de matière première. Puis le pin est soudain devenu très à la mode et tous les marchands londoniens ont débarqué, achetant tout ce qu'ils trouvaient. L'offre a commencé à se réduire.

— Et qu'a-t-il fait ?

— Pas grand-chose. Il ne pouvait pas se permettre d'offrir plus cher qu'eux et, au bout d'un moment, il a été dans l'incapacité de fournir ses propres clients. C'est là que je suis entré en scène, il y a un an. Je l'ai rencontré dans un pub, il m'a raconté ses malheurs au-dessus d'un verre de bière. C'est un type tellement gentil que je suis allé voir son atelier le jour suivant. J'ai remarqué des chaises qu'il avait faites lui-même et une table. Je lui ai demandé pourquoi il ne se mettait pas à la fabrication. Mais il n'avait pas le capital pour acheter les machines et supporter tous les frais que cela entraîne. Alors nous nous sommes associés. J'ai apporté l'argent et lui le savoir-faire. Nous avons eu quelques mois difficiles, mais j'ai bon espoir maintenant. J'ai l'impression que ça commence à payer.

— Je croyais que vous étiez architecte.

— En effet. Je l'ai été de nombreuses années, à Cheltenham et ailleurs. Mais quand je suis venu vivre ici, j'ai compris qu'il n'y avait pas assez de travail pour moi. On n'avait pas besoin d'un homme avec mes qualifications. De toute façon, dessiner des meubles n'est pas si différent de dessiner des maisons. Et puis j'ai toujours aimé travailler de mes mains.

— Vous comptez rester ici toujours ?

— Si je peux. Si mes relations restent bonnes avec Gerald et qu'il ne me vire pas de Tremenheere... C'est votre première visite, n'est-ce pas ? Quelle est votre impression ?

— C'est le paradis.

— Vous savez, vous bénéficiez de conditions idéales. Attendez seulement que le vent souffle et que la pluie commence à tomber... On croit alors qu'elle ne cessera jamais.

— J'étais un peu inquiète avant de venir, admit Laura. (Elle avait le sentiment qu'elle pouvait se confier à lui.) Vous savez, le fait d'habiter avec des gens que je n'ai jamais rencontrés, même s'ils sont de la famille d'Alec... Mais le médecin m'a interdit d'aller en Ecosse et je n'avais en fait pas d'autre solution.

— Mais... vous n'avez pas de famille ?

Il semblait étonné.

— Je n'en ai pas, en effet. Personne.

— Je ne sais pas si je dois vous envier ou vous plaindre. Enfin, ne vous inquiétez pas, en tout cas. L'activité favorite de ma mère est de s'occuper des autres. Gerald est obligé d'y mettre un frein de temps en temps, mais elle persiste. Il grommelle en disant qu'elle a fait de cette maison une sorte de communauté, mais en fait, il ne s'énerve vraiment que lorsqu'elle lui semble trop fatiguée. Au fait, vous avez rencontré Drusilla ?

— Oui.

— Et ce cher Joshua ? J'ai bien peur d'être responsable de l'arrivée de Drusilla à Tremenheere.

— Qui est-elle ?

— Aucune idée. Elle a débarqué à Lanyon il y a environ un an avec le bébé et un homme nommé Kev. Je suppose que c'était le père de Joshua. Il se faisait passer pour un artiste, mais ses tableaux étaient si nuls que personne, même dans un moment d'égarement, n'aurait versé de l'argent pour les acheter. Ils vivaient dans une petite maison sur la lande, et puis un soir — c'était il y a neuf mois environ —, Drusilla est entrée au pub avec son sac à dos, son étui à flûte et son bébé dans un carton de supermarché, pour nous annoncer que Kev avait décampé pour Londres avec une autre femme.

— Quelle brute!

— Oh! elle prenait ça avec philosophie. Elle ne semblait pas trop lui en vouloir. Seulement, elle était sans toit et sans argent. Mathie était au pub, ce soir-là, et, à la fermeture il a eu pitié d'elle et l'a emmenée chez lui. Sa femme et lui les ont gardés quelques jours, mais cela ne pouvait pas durer, alors j'en ai touché un mot à Gerald et ils se sont installés dans la maisonnette de Tremenheere. Drusilla a l'air de s'être très bien adaptée.

— D'où vient-elle?

— Huddersfield, je crois. Je ne sais rien sur son passé. Rien. Sauf qu'elle est une vraie musicienne. Je pense qu'elle a dû jouer dans un orchestre. Vous l'entendrez jouer de sa flûte. Elle est très bonne.

— Quel âge a-t-elle?

— Aucune idée... Vingt-cinq ans, je dirais.

— Mais de quoi vit-elle?

— De la Sécurité sociale, j'imagine.

— Mais... que va-t-il lui arriver? insista Laura.

Elle était fascinée par cet aperçu sur un style de vie qu'elle n'aurait jamais imaginé.

— Là encore, je n'en ai pas la moindre idée, répondit Ivan. Par ici, nous ne posons pas ce genre de questions. Mais ne vous en faites pas pour Drusilla. Elle et Joshua sont des durs à cuire.

Tandis qu'ils bavardaient, la route était devenue plus escarpée et le paysage avait changé. Les petits chemins entre les bosquets avaient fait place à une campagne ouverte, une sorte de lande, avec ici et là quelques maigres collines et des restes d'usines d'étain désaffectées qui se découpaient sur le ciel.

Ils arrivèrent à un panneau qui indiquait Landrock. Le village n'était pas aussi pittoresque que ceux qu'ils venaient de traverser. C'était un assemblage de tristes maisons de pierre construites autour d'un carrefour. On trouvait, aux quatre coins, un pub, un marchand de journaux, une poste et un long bâtiment qui avait dû être une grange. Là de petites fenêtres poussiéreuses découvraient un amas de camelote et, sur une enseigne qui se balançait au-dessus de la porte, on pouvait lire :

COLESHILL

MEUBLES D'OCCASION

BRIC-À-BRAC

BROCANTE

Ivan ralentit et se gara sur le coin du trottoir. Ils descendirent de la voiture. Il faisait plus frais sur la colline. Ils passèrent la porte ouverte de la boutique et descendirent une marche. La température tomba d'au moins dix degrés et ils furent surpris par une odeur d'humidité, de vieux chiffons et de vieux meubles, de cire aussi. Il leur fallut quelques instants pour s'adapter à la pénombre. Alors qu'ils patientaient, on entendit un raclement dans le fond du magasin. On avait poussé une chaise... Sortant de la demi-obscurité et cheminant entre des montagnes de meubles entassés, un vieil homme émergea, qui portait un vieux cardigan défraîchi. Il ôta ses lunettes pour mieux voir.

— Ah ! Ivan !

— Bonjour, monsieur Coleshill.

Laura lui fut présentée. Des remarques furent faites sur le temps. M. Coleshill s'enquit de la santé d'Eve. Puis il disparut avec Ivan dans une sombre réserve pour examiner le mobilier en pin qu'il venait d'acquérir.

Restée seule et ravie de l'être, Laura se mit à musarder, allant se perdre dans des coins inaccessibles, bataillant avec des seaux à charbon, des tabourets de ferme, des parapluies cassés et des piles de porcelaines.

En fait, elle cherchait un cadeau pour Eve. Elle n'avait pas eu le temps d'en acheter un avant son départ de Londres et n'avait pas apprécié d'arriver chez son hôtesse les mains vides. Quand elle aperçut deux figurines en porcelaine, le berger et la bergère, elle sut immédiatement qu'elle avait trouvé. Elle les inspecta pour voir si elles n'étaient pas craquelées, abîmées, ou si elles n'avaient pas subi de restauration. Elles semblaient en parfait état, si ce n'est qu'elles étaient un peu poussiéreuses. Elle souffla sur la poussière et essuya le berger contre sa robe. Son visage était blanc et rose, et son chapeau bleu orné de fleurs minuscules. Elle aurait aimé avoir ces figurines pour elle, ce qui est peut-être le meilleur des critères lorsque l'on fait un cadeau. Elle retourna au centre de la boutique, emportant sa trouvaille. Ivan et M. Coleshill avaient, semblait-il, heureusement conclu leur transaction et ils bavardaient en l'attendant.

— Je suis navrée, dit-elle. Je n'ai pas vu le temps passer. J'ai trouvé ceci... Combien les vendez-vous?

M. Coleshill le lui dit, et elle chancela.

— Ce sont des Dresde authentiques, lui assura-t-il en les retournant de ses doigts sales aux ongles trop longs pour lui montrer la marque au-dessous des figurines. Des Dresde, et en parfait état.

— Je les prends.

Pendant qu'elle remplissait un chèque, M. Coleshill s'éloigna puis revint avec les objets qu'il avait grossièrement enveloppés dans de vieux journaux. Ils procédèrent à l'échange rituel. Enfin M. Coleshill accompagna Laura et Ivan à la porte et les salua. Après la fraîcheur de la boutique, ils apprécièrent de retrouver la tiédeur du dehors.

— Vous les avez payées trop cher, dit Ivan.

— Peu importe.

— Elles sont charmantes.

— Je les destine à votre mère. Vous pensez qu'elle les aimera?

— Pour Eve? Comme vous êtes gentille!

— Il faut que je les lave avant de les lui donner. Elles n'ont pas dû prendre un bain depuis des années... Et peut-être, sur le chemin de retour, pourriez-vous vous arrêter pour que j'achète un papier cadeau présentable? Je ne peux pas les offrir dans ces vieux journaux.

Elle le regarda. Il souriait.

— Vous êtes visiblement une personne qui aime faire des cadeaux, dit-il.

— Oui, en effet, j'ai toujours aimé ça. Mais... ajouta-t-elle en veine de confidence, avant que j'épouse Alec, je ne pouvais pas me permettre d'offrir ce que je souhaitais vraiment. Maintenant, je peux. (Elle espéra que cette remarque ne serait pas mal reçue.) C'est un sentiment très agréable, dit-elle en manière d'excuse.

— Il y a une boutique de cadeaux en ville. Nous y trouverons du papier après notre bain.

Dans la voiture, Laura posa le paquet sur le plancher, où il ne risquait pas de tomber et se briser.

— Et vous, vous êtes content de vos achats ? demanda-t-elle.

— Oui. Assez satisfait. Quoique j'aie probablement dû me faire rouler comme vous. Mais bon, il faut bien qu'il vive. Maintenant, ajouta Alec en démarrant, oublions le shopping et fonçons à Gwenvoe pour nous mettre à l'eau !

Silvia était étendue sur la chaise longue que Laura avait occupée la veille. Après son binage, Gerald était allé en ville pour quelques achats et Eve avait saisi cette occasion pour calmer sa mauvaise conscience... Elle avait téléphoné à Silvia pour l'inviter à prendre un thé. Silvia avait accepté cette modeste proposition avec une vigueur alarmante et s'était mise immédiatement en chemin.

Il était maintenant cinq heures et demie et elles avaient bu leur thé. Les restes de leur en-cas étaient disposés sur la table, la théière vide, les fines tasses de Rockingham et les quelques biscuits qui n'avaient pas été mangés. Lucy était endormie à l'ombre, sous le fauteuil d'Eve. Et Eve poursuivait ses travaux de tapisserie.

Elle consulta sa montre.

— Ils devraient être à la maison, à cette heure. J'espère qu'Ivan n'en a pas trop fait faire à Laura... A Gwenvoe, il a l'habitude de remonter le sentier et d'aller nager à partir des rochers. Ce serait trop pour elle. J'aurais dû le leur dire.

— Je pense que Laura est tout à fait capable de s'occuper d'elle-même, dit Silvia.

— Oui, je suppose... (Eve releva la tête et reposa son aiguille. Une voiture vrombissait en traversant le village.) Quand on parle du loup... fit-elle. Les voilà. Je me demande s'il ne faudrait pas refaire du thé.

— Attendez donc pour savoir s'ils en veulent.

Elles tendirent l'oreille. Des portières claquant. Des voix se faisant entendre. Un éclat de rire. Puis Ivan et Laura apparurent sous la charmille et s'engagèrent sur l'herbe brillante devant les yeux des deux femmes. Ivan et... oui, c'était Laura. Mais la jeune femme pâle qui était arrivée deux jours plus tôt avait si subtilement changé qu'Eve, l'espace d'une seconde, la reconnut à peine. Si, bien sûr, c'était Laura. Laura avec ses cheveux bruns mouillés et collés par le bain, Laura dont la robe légère sans manches exposait ses bras et ses longues jambes qui avaient déjà pris des couleurs. Laura qui soudain perdait une sandale et sautait à cloche-pied. Ivan qui venait à son secours et lui tendait le bras. Ivan qui lui disait quelque chose. Leurs rires, enfin.

Lucy entendit cet éclat de rire. En deux bonds, elle fut sur sa maîtresse qui la prit dans ses bras et dut subir un assaut de plaintes et de coups de langue. Ils étaient maintenant tout près, le jeune homme blond, la jeune femme brune et le petit chien.

— Bonsoir ! lança Eve. Nous nous faisions du souci. Vous êtes-vous bien amusés ?

— Oui. Le bain était délicieux. Nous avons pu enfin nous rafraîchir. Bonsoir, Silvia, je ne savais pas que vous étiez là.

Ivan s'arrêta et embrassa la joue de Silvia, au-dessous de ses énormes lunettes de soleil. Il prit la théière.

— Il en reste ? Je meurs de soif.

Eve reposa sa tapisserie.

— Je vais en refaire.

Mais Ivan l'arrêta, une main sur son épaule.

— Ne te lève pas. Nous allons nous en occuper nous-mêmes.

Il se laissa tomber sur l'herbe et Laura s'assit aux pieds de Silvia.

— Bonsoir, dit-elle en souriant à cette dernière.

— Où l'as-tu emmenée ? demanda Silvia à Ivan.

— A Gwenvoe. Plein à craquer d'une foule hurlante, mais tu avais raison, maman, l'eau était délicieuse.

— J'espère que vous n'êtes pas trop fatiguée ? demanda Eve à Laura.

— Non. Je me sens merveilleusement bien. Rafraîchie.

Elle s'agenouilla sur l'herbe. Elle rayonnait encore du plaisir de son bain, et Eve eut l'impression qu'elle n'avait que quinze ans.

— Vous n'étiez jamais venue en Cornouailles ? lui demanda Silvia.

— Non. C'est ma première visite. Quand j'étais enfant, je vivais dans le Dorset et nous allions à Lyme Regis en été.

— Alec et moi jouions sur la plage ici quand nous étions tous deux très jeunes... Je suis navrée de n'avoir pas pu bavarder avec lui quand il est arrivé, mais Eve m'a promis que nous pourrions le faire quand il reviendra vous chercher. Il est parti en Ecosse ?

399

— Oui. Pêcher le saumon.

— Et vous vivez toujours à Londres ?

— Oui. Dans la maison d'Alec, à Islington.

— J'allais assez souvent à Londres, dans le temps, quand mon mari était vivant. C'était toujours une fête. Mais je n'y suis pas allée depuis des lustres. Les hôtels sont tellement coûteux aujourd'hui, et tout est si cher... même prendre un taxi me ruine pratiquement.

— Nous avons une chambre de libre. Elle n'est pas très chic, mais vous êtes plus que la bienvenue si vous voulez l'occuper.

— Comme c'est aimable à vous !

— Il vous suffit de demander. Alec serait ravi de vous recevoir, j'en suis sûre. C'est au n° 33, Abigail Crescent. Ou vous pouvez téléphoner, Eve a notre numéro.

— Oh ! je crois que je vais y penser. Je vais peut-être vous prendre au mot, un jour.

— Je suis sérieuse. J'en serais enchantée.

Eve bavardait de son côté avec Ivan.

— Ton entrevue avec M. Coleshill ?

Silvia entendit ce nom et se joignit à la conversation.

— Tu as trouvé de jolies choses, Ivan ?

— Oui, cela valait le déplacement. Un beau vaisselier et de superbes chaises. Elles sont tellement intéressantes que je me demande si nous ne devrions pas les copier. Mathie va être emballé.

— Oh ! chéri, quelle journée parfaite vous avez eue ! dit Eve.

— Je sais. Laura et moi avons décidé de fêter cela, alors il y aura un cocktail ce soir dans mon taudis... Avec champagne peut-être, si je trouve les bonnes bouteilles. Silvia, tu es invitée toi aussi. Vers sept heures.

Silvia tourna la tête vers Ivan. On ne voyait pas ses yeux sous les lunettes noires.

— Oh... je ne crois pas...

— Ecoutez, l'interrompit Eve, ne commencez pas à chercher des excuses, Silvia. Evidemment que vous devez venir, la fête ne serait pas complète sans vous. Et puis, Ivan, si tu ne trouves pas de champagne, je suis sûre que Gerald...

— Non, fit Ivan. Je vais aller en acheter et le mettre au frais. C'est ma soirée.

400

Une heure plus tard, Laura était dans son bain quand Eve l'appela.

— Laura, on vous demande au téléphone. D'Ecosse. Ce doit être Alec.

— Oh! mon Dieu.

Elle sortit d'un bond de l'eau chaude et parfumée, s'enroula dans une grande serviette blanche et descendit — ses pieds nus laissant des marques sur les marches polies — jusqu'au hall d'entrée où se trouvait le téléphone. Elle prit le récepteur.

— Allô?

— Laura?

Il semblait parler de très loin... ce qui était effectivement le cas.

— Oh! Alec.

— Comment vas-tu?

— Très bien. Tu as fait bonne route?

— Oui. Je l'ai faite en une fois. Je suis arrivé vers neuf heures du soir.

— Tu devais être épuisé.

— Pas vraiment.

Laura détestait le téléphone. Elle avait du mal à s'exprimer naturellement dans cet instrument qui lui faisait peur...

— Comment est le temps? demanda-t-elle.

— Des déluges d'eau et assez frisquet, mais la rivière est pleine de poissons. Daphné a attrapé son premier saumon aujourd'hui.

Un déluge d'eau. Le froid. Laura releva la tête et vit au travers de la haute fenêtre le ciel sans nuages et le jardin de Tremenheere baigné de soleil. Elle aurait aussi bien pu être à l'étranger, sur un autre continent que son mari. Elle essaya d'imaginer Tremenheere sous la pluie et le froid, mais c'était impossible. Elle pensa aussi à Daphné, en bottes et en imperméable, la canne à pêche sur l'épaule... Les longues discussions le soir autour d'un whisky, tous assis devant un grand feu de bois. Elle se sentit soulagée de n'être pas là-bas et ce sentiment la remplit soudain de honte.

— Oh! c'est formidable, fit-elle en essayant d'avoir l'air enthousiaste et en souriant devant le récepteur, comme si Alec pouvait la voir. Embrasse-la pour moi...

Puis, après une seconde :

— Embrasse-les tous.

— Et toi, qu'as-tu fait? demanda-t-il. Tu t'es reposée, j'espère.

— Oui, hier. Mais aujourd'hui, j'ai fait la connaissance d'Ivan et nous avons été nous baigner.

— Ivan est revenu alors?

— Oui. Ce matin.

— Comment s'est passé son voyage à Bristol?

— Avec succès, je crois. Il donne d'ailleurs une petite fête ce soir. Il nous a tous invités. Avec champagne si nous avons de la chance.

— Eh bien, on dirait que tu ne t'ennuies pas.

— Non, vraiment pas, Alec. Cela se passe très bien.

— N'en fais pas trop quand même.

— Promis.

— Je te rappellerai.

— Oh! oui, je t'en prie.

— Eh bien... au revoir.

— Au revoir... (Elle hésita.) Au revoir, chéri, ajouta-t-elle.

Mais elle avait hésité trop longtemps et Alec avait déjà raccroché.

Après s'être douchée et avoir passé une robe en tissu léger, Eve sortit de sa chambre et descendit à la cuisine. Après la petite réception d'Ivan, ils y viendraient tous pour souper. Elle avait déjà dressé la table, d'un charme rustique avec ses serviettes à carreaux, ses bougies blanches et un vase en faïence rempli de marguerites.

Gerald avait été chercher May à la gare. May dînait toujours dans sa chambre, mais Eve, qui avait disposé des assiettes pour Ivan et Silvia, se demandait maintenant si elle ne devait pas en prévoir une pour Drusilla. Elle ne savait pas si Ivan avait invité sa voisine. Et même dans ce cas, viendrait-elle? Avec Drusilla, on ne savait jamais. Si nécessaire, on ajouterait un couvert au dernier moment.

Cette décision prise, elle sortit de la cuisine et se dirigea vers la cour. Il faisait chaud et l'air avait un parfum d'herbes. Les colombes roucoulaient et murmuraient sur leur perchoir. Parfois l'une d'elles s'envolait brièvement et ses ailes blanches se déployaient sur le ciel d'un bleu profond. Ivan n'avait pas de jardin attenant à sa maison, mais il avait installé une sorte de terrasse avec des chaises et de petites tables. Silvia était déjà là. Elle était assise, une cigarette dans une main, un verre de vin dans l'autre. Ivan, qui lui parlait, se penchait légèrement par-dessus la table. Apercevant sa mère, il se raidit.

— Viens donc, dit-il. C'est l'heure de la première tournée.

Silvia leva son verre.

— Champagne, Eve. C'est merveilleux!

Elle portait une robe d'un jaune très pâle, une robe qu'Eve lui avait vu porter souvent, mais qu'elle trouvait particulièrement seyante. Ses cheveux gris bouclaient autour de son visage animé. Elle s'était visiblement donné beaucoup de mal pour bien se maquiller. De l'or brillait à ses oreilles et autour de son poignet, où s'agitaient des breloques sur une petite chaîne.

Eve s'assit auprès d'elle.

— Silvia, vous êtes superbe.

— J'avais envie d'être à la hauteur de l'événement. Où est Gerald?

— Parti chercher May. Il sera là dans un instant.

— Et Laura? demanda Ivan.

— Elle arrive. Alec l'a appelée d'Ecosse, ce qui a dû la retarder. (Elle baissa la voix, la porte de la maison de Drusilla étant ouverte :) Tu as invité Drusilla?

— Non, dit Ivan. (Il versa du champagne dans un verre qu'il tendit à sa mère avant d'ajouter :) Mais elle va sûrement montrer le bout de son nez.

Laura les rejoignit à ce moment-là. Elle avait emprunté le même chemin qu'Eve qui, la voyant arriver, la trouva délicieusement jolie dans une robe aérienne d'un bleu profond et d'une coupe délicate. Ses boucles d'oreilles en aigue-marine et en diamants étaient comme l'écho de cette riche couleur. Elle avait aussi passé ses longs cils au mascara, ce qui avait pour effet d'agrandir ses yeux et de les rendre incroyablement lumineux.

— Je ne suis pas trop en retard, j'espère, dit-elle.

— Si, vous l'êtes, répliqua Ivan. Terriblement. De deux minutes au moins. Je refuse d'être traité de cette façon...

Elle fit une grimace et se tourna vers Eve.

— Voici pour vous, dit-elle.

Elle avait apporté avec elle ce qu'Eve avait pris pour un sac à main fantaisie. C'était un paquet, en fait, enveloppé dans un papier rose et décoré d'un ruban bleu pâle.

— Pour moi? (Eve posa son verre sur la table et prit le paquet.) Mais comme c'est excitant! Vous n'auriez pas dû.

— C'est la moindre des choses, répondit Laura. Je n'ai malheureusement pas eu le temps d'acheter un cadeau à Londres, alors je l'ai fait tout à l'heure.

Tous regardaient. Eve défit le ruban et le papier. Papier rose, puis papier de soie blanc. Les deux figurines apparurent enfin. Eve, qui n'avait jamais rien vu d'aussi joli, resta muette de plaisir.

— Oh... oh, merci, parvint-elle à bégayer en embrassant Laura. Comment puis-je vous remercier? Elles sont divines.

— Puis-je voir? demanda Silvia en prenant une figurine.

Elle la retourna pour inspecter la signature.

— Dresde... fit-elle.

Elle regarda Laura qui pria en silence pour qu'elle ne fasse pas allusion à son prix astronomique. Silvia reçut le message et sourit. Elle replaça le berger sur la table.

— Très joli, dit-elle. C'est très fort d'en dénicher dans cet état de conservation.

— Je vais les mettre dans ma chambre, annonça Eve. C'est là que je range mes affaires les plus précieuses. Comme cela, je peux en profiter dès mon réveil et juste avant de m'endormir. Vous les avez trouvées chez Coleshill?

— Oui.

— C'est un affreux type mal embouché, dit Silvia, mais il a quelques belles pièces mélangées à un tas d'horreurs. Et puis, ça vous coûte les yeux de la tête, chez lui.

— Mouais, fit Ivan, mais comme je l'ai déjà dit, il faut bien qu'il vive. Et les pièces de Dresde sont rares.

— Je vais les envelopper avant qu'elles se cassent, dit Eve en rassemblant les papiers d'emballage. Vous êtes un amour, Laura. Maintenant, dites-moi, comment va Alec?

Laura commença à répondre mais avant qu'elle ait eu le temps de terminer, la voiture de Gerald passait les grilles, traversait la cour devant eux pour s'enfoncer dans le garage. Un moment plus tard, Gerald arrivait accompagné de May.

May portait toujours son bonnet de laine. De plus en plus, aurait-on pu dire, puisqu'il lui couvrait pratiquement les yeux. Eve la regarda, le cœur chancelant. May devait être fatiguée d'avoir trop marché et elle semblait heureuse de pouvoir s'appuyer au bras de Gerald. Dans son autre main, le sac de plastique était gonflé d'une façon mystérieuse. Le cœur d'Eve chavira un peu plus à l'idée de ce qu'il pouvait contenir.

Ils firent halte.

— Vous avez eu une bonne journée, May? demanda Eve.

— Oh! tout à fait, répondit May.

Mais elle ne sourit pas. Ses yeux fatigués couraient de l'un à l'autre des convives. Puis ils fixèrent les bouteilles de champagne et les verres. Sa bouche se crispa.

— Vous devez être fatiguée, dit Eve. Si vous voulez, je vais vous préparer un souper léger.

— Non, non, je vais me débrouiller, dit May en dégageant fermement sa main du bras de Gerald. Merci d'être venu me chercher, dit-elle avant de faire demi-tour.

Ils la regardèrent remonter lentement vers la maison. Elle passa enfin la porte de la cuisine.

— Quelle vieille peste revêche! souffla Silvia.

— Vous ne devriez pas dire cela. Elle serait terriblement blessée si elle vous entendait.

— Oh! Eve, allons, je vous en prie. Vous savez bien que c'est une vieille peste. On ne m'a jamais regardée comme elle le fait. On aurait cru qu'elle assistait à une orgie!

Eve soupira. A quoi bon expliquer? Alors que Gerald s'approchait, elle releva les yeux et croisa ceux d'Ivan. Il savait ce qu'elle ressentait et il lui sourit pour la rassurer, avant d'approcher une chaise pour son beau-père.

Son sourire rassura Eve... un peu, mais guère plus. Le moment était si plaisant, la compagnie si charmante, le champagne si bon et la soirée si douce que cela aurait été un péché de tout gâcher à cause de May. Il fallait vivre le présent et chaque moment devait être précieusement savouré.

Le soleil baissait, les ombres s'étiraient. A cette heure-là, Tremenheere devenait un endroit magique. *L'heure bleue*[1]. Eve se souvenait d'autres soirées passées il y avait si longtemps, avec des amis et une bouteille de vin, sur les terrasses ombragées de villes méditerranéennes. Des terrasses couronnées de bougainvillées roses et pourpres dans un air saturé par l'odeur résineuse des pins. Une pleine lune montant au-dessus d'une mer sombre et silencieuse. Le crissement des cigales. Malte, quand elle avait épousé Philip. Le sud de la France pendant son voyage de noces avec Gerald.

Elle releva les yeux et vit que ce dernier l'observait. Elle sourit et il lui lança un baiser secret par-dessus le petit espace qui les séparait.

---

1. En français dans le texte. (*N.d.T.*)

Drusilla ne se montra pas mais, alors que le crépuscule naissait, elle commença à jouer de la flûte. Le cocktail d'Ivan donnait son plein effet... Ils avaient tous bu beaucoup de champagne, et Silvia avait commencé à raconter à Gerald une vieille anecdote qui le faisait toujours rire. Cependant, quand les premières notes s'élevèrent dans l'air du soir, les rires et les bruits de voix cessèrent. Même Silvia dut se taire.

Mozart. La *Petite Musique de nuit*. Magique. Il était extraordinaire de penser que cette étrange Drusilla pouvait posséder en elle un tel talent. Eve écoutait, submergée par le plaisir, et elle se souvint de Glyndebourne, quand Gerald l'y avait emmenée pour la première fois. Ce n'était pas si différent, pensa-t-elle, et la musique de Drusilla était tout aussi délicieuse.

Lorsque le petit concert prit fin, ils demeurèrent un moment assis, le souffle coupé, avant de se mettre spontanément à applaudir. Gerald se leva. « Drusilla! » Ils l'ovationnaient debout.

— Drusilla! Bravo! Venez nous rejoindre. Vous avez gagné une récompense, vous nous avez donné tant de plaisir!

Elle apparut enfin sur le seuil de sa maison. Elle se tenait bras croisés, une épaule contre le chambranle de la porte, offrant aux regards sa silhouette invraisemblable, avec cette masse de cheveux en désordre et ses vêtements archaïques.

— Vous avez aimé? dit-elle.

— Aimé... Ce n'est pas assez fort. Vous jouez comme un ange. Venez prendre une coupe de champagne avec nous.

Drusilla tourna la tête et, comme May l'avait fait plus tôt, se mit à les regarder l'un après l'autre. Son visage n'était jamais expressif, même à ses meilleurs moments, mais là, il était vraiment impossible de deviner ce qu'elle pensait.

— Non, je ne crois pas, dit-elle après un moment. Merci tout de même.

Elle rentra dans sa maison et ferma la porte. Et l'on ne réentendit pas la flûte.

6

PENJIZAL

Le temps était en train de changer. Le baromètre baissait. Le vent s'était levé, soufflant du sud-ouest, un vent chaud et rageur. Les nuages se rassemblaient à l'horizon, en masses sombres, mais le ciel restait bleu, seulement traversé par des cumulus blancs. La mer, vue depuis les jardins de Tremenheere, avait perdu ce bleu calme et soyeux. Elle était secouée de vagues bouillonnantes. Dans la maison les portes claquaient et les fenêtres grinçaient. Les draps et les taies d'oreiller, les nappes et les couches de Joshua flottaient et claquaient sur la corde à linge avec un bruit de voile mal fixée.

C'était samedi. Eve était pour une fois seule dans la cuisine. May avait monté dans sa chambre quelques affaires à repriser et ne devrait — heureusement — pas réapparaître avant le déjeuner. Drusilla était partie faire des courses au village, en poussant Joshua dans la vieille poussette. A cause du vent, elle avait mis un châle sur ses épaules et — Eve l'avait remarqué avec gratitude — elle avait passé des vêtements à Joshua : un pantalon et un pull qu'elle avait achetés dans une vente de charité.

Comme c'était samedi, jour de fermeture de l'usine, Ivan s'était mis à la disposition de Laura, qu'il avait emmenée visiter la côte nord, et plus particulièrement l'anse de Penjizal. Eve leur avait préparé un pique-nique et avait mis Ivan en garde, afin qu'il ne fasse pas trop marcher Laura.

— Elle a été malade, tu ne dois pas l'oublier, c'est pourquoi elle est ici.

— Tu n'es qu'une vieille mère poule frileuse, lui répondit-il.

Qu'est-ce que tu crois que nous allons faire? Une course de quinze kilomètres?

— Je te connais et je me sens responsable auprès d'Alec.

— Et comment suis-je donc?

— Trop énergique, rétorqua Eve en songeant qu'elle aurait pu dire beaucoup d'autres choses.

— Nous pique-niquerons et peut-être nous baignerons-nous.

— L'eau risque d'être très froide.

— Si le vent ne change pas, Penjizal sera abrité. Et puis ne te fais pas de souci, je m'occuperai d'elle.

Il était donc onze heures et Eve était seule, en train de préparer du café pour elle et Gerald. Elle posa deux tasses sur un plateau et ajouta le lait, le sucre et un biscuit au gingembre pour Gerald. Elle suivit un corridor et entra dans son bureau. Il était assis, en train de s'occuper de cette paperasse qui semble aujourd'hui inévitable pour qui possède ou gère quelque chose. Quand elle apparut, il posa son stylo, s'adossa à son fauteuil et retira ses lunettes.

— La maison est extraordinairement calme, dit-il.

— Evidemment... Il n'y a personne à part nous et May qui reprise tes chaussettes au premier.

Eve posa le plateau sur le bureau.

— Deux tasses? fit Gerald.

— Une pour moi... Je vais m'asseoir et boire un café avec toi. Nous allons enfin passer cinq minutes ensemble sans être dérangés.

— Cela fera un changement bienvenu.

Eve prit sa tasse et alla s'asseoir dans le grand fauteuil près de la fenêtre, où Gerald faisait parfois sa sieste l'après-midi et où il lisait ses journaux du soir. C'était un fauteuil très confortable et très « masculin », et elle se sentait un peu perdue dedans, mais enfin, tout dans cette pièce était confortable et masculin, les murs lambrissés, les photographies de bateaux et tous ces objets qui rappelaient la carrière navale de Gerald.

— Que fait Laura? demanda-t-il.

— Ivan l'a emmenée pour la journée. Je leur ai préparé un pique-nique. Je crois qu'ils vont aller à Penjizal pour essayer de voir des phoques.

— J'espère qu'il se tiendra bien.

— Je lui ai dit de ne pas la fatiguer.

— Je ne parlais pas de ça, dit Gerald.

Il aimait beaucoup Ivan mais ne se faisait aucune illusion à son sujet.

— Oh! Gerald, tu dois lui faire confiance. Il est seulement serviable. Laura est la femme d'Alec et elle est plus âgée que lui.

— C'est ce qu'on appelle se défausser... Tu sais, elle est très jolie.

— N'est-ce pas? Je ne l'aurais pas cru. Je pensais qu'elle serait comme une petite souris. Je crois d'ailleurs qu'elle a dû être une petite souris, quand Alec l'a découverte. C'est merveilleux ce qu'un peu d'amour et quelques vêtements de prix peuvent faire de la femme la plus ordinaire.

— Pourquoi la compares-tu à une souris?

— Oh! à cause de ce qu'elle m'a dit ces derniers jours. Une fille unique, des parents tués dans un accident de voiture... Elle a été élevée par sa tante.

— Une vieille fille bigleuse...

— Non, plutôt une veuve joyeuse! Une veuve, en effet. Elles ont vécu à Hampstead. Plus tard, Laura s'est trouvé un travail et un petit appartement. Ça a été sa vie pendant quinze ans. Elle a travaillé pour un éditeur et a fini directrice de collection.

— Ce qui prouve qu'elle n'est pas sotte, mais n'en fait pas une souris apeurée.

— En effet, mais cela manque un peu d'aventure. Laura est d'ailleurs la première à l'admettre.

Gerald prit son café.

— Tu l'aimes bien, n'est-ce pas?

— Enormément.

— Tu la crois heureuse avec Alec?

— Oui, je crois.

— Tu n'as pas l'air sûre.

— Elle est très réservée. Elle ne parle pas beaucoup de lui.

— Peut-être est-elle seulement discrète.

— Elle veut avoir un enfant.

— Et qu'est-ce qui l'en empêche?

— De mystérieuses complications féminines. Tu ne comprendrais pas.

Gerald accepta cette affirmation avec bonne grâce.

— Et ce serait si grave s'ils n'en avaient pas?

— Pour elle, oui, je crois.

— Et Alec? Alec doit avoir cinquante ans, maintenant. Veut-il vraiment d'un gamin braillard chez lui?

— Je n'en sais rien, dit Eve en souriant doucement. Je ne lui ai pas demandé.

— Peut-être que si...

Le téléphone se mit à sonner sur le bureau.

— Bon Dieu, grogna Gerald.

— Ne réponds pas. Comme si nous étions sortis.

Mais il avait déjà décroché.

— Tremenheere.

— Gerald?

— Oui...

— C'est Silvia... Je... Oh, Gerald...

Eve pouvait entendre assez clairement sa voix et elle comprit, atterrée, que Silvia était en larmes.

— Qu'y a-t-il? demanda Gerald en fronçant les sourcils.

— Quelque chose d'horrible, de honteux... de vil...

— Silvia, expliquez-vous!

— Je ne peux pas... Je ne peux pas vous le dire au téléphone. Oh! pouvez-vous venir? Vous et Eve. Personne d'autre. Juste vous et Eve...

— Pardon? Venir... Maintenant?

— Oui... Je vous en prie, s'il vous plaît. Je suis navrée, mais il n'y a personne...

Gerald regarda Eve qui lui faisait frénétiquement signe d'accepter.

— Nous arrivons, dit-il. (Sa voix était douce, rassurante.) Vous nous attendez et vous essayez de vous calmer. Nous serons chez vous dans cinq minutes.

Il reposa fermement le récepteur. Il croisa le regard anxieux de sa femme.

— Silvia, dit-il sans nécessité. Eh bien, voilà pour nos cinq minutes de calme ensemble.

— De quoi s'agit-il?

— Dieu seul le sait. Fichue bonne femme. Elle est complètement hystérique à cause de je ne sais quoi.

Gerald se leva et repoussa son fauteuil. Eve l'imita. Ses mains tremblaient et sa tasse dansait dans la soucoupe avec un léger tintement. Gerald s'approcha et lui prit la soucoupe des mains. Il la replaça sur le plateau.

— Viens, dit-il en la soutenant par le bras. Nous allons prendre la voiture.

La route vers le village était jonchée de feuilles tombées des arbres. Ils entrèrent bientôt dans la cour de la maison de Silvia et Eve vit que la porte était ouverte. Malade d'appréhension, elle sauta de la voiture avant que Gerald ait arrêté le moteur.

— Silvia !

Silvia émergea du salon. Son visage était décomposé par la détresse.

— Oh ! Eve, je suis si heureuse de vous voir...

Elle tomba dans les bras d'Eve et se mit à sangloter. Eve la tenait contre elle, tapotait son épaule et murmurait des mots de réconfort :

— Tout ira bien... Allons... Nous sommes là.

Gerald referma la porte derrière eux. Il attendit un moment, comme par décence, et lança :

— Bon. Maintenant, Silvia, calmez-vous.

— Je suis navrée... Vous êtes des anges...

Silvia se reprit avec difficulté, s'éloigna d'Eve, se servit de la manche de son gilet comme d'un mouchoir et essuya son visage. Eve, qui ne l'avait jamais vue sans maquillage, était profondément impressionnée par son apparence. Silvia lui semblait sans défense, et plus âgée. Ses cheveux étaient en bataille et ses mains — bronzées et rugueuses d'avoir tant jardiné — s'agitaient d'une façon incontrôlée.

— Allons nous asseoir tranquillement, dit Gerald. Et vous allez nous raconter.

— Oui... oui... bien sûr...

Elle fit un demi-tour et ils la suivirent dans son petit salon. Eve, dont les jambes commençaient à chanceler, s'assit sur un coin du sofa. Gerald se réserva la chaise devant le bureau. Il s'y installa avec calme et naturel. Il avait décidé de ramener un peu d'ordre dans cette affaire.

— Bien, fit-il. De quoi s'agit-il ?

Silvia commença son récit d'une voix chevrotante, hachée d'interminables sanglots. Elle était allée en ville faire des courses. A son retour, le courrier du matin était posé contre sa porte. Quelques factures et ceci...

Une lettre était posée sur son bureau. Elle la prit et la donna à Gerald. C'était une petite enveloppe ordinaire.

— Je peux l'ouvrir ? demanda-t-il.

— Oui.

Il mit ses lunettes et sortit la lettre de l'enveloppe. Une feuille d'un papier à lettres rose pâle. Il la déplia et lut son contenu. Cela ne fut pas long.

— Je vois, dit-il après un moment de réflexion.

— Qu'est-ce que c'est? demanda Eve.

Gerald se leva et lui tendit silencieusement la lettre. Eve la prit avec répugnance, comme si elle était contaminée. Gerald se rassit et se mit à examiner l'enveloppe avec minutie.

Eve regarda la feuille à petites lignes. Du papier à lettres pour enfants, avec une ridicule petite fée imprimée en haut de la page. Le message était composé au moyen de lettres découpées dans des titres de journaux et soigneusement collées pour former des mots :

Vous AVez éTE AveC D'AUtreS HOMmes
Et VOus avEZ PouSSé
VotrE MARi
A boirE
VOUs DevrIEZ AvoIR HonTE
De VOuS.

Pour la première fois de sa vie, elle eut l'impression de voir vraiment le diable. Puis, tout de suite après, surgit une peur des plus terribles.

— Oh! Silvia, dit-elle.

— Que... que dois-je faire? répondit Silvia.

Eve déglutit. Il fallait conserver son objectivité.

— A quoi ressemble l'adresse sur l'enveloppe? demanda-t-elle.

Gerald la lui tendit. L'adresse avait été imprimée sans souci d'esthétique à l'aide d'un tampon encreur de mauvaise qualité. Le timbre était un timbre ordinaire. La lettre avait été postée la veille au village. C'était tout.

Elle rendit l'enveloppe et la lettre à Gerald.

— Silvia, avez-vous la moindre idée de qui a pu vous adresser cette horreur?

Silvia se tenait près de la fenêtre. Elle tourna la tête et regarda Eve. Ses yeux extraordinaires — ce qu'elle avait de plus remarquable — étaient brillants de larmes. Les regards des deux femmes se croisèrent. Silvia ne dit rien. Eve se retourna vers Gerald, mourant d'envie d'être rassurée, mais celui-ci se contenta de la regarder par-dessus ses lunettes, d'un air à la fois grave et mécontent. Tous savaient à qui pensaient les autres. Et personne n'osait prononcer le nom.

Eve inspira profondément et finit par dire, dans un souffle :

— Vous pensez que c'est May, n'est-ce pas ?

Gerald et Silvia ne répondirent pas.

— Vous pensez que c'est May. Je sais que vous le pensez...

Sa voix en s'élevant commençait à trembler. Elle serra les dents pour retenir un sanglot.

— Vous croyez que c'est May ? reprit doucement Gerald.

Silvia secoua la tête.

— Je ne sais quoi penser.

Gerald l'observait.

— Pourquoi l'aurait-elle fait ? Quels motifs aurait-elle ?

— Je ne sais pas.

Silvia semblait plus calme maintenant. Elle s'éloigna de la fenêtre et, les mains dans les poches, commença à arpenter le minuscule salon.

— Sauf qu'elle ne m'aime pas, dit-elle.

— Oh ! Silvia...

— C'est vrai, Eve. Cela ne m'a jamais beaucoup dérangée. Seulement, pour une raison que j'ignore, May ne supporte pas ma vue.

Eve, qui savait que c'était vrai, garda un silence contrit.

— Ce n'est pas un motif suffisant, fit remarquer Gerald.

— D'accord... Bon, Tom a bu, n'est-ce pas... jusqu'à en mourir.

Eve fut choquée par son aplomb. Mais en même temps, elle ressentit pour elle de l'admiration. Parler ainsi de sa propre tragédie lui paraissait une marque d'intelligence et de courage.

— Je connais les opinions de May sur la boisson, dit Gerald, et je sais qu'elles peuvent être un peu répétitives... Mais pourquoi les avoir reportées sur vous ?

— Alors, il reste « avoir été avec d'autres hommes », Gerald, si c'est vers cela que vous voulez nous amener.

— Je ne veux vous amener nulle part. J'essaie d'être objectif, et je ne vois pas en quoi votre vie privée pourrait intéresser May.

— Sauf si Ivan est en cause.

— Ivan? (La voix d'Eve se mua en un cri d'incrédulité.) Vous n'êtes pas sérieuse?

— Pourquoi pas? Oh! Eve, ma chérie, ne prenez pas cet air... Ce que je veux dire est simple : de temps en temps, quand Gerald et vous êtes en déplacement, Ivan m'invite chez lui pour boire un verre... Par gentillesse, c'est tout. Une fois, il m'a emmenée à une soirée à Falmouth où nous étions tous deux invités. Rien. Rien de plus. Mais j'ai vu la vieille May nous espionner derrière ses carreaux. Rien ne se passe sans qu'elle le sache. Peut-être pense-t-elle que j'ai sur Ivan une mauvaise influence, ou que sais-je? Les vieilles nurses sont possessives. Et après tout, il a été son « bébé ».

Eve avait les mains nouées. Elle entendait la voix de May. *Hum! Solitaire. Je pourrais vous dire des choses que vous n'aimeriez pas entendre.*

Elle revit le bloc, ce bloc absurde, les journaux, les ciseaux et la colle.

Elle pensa au sac de May gonflé de choses mystérieuses. Comprenaient-elles du papier rose décoré d'une petite fée?

Oh! May, ma chérie, qu'as-tu fait?

— Il ne faut le dire à personne, fit-elle.

— Pardon? demanda Silvia en fronçant les sourcils.

— Personne ne doit connaître cette chose affreuse.

— Mais c'est un acte criminel!

— May est une très vieille dame...

— Il faut être fou pour envoyer une chose pareille.

— Peut-être... peut-être est-elle... un peu... (Elle ne pouvait prononcer le mot « folle ». Elle parvint à finir sa phrase :) un peu fatiguée.

Gerald examinait de nouveau l'enveloppe.

— Postée hier. Est-ce que May a été au village, hier?

— Oh! Gerald, je n'en sais rien. Elle n'arrête pas de faire l'aller et retour. C'est son exercice. Elle va tout le temps à la poste. Elle y touche sa pension et puis elle y achète des bonbons à la menthe et de la laine à repriser.

— La fille de la poste pourrait se souvenir de l'avoir vue?

— Elle n'avait pas besoin d'entrer dans la poste. Elle a toujours un carnet de timbres dans son sac. Je n'arrête pas de lui en emprunter. Elle a pu simplement mettre la lettre dans la boîte.

Gerald acquiesça. Ils restèrent tous trois silencieux. Eve était hantée par la vision de May avec son bonnet de laine en train de sortir de Tremenheere, de descendre la route vers le village et de faire glisser cette lettre venimeuse dans la boîte.

Silvia s'approcha de la cheminée et prit une cigarette.

— Elle ne m'a jamais supportée, dit-elle de nouveau. Je l'ai toujours su. Je ne crois pas avoir reçu un seul mot gentil de cette vieille vache.

— Vous ne devez pas l'appeler ainsi! Vous ne devez pas traiter May de vieille vache. C'est injuste. Elle a peut-être fait cette chose honteuse, mais c'est parce qu'elle est vieille. Et si quelqu'un l'apprend... si nous prévenons la police, il y aura des questions... personne ne comprendra... et May va vraiment se mettre en colère... et ils l'emmèneront... et...

Eve avait tenté désespérément de ne pas pleurer, mais maintenant, elle ne le pouvait plus. Gerald se leva d'un bond et vint s'asseoir près d'elle sur le sofa. Il passa un bras autour de ses épaules; elle se mit à pleurer sur le revers de son blazer.

— Allons, dit-il en tentant de la réconforter comme elle-même l'avait fait, un peu plus tôt, pour Silvia. Tout ira bien... Tout ira bien.

Elle finit par se redresser et s'excusa auprès de Silvia.

— Je suis navrée. Nous venons vous aider et c'est moi qui flanche.

Silvia se mit à rire. Sans beaucoup d'entrain, peut-être, mais au moins avait-elle ri.

— Pauvre Gerald, quelle drôle de paire de femmes nous formons! Je suis vraiment désolée de vous imposer cela, mais je pensais que vous deviez savoir. Je veux dire, après le premier choc, quand j'ai ouvert l'enveloppe et lu ces mots horribles, eh bien, j'ai... c'est à May que j'ai pensé. (Silvia s'était arrêtée de déambuler et se tenait derrière le sofa. Se baissant, elle embrassa Eve sur la joue.) Ne soyez pas bouleversée. Je vais faire un effort, moi aussi. Je sais combien vous l'aimez...

Eve se moucha et Gerald regarda sa montre.

— Je crois, dit-il, que nous devrions prendre un verre. Je suppose que vous n'avez pas de cognac, ici, Silvia.

Elle en avait. Ils prirent tous un verre et continuèrent à bavarder. A la fin, il fut décidé de ne rien faire et de ne rien dire à quiconque. Gerald fit remarquer que, si c'était bien May qui avait envoyé la lettre, elle l'avait probablement fait dans un état second. Et sans doute ne se souvenait-elle plus de rien, sa mémoire n'étant guère solide. Mais si cela se reproduisait, alors Silvia devrait prévenir Gerald à tout prix.

Silvia fut d'accord et proposa de brûler la lettre.

— Je pense que vous ne devez pas faire ça, lui dit Gerald gravement. On ne sait jamais. Si les choses empiraient, on pourrait en avoir besoin, comme d'une preuve. Si vous voulez, je peux la garder pour vous.

— Non. Je ne supporterais pas l'idée qu'elle puisse contaminer Tremenheere... Non, je vais l'enfermer au fond d'un tiroir et l'oublier.

— Vous me promettez de ne pas la brûler?

— Je vous le promets, Gerald. (Elle sourit et son sourire avait retrouvé son air familier.) Quelle idiote j'ai été de me démonter pour ça!

— Vous n'êtes pas du tout une idiote. Les lettres de corbeaux sont des choses effrayantes.

— Je suis navrée, dit Eve. Tellement navrée! D'une certaine façon, je me sens personnellement responsable. Mais si vous essayiez de pardonner à cette pauvre May et de comprendre la position où je...

— Bien sûr, je comprends.

Gerald et Eve restèrent silencieux pendant le court trajet qui les ramena à Tremenheere. Gerald se gara dans la cour et ils pénétrèrent dans la maison par la porte de derrière. Eve traversa la cuisine et se dirigea vers l'escalier de service.

— Où vas-tu? demanda Gerald.

Elle s'arrêta, une main sur la rampe, et le regarda.

— Je vais voir May, dit-elle.

— Pourquoi?

— Je ne vais rien lui dire... Je veux seulement m'assurer qu'elle va bien.

Après le déjeuner, Eve fut submergée par une épouvantable migraine. Gerald lui fit remarquer que ce n'était guère surprenant, compte tenu des circonstances. Elle avala deux aspirines et alla se coucher, chose qui n'était pas dans ses habitudes. L'aspirine fit son effet et elle dormit tout l'après-midi. Elle fut réveillée par le téléphone. Regardant sa montre, elle vit qu'il était plus de six heures. Elle prit le récepteur.

— Tremenheere.

— Eve?

C'était Alec qui appelait d'Ecosse et qui voulait parler à Laura.

— Elle n'est pas là, Alec. Elle est partie à Penjizal avec Ivan. Je ne crois pas qu'ils soient rentrés. Dois-je lui demander de te téléphoner?

— Non, je rappellerai plus tard. Vers neuf heures.

Ils échangèrent encore quelques mots et raccrochèrent.

Eve resta un moment étendue à regarder les nuages blancs courir dans le ciel. Sa migraine avait disparu, mais elle se sentait tout à coup très fatiguée. Malheureusement, le dîner ne pouvait pas attendre. Elle finit par se lever et alla prendre une douche dans la salle de bains.

Le sentier sinueux qui menait au haut de la colline était si étroit que les broussailles griffaient les côtés de la voiture d'Ivan. Ces buissons épineux étaient couverts de fleurs jaunes et dégageaient une odeur d'amandes. Au-delà s'étendaient des champs où broutaient des vaches laitières. De petits champs, irréguliers et séparés par des murets de pierre. La terre semblait pauvre, et ici et là des zones de granit affleuraient entre les parcelles d'herbe verte. Le sentier menait à une ferme. Ivan vit un homme qui chargeait du fumier dans la remorque d'un tracteur. Il sortit de la voiture et s'avança vers lui. Il dut presque crier pour être entendu tant était fort le bruit du tracteur.

— Salut, Harry.

— Salut, Ivan.

— On peut laisser la voiture ici? Nous voudrions descendre voir l'anse.

— Pas de problème. Personne ne passe là.

Ivan retourna à sa voiture et le fermier reprit son travail.

— Allons, dit Ivan à Laura et Lucy, descendez, mesdames.

Il passa le sac à dos sur ses épaules et, tenant le panier de pique-nique à bout de bras, il leur désigna la direction de la mer. Le chemin s'était encore rétréci. Il n'était plus qu'un maigre passage pierreux qui plongeait vers une minuscule vallée où des fuchsias poussaient à profusion. Il suivait le cours d'un ruisseau dissimulé derrière une haie de noisetiers. Près des falaises, une profonde fissure s'ouvrait dans la vallée. Couverte de ronces et de fougères, elle donnait sur la mer.

Le ruisseau était maintenant visible et poursuivait son cours le long de la colline entre des parterres de boutons-d'or. Ils traversèrent un vieux pont de bois et s'arrêtèrent au bord de la falaise avant de poursuivre leur descente.

La bruyère crissait sous leurs pas et le vent leur soufflait au visage un air salin et frais. La marée était haute. Mais ici, il n'y avait pas de plage, seulement des rochers, une masse de rochers échoués qui s'étendait jusqu'aux premières vagues. Ils étincelaient au soleil, humides, couverts d'algues émeraude, aiguisés et cruels. De l'océan — l'Atlantique, se dit Laura soudain — roulaient d'énormes vagues que le vent poussait vers la côte où elles venaient se briser en tourbillons d'écume. Le bruit était assourdissant.

Laura fixait du regard la surface de la mer, au loin, et remontait jusqu'à l'horizon. Toutes les nuances de bleu étaient présentes : turquoise, aigue-marine, indigo, violet, jusqu'au pourpre. Elle n'avait jamais vu pareilles couleurs.

— C'est toujours comme cela? demanda-t-elle, pouvant à peine y croire.

— Mon Dieu, non. Elle peut être verte. Ou bleu marine. Ou bien, les soirs d'hiver, d'un gris particulièrement sinistre. Voilà où nous allons, ajouta Ivan en tendant le doigt.

Laura suivit la direction que sa main indiquait et aperçut une sorte de mare naturelle prise entre les rochers. Elle scintillait au soleil comme un énorme bijou.

— Comment y allons-nous?

— En suivant ce petit sentier, et puis par les rochers. Je vais marcher devant. Regardez bien où vous mettez les pieds, c'est traître. Il vaudrait peut-être mieux que vous portiez Lucy dans vos bras. Je ne voudrais pas qu'elle bascule dans le vide.

Ce fut une longue et difficile expédition, qui leur prit près d'une demi-heure. Laura rejoignit Ivan en haut d'un grand rocher plat qui donnait sur l'étendue d'eau.

Il glissa le panier de pique-nique dans une anfractuosité et déposa le sac à dos qui contenait les affaires de bain. Il sourit à la jeune femme.

— Eh bien, nous avons réussi.

Laura posa Lucy à ses pieds. La chienne partit en exploration, mais il n'y avait aucune odeur de lapin dans les environs... Fatiguée de ne rencontrer que des algues, elle se choisit un coin à l'ombre d'un rocher où elle se pelotonna pour dormir.

Les jeunes gens se changèrent et partirent nager, plongeant dans l'eau froide et salée, profonde d'une dizaine de mètres et d'une pureté, d'une clarté bleue extraordinaire. Ivan ramena une sorte de pierre ronde et plate qui tapissait le fond de l'eau et la déposa aux pieds de Laura.

— Ce n'est pas une perle, mais faisons comme si...

Ils remontèrent après un moment et s'allongèrent au soleil, protégés du vent par un rocher en surplomb. Laura ouvrit le panier et ils dévorèrent le poulet froid, les tomates du jardin, le pain croustillant, les pêches gonflées de jus. Ils burent du vin qu'Ivan avait mis à rafraîchir dans un trou d'eau. On apercevait des crevettes dans ce trou; elles s'égaillèrent quand cet étrange objet envahit leur domaine.

— Elles doivent penser que c'est un Martien! dit Ivan. Une créature de l'espace.

Le soleil tapait et les rochers étaient chauds au toucher.

— Il y avait pourtant des nuages à Tremenheere, observa Laura qui regardait le ciel.

— Ils ont suivi l'autre côte.

— Pourquoi est-ce si différent, ici?

— Une côte différente, un océan différent. A Tremenheere poussent des palmiers et des camélias. Ici, il n'y a pratiquement pas d'arbres à cause du vent.

— C'est comme un autre pays. Comme partir à l'étranger.

— Combien de fois avez-vous été à l'étranger?

— Pas souvent. Une fois en Suisse pour skier, et Alec m'a emmenée à Paris pour notre voyage de noces.

— Très romantique!

— Ça l'était, en effet, mais cela n'a duré qu'un week-end. Il était au milieu d'une affaire énorme et il devait retourner à Londres.

— Quand vous êtes-vous mariés?

— En novembre, l'année dernière.

— Où?

— A Londres. Dans une mairie... Il a plu toute la journée.

— Qui est venu à votre mariage?

Laura ouvrit les yeux. Ivan était allongé auprès d'elle, appuyé sur un coude, et la regardait dans les yeux.

— Pourquoi voulez-vous le savoir? demanda-t-elle en souriant.

— Je veux me représenter la scène.

— Eh bien... personne n'est venu, à dire vrai. Sauf Phyllis et le chauffeur d'Alec, parce qu'il nous fallait deux témoins. (Elle lui avait déjà parlé de Phyllis.) Et Alec nous a emmenées, Phyllis et moi, déjeuner au Ritz. Puis nous avons pris l'avion pour Paris.

— Que portiez-vous?

Laura se mit à rire.

— Je ne me souviens même pas. Si, en fait. Une robe que j'avais depuis des siècles. Et Alec m'avait acheté des fleurs. Des œillets et des freesias. Les œillets avaient une odeur de mauvaise sauce, mais les freesias avaient un parfum divin.

— Vous connaissiez Alec depuis longtemps?

— Un mois, peut-être.

— Vous viviez ensemble?

— Non.

— Quand vous êtes-vous rencontrés pour la première fois?

— Oh! (Elle se releva et s'appuya elle aussi sur son coude.) Lors d'une soirée. Très banal, non? (Elle regardait les vagues qui commençaient à avaler la pointe des rochers.) Ivan... La mer monte.

— Je sais. Elle monte. C'est inéluctable. Quelque chose à voir avec la lune... Mais nous n'avons pas à bouger tout de suite.

— La marée va couvrir notre piscine naturelle.

— Oui. Et c'est pour cela que l'eau y est si propre et si claire. Renouvelée deux fois par jour. Et la mer recouvre l'endroit où nous sommes assis et bien plus loin encore. Mais pas avant une heure. Si nous avons de la chance... et de bons yeux, nous pourrons apercevoir les phoques. Ils n'apparaissent qu'à marée montante.

Laura tourna la tête dans la direction de la brise, la laissant souffler dans ses cheveux humides.

— Continuez sur Alec, fit Ivan.

— Il n'y a rien de plus à dire. Nous nous sommes mariés. Nous avons été en voyage de noces. Nous sommes rentrés à Londres.

— Vous êtes heureuse avec lui?

— Bien sûr.

— Il est tellement plus âgé que vous!

— De quinze ans, c'est tout.

— C'est tout, répéta-t-il en riant. Si j'épousais une fille de quinze ans ma cadette, elle aurait... dix-huit ans.

420

— C'est assez âgé pour se marier.

— Je suppose. Mais l'idée elle-même semble un peu ridicule.

— C'est ce que vous pensez de mon mariage avec Alec?

— Non. Je trouve ça fantastique. Et je trouve qu'il a beaucoup de chance.

— J'ai de la chance moi aussi, dit Laura.

— Vous l'aimez?

— Bien sûr.

— Vous êtes tombée amoureuse de lui? Je veux dire : c'est différent de simplement aimer, n'est-ce pas?

— Oui, c'est vrai, c'est différent.

Elle baissa la tête et délogea du bout des doigts un petit galet coincé dans une anfractuosité. Elle le lança. Il rebondit sur le rocher, tomba dans l'eau avec un petit plouf et disparut pour toujours.

— Bon, reprit Ivan. Vous croisez Alec lors d'une soirée. « Je vous présente Alec Haverstock », vous dit l'hôtesse. Vos yeux se rencontrent par-dessus un plateau de cocktails et...

— Non, dit Laura.

— Non?

— Non, ça ne s'est pas passé comme ça.

— Et comment, alors?

— C'était la première fois que nous nous rencontrions, mais ce n'était pas la première fois que je le voyais.

— Racontez-moi.

— Vous ne rirez pas?

— Je ne ris jamais des choses importantes.

— Eh bien... J'ai, en fait, vu Alec pour la première fois six ans avant de le rencontrer. C'était à l'heure du déjeuner, j'étais allée voir une amie qui travaillait dans une galerie d'art. Nous devions déjeuner ensemble, mais elle n'a pas pu se dégager. C'est pourquoi je me suis déplacée. C'était calme et il n'y avait pas beaucoup de clients, alors nous nous sommes assises pour bavarder. Alec est entré, il s'est adressé à mon amie et a acheté un catalogue. Puis il a été voir les tableaux. Et je l'ai regardé s'éloigner en pensant : « Voici l'homme que je vais épouser. » J'ai demandé à mon amie qui il était. Et elle a dit « Alec Haverstock ». Elle a ajouté qu'il venait souvent à l'heure du déjeuner, pour regarder et parfois pour acheter. « Que fait-il? » ai-je demandé. Et elle me l'a dit... Sandberg Harpers, Northern Investment Trust... grande réussite, marié à une très belle femme, père d'une fille ravissante. Et j'ai songé : « C'est drôle, parce qu'il va m'épouser. »

Elle se tut. Trouva un autre galet et le lança avec force.

— Est-ce tout ? demanda Ivan.

— Oui.

— Je trouve cela extraordinaire.

— C'est la vérité, lui dit-elle en se tournant vers lui.

— Mais qu'avez-vous fait de votre vie durant ces six années ? Vous vous êtes assise en vous tournant les pouces ?

— Non. J'ai travaillé. J'ai vécu. J'ai existé.

— Quand vous l'avez rencontré à ce dîner, vous saviez qu'il avait divorcé ?

— Oui.

— Alors, vous vous êtes jetée sur lui en criant « enfin ! ».

— Non.

— Mais vous continuiez à être sûre de vous ?

— Oui.

— Et lui, probablement, le savait aussi.

— Probablement.

— Quelle chance vous avez, Laura !

— D'avoir épousé Alec ?

— Oui. Mais surtout d'avoir été si sûre de vous.

— Ça ne vous est jamais arrivé ?

Il secoua la tête.

— Pas vraiment. C'est pourquoi je suis toujours un célibataire disponible, intéressant et désirable. Enfin, c'est ce que j'aime à croire.

— Je vous trouve tout à fait intéressant, lui dit Laura. Et je ne comprends pas pourquoi vous n'êtes pas marié.

— C'est une longue histoire.

— Vous avez été fiancé. Je le sais. Alec me l'a dit.

— Si je commence, nous n'aurons pas terminé avant la nuit.

— Vous ne voulez pas en parler ?

— Non, ce n'est pas ça... C'était une erreur. Mais l'horrible dans cette affaire, c'est que je me suis aperçu de mon erreur alors qu'il était pratiquement impossible de revenir en arrière.

— Comment s'appelait-elle ?

— Est-ce important ?

— J'ai bien répondu à vos questions.

— D'accord. Elle s'appelait June. Elle vivait au cœur des Cotswolds dans une belle maison en pierre avec des fenêtres à meneaux. Il y avait des chevaux dans les écuries pour la chasse à courre, et une piscine dans le jardin, et un court de tennis, et un tas de statues et de trucs du même genre... Et nous nous sommes fiancés, et il y eut des fêtes invraisemblables, et sa mère passa les sept mois suivants à préparer le mariage le plus grandiose, le plus cher qu'on ait vu dans la région depuis des siècles.

— Oh! mon Dieu, souffla Laura.

— L'eau a passé sous les ponts... J'ai tourné casaque au dernier moment et je me suis enfui comme le couard que je suis. Je savais seulement que la magie avait disparu, que je n'étais pas sûr... et j'aimais trop cette pauvre fille pour lui imposer un mariage sans amour.

— Je trouve qu'en fait, vous avez été très brave.

— Vous êtes bien la seule. Même Eve était en colère, pas tant parce que j'avais rompu les fiançailles qu'à cause de ce nouveau chapeau qu'elle avait acheté... Elle déteste les chapeaux.

— Mais pourquoi avez-vous quitté votre travail? Cela n'était pas nécessaire.

— En fait si, voyez-vous. L'associé principal du cabinet qui m'employait s'est avéré être... le père de June. Ennuyeux, non?

Laura ne sut quoi répondre.

Ils ne rentrèrent pas avant sept heures à Tremenheere. En roulant sur la lande puis dans la vallée qui menait au village, ils avaient constaté que les nuages au sud avaient grossi et gagnaient l'intérieur. Après l'éclat de la côte nord, c'était un peu surprenant. La ville semblait recroquevillée dans la brume, presque invisible.

— Je suis ravi que nous n'ayons pas passé la journée ici, dit Ivan. Nous aurions grelotté dans le brouillard avec nos pulls marins au lieu de bronzer sur les rochers.

— Est-ce la fin du beau temps, ou est-ce que le soleil va revenir?

— Oh! le soleil revient toujours. Il peut faire très beau demain. Ce n'est qu'un brouillard marin.

Le soleil revient toujours. La confiance d'Ivan réconfortait Laura. L'optimisme est une bonne chose et l'une des qualités les plus attirantes d'Ivan était qu'il paraissait rayonner d'optimisme. Elle ne pouvait l'imaginer déprimé (s'il l'était jamais, cela ne devait pas durer). Même la saga de ses fiançailles désastreuses et de la perte de son emploi — qui auraient accablé un homme moins résistant — avait été racontée avec bonne humeur. Il en avait presque fait une blague dont il était l'acteur.

Et cet optimisme était contagieux. Assise auprès de lui dans la décapotable, fatiguée, bronzée, avec un goût de sel dans la bouche, Laura se sentait libre comme une enfant et plus sûre de l'avenir qu'elle ne l'avait été depuis longtemps. Après tout, elle n'avait que trente-sept ans. C'était jeune encore. Avec un peu de chance — elle croisait les doigts —, elle pourrait avoir un enfant. Alors Alec vendrait peut-être la maison d'Islington pour en acheter une plus grande avec un jardin. Et cette maison serait celle de Laura, pas celle d'Erica. Et la chambre d'enfants à l'étage serait pour leur bébé et non pour Gabriela. Et quand Daphné Boulderstone viendrait, elle ne s'assiérait pas dans la chambre de Laura et elle ne ferait pas de remarques sur les rideaux et le mobilier, parce qu'il n'y aurait plus de souvenirs d'Erica pour les justifier.

Ils passaient maintenant les grilles de Tremenheere.

— Merci beaucoup, Ivan, dit Laura alors qu'ils se garaient dans la cour. Cela a été une journée parfaite.

— Merci d'être venue. (Il prit la main de Laura et, d'une façon tout aussi naturelle qu'inattendue, déposa un rapide baiser dessus.) J'espère que Lucy et vous n'êtes pas trop fatiguées.

— Je ne sais pas pour Lucy, mais moi, il y a des années que je ne me suis pas sentie aussi si bien... ou aussi heureuse, ajouta-t-elle.

Ils se séparèrent. Ivan avait un coup de téléphone à donner, puis il se doucherait et se changerait. Peut-être se retrouveraient-ils plus tard pour un verre. Cela dépendait d'Eve et de Gerald. Ivan vida le sac à dos et prit les affaires de bain. Il les accrocha tout humides et pleines de sable sur la corde à linge, où elles se mirent à se balancer sous le vent. Laura rapporta le panier de pique-nique à la cuisine. Il n'y avait personne. Elle fit boire Lucy et vida le panier. Après avoir lavé les assiettes, elle partit à la recherche d'Eve.

Elle la trouva — assise, pour une fois — dans le salon. Eve avait allumé un petit feu à cause du brouillard et, déjà changée pour la soirée, elle s'occupait à sa tapisserie. Quand Laura entra, elle la reposa et retira ses lunettes.

— Vous avez eu une belle journée? demanda-t-elle.

— Oh! divine, répondit Laura en s'effondrant dans un fauteuil. Nous avons été à Penjizal et le temps était splendide là-bas sans un nuage. Nous avons nagé et déjeuné — au fait, merci beaucoup pour le pique-nique — et puis nous avons regardé la marée monter. Nous avons vu des tas de phoques, sautant sur les vagues avec leurs petites têtes de chiens, puis nous sommes remontés sur la colline pour y passer le reste de l'après-midi. Ivan m'a emmenée ensuite à Lanyon et nous avons bu une bière au pub, et enfin nous sommes rentrés à la maison... un peu tard, j'en suis désolée. Je ne vous aurai pas beaucoup aidée pour le dîner...

— Oh! ne vous en faites pas... tout est réglé.

— Vous avez préparé un feu.

— Oui, je frissonnais.

Laura regarda Eve de plus près.

— Vous êtes pâle. Des soucis?

— Non, rien du tout. Je... j'ai eu un peu de migraine au déjeuner. Mais je me suis reposée et tout va de nouveau bien. Laura... Alec a téléphoné. Vers six heures. Il rappellera à neuf heures.

— Alec... Pourquoi appelait-il?

— Je n'en sais rien. Pour bavarder avec vous, probablement. De toute façon, comme je vous l'ai dit, il va rappeler. (Eve sourit.) Vous êtes superbe, Laura, vous n'êtes plus la même. Alec ne va pas vous reconnaître quand il vous reverra.

— Je me sens bien, dit Laura avant de se lever pour regagner sa chambre. C'est vrai, je me sens une autre femme.

Elle quitta la pièce et referma la porte. Eve resta assise à contempler la porte fermée. Elle fronçait un peu les sourcils. Puis elle soupira, remit ses lunettes et reprit sa tapisserie.

Gerald se tenait devant son miroir, le menton relevé, nouant sa cravate. Une cravate en soie bleu nuit, égayée par les petites couronnes rouges de la marine. Le nœud occupait parfaitement sa place entre les bords du col de la chemise. Cela fait, il prit sa brosse à manche d'ivoire et s'occupa de ce qui restait (à vrai dire peu) de sa chevelure.

Il reposa méticuleusement la brosse près des brosses à habit, de la boîte à boutons de col, de ses ciseaux à ongles et de la photographie d'Eve le jour de leur mariage, dans son cadre en argent.

Son dressing — comme sa cabine jadis — était un modèle d'ordre et de rangement. Les vêtements étaient pliés, les chaussures placées par paires. Rien ne dépassait. Cela rappelait d'ailleurs une cabine de navire. Le lit étroit où il venait coucher quand il avait un rhume ou quand Eve avait une migraine était un modèle de simplicité et de rigueur. La table de chevet était un vieux coffre de marine, avec des poignées en cuivre. Les murs étaient tapissés de photographies de groupe rappelant entre autres sa promotion à Dartmouth et l'équipage de l'*Excellent,* l'année où Gerald avait été promu commandant.

L'ordre lui était comme une seconde nature... l'ordre et une série de principes moraux avec lesquels il avait vécu toute sa vie. Il avait ainsi décidé, voilà bien longtemps, que les préceptes rigides de la Royal Navy pouvaient s'appliquer à la vie de tous les jours.

Un navire n'est connu que par sa passerelle.

Ce qui signifiait que lorsque l'entrée d'une maison était impeccable, avec un parquet ciré et des cuivres brillants, alors les visiteurs pouvaient supposer que le reste de la maison était tout aussi parfait. Tremenheere d'ailleurs en apportait la preuve. Le fait est là : la première impression est celle qui compte le plus.

Un sous-marin sale est un sous-marin perdu.

Gerald voyait là un précepte particulièrement approprié aux fréquents soubresauts de l'industrie moderne. Toute entreprise mal dirigée était vouée à l'échec. Gerald était la plupart du temps un homme calme et facile à vivre, mais parfois, en lisant dans le *Times* des articles parlant des grèves et des conflits, des piquets de grève et des dirigeants incapables de communiquer, il en grinçait des dents de rage, mourant d'envie d'être encore « en service » et convaincu qu'avec un peu d'intelligence et de compréhension, tout aurait pu être réglé.

Enfin, dernière affirmation : *Nous pouvons nous charger immédiatement de ce qui est difficile ; ce qui est impossible demandera un peu plus de temps.*

Nous pouvons nous charger de ce qui est difficile. Il passa son blazer, prit un mouchoir propre qu'il fit glisser dans sa poche de poitrine. Il sortit de la pièce et traversa le palier jusqu'à une fenêtre qui dominait la cour. La voiture d'Ivan était là. Il savait qu'Eve se reposait au salon. Aussi il descendit sur la pointe des pieds l'escalier de service et traversa la cuisine déserte.

Le brouillard s'était épaissi à l'extérieur, il faisait froid et humide. Il pouvait entendre au loin, du côté de la mer, la corne de brume des garde-côtes. Il traversa la cour et pénétra chez Ivan.

L'impossible demandera un peu plus de temps.

— Ivan?

Il entendit au premier étage un bruit d'eau qui coulait, mêlé aux hurlements d'une musique de danse.

La porte donnait directement dans une grande pièce qui faisait office de cuisine et de salle de séjour. Une table était placée au milieu de la pièce et des fauteuils confortables étaient disposés devant un poêle à bois. La plupart des meubles de cette pièce appartenaient à Gerald, mais Ivan avait ajouté sa marque : les porcelaines bleues et blanches sur la commode, des tableaux, un oiseau japonais en papier rose et rouge, suspendu au plafond. Un escalier en bois qui ressemblait à celui d'un navire montait au premier où se trouvaient deux chambres et une salle de bains.

Gerald se posta au pied de l'escalier et répéta :

— Ivan!

La radio fut brutalement éteinte et le bruit de la douche se transforma en un gargouillis. Ivan apparut en haut des marches, couvert d'une petite serviette, les cheveux ébouriffés.

— Gerald, je suis désolé, je ne vous avais pas entendu.

— Ça ne me surprend pas... Je veux te dire un mot.

— Bien sûr. Faites comme chez vous, je n'en ai pas pour longtemps. J'avais si froid que j'ai fait un feu. J'espère qu'il ne s'est pas éteint. En tout cas, versez-vous un verre. Vous savez où cela se trouve.

Il disparut. Gerald alla contrôler le poêle qui marchait parfaitement. Avisant une bouteille de whisky au-dessus de l'évier, il s'en servit une rasade qu'il coupa d'eau. Le verre à la main, il se mit à arpenter la pièce. « On dirait que tu vas prendre ton quart », aurait remarqué Eve. Mais au moins était-ce mieux que de rester assis à ne rien faire.

Eve. *Nous ne dirons rien à personne,* avaient-ils décidé. *Oh! Gerald,* avait-elle dit, *nous ne le dirons jamais à personne.*

Et maintenant, il allait rompre cette promesse. Il savait qu'il devait parler à Ivan.

Son beau-fils descendit l'escalier à toute vitesse, comme un marin expérimenté. Ses cheveux étaient peignés et il portait un jean et un polo bleu marine.

— Désolé, fit-il. Vous avez trouvé à boire? Le feu marche bien?

— Tout à fait.

— C'est extraordinaire comme le temps peut se rafraîchir, dit Ivan en allant se servir un whisky. De l'autre côté, il faisait si chaud! Pas un nuage dans le ciel.

— Tu as donc eu une bonne journée.

— Parfaite. Et vous? Qu'avez-vous fait avec Eve?

— Nous, dit Gerald, eh bien, nous n'avons pas eu une bonne journée. C'est pourquoi je suis ici.

Ivan se retourna en sursautant, tenant son verre à demi rempli de whisky.

— Je te suggère de mettre de l'eau par là-dessus. Puis nous bavarderons.

Leurs regards se rencontrèrent. Gerald ne souriait pas. Ivan ouvrit le robinet et remplit le verre. Ils s'assirent l'un en face de l'autre. A leurs pieds s'étendait un tapis en peau de mouton.

— Allez-y, dit Ivan.

Alors Gerald raconta calmement les événements de la journée. Le coup de téléphone hystérique de Silvia. Leur visite. La lettre.

— Quelle sorte de lettre?

— Une lettre anonyme.

— Une... (Ivan en resta bouche bée.) Une lettre anonyme... Vous devez plaisanter?

— C'est malheureusement vrai.

— Mais... qui l'a adressée? Qui aurait l'idée de faire ça à Silvia?

— Nous ne savons pas.

— Où est-elle?

— Elle l'a gardée. Je le lui ai conseillé.

— Et que disait cette lettre?

— Ceci... (Gerald, de retour chez lui, avait noté le texte de la lettre avant de l'avoir oublié; sortant son calepin, il se mit à lire :) «Vous avez été avec d'autres hommes et vous avez poussé votre mari à boire. Vous devriez avoir honte de vous. »

On aurait dit un avocat en train de révéler devant la cour les détails intimes de quelque succulent divorce... Sa voix d'homme cultivé réduisait ces mots mal intentionnés à quelque chose d'abstrait. Toutefois, ils conservaient tout leur venin.

— C'est révoltant, dit Ivan.

— N'est-ce pas...

— C'était manuscrit?

— Non, la méthode classique : des lettres découpées dans les titres d'un journal et collées sur du papier à lettres. Du papier à lettres pour enfants. Sur l'enveloppe, des lettres au tampon encreur... tu vois le genre. Le tout posté localement à la date d'hier.

— Vous avez une idée de qui pourrait...?

— Et toi?

— Gerald, dit Ivan en riant, j'espère que vous ne pensez pas que c'est moi!

Gerald ne sourit pas.

— Nous pensons que c'est May.

— May!

— Oui, May. Selon Silvia, elle n'a jamais pu la supporter. Et puis May a la haine de l'alcool. Tu sais aussi bien que moi...

— Ce n'est pas elle. Pas May!

Ivan s'était levé et il faisait les cent pas.

— May est une vieille femme, Ivan. Ces derniers mois son comportement est devenu de plus en plus bizarre. Eve suppose qu'elle devient sénile et je suis enclin à la croire.

— Mais c'est si loin de son personnage! Je connais May. Peut-être n'aime-t-elle pas Silvia, mais au fond d'elle-même, elle doit se sentir désolée pour elle. May peut piquer des colères, je le sais, mais elle n'a pas un caractère rancunier ou dissimulateur, elle n'a jamais été méchante. Et il faut l'être pour faire une chose pareille.

— Peut-être, mais d'un autre côté, elle a toujours défendu fermement ses principes. Et pas seulement sur la boisson, sur la morale et le comportement en général.

— C'est-à-dire? questionna Ivan.

— « Vous avez été avec d'autres hommes. » Elle pense peut-être que Silvia est très libre.

— Eh bien, c'est sans doute le cas. Ou ça l'a été. Mais cela n'a fait aucun mal à May.

— Et si May pensait qu'elle a pris des libertés... avec toi?

Ivan se retourna d'un bloc, comme s'il venait d'être frappé au visage. Il fixait, incrédule, le visage de son beau-père, ses yeux bleus qui ne cillaient pas et son regard indigné.

— Avec moi? Qui a fabriqué cette histoire?

— Personne. Mais Silvia est attirante. Elle va et vient sans cesse à Tremenheere. Elle nous a dit que tu l'avais emmenée à une soirée...

— En effet. Pourquoi gâcher de l'essence? Est-ce suffisant pour avoir des relations avec...

— Et elle a ajouté que de temps en temps, quand nous sommes en voyage, elle vient prendre un verre ou un repas chez toi.

— Gerald, c'est l'amie d'Eve. Eve se fait du souci pour elle. Quand Eve est absente, je lui propose...

— Silvia pense que May vous a observés depuis sa fenêtre et qu'elle désapprouve tout cela.

— Mais, bon Dieu, où est-ce que Silvia veut m'entraîner?

— Nulle part, fit Gerald en étendant la main.

— Eh bien, je ne suis pas d'accord. La prochaine fois, on va m'accuser d'avoir séduit cette fichue bonne femme.

— C'est ce que tu as fait?

— Moi? Elle est assez âgée pour être ma mère, bon Dieu!

— As-tu couché avec elle?

— Non, jamais, je le jure!

Il avait hurlé. Il y eut comme un vide après ce cri. Dans le silence qui suivit, Ivan avala d'un coup le reste de son verre et alla s'en servir un autre. La bouteille cogna contre le bord du verre.

— Je te crois, dit Gerald.

Ivan remplit d'eau le reste du verre. Le dos tourné à Gerald, il lança :

— Je suis navré. Je n'avais pas le droit de hurler ainsi.

— Je suis navré, moi aussi. Et tu ne dois pas en vouloir à Silvia, elle n'a pas fait la moindre insinuation à ton sujet. Seulement, il fallait que je sois sûr.

Ivan se retourna et s'appuya avec grâce contre l'évier. Sa colère était passée et il souriait.

— Je comprends. Et puis mon histoire n'a pas toujours été parfaite.

— Il n'y a rien de mal dans ton histoire, fit Gerald en rempochant son calepin et en retirant ses lunettes.

— Qu'allez-vous faire au sujet de cette lettre?

— Rien.

— Et s'il en vient une nouvelle?

— Nous verrons le moment venu.

— Silvia est d'accord?

— Oui. Seuls Silvia, Eve et moi sommes au courant. Et toi, maintenant. Et tu ne diras rien. Pas même à Eve, qui ne saura pas que je te l'ai dit.

— Comment est-elle?

— Bouleversée. A mon avis, plus profondément que cette pauvre Silvia. Elle a peur de ce que May va encore inventer. Elle en fait des cauchemars. L'idée qu'on l'enferme dans une maison pour vieillards dérangés... Elle protège May, tout comme moi, je protège Eve.

— Eh bien, dit Ivan, May aussi nous a protégés. Elle s'est occupée de moi et elle a remplacé ma mère pendant la maladie de mon père. Jusqu'à sa mort. C'était un roc, alors. Aucune faiblesse, et maintenant ça. Pauvre vieille May, je ne supporte pas d'y penser. Nous lui devons tant! Nous sommes tous débiteurs les uns des autres.

— Oui, dit Gerald, c'est une triste affaire.

Ils se sourirent.

— Laissez-moi vous en servir un autre, dit Ivan.

Eve et Laura étaient assises devant la cheminée du salon. Elles écoutaient un concert retransmis par la BBC. Le *Premier Concerto pour piano* de Brahms. Il était un peu plus de neuf heures et Gerald, qui ne voulait pas gâcher leur plaisir, était allé regarder les informations dans son bureau.

Laura s'était pelotonnée dans l'un des grands fauteuils. Elle avait posé Lucy sur ses genoux. On n'avait pas revu Ivan. Pendant qu'elle se changeait, Laura avait entendu sa voiture sortir de la propriété et remonter la colline en direction de Lanyon. Il avait dû se rendre au pub, peut-être pour prendre une bière avec Mathie, avait-elle pensé.

Eve avait repris sa tapisserie. Laura la trouvait fatiguée, ce soir-là. Elle avait un air de fragilité avec sa peau fine tirée aux pommettes et les cernes sombres autour des yeux. Elle avait peu parlé durant le dîner et Gerald avait fait les frais de la conversation. Eve n'avait guère fait honneur aux délicieuses côtes de mouton et à la salade de fruits. Elle n'avait bu que de l'eau. Laura l'observait entre ses yeux ensommeillés, à moitié fermés. Eve faisait tant de choses, toujours sur la brèche, cuisinant, organisant et s'occupant de toute la maisonnée... Quand le concert serait fini,

Laura suggérerait que chacun se retire. Peut-être prendrait-elle une boisson chaude avant...

Le téléphone se mit à sonner. Eve leva les yeux.

— Ce doit être Alec, Laura.

Laura se leva et quitta la pièce, Lucy sur ses talons. Dans le hall, elle s'assit sur un coffre sculpté et prit le téléphone.

— Tremnheere.

— Laura?

La ligne était meilleure, cette fois-ci, et la voix d'Alec était si claire qu'on l'aurait cru dans la pièce.

— Alec! Je suis désolée, je n'étais pas là quand tu as appelé. Nous ne sommes pas rentrés avant sept heures.

— Tu as eu une bonne journée?

— Oui, délicieuse... Et toi, comment vas-tu?

— Tout va bien, mais ce n'est pas la raison de mon appel. Ecoute, quelque chose vient d'arriver. Je ne pourrai pas venir te chercher à Tremenheere. Dès que nous serons de retour à Londres, Tom et moi devrons partir pour New York. Nous venons de l'apprendre ce matin. Le président m'a téléphoné.

— Mais combien de temps seras-tu absent?

— Une semaine seulement. En fait, nous pouvons emmener nos femmes avec nous, il y aura pas mal de soirées. Daphné va venir avec Tom et je me demandais si tu aimerais venir aussi. Je serai très occupé, mais tu n'as encore jamais vu New York et j'aimerais te le faire découvrir. Il faudrait que tu rentres à Londres par tes propres moyens et que tu me rejoignes. Qu'en penses-tu?

Laura se sentait tétanisée.

Cette réaction instinctive à la suggestion faite par Alec la remplit de honte. L'homme qu'elle aimait et qui essayait de lui faire plaisir... Que se passait-il? Que lui arrivait-il? Alec lui proposait d'aller à New York avec lui et cela ne l'enchantait pas. Elle ne voulait pas aller à New York en août, spécialement avec Daphné Boulderstone. Elle n'avait pas envie de se retrouver avec elle dans un hôtel à air conditionné, ni de monter et remonter la Cinquième Avenue pour faire du lèche-vitrines. Mais le pire, c'était qu'elle n'avait pas envie de prendre le train pour Londres. Elle n'avait pas envie d'être arrachée à cette douce existence sans souci. Elle ne voulait pas quitter Tremenheere.

— Quand dois-tu partir? demanda-t-elle pour gagner du temps.

— Mercredi soir. Par le Concorde.

— Tu as réservé une place pour moi?

— Provisoirement.

— Combien... combien de temps resterions-nous à New York?

— Laura, je te l'ai dit... une semaine. Tu n'as pas l'air très enthousiaste. Tu ne veux pas venir?

— Oh! mais si, Alec... c'est adorable d'avoir pensé à moi, mais...

— Mais?

— C'est si soudain, tu comprends... Je n'ai pas eu le temps de m'y faire.

— Tu n'as pas besoin de beaucoup de temps pour ça. Après tout, ce n'est pas bien compliqué.

Elle se mordit la lèvre.

— Peut-être ne te sens-tu pas encore assez d'attaque pour ça? reprit Alec.

Laura se jeta sur cette excuse comme un noyé se raccroche à une bouée.

— Eh bien, à dire vrai, je ne sais pas. Je veux dire... je vais bien, mais je ne sais pas si l'avion est une bonne idée. Et il fera si chaud à New York... Ce serait tellement bête si quelque chose m'arrivait... Je gâcherais ton séjour en étant malade...

Elle avait l'impression de jouer une mauvaise comédie.

— Voyons, ne t'en fais pas, fit Alec. Je vais annuler ta place.

— Oh! je suis désolée... je me sens si faible... Peut-être une autre fois.

— Oui, une autre fois... Ça n'est pas grave.

— Redis-moi quand tu seras de retour.

— Le mardi suivant, je présume.

— Et que vais-je faire? Rester ici?

— Si Eve n'y voit pas d'inconvénient. Demande-lui.

— Et tu pourras venir me chercher? (Cette question lui parut plus égoïste encore que son refus d'aller à New York.) Tu n'es pas obligé. Je... je peux facilement prendre un train.

— Non, je crois que je pourrai passer. Je vais voir comment les choses s'arrangent. Je te contacterai plus tard à ce sujet.

On aurait dit qu'il préparait une réunion d'affaires. Cet horrible téléphone les éloignait plutôt qu'il ne les rapprochait. Elle mourait d'envie d'être avec lui, de voir son visage, d'observer ses réactions. De le toucher, de lui faire comprendre qu'elle l'aimait plus que quiconque au monde... mais elle ne voulait pas aller à New York avec Daphné Boulderstone.

Et ce n'était pas la première fois qu'elle remarquait le fossé qui les séparait.

— Tu me manques tellement! dit-elle pour essayer de combler le vide.

— Toi aussi tu me manques.

Cela n'avait pas fonctionné.

— Comment se passe la pêche?

— Merveilleusement. Tout le monde t'embrasse.

— Appelle-moi avant de partir pour New York.

— Bien sûr.

— Je suis désolée, Alec.

— N'y pense plus. Ce n'était qu'une suggestion. Bonne nuit, dors bien.

— Bonne nuit, Alec.

7

SAINT THOMAS

A cinq heures et demie du matin, Gabriela Haverstock, qui était éveillée depuis trois heures, repoussa le drap chiffonné et sortit sans bruit de sa couchette. Un homme dormait encore, de l'autre côté de la cabine, ses cheveux et sa barbe de plusieurs jours formaient des taches sombres sur l'oreiller pâle. Son bras était posé sur son torse, sa tête était tournée vers la cloison. Gabriela passa un vieux tee-shirt qui avait appartenu à l'homme endormi et se rendit, pieds nus, vers la cabine de jour. Elle trouva une allumette et mit en marche un petit réchaud sur lequel elle posa une bouilloire. Puis elle monta quelques marches et se retrouva dans le poste de pilotage. Le pont était humide de rosée et dégageait une odeur de moisissure.

Dans la lumière de l'aube, les eaux du port brillaient comme une plaque de verre. Un peu partout, les autres bateaux sommeillaient, accrochés à leurs amarres, et ils bougeaient si doucement qu'on aurait dit qu'ils respiraient. Les quais commençaient à s'éveiller. Une voiture démarra et, de la jetée, un Noir descendit dans un canot, le détacha et se mit à ramer. Le moindre bruit était clairement audible. Un bateau sortit du port, laissant derrière lui une longue ride profonde.

Saint Thomas, îles Vierges. Pendant la nuit, deux paquebots de croisière avaient accosté. On aurait dit une invasion de gratte-ciel... Gabriela leva la tête et aperçut tout en haut, sur les superstructures, des marins en train de travailler, de nouer des câbles et de laver les ponts. Au-dessous d'eux, le flanc du paquebot, pareil à une falaise, était troué de dizaines et de dizaines de hublots derrière lesquels dormaient les touristes. Ils émergeraient plus tard dans la matinée, vêtus de bermudas et de chemises bariolées, et se pencheraient à la rambarde pour regarder les bateaux, comme Gabriela le faisait à cet instant. Puis ils descendraient à terre avec leurs appareils photo et ils dépenseraient leurs dollars dans des paniers tressés, des sandales et des statues de femmes noires avec des fruits sur la tête.

L'eau se mit à bouillir derrière Gabriela, dans la cabine.

Elle descendit et prépara le thé. Il n'y avait plus de lait, alors elle coupa une tranche de citron et versa le thé dessus. Portant la tasse, elle alla réveiller son compagnon.

Il se retourna quand elle secoua son épaule nue, enfonça son visage dans l'oreiller, se mit à bâiller et à se gratter la tête. Il ouvrit finalement les yeux.

— Quelle heure est-il? demanda-t-il.

— Six heures moins le quart.

— Oh! mon Dieu.

Il bâilla de nouveau et se mit en position assise, en tirant les oreillers pour les coincer derrière son dos.

— Je t'ai fait du thé, dit Gabriela en lui tendant la tasse. J'ai mis du citron, parce qu'il n'y a plus de lait.

— Je vois...

Elle alla s'en verser une tasse et retourna dans le poste de pilotage pour la boire. Il faisait plus clair à chaque minute et le ciel devenait bleu. Dès que le soleil apparaîtrait, toute la rosée s'évanouirait en un instant. Puis ce serait un autre jour, un autre jour étouffant, sans nuages, un autre jour dans les Caraïbes.

L'homme la rejoignit un moment plus tard. Il portait un vieux short qui avait été blanc et un sweat-shirt gris. Il était pieds nus. Il passa sur le pont et continua vers l'arrière pour dégager l'amarre du canot qui s'était prise dans la chaîne de l'ancre.

Quand elle eut fini son thé, Gabriela descendit de nouveau dans la cabine. Elle se lava les dents et fit sa toilette dans le minuscule évier. Elle passa un jean, une paire d'espadrilles et un tee-shirt bleu et blanc. Son sac en nylon rouge, qu'elle avait rempli la veille au soir, était posé au pied de sa couchette. Elle y mit ses dernières affaires : brosse à dents, brosse à cheveux et un gilet pour le voyage. Rien de plus. A vivre six mois sur un bateau, elle n'avait guère fait de frais de garde-robe. Elle referma le sac en nouant les lanières, comme un marin professionnel.

436

Elle attrapa son sac à dos et retourna sur le pont. Son compagnon l'attendait dans le canot. Elle lui passa son sac rouge et descendit l'échelle.

Il manœuvra le canot, l'écarta du bateau et mit le moteur en marche, dans un bruit strident de mobylette. Tandis qu'ils s'éloignaient, Gabriela se retourna pour regarder le yacht, le beau quinze mètres peint en blanc, avec son grand mât et son nom, *Enterprise of Tortola*, délicatement inscrit en lettres dorées. Elle le voyait pour la dernière fois.

Son compagnon s'amarra à la jetée et monta ses bagages puis lui donna la main pour l'aider. Les marches en bois avaient été emportées par une tempête et n'avaient pas été remplacées. Ils descendirent la jetée et pénétrèrent dans le complexe hôtelier. Ils traversèrent les jardins et dépassèrent la piscine déserte. Devant les bâtiments de la réception s'étendait une petite cour abritée par des palmiers, où deux taxis patientaient. Les chauffeurs dormaient. L'homme en réveilla un, qui s'étira et bâilla, avant de prendre le sac qu'on lui tendait.

L'homme se tourna vers Gabriela.

— Eh bien, adieu, je suppose.

— Oui, adieu.

— Est-ce que je te reverrai ?

— Je ne crois pas.

— C'était bien.

— Oui, c'était bien. Merci pour tout.

— Merci.

Il la prit par l'épaule et l'embrassa. Il ne s'était pas rasé et son menton griffa la joue de la jeune fille. Elle regarda son visage une dernière fois puis entra dans le taxi. La portière claqua. La vieille voiture s'ébranla et Gabriela ne regarda pas en arrière. Elle ne saurait jamais s'il avait attendu qu'elle disparaisse pour s'en aller.

De Saint Thomas, elle vola jusqu'à Sainte-Croix. De Sainte-Croix jusqu'à San Juan. De San Juan jusqu'à Miami. De Miami à New York. A l'aéroport Kennedy, son sac rouge se perdit et il lui fallut attendre une heure devant le tapis à bagages pour qu'il apparaisse enfin.

Elle sortit de l'aéroport. L'air était chaud, humide et poussiéreux, saturé d'odeurs de fuel. Elle attendit qu'un bus veuille bien se présenter. Celui qui s'arrêta était bondé et elle dut faire le trajet debout, son sac coincé entre les jambes. Au terminal de British Airways, elle acheta un billet pour Londres et monta en salle d'attente. Son vol ne partait que dans trois heures.

Elle s'assit auprès d'une dame à cheveux bleutés, qui faisait son premier voyage pour l'Angleterre. Elle avait économisé, dit-elle à Gabriela, pendant deux ans. C'était un voyage organisé — la plupart des passagers du vol en étaient —, elle allait voir la Tour de Londres, l'abbaye de Westminster et le palais de Buckingham. Ils passeraient aussi deux jours à Edimbourg pour le festival et visiteraient Stratford-on-Avon.

— Je meurs d'envie de voir Stratford et la maison d'Anne Hathaway.

Tout cela semblait plus qu'ennuyeux à Gabriela, qui n'en sourit pas moins à son interlocutrice.

— Merveilleux, dit-elle.

— Et vous, ma chère, où allez-vous ?

— Chez moi, répondit Gabriela.

Elle ne dormit pas pendant le voyage, la nuit était bien trop courte. A peine avaient-ils fini de dîner qu'on leur présenta des serviettes pour se rafraîchir et du jus d'orange. Il pleuvait à Heathrow. La douce pluie anglaise comme de la brume sur son visage... Tout lui semblait vert et paisible. Même l'aéroport avait un autre parfum.

Son ami de Saint Thomas lui avait donné un peu d'argent anglais — de vieux billets abîmés —, mais pas assez pour un taxi. Elle prit le métro jusqu'à King's Cross, où elle changea pour Angel.

Elle marcha depuis Angel, son gros sac sous le bras. Ce n'était pas très loin. Elle remarqua les changements qui modifiaient ces rues qu'elle avait bien connues. Un pâté de vieilles maisons avait été détruit et on devinait un énorme chantier. Les palissades en bois qui entouraient le site étaient couvertes de graffiti. *Les Skids au pouvoir*, lut-elle. *Du boulot, pas des bombes.*

Elle descendit Islington Street et traversa Campden Passage, entre les échoppes d'antiquaires et de bijoutiers. Elle dépassa le magasin de jouets où avait été acheté un service à thé en porcelaine pour ses poupées, qu'on lui avait remis dans une vieille boîte poussiéreuse. Elle tourna dans une allée pavée et émergea dans Abigail Crescent.

Abigail Crescent n'avait pas changé. Quelques maisons avaient été ravalées et un voisin avait ajouté une fenêtre sur son toit. C'était tout. La maison où elle avait passé son enfance n'avait pas changé non plus, ce qui la réconforta. Remarquant alors que la place de parking de son père était vide, elle sentit son assurance chanceler. Il n'était que huit heures et demie du matin, mais peut-être était-il déjà parti travailler.

Elle monta sur le perron et sonna. Elle entendit la sonnette vibrer dans la maison, mais personne ne vint à la porte. Lasse d'attendre, elle sortit de sous son gilet une petite chaîne à laquelle pendait une clé. Son père la lui avait donnée, il y avait bien longtemps, alors qu'elle était encore à son école de Londres... en cas d'urgence, avait-il dit, mais elle n'avait jamais eu à l'utiliser puisqu'il y avait toujours en quelqu'un à la maison.

Elle enfonça la clé. La porte s'ouvrit. Alors qu'elle pénétrait dans la maison, elle aperçut une silhouette qui remontait lourdement du sous-sol.

— Qui est-ce? fit une voix brutale et légèrement agitée.

— Tout va bien, madame Abney, dit Gabriela, c'est moi.

Mme Abney fit ce que les gens sont censés faire en cas d'attaque cardiaque... Elle s'arrêta net, ouvrit la bouche comme si elle manquait d'air, posa une main sur sa poitrine et se raccrocha à la rampe.

— Gabriela!

— Je suis navrée, je crois que je vous ai fait peur...

— En effet.

— Je pensais qu'il n'y avait personne.

— J'avais bien entendu la sonnerie, mais je ne peux pas monter en trois secondes!

Gabriela posa son sac et referma la porte derrière elle.

— D'où débarques-tu? demanda Mme Abney.

— Des Caraïbes. Je suis dans les avions depuis... (C'était trop compliqué à expliquer. Et puis, le décalage horaire commençait à se faire sentir.) Oh!... depuis toujours. Où est mon père?

— Il n'est pas là. Il ne m'avait pas dit que tu venais.

— Il ne le sait pas. Je suppose qu'il est en Ecosse.

— Oh! non. Il était en Ecosse. Il est rentré mercredi... c'est-à-dire hier, et il est reparti.

— Reparti? (Le cœur de Gabriela se mit à battre plus fort.) Où cela?

— A New York. Un voyage d'affaires. Avec M. et Mme Boulderstone.

— Oh, non!

Gabriela se sentit vaciller. Elle s'assit au bas de l'escalier et baissa la tête. Il était parti pour New York. Elle l'avait manqué de quelques heures. Leurs avions avaient dû se croiser dans la nuit, chacun filant dans la direction opposée.

Mme Abney, constatant la déception et l'épuisement de la jeune fille, se fit plus maternelle.

— Il n'y a rien à la cuisine... La maison est vide. Pourquoi ne descends-tu pas chez moi? Je vais te faire une tasse de thé... On dirait le bon vieux temps, de t'avoir ici. Tu te souviens quand je préparais ton goûter après l'école quand ta mère n'était pas là? Comme au bon vieux temps...

L'appartement de Mme Abney n'avait pas changé, non plus : il était toujours aussi sombre et douillet qu'un terrier, avec des rideaux de dentelle qui tamisaient la maigre lumière du jour et sa petite cuisinière qui répandait une chaleur torride, même en août.

Tandis que Mme Abney s'activait — bouilloire, tasses et soucoupes —, Gabriela prit une chaise et s'assit devant la table. Elle regarda autour d'elle, observant les photographies familières, les calendriers encadrés, les chiens de porcelaine sur le dessus de la cheminée.

— Où est Dicky? demanda-t-elle.

— Oh! mon petit Dicky... Il est mort. Il y a un an, environ. Mon neveu voulait m'en offrir un autre, mais je n'ai pas eu le cœur de le remplacer. (Le thé était prêt.) Veux-tu manger quelque chose?

— Non, le thé suffira.

— Tu es sûre? Quand as-tu mangé pour la dernière fois?

Gabriela ne s'en souvenait pas.

— Euh... fit-elle.

— Je peux te beurrer quelques tartines.

— Non, vraiment.

Mme Abney s'assit en face d'elle et versa le thé.

— Je veux que tu me racontes tout. Sur toi, et sur ta mère aussi. Elle va bien, n'est-ce pas? Alors tant mieux. Mon Dieu, il y a si longtemps que tu es partie... six ans bientôt. Quel âge as-tu, maintenant? Dix-neuf? Oui, c'est ce que je pensais. Tu n'as pas changé, je t'ai reconnue tout de suite. Sauf que tes cheveux sont courts et que tu les as teints en blond.

— Non, je ne les ai pas teints, ils se sont éclaircis au soleil des Caraïbes et à cause du chlore des piscines.

— Tu ressembles à un garçon. C'est à ça que j'ai pensé quand

440

je t'ai vue. C'est aussi pour ça que j'ai eu si peur. Il y a quelques bandes de voyous dans les environs... Il faut que je surveille bien la maison quand ton père n'est pas là.

Gabriela prit une gorgée de thé. Il était noir, sucré et fort... à la manière éternelle de Mme Abney.

— Et sa nouvelle femme... elle est partie pour New York avec lui?

— Non. Je te l'ai dit, seulement les Boulderstone. La nouvelle Mme Haverstock est partie en Cornouailles. Elle y est depuis un moment. (Mme Abney baissa la voix, jusqu'à un chuchotement confidentiel.) Elle a dû subir une petite opération. Tu vois, ma chère, à l'intérieur...

— Oh!

— De toute façon, reprit Mme Abney de sa voix normale, le docteur ne voulait pas qu'elle aille en Ecosse. Alors elle est partie en Cornouailles pour se reposer.

Elle reprit une gorgée de thé.

— Vous savez où elle est? demanda Gabriela.

— Non, je n'en sais rien. M. Haverstock ne m'a pas donné son adresse. Elle est chez quelqu'un de la famille, en Cornouailles, c'est tout ce que je sais.

— Mais il y a des dizaines de Haverstock dans le Devon et en Cornouailles! Elle pourrait être n'importe où.

— Eh bien, je suis désolée, mais je ne sais pas où elle est... sauf... qu'une lettre est arrivée hier soir. J'ai l'impression qu'elle venait de là-bas. Attends, je vais aller la chercher. (Elle se leva et s'approcha d'une commode dont elle ouvrit le tiroir du haut.) La secrétaire de ton père passe tous les matins pour prendre le courrier, mais elle n'est pas encore venue et c'est tout ce que j'ai à lui remettre.

Elle donna l'enveloppe à Gabriela. Une enveloppe ordinaire avec le nom de son père et l'adresse qui semblaient avoir été imprimés ou bien reproduits au moyen d'un cachet. La lettre avait été postée à Truro, Cornouailles. Sur le coin de l'enveloppe, on avait inscrit au stylo : URGENT.

— Quelle lettre bizarre! fit la jeune fille.

— Ce doit être de Mme Haverstock. La nouvelle Mme Haverstock, je veux dire.

— Je ne peux pas l'ouvrir, n'est-ce pas? dit-elle en jetant un regard à Mme Abney.

— Eh bien, je ne sais pas, ma chérie. Cela te regarde. Si tu veux trouver l'adresse de Mme Haverstock, je ne vois pas pourquoi tu ne jetterais pas un œil... Quoique, je dois dire, ce soit une drôle de façon d'écrire une adresse. Ça a dû prendre des heures.

Gabriela reposa l'enveloppe, puis la reprit.

— Il faut vraiment que je sache où elle se trouve, madame Abney. Si je ne vois pas mon père, il faut au moins que je la voie, elle.

— Alors, ouvre la lettre, dit Mme Abeny. Après tout, le mot « urgent » ne veut pas dire « confidentiel ».

Gabriela fit passer l'ongle de son pouce derrière l'enveloppe et la déchira. Elle sortit une feuille d'un papier rose pâle. C'était un papier à lettres pour enfants, décoré d'une petite fée. Les lettres d'imprimerie mal ajustées hurlèrent leur message à la manière des gros titres de journaux :

VotRE FemmE à TreMENheeRE
A uNe AVEntuRE aVeC IVan
AShbY. JE PenSAis QuE vOUS DeviEZ
Le SAvoIR. QUElqu'UN quI VouS
VeuT dU BiEN.

Le cœur de Gabriela battait à tout rompre. Elle sentit le sang refluer de son visage.

— Alors, c'était utile ? demanda Mme Abney, se tordant le cou pour regarder.

Gabriela replia prestement la lettre et la glissa dans l'enveloppe.

— Non. Oui. Je... ce n'est pas d'elle. Un mot de quelqu'un d'autre. Mais elle est dans un endroit qui s'appelle Tremenheere.

— Eh bien, voilà, tu sais où elle est, maintenant. (Elle plissa les paupières.) Tu vas bien ? Tu es si pâle, tout à coup...

— Oui, je vais bien, mais je suis très fatiguée. (Elle enfonça l'horrible enveloppe dans la poche de son jean.) Je n'ai pas dormi depuis des heures. Je crois que je vais aller m'allonger, si vous le voulez bien.

— Je t'en prie. Ton lit n'est pas fait, mais la chambre a été aérée. Tu peux te glisser sous les couvertures. Va donc te reposer.

— C'est gentil, madame Abney. Je suis désolée d'être arrivée comme ça et de vous avoir causé cette surprise.

— Mais non, c'est si agréable de te revoir! Et ton père sera si content de savoir que tu es de retour!

Gabriela remonta et entra dans le salon. Elle prit le téléphone et composa un numéro.

— Renseignements, fit une voix masculine.

— Je voudrais un numéro en Cornouailles, s'il vous plaît. Le nom est « Haverstock », je ne connais malheureusement pas les initiales du prénom. L'adresse est « Tremenheere ».

— Un moment, je vous prie.

Elle patienta. Le préposé aux renseignements était un homme jovial qui chantonnait en faisant ses recherches. « Oh, quand les nuages sont noirs, tu ne dois pas trembler. Et tu ne dois pas pleurer... » entendait Gabriela.

Le salon n'avait pas perdu son aspect familier. Les mêmes rideaux, les mêmes tapisseries sur les fauteuils... Les coussins étaient ceux que sa mère avait choisis. Quelques ornements et quelques tableaux nouveaux, rien de plus...

— Tremenheere. Nous y voilà. Penvarloe 238.

Gabriela nota ces renseignements.

— Et c'est monsieur...

— Non, pas monsieur. Amiral. Amiral G.J. Haverstock.

— Penvarloe, répéta-t-elle avant de soupirer tristement : Mon Dieu...

— Qu'est-ce qui ne va pas?

— Il faut que j'y aille en train. Je me demande quelle est la gare la plus proche.

— Je peux vous le dire.

Ce qu'il fit.

— Comment savez-vous cela?

— Ma femme et moi avons passé nos vacances là-bas, l'année dernière.

— Extraordinaire!

— Extraordinaire, peut-être, fit la voix joviale, sauf qu'il n'a pas cessé de pleuvoir.

Après avoir raccroché, Gabriela rassembla ses affaires et sortit de la pièce. Elle abandonna son grand sac sur le palier du premier et entra dans le dressing de son père. Toujours la même odeur, celle de son eau de toilette. Elle ouvrit un meuble et toucha ses vêtements, relevant la manche d'une veste en tweed et la posant contre sa joue. Elle vit son équipement de pêche soigneusement rangé dans un coin. Son bureau était couvert de papiers, de talons de chèque et de factures à payer. Elle vit enfin une photo d'elle sur la commode, à côté d'un épouvantable dessin qu'elle avait fait voilà bien longtemps. Et il y avait une photo de... Laura? Ce n'était pas un portrait de studio, mais un cliché d'amateur. La jeune femme souriait. Une masse de cheveux noirs et des yeux sombres. Un joli sourire. L'air heureuse.

Votre femme a une aventure avec Ivan Ashby.

Gabriela ressortit et ferma la porte derrière elle. Elle reprit son sac et monta les dernières marches. *Ta chambre sera toujours là pour toi,* lui avait promis son père. Elle ouvrit la porte et entra. Son lit, ses livres, ses ours en peluche, sa maison de poupée... La frise avec les personnages de Beatrix Potter courait toujours en haut des murs. Elle reconnut aussi les rideaux bleu et blanc.

Son sac tomba par terre avec un petit bruit sourd. Elle ôta ses chaussures et s'effondra sur le lit. Les couvertures étaient douces. Elle regardait le plafond, trop fatiguée pour dormir.

Votre femme à Tremenheere...

Trop fatiguée pour pleurer. Elle ferma les yeux.

Quand elle se releva, un moment plus tard, elle prit un bain chaud et se changea. Un autre jean, un autre tee-shirt chiffonné par le voyage, mais propre. Elle attrapa son sac à dos et sortit de la maison. Elle se rendit à une agence bancaire que ses parents avaient toujours connue et demanda à voir le directeur qui l'autorisa à encaisser un chèque. Elle s'aperçut tout à coup — était-ce parce qu'elle avait de l'argent? — qu'elle avait affreusement faim. Elle entra dans une épicerie et acheta du pain frais, du beurre, du lait, un peu de pâté et une demi-livre de tomates. De retour à Abigail Crescent, elle se prépara un déjeuner impromptu. Il était maintenant près de trois heures et demie. Elle retourna alors au salon et téléphona à la gare de Paddington pour réserver une couchette dans le train de nuit. Après cela, il ne lui restait plus qu'à attendre.

C'était le dernier arrêt sur la ligne. Avant d'y arriver, le train avait longé la mer pendant deux kilomètres, et lorsque Gabriela avait ouvert la porte pour descendre sur le quai, elle avait été saisie par la forte odeur marine. Des mouettes criaient au-dessus de sa tête dans l'air frais du matin.

Il était sept heures et demie à l'horloge du quai. Gabriela sortit de la gare. De là, on apercevait un port, avec ses bateaux de pêche et ses petits canots. Deux ou trois taxis patientaient. Elle s'approcha du premier et lui demanda de l'emmener à Tremenheere.

— Z'avez pas d'bagages?

— Ceci seulement.

Le chauffeur ouvrit la portière et elle s'installa, son sac rouge auprès d'elle.

— C'est loin? demanda-t-elle.

— Non, quatre ou cinq kilomètres. Vous allez chez l'amiral?

— Vous le connaissez?

— Non, je l'connais pas. J'ai entendu parler de lui. L'a une chouette maison.

— J'espère que je n'arrive pas trop tôt. On ne m'attend pas.

— Y aura bien quelqu'un.

Ils avaient déjà quitté la ville. Ils dépassaient de petites fermes au milieu de champs entourés de haies. Des rhododendrons sauvages poussaient partout. Ils arrivèrent à un village.

— C't'ici, Penvarloe.

Puis encore un court trajet, et apparurent des grilles et une belle maison élisabéthaine en pierre.

Le taxi s'arrêta devant la porte principale qui resta fermée. Gabriela n'eut pas le courage d'aller sonner et de réveiller une maisonnée de dormeurs.

— Laissez-moi là, dit-elle, je vais attendre.

— Allons voir s'il y a quelqu'un à l'arrière.

Le taxi démarra avec précaution, passa sous une arche et pénétra dans une cour. Il n'y avait pas signe de vie. Gabriela sortit de la voiture et prit son sac.

— Ne vous inquiétez pas, dit-elle au chauffeur, tout ira bien. Combien vous dois-je?

Elle le régla en le remerciant. Il fit demi-tour et disparut. Elle se demandait quoi faire, lorsque le silence fut brisé par un bruit de fenêtre qu'on ouvrait et par une voix d'homme.

— Vous cherchez quelqu'un?

Cette question ne provenait pas de la grande maison mais d'une maisonnette située à l'autre bout de la cour. On voyait des géraniums rouges de chaque côté de la porte et une fenêtre à l'étage était ouverte. Un homme s'y penchait, les avant-bras posés sur la pierre. Il aurait pu être totalement nu; Gabriela ne distinguait que la partie supérieure de son corps.

— Oui, répondit-elle.

— Qui?

— Mme Haverstock.

— Vous avez le choix... Il y a deux Mme Haverstock ici. Laquelle voulez-vous?

— Mme Alec Haverstock.

— Attendez-moi deux secondes, lui dit l'homme. Je descends et je vous ouvre.

La jeune fille traîna son sac jusqu'à la petite maison et patienta. La porte s'ouvrit bientôt et il réapparut, jambes et pieds nus, mais le reste de sa personne décemment enveloppé dans une sortie-de-bain bleue qu'il était en train de nouer. Il n'était pas rasé et ses cheveux étaient ébouriffés.

— Bonjour, dit-il.

— Je suis désolée... je vous ai réveillé?

— Oui... ou plutôt votre taxi m'a réveillé. Vous cherchez Laura? Elle ne doit pas être levée à cette heure. Aucun d'eux n'apparaît avant neuf heures.

Gabriela regarda sa montre.

— Aïe! fit-elle.

L'homme ramassa son sac et s'effaça devant elle :

— Entrez donc.

— Mais vous...

— Allons, venez. Je ne peux pas me recoucher, même si je le souhaitais. Il faut que j'aille travailler...

Gabriela entra et il ferma la porte. Elle découvrit une grande pièce qui semblait servir à toutes les fonctions, elle vit le mélange agréable de vieux pin et de porcelaines bleues et blanches, les poêles à frire joliment alignées au-dessus d'un petit four électrique; un poêle noir encadré de fauteuils confortables; elle vit aussi la table, au milieu de la pièce, décorée d'une jarre en terre cuite pleine de roses. Un oiseau en papier rose et rouge pendait du plafond.

— Quelle jolie pièce! dit-elle.

— J'y suis bien... Laura sait que vous venez?

— Non.

— Qui êtes-vous?

446

— Gabriela Haverstock. (Il écarquilla les yeux.) Alec est mon père.

— Mais vous êtes aux Etats-Unis.

— Non. Je suis ici. C'est mon père qui est en Amérique, maintenant. Il s'est envolé mercredi soir pour New York. Nos avions ont dû se croiser au milieu de la nuit.

— Il ne sait pas non plus que vous venez?

— Non.

— Comment êtes-vous arrivée ici?

— Par le train de nuit, au départ de Paddington.

— Eh bien... (Il paraissait à court de vocabulaire.) C'est un vrai... un vrai rebondissement... comme dans un livre. Vous comptez rester?

— Je ne sais pas. Cela dépend... si on me le propose.

— Vous n'avez pas l'air sûre.

— En effet, je ne le suis pas.

— Vous connaissez Gerald?

— Mon père en parlait souvent, mais je ne l'ai jamais rencontré.

— Alors vous ne connaissez pas Eve, non plus?

— Ni l'un ni l'autre. Et je n'ai jamais rencontré Laura.

Il éclata de rire et se gratta le sommet de la tête, image même de la perplexité.

— Eh bien, tout le monde va bien s'amuser, avec ces retrouvailles! Bon, il ne nous reste plus qu'à attendre qu'ils veuillent bien émerger. Voudriez-vous déjeuner?

— Et vous?

— Bien sûr. Vous n'imaginez pas que je vais aller travailler le ventre vide.

Il alluma la petite cuisinière, ouvrit le réfrigérateur et prit un paquet de bacon. Gabriela le regardait faire. Il avait l'air, songeat-elle, magnifiquement viril, comme dans une publicité pour *Eau sauvage*.

— Où travaillez-vous? demanda-t-elle.

— J'ai des parts dans une petite usine de meubles, plus loin sur la lande, à Carnellow.

— Vous vivez ici depuis longtemps?

— Un an. (Il brancha la bouilloire et mit du pain dans le toasteur.) Je loue cet endroit à Gerald. C'était une remise pour les fiacres, qu'il a convertie. (Il préparait maintenant le café.) Vous étiez en Virginie, non?

447

— Oui. Mais ces six derniers mois, j'étais aux îles Vierges, sur un bateau.

Il se retourna et lui sourit.

— Vraiment? C'est fantastique. Et vous venez directement de là?

— Oui. De Saint Thomas à Sainte-Croix, de Sainte-Croix à San Juan, de San Juan à Miami, de Miami à Kennedy. De Kennedy à Londres...

— De Londres à Tremenheere.

— Exact.

L'odeur du bacon se répandit dans la pièce, mélangée à l'arôme du café. Ivan apporta des couverts qu'il plaça sur la table.

— Soyez gentille, mettez la table, s'il vous plaît. (Il retourna à la cuisinière.) Un œuf ou deux?

— Deux, dit Gabriela qui se sentait affamée.

Elle disposa les couverts et les tasses.

— De quoi avons-nous encore besoin? demanda-t-il.

Elle essaya de se souvenir des déjeuners anglais traditionnels.

— Confiture? Miel? Porridge?

— Ne vous excitez pas trop!...

— Alors un peu de beurre.

Il en trouva dans le réfrigérateur, un tout petit morceau blanchâtre qu'il posa sur la table avant de retourner à sa cuisine.

— C'est comment, les îles Vierges? demanda-t-il.

— Plein de moustiques.

— Vous plaisantez!

— Mais c'est parfait si vous restez en mer.

— Où étiez-vous basée?

— A Saint Thomas.

— Et où avez-vous navigué?

— Partout. Saint-John, Virgin Gorda... (Le spectacle de son dos était la chose la plus attirante qu'elle eût vue, même vêtu comme il l'était, et avec des cheveux dans tous les sens.) Norman Island...

— On dirait un nom de coiffeur!

— C'est la véritable île au trésor. Vous savez, Stevenson...

— Il y est allé?

— Sans doute.

Il posa le bacon et les œufs sur deux assiettes qu'il apporta.

— Cela vous suffira?

— C'est plus qu'assez.

— Je peux ajouter des tomates. Si vous voulez des champignons, il faudra que vous attendiez que je fonce jusqu'à l'épicerie du village.

— Non merci.

— Du café, alors?

— C'est gentil.

Il s'assit en face d'elle.

— Parlez-moi encore de cette île.

— Rien à dire de plus.

— Cocotiers et sable blanc...

— Joli résumé.

— Pourquoi êtes-vous partie?

Gabriela prit sa fourchette dans sa main droite, remarqua qu'il la regardait et transféra la fourchette dans sa main gauche, avant de prendre un couteau dans la droite.

— Usages d'outre-Atlantique... fit-il.

— J'oublie facilement. Je suis en Angleterre, maintenant.

— Un langage commun nous divise.

— Mais vous faites de fameux œufs au bacon.

— Pourquoi êtes-vous partie? répéta-t-il.

Elle baissa la tête sur son assiette et haussa les épaules.

— Oh! il était temps de rentrer à la maison, je suppose.

C'était un petit déjeuner délicieux, mais qui ne dura pas longtemps. Ivan annonça bientôt à Gabriela qu'il devait aller se changer. Auparavant il alla ouvrir la porte pour inspecter du regard la grande maison.

— Pas un mouvement, pas un souffle. Il n'est que huit heures et demie. Il n'y aura personne avant une demi-heure. (Il revint dans la pièce en laissant la porte ouverte. Le soleil commençait à se glisser dans la cour.) Vous pourrez survivre pendant que je vais me préparer?

— Je crois.

— Vous n'avez pas à faire la vaisselle... mais ce serait gentil à vous si vous la faisiez.

— Je ne sais même pas qui vous êtes, lui dit-elle.

Il se retourna depuis le milieu de l'escalier et la regarda de ses yeux aussi bleus que la mer.

— Navré, je ne me suis pas présenté. Je suis le fils d'Eve.

— Ce qui ne me dit pas votre nom.

— Ivan Ashby.

Il disparut au premier. Elle entendait le bruit de ses pas au plafond. Puis on ouvrit une radio qui se mit à déverser une musique douce et gaie. D'autres bruits et l'écoulement de l'eau...

Ivan Ashby.

Gabriela repoussa sa chaise et rassembla les assiettes qu'elle emporta dans l'évier. Elle fit la vaisselle et aligna assiettes et couverts sur l'égouttoir. Cela fait, elle retourna dans la cour. Des tourterelles voletaient. La maison semblait toujours déserte, pas un mouvement. Les rideaux étaient toujours tirés à l'une des fenêtres du haut.

Mais il y avait encore une autre maison dans la cour. Une maisonnette où l'on était réveillé. De la fumée s'échappait de la cheminée, la porte était ouverte. Tandis que Gabriela observait, une silhouette apparut dans l'encadrement, une femme qui portait une longue jupe sombre et un chemisier blanc qui ressemblait au surplis d'un enfant de chœur. L'apparition fit un pas, comme si elle savourait la fraîcheur du matin et, avec une sorte de grâce, s'assit sur le seuil.

Intrigant. Une jeune femme sort de chez elle à huit heures et s'assied simplement, pour ne rien faire. C'était d'une nouveauté charmante.

Et dans cette vie si pleine de soucis,
Nous n'avons pas le temps de nous arrêter et de regarder.

Gabriela observait toujours. La jeune femme, consciente de sa présence, leva la tête et la vit.

— Bonjour, dit-elle.

— Bonjour, dit Gabriela.

— Belle matinée.

— Oui. (Elle marcha vers la maisonnette.) Vous avez eu une bonne idée de vous asseoir là.

C'était une femme en effet assez jeune, avec une petite tête que grossissait une énorme tignasse de cheveux bruns... Elle était pieds nus et ses mains étaient couvertes de bagues.

— D'où venez-vous? demanda-t-elle.

450

Elle ressemblait à une bohémienne, mais sa voix était claire et forte, avec les longues voyelles des gens du Nord.

— Du train, répondit Gabriela. Ce matin même.

Elle s'assit auprès de la jeune femme.

— Je m'appelle Drusilla, dit celle-ci.

— Moi, c'est Gabriela.

— Vous allez vous installer ici?

— J'espère.

— Bienvenue au club, alors.

— Vous vivez ici?

— Oui. Mon bébé est dans la maison. Il n'est pas encore réveillé, c'est pour ça que je suis venue m'asseoir ici. C'est bon d'avoir un peu de paix.

— Vous vivez là depuis longtemps?

— Oh! un ou deux mois. Avant, j'habitais à Lanyon. Mais je suis dans ce coin de la planète depuis un an environ.

— Vous travaillez ici?

— Non, je ne travaille pas. Je m'occupe de Josh, c'est tout. Je suis flûtiste.

— Pardon?

— Flûtiste. Je joue de la flûte.

— Vraiment? (De plus en plus bizarre.) Professionnellement?

— Oui. Je jouais dans un orchestre à Huddersfield — c'est ma ville d'origine — et puis l'orchestre a eu des problèmes d'argent. Je n'ai pas vraiment travaillé depuis. Je suis allée à Londres pour trouver un travail, mais sans succès.

— Alors, qu'est-ce que vous avez fait?

— Eh bien, j'ai rencontré ce type, Kev. Un peintre. Il avait un petit appartement à Earls Court. J'ai habité là un moment. Mais il n'avait pas plus de chance que moi à Londres, alors nous avons décidé de venir par ici. Des copains à lui y vivaient déjà et ils nous ont aidés à trouver une maison, sur la lande, à Lanyon. Mais ce n'était pas terrible, rien à voir avec ici. Il n'y avait même pas de toilettes.

— Votre bébé a quel âge?

— Dix mois.

— Et Kev et vous... vous êtes toujours ensemble?

— Mon Dieu, non. Il s'est tiré à Londres. Alors j'ai dû quitter la maison, le propriétaire ne voulait pas que je reste là toute seule. De toute façon, je ne pouvais pas payer le loyer.

— Qu'avez-vous fait?

— Que pouvais-je faire? Pas grand-chose. M'en aller. Mathie Thomas... Vous connaissez Mathie Thomas?

— Je ne connais personne.

— Il m'a hébergée une nuit ou deux et puis Ivan m'a trouvé cet endroit. Ivan est l'associé de Mathie.

— Il m'a offert le petit déjeuner.

— Vraiment? dit Drusilla en souriant. Il est superbe, non? Et puis il est charmant. Vraiment, je l'aime beaucoup. Je serais ravie de passer une journée avec lui. Quand il veut...

— Et sa mère?

— Eve? Charmante elle aussi. Et l'amiral, vous l'avez rencontré?

— Je vous l'ai dit, je ne connais personne.

— C'est une vraie communauté, ici, je peux vous le dire. (Drusilla était d'humeur expansive.) Il y a aussi une vieille nurse, vieille, mais vieille comme tout, et plus désagréable encore que vieille. (Elle se mit à réfléchir.) Non. (Elle fronça le nez.) Non, c'est injuste, elle n'est pas méchante. Elle va à Truro chaque mercredi, c'est son jour de sortie, je lui ai demandé d'acheter une bouteille de sirop pour Josh et elle lui a rapporté un petit lapin. Pas un vrai, un jouet, avec un ruban autour du cou. Il n'avait jamais eu un jouet pareil. J'ai trouvé que c'était vraiment gentil de sa part. Mais son visage, quand elle me l'a donné! Aussi triste qu'une vieille prune. Les gens sont curieux, non? Et il n'y a rien de plus curieux que les vieux.

— Qui d'autre vit ici?

— Il y a Laura. Elle est de la famille de l'amiral. Elle est en convalescence. Elle a eu une opération. Elle ne vit pas ici, remarquez, c'est un simple séjour. Et puis, il y a tous ces gens qui vont et viennent. Le jardinier et sa femme, qui aide de temps en temps pour le ménage. Et aussi une femme nommée Mme Marten qui vit dans le village, mais elle je ne la supporte pas.

— Elle aide aussi pour le ménage?

— Grands dieux, non! C'est une amie d'Eve. Je crois que c'est une sale bonne femme. Elle ne m'a jamais dit un mot agréable, ne regarde jamais Josh. Et il n'y a jamais un jour sans qu'elle vienne pour une raison ou pour une autre. Elle profite, vous voyez ce que je veux dire?

Gabriela ne voyait rien du tout et se contenta d'opiner de la tête.

— Pour vous dire la vérité, je pense qu'elle m'en veut d'être ici, poursuivit Drusilla. Elle veut être le seul galet sur la plage. Elle est venue prendre un verre l'autre soir... Ils étaient tous assis devant la maison d'Ivan à boire du champagne et l'amiral m'a demandé de me joindre à eux. Mais quand j'ai vu qu'elle était là, j'ai préféré refuser et je suis rentrée chez moi. Et croyez-moi, je n'aurais pas refusé un verre de champagne...

Elle se tut. Derrière elle, dans la maison, s'élevait le premier braillement d'un bébé se croyant abandonné.

— C'est Josh, dit Drusilla en se levant.

Elle entra et revint un moment plus tard, portant le bébé dans ses bras. Elle s'assit et le cala entre ses cuisses. Il portait un pyjama trop serré pour sa taille. C'était un très gros bébé, bronzé, avec des touffes de cheveux noirs et des yeux immenses.

— Qui est mon petit canard ? lui demanda tendrement Drusilla en embrassant son cou replet.

Il ne réagit même pas, tant il semblait fasciné par Gabriela. Il lui sourit, révélant une ou deux petites dents. La jeune fille approcha la main et il lui saisit un doigt qu'il essaya de mettre dans sa bouche. Comme elle résistait, il se mit à gronder de rage et Drusilla se pencha de nouveau pour l'embrasser et le bercer.

— Avez-vous... commença Gabriela. Je veux dire, quand vous avez su que vous étiez enceinte, avez-vous songé à vous faire avorter ?

Drusilla leva la tête et prit un air de dégoût.

— Mon Dieu, non ! Quelle idée horrible ! Ne pas avoir mon Josh ?

— Je vais avoir un bébé, dit Gabriela.

— Vraiment ? (La voix de Drusilla n'était pas seulement enchantée, mais aussi intéressée.) Quand ?

— Dans longtemps... J'ai juste compris que j'allais avoir un bébé. Vous êtes la première personne à qui je le dis.

— Vraiment ?

— Vous ne direz rien, n'est-ce pas ?

— Promis. Vous savez qui est le père ?

— Oui, bien sûr.

— Il est au courant ?

— Non. Et il ne le sera pas.

Drusilla eut un sourire d'approbation. Ce genre de comportement indépendant lui convenait tout à fait.

— Vous faites bien, dit-elle.

May était étendue dans son lit. Son dentier était posé dans un verre à côté d'elle. Un murmure de voix sous sa fenêtre la réveilla. La nuit précédente, elle avait beaucoup travaillé sur son album. Elle avait collé des photos ravissantes et elle avait aussi regardé la télévision jusqu'à la fin des émissions. Mais le sommeil ne vient pas vite aux gens âgés, et l'aube commençait à poindre lorsqu'elle s'était endormie. Et maintenant...

Elle étira le bras et trouva ses lunettes. Il était neuf heures moins le quart. Les temps ont changé... Jadis, elle se levait à six heures et demie, et parfois plus tôt s'il fallait nourrir un bébé.

Le murmure des voix continuait et leur son, dut-elle admettre, n'était pas désagréable. Elle se demanda qui était là.

Elle finit par se lever, remit son dentier et passa sa robe de chambre. S'approchant de la fenêtre, elle écarta les rideaux. En bas, la cour était baignée par les premiers rayons du soleil. Il ferait beau encore ce jour-là. Il y avait une jeune fille inconnue assise près de Drusilla et de son bébé. L'une de ses amies bizarres, sans aucun doute.

Elle ne se pencha pas à la fenêtre. Ce n'était pas son genre. Mais elle les épia. L'inconnue portait un pantalon et ses cheveux étaient décolorés. May serra les lèvres. Elle vit Ivan sortir de la maison et s'approcher des deux jeunes femmes.

— Personne n'est levé? leur demanda-t-il.

— Si, moi, fit May en ouvrant sa fenêtre.

Il s'arrêta et leva la tête.

— Bonjour, May.

— Que fais-tu là à bavarder? demanda-t-elle.

— May, sois un ange, peux-tu aller voir si ma mère est réveillée, maintenant? Je dois aller travailler et il faut que je la voie avant de partir.

— Il faut d'abord que je m'habille.

— Pas le temps... Vas-y maintenant. Tu es superbe dans ta robe de chambre.

— Voyou, grommela-t-elle.

Mais elle fit ce qu'il lui avait demandé. Elle s'arrêta devant la porte de Gerald et d'Eve. Ils étaient en train de bavarder. Elle frappa.

Eve s'assit sur le bord du grand lit avec un châle autour des épaules. Elle buvait sa première tasse de café. Gerald était déjà habillé et finissait de nouer ses lacets de chaussures. Eve essayait de le convaincre d'organiser un pique-nique pour le lendemain.

— ... nous pourrions aller à Gwenvoe et marcher le long des falaises. Je n'y suis pas allée depuis des siècles, et là il n'y aurait personne pour t'envoyer du sable au visage. Je t'en prie... Je pense que nous avons tous besoin de nous éloigner un peu de la maison...

On frappait à la porte. Eve se sentit inquiète tout à coup. Depuis la lettre anonyme, cette inquiétude ne lui laissait pas de repos. Et quand elle aperçut May, son angoisse redoubla.

— Que se passe-t-il, May?

— Ivan veut vous parler. Il est dans la cour.

— Ivan? Que s'est-il passé?

— Rien de grave, à mon avis. Il veut seulement vous dire un mot avant d'aller à l'usine. Drusilla est dehors elle aussi, avec une autre fille... une de ses amies, à mon avis. Elle a les cheveux décolorés.

— Mon Dieu! dit Eve.

— Ivan veut vous voir.

— Merci, May, j'ai compris. J'arrive.

La porte se referma.

— Gerald, pourquoi dois-je aller voir Ivan et une fille aux cheveux décolorés?

— N'aie pas l'air si chagrinée. Ça a l'air intéressant, je viens avec toi.

— J'ai toujours l'impression que quelque chose de terrible va se produire...

— Il ne faut pas.

Elle se leva et Gerald l'aida à passer sa robe de chambre bleu pâle.

— Tu crois que la fille aux cheveux décolorés appartient à Ivan ou à Drusilla?

Eve sourit malgré elle.

— Ne dis pas des choses pareilles.

— Tu sais... Tremenheere était très ennuyeux avant que je t'épouse. J'espère que cette fille n'est pas un autre canard boiteux...

— Un canard boiteux avec des cheveux décolorés?

— Ça dépasse l'imagination!

Ils descendirent par l'escalier de service et entrèrent dans la cuisine. La table était mise pour trois personnes. Gerald ouvrit la porte sur la cour.

— Je croyais que vous n'apparaîtriez jamais, leur dit Ivan.

— C'est si urgent que ça? demanda Gerald.

Eve regarda par-dessus son épaule. L'amie de Drusilla était là... Elle s'était levée et s'approchait. Elle était grande et mince, avec de longues jambes. Son visage était bronzé et ses cheveux couleur de paille. Eve eut le temps de remarquer qu'elle avait des yeux gris splendides.

Drusilla et son bébé regardaient la scène depuis le seuil de leur maison.

— Vous savez qui c'est? demanda Ivan.

Ce n'était pas dans ses habitudes de poser des questions idiotes. Comment Gerald ou elle auraient-ils pu le savoir? songea Eve en secouant la tête.

— C'est Gabriela, dit-il.

Lucy n'allait pas bien. Elle avait réveillé Laura au milieu de la nuit. Elle se tenait misérablement sur ses pattes arrière, à gratter les draps et à gémir. Laura l'avait emmenée en bas, dans l'obscurité silencieuse, avait déverrouillé la porte et l'avait lâchée dans le jardin. La chienne avait été violemment malade et, de retour dans la chambre, elle avait bu copieusement avant de se pelotonner dans son panier comme si elle avait froid.

Quand Laura s'éveilla, elle était toujours là, immobile, son museau seul visible, avec ses yeux noirs pleins de reproches et ses oreilles tombantes.

— Comment te sens-tu? demanda Laura, mais Lucy ne réagit pas au son de sa voix.

La chienne soupira et posa sa gueule contre le coin du panier.

Lucy avait dû avaler quelque chose, songea Laura. Bien qu'elle eût un air des plus distingués, elle adorait faire les poubelles. Peut-être avait-elle déniché et mangé un os pourri? Il faudrait l'emmener chez le vétérinaire.

Laura regarda sa montre. Il était près de neuf heures et la matinée s'annonçait belle. C'était péché que de rester au lit, malheureusement Eve lui interdisait de descendre avant d'avoir pris son petit déjeuner dans sa chambre. Eve insistait d'ailleurs pour le lui monter personnellement. Laura, qui se sentait tout à fait bien, aurait voulu se joindre aux autres dans la cuisine et éviter à Eve ce surcroît de fatigue. Mais Eve tenait tant à cette petite faveur qu'il semblait à Laura impossible de s'en passer.

Elle se leva et alla faire sa toilette. Elle songeait à Alec, à New York. Un sentiment de culpabilité l'envahit de nouveau. Elle lui avait écrit pour s'excuser encore et essayer de s'expliquer, mais sa lettre n'exprimait pas exactement ce qu'elle voulait lui dire. L'avoir postée n'avait pas remonté son moral. Quand il reviendrait à Tremenheere pour la chercher, tout irait mieux. Elle cesserait d'être si réservée. Elle cesserait d'être polie au sujet de Daphné Boulderstone. Peut-être découvrirait-elle qu'il partageait ses sentiments au sujet de Daphné, mais qu'il ne les avait jamais exprimés... Ils riraient alors ensemble, et tout serait bien.

Elle s'agenouilla auprès du panier de Lucy et toucha la tête, puis le museau de la chienne. Lucy était fiévreuse. Laura la caressait toujours quand on frappa à la porte de discrets petits coups. C'était Eve.

— Eve, dit Laura. Je suis levée.

Eve apparut, portant le plateau du petit déjeuner. Elle était toujours en robe de chambre et paraissait avoir retrouvé sa gaieté.

— Vous vous sentez assez forte? demanda-t-elle en posant le plateau sur le lit.

— Pourquoi donc? demanda Laura en se levant.

— Vraiment forte?... Prête pour une surprise? Une surprise agréable?

Une surprise agréable. Elle ne put penser qu'à Alec. Pourtant ce n'était pas lui qui suivait Eve et s'arrêtait dans l'embrasure de la porte... C'était une jeune fille qui souriait à moitié, d'un air secret et un peu fatigué. Ses cheveux étaient courts et décolorés, et ses grands yeux gris fixaient ceux de Laura sans ciller.

Ce fut Eve qui dut briser le silence.

— Laura, dit-elle, c'est Gabriela. La Gabriela d'Alec.

— Mais d'où viens-tu?

— De Saint Thomas. Dans les îles Vierges.

Eve les avait laissées assises sur le grand lit. Gabriela s'était calé le dos contre la tête de lit et avait ramené ses jambes en tailleur.

— Tu as vu ton père?

— Non. Il était déjà parti pour New York.

Elle continua, expliquant exactement ce qui s'était passé. Son voyage parut à Laura un vrai cauchemar, mais Gabriela semblait l'avoir pris comme allant de soi. La jeune fille termina son récit par sa visite à Mme Abney.

Elle était venue à Tremenheere non pour voir son père, disait-elle, mais pour rencontrer Laura. C'était une jeune femme, assise au coin du lit de Laura, un être de chair et d'os. Ce n'était plus un nom que personne n'osait mentionner. Ce n'était plus une photographie, un dessin, une chambre vide encombrée de jouets et de valises. Elle était là. A portée de main. Gabriela.

— Il faut prévenir Alec, dit Laura.

— Non, je t'en prie, répondit Gabriela. Il va se faire du souci. Eve m'a dit qu'il allait revenir te chercher, alors faisons-lui la surprise. Ce n'est que pour quelques jours, ne le prévenons pas.

— Mais ne dois-tu pas retourner aux Etats-Unis?

— Non, je ne le dois pas.

— Mais... que vas-tu faire?

— Je pensais que je pourrais rester en Angleterre.

— Mais ce serait merveilleux! Rien ne me ferait plus plaisir. Et Alec... oh! Gabriela, tu lui as tant manqué, si tu savais...

— Je sais... dit Gabriela en se levant pour s'approcher de la fenêtre. Quel endroit splendide, ici! Ces palmiers, on dirait les Caraïbes. (Elle tourna la tête et aperçut Lucy.) C'est ton chien? demanda-t-elle en se baissant vers le panier.

— Oui, c'est Lucy, ma chienne, mais elle n'est pas bien. Elle a été malade cette nuit. Elle m'a réveillée, heureusement, et j'ai pu la descendre dans le jardin. Je crois qu'elle a mangé une saleté.

En regardant Gabriela, Laura comprit soudain ce qui l'avait inconsciemment surprise.

— Gabriela, dit-elle, comment m'as-tu trouvée? Comment savais-tu que j'étais à Tremenheere?

— Oh! dit Gabriela en avançant la main pour caresser Lucy, Mme Abney était au courant, elle m'a renseignée.

— Alec avait dû le lui dire avant de partir à New York.

— Oui, fit Gabriela, je suppose. (Elle se redressa et lança :) Je descends. Eve m'a dit qu'elle me préparait une tasse de café. Je vais te laisser déjeuner en paix. Ton œuf va être froid si tu ne le manges pas tout de suite.

— Nous continuerons de bavarder quand je serai descendue. J'ai tant de choses à te demander...

— Bien sûr. Nous irons bavarder dans le jardin.

Gabriela referma la porte derrière elle et se dirigea vers l'escalier principal. Elle s'arrêta, hésitante, puis glissa sa main dans la poche de son jean et sortit la fameuse enveloppe. *Votre femme à Tremenheere a une aventure avec Ivan Ashby.*

Avec l'ouverture d'esprit et la rudesse de sa génération, Gabriela avait été plus choquée par l'intention malfaisante de la lettre que par les faits eux-mêmes. Elle avait maintenant rencontré Ivan et Laura. Lui était un homme terriblement séduisant, à propos duquel on pouvait imaginer beaucoup de choses... Mais elle semblait être une femme parfaitement innocente et naïve, une femme qui n'avait pas caché son plaisir sincère de rencontrer sa belle-fille. Elle aurait pu se montrer inquiète, ou désagréable, ou jalouse. Elle n'avait au contraire montré qu'un plaisir candide, une grande capacité d'accueil et une vraie gentillesse.

Gabriela commençait à considérer cette affaire avec méfiance. Pour la première fois, il lui sembla que cette lettre pouvait être mensongère. Dans ce cas, qui détestait assez Ivan et Laura pour avoir fabriqué un tel ragot?

Elle descendit. Alors qu'elle traversait le hall, la porte de la cuisine s'ouvrit et Gerald émergea, ses journaux sous le bras. Il allait s'éloigner sans l'avoir vue.

— Gerald! appela-t-elle.

Il se retourna et s'avança.

— Pourrais-je vous dire un mot? demanda Gabriela.

Il la conduisit dans son bureau, une pièce agréable, sentant bon le cigare, les livres et la cendre de bois.

— C'est ici que vous venez lire vos journaux?

— Oui. (Il était très élégant.) Un peu de solitude n'est pas à négliger. Asseyez-vous.

Elle ne s'assit pas dans le fauteuil qu'il lui avait indiqué, mais sur une haute chaise, de l'autre côté du bureau.

— Vous avez été si gentils... commença-t-elle. Je suis navrée de ne pas vous avoir prévenus... mais je n'ai pas eu le temps...

— Nous sommes enchantés de votre visite, Gabriela, vraiment.

— J'ai dit à Laura que Mme Abney — c'est elle qui tient la maison à Islington — m'avait donné votre adresse, mais ce n'est pas vrai...

— Alors, comment avez-vous fait?

— J'ai ouvert ceci, dit Gabriela en posant l'enveloppe devant Gerald.

Il s'adossa à son fauteuil et ne bougea pas. Il regardait fixement l'enveloppe. Au bout d'un moment, il releva les yeux vers la jeune fille. Son expression était grave.

— Je vois, dit-il.

— Que voyez-vous?

— Il y a déjà eu une lettre de ce genre. Adressée à une de nos amies au village... une lettre anonyme.

— Eh bien, en voici une autre. Je l'ai ouverte parce que j'ai vu le cachet de Truro et que je savais que Laura était en Cornouailles. Mme Abney et moi avons pensé que je pouvais le faire.

— L'avez-vous montrée à Mme Abney?

— Non, à personne.

Gerald soupira profondément et prit l'enveloppe.

— Postée à Truro mercredi... dit-il.

— Oui, je sais.

Il sortit la lettre et la lut. Puis il posa un coude sur son bureau et se couvrit la tête de la main.

— Mon Dieu, murmura-t-il.

— C'est affreux, n'est-ce pas?

— Vous avez pris votre petit déjeuner avec Ivan. Vous lui en avez parlé?

— Non, ni à Laura. Je vous l'ai dit, vous êtes la première personne à qui je me confie.

— Vous êtes une fille avisée.

— Qui peut l'avoir écrite?

— Je l'ignore.

— Mais la première... Avez-vous pu remonter jusqu'au coupable?

— Non. Pour des raisons... que je préfère laisser de côté. Nous espérions qu'il n'y en aurait pas une seconde. Maintenant, je commence à croire que nous avons fait une erreur.

— Mais c'est un crime d'écrire ces choses-là!

— Gabriela... Il n'y a pas un mot de vrai dans tout cela. Vous le savez, n'est-ce pas?

— Je me le demandais. Mais comment être sûr que ce n'est pas vrai?

— Je connais Ivan et je connais Laura. Croyez-moi, j'ai vécu assez longtemps et j'ai côtoyé assez de jeunes hommes pour savoir si aujourd'hui quelque chose de clandestin se trame sous mon toit. Mon beau-fils Ivan n'est pas toujours le plus discret ni le plus réservé des hommes, mais il ne serait jamais assez stupide, ou mauvais, pour séduire la femme d'Alec. Quant à Laura, vous l'avez rencontrée, non? Pouvez-vous l'imaginer faisant une chose pareille?

— Non, en effet, admit-elle. J'en étais moi-même arrivée à cette conclusion. Mais il doit bien y avoir une raison à ces accusations.

— Oui. Ils ont fait quelques sorties ensemble. Une promenade chez un antiquaire... un pique-nique... Ivan est un type serviable. Il aime la compagnie des jolies femmes, mais ses intentions sont, à la base, dictées par une réelle gentillesse. Et croyez-moi, ça lui a posé de sérieux problèmes par le passé.

Gabriela sourit. On aurait dit qu'on lui ôtait un poids qui pesait sur son cœur. Elle était heureuse d'entendre parler ainsi d'Ivan... même si, étant son beau-père, Gerald ne pouvait pas être tout à fait objectif.

— Alors, qu'allons-nous faire? dit-elle.

— Nous devrions peut-être prévenir votre père.

— Non, pas ça.

— Même pas lui dire que vous êtes ici?

— Je préfère lui faire la surprise. Après tout, il ne m'a pas vue depuis six ans et il pense que je suis toujours en Virginie... Il se ferait du souci.

— Mais j'aimerais le lui dire.

— Non, je vous en prie. Si vous ne voyez pas d'inconvénient à ce que je demeure ici jusqu'à son retour, c'est la solution que je préférerais.

— D'accord, fit Gerald.

— Mais je ne sais toujours pas ce que vous allez faire au sujet de cette lettre.

— Voulez-vous me laisser m'en occuper?

— Je crois qu'il faudrait prévenir la police.

— Je le ferai si c'est nécessaire. Mais pour le bien d'Eve, je préférerais l'éviter.

— Qu'est-ce qu'Eve a à voir là-dedans?

— Tout... Je vous expliquerai plus tard. La première lettre l'a rendue malade, mais elle se porte mieux maintenant. J'ai l'impression que votre arrivée inopinée lui a fait oublier son cauchemar. D'ailleurs, vous devriez oublier vous aussi, ce n'est plus de votre responsabilité. Pourquoi ne pas simplement vous amuser? Allez donc vous asseoir au jardin, allez rejoindre Laura.

Gabriela sortit. Gerald relut la lettre puis la remit dans son enveloppe. Le tout rejoignit le fond de la poche de sa vieille veste en tweed. Il se leva et alla à la cuisine. Eve avait mis un tablier et préparait des légumes pour la soupe.

— Chérie, il faut que je sorte une demi-heure, dit-il en l'embrassant.

— Tu vas en ville? J'aurais besoin d'un peu d'épicerie.

— Non, je n'y vais pas... mais j'irai tout à l'heure, si tu veux.

— Tu es gentil. Je vais préparer une liste.

Il ouvrit la porte arrière de la cuisine.

— Gerald, fit Eve.

Il se retourna. Elle avait retrouvé son bon sourire.

— Elle est adorable, non? Gabriela, je veux dire.

— Charmante, dit Gerald en sortant.

Il prit sa voiture et roula en direction de la lande. Après trois ou quatre kilomètres, il arriva à une intersection et s'engagea dans la direction de Carnellow.

Ce qui avait été jadis un petit village minier isolé sur la lande se réduisait aujourd'hui à quelques tristes maisonnettes, un entrepôt en ruine et une chapelle sinistre. Dans ce coin, même aux plus beaux jours, il y avait toujours du vent. Quand Gerald sortit de sa voiture, le vent siffla dans ses oreilles; tout autour de lui, la lande ondulait, avec les taches émeraude des marécages et les hautes herbes vertes.

Les bruits caractéristiques d'une activité industrielle provenaient de la vieille chapelle : le hurlement d'une scie circulaire, le fracas des maillets en bois. L'ancienne entrée avait été agrandie et de grosses portes coulissantes étaient poussées sur les côtés, révélant l'intérieur de l'usine. L'entrée était surmontée d'une enseigne récente : *Ashby et Thomas.*

Des planches de bois étaient stockées à l'extérieur, sous une remise de fortune. Il y avait aussi deux camionnettes et la voiture d'Ivan. Des copeaux voletaient partout et l'on pouvait sentir la bonne odeur du bois qui venait d'être scié.

Un apprenti sortit de l'usine. Il transportait une chaise qu'il allait charger dans le camion.

— Bonjour, dit Gerald.

— B'jour.

— Ivan est ici?

— Ouais, il est queq'part.

— Allez le chercher, voulez-vous? Dites que c'est l'amiral Haverstock.

Impressionné par les manières autoritaires de Gerald autant que par son titre, le jeune ouvrier abandonna la chaise et disparut pour réapparaître un moment plus tard avec Ivan. Ce dernier était en bras de chemise et en bleu de travail.

— Gerald? s'étonna-t-il.

— Navré de te déranger. Ce ne sera pas long. Viens t'asseoir dans la voiture.

Il raconta l'affaire à Ivan et lui montra la seconde lettre.

A mesure qu'il lisait, Ivan serrait si fort le poing que les articulations de ses doigts en devenaient blanches.

— Mon Dieu, fit-il, répétant sans le savoir les mots qu'avait eus Gerald.

— Sale affaire, dit celui-ci. Mais cette fois, bien sûr, je sais que ce n'est pas vrai.

— Eh bien, dit sèchement Ivan, c'est un bon début. Quelle horreur... Et vous dites que Gabriela a lu cette lettre et l'a apportée avec elle! Elle a dû me prendre pour une parfaite ordure.

— Elle sait qu'il n'y a pas un mot de vrai là-dedans. Je le lui ai dit, et j'ai eu l'impression qu'elle était soulagée de me croire.

— Vous ne pensez pas que c'est encore May?

Gerald haussa les épaules.

— Posté à Truro un mercredi, dit-il seulement. Même format.

— Gerald, fit Ivan. Je ne crois pas que ce soit May.

— Alors qui est-ce, mon petit?

— Vous ne pensez pas... j'y ai songé après la première lettre, mais je n'ai rien dit — vous ne pensez pas que ce pourrait être Drusilla?

— Drusilla?

— Oui, Drusilla.

— Pourquoi donc? Qu'en retirerait-elle?

— Je ne sais pas. Sauf que... (Ivan eut l'air soudain embarrassé.) Eh bien, quand je l'ai aidée, vous savez, à trouver une maison... elle est venue me rendre visite un soir et elle m'a fait comprendre qu'elle m'était reconnaissante et qu'elle était prête à me « rembourser » de n'importe quelle manière... Mais cela n'avait rien à voir avec de l'amour. C'était une sorte de proposition d'affaires.

— Et tu as accepté ?

— Grands dieux, non ! Je l'ai remerciée et je lui ai dit qu'elle ne me devait rien. Je l'ai renvoyée chez elle. Elle n'a pas eu l'air de m'en vouloir... apparemment.

— Serait-elle capable d'écrire une lettre pareille ?

— C'est une drôle de fille. Je ne sais pas. Je ne la connais pas. Aucun d'entre nous ne la connaît. Nous ne savons rien de son passé, ni de ce qui pourrait la faire agir. Elle est un mystère.

— Je suis d'accord. Mais pourquoi voudrait-elle faire du mal à Silvia ?

— Aucune idée. Je ne pense pas qu'elle apprécie particulièrement Silvia, mais c'est insuffisant pour adresser une lettre ignoble à cette pauvre femme. Et Drusilla n'a rien contre la boisson ! Elle ne déteste pas un bon petit verre.

Gerald réfléchissait.

— Ivan, cette lettre a été postée mercredi à Truro. Drusilla ne va jamais plus loin que le village. Elle ne peut pas, avec le bébé dans son landau. Elle n'a aucun moyen d'aller à Truro.

— Elle a pu demander à May de poster la lettre pour elle. Curieusement, j'ai l'impression qu'elles s'entendent bien. May rapporte parfois des choses pour elle quand elle va à Truro, vous savez, ces produits pour bébé qu'on ne trouve pas au village. Alors pourquoi n'aurait-elle pas posté une lettre pour Drusilla ?

Cela semblait parfaitement rationnel, et si dégoûtant que Gerald aurait voulu, comme Eve, sortir toute cette affaire sordide de son esprit.

— Qu'allons-nous faire ? demanda Ivan.

— J'ai proposé à Gabriela d'appeler Alec, mais elle n'a pas voulu. Elle ne veut pas l'inquiéter. Et puis il sera là mardi.

— Gerald, il faut faire quelque chose avant qu'il arrive.

— Mais quoi ?

— Vous ne croyez pas qu'il faudrait prévenir la police ?

— Et si c'est May ? objecta Gerald.

— Oui, je comprends votre point de vue... dit Ivan après une seconde de réflexion.

— Laissons cela pour un autre jour.

Ivan sourit à son beau-père.

— Vous ne jouez pas votre rôle, Gerald. Je croyais que les gens de la marine avaient toujours cinq minutes d'avance.

— En effet.

— « Nous pouvons nous charger immédiatement de ce qui est difficile ; ce qui est impossible demandera un peu plus de temps. »

— Inutile de me citer, Ivan... Peut-être en effet est-ce une tâche impossible. Alors cela prendra un peu plus de temps. Quand reviens-tu à la maison ?

— Je crois que je vais faire une pause et rentrer déjeuner. Vous avez l'air d'un homme qui a besoin de soutien moral. (Il descendit de la voiture et referma la portière.) A tout à l'heure.

Gerald le regarda s'éloigner le cœur rempli d'affection et de gratitude. Quand son beau-fils eut disparu dans l'usine, il mit le contact et retourna à Tremenheere.

— Ce n'était pas si mal au début. En tout cas pas aussi mal que je le craignais. La Virginie est belle et Strick avait une superbe propriété sur les hauteurs de la rivière James. Une énorme maison, avec des hectares de terrain tout autour, des pâturages pour les chevaux et des barrières peintes en blanc. Il y avait des cornouillers, des chênes-lièges et, devant la maison, un jardin avec une grande piscine et des courts de tennis. Le temps était toujours doux, même en hiver. Et j'avais une grande chambre pour moi avec une salle-de-bains. Les employés de maison étaient nombreux... un cuisinier, une femme de chambre et un maître d'hôtel noir qui s'appelait David et venait travailler tous les jours dans une Studebaker rose. Même l'école où maman m'avait inscrite n'était pas mal. C'était un pensionnat furieusement cher, je présume, parce que les parents des autres filles semblaient être aussi riches que Strickland. Au bout d'un moment, quand elles se sont habituées à mon accent anglais, je suis devenue une sorte de nouveauté intéressante pour elles et je n'ai pas eu de mal à me faire des amies.

Laura et Gabriela discutaient toutes deux dans le jardin, sous le mûrier. Elles avaient transporté une couverture et quelques coussins, et étaient étendues sur le ventre, côte à côte, comme deux écolières échangeant des confidences... Cette position facilitait étonnamment leur échange.

— Tu ne te sentais pas seule ? demanda Laura.

— Oh! si. Tout le temps, en fait, mais c'était une solitude spéciale... Il y avait une part de moi-même que je promenais toujours partout, mais que je cachais. Très profondément, comme une pierre au fond d'une mare. Je veux dire que je ne me suis jamais intégrée là-bas, mais ce n'était pas difficile de faire comme si.

— Et quand tu n'étais pas à l'école?

— Ça ne se passait pas trop mal non plus. Ils savaient que je ne voulais pas faire de cheval, alors ils m'ont laissée en paix. Tu sais, ça ne m'a jamais dérangée d'être seule. Et puis, il y avait toujours plein de monde. Des amis avec des enfants de mon âge, ou des gens qui venaient pour la piscine ou le tennis. (Elle sourit.) Je sais vraiment bien nager, maintenant. Idem pour le tennis, bien que je ne sois pas une championne.

— Gabriela... Pourquoi n'es-tu jamais revenue voir ton père?

La jeune fille regarda au loin et se mit à arracher machinalement de petites touffes d'herbe.

— Je ne sais pas. Ça n'a jamais pu se faire. Au début, je croyais que j'allais revenir pour passer mes vacances avec lui à Glenshandra. C'est là que nous nous sentions vraiment ensemble, lui et moi. Il m'emmenait à la rivière et nous y passions des heures tous les deux. Je voulais aller à Glenshandra, quand j'étais en Virginie, mais quand j'essayais de l'expliquer à ma mère, elle avait toujours un autre projet en réserve, un camp de vacances où elle avait réservé ma place... «Pourquoi ne pas laisser tomber pour cette année?... Une autre fois...» Lorsqu'on a quatorze ans, ce n'est pas facile de se défendre. En plus, il est vraiment impossible de discuter avec ma mère. Elle a réponse à tout. A la fin, on finit par céder... Alors, je suis allée en colonie et je pensais que mon père écrirait, qu'il serait furieux contre nous. Mais non. Il y avait toujours les mêmes choses dans ses lettres : «Peut-être l'année prochaine.» Et cela m'a blessée parce que j'ai trouvé qu'il ne s'occupait pas de moi comme je l'aurais voulu.

— Il t'écrivait?

— Oui, il écrivait. Et je recevais des cadeaux à Noël et pour mon anniversaire.

— Tu lui répondais?

— Oui. Des lettres de remerciements.

— Mais tu as dû tant lui manquer, les cinq années pendant lesquelles il a été seul... Il devait mourir d'envie de t'avoir avec lui. Au moins de temps en temps.

466

— Il n'aurait jamais dû me laisser partir, dit Gabriela. Je voulais rester avec lui. Je l'avais dit à ma mère et elle m'avait répondu que c'était impossible. A part les problèmes pratiques, il était trop occupé, trop impliqué dans son travail, qui est toujours passé en premier.

— Tu le lui as dit?

— J'ai essayé... Il est venu me voir à l'école et nous avons marché dans le parc. De toute façon, il était trop tard. Tout ce qu'il m'a dit, c'est : « J'ai trop de responsabilités. Tu as besoin de ta mère. »

— Et tu ne lui as jamais pardonné?

— Ce n'est pas une question de pardon, Laura, c'est une question d'adaptation. Soit je ne m'adaptais pas et je devenais une terreur, le genre de gamine qu'on doit emmener chez le psy de l'école. Soit je m'adaptais. Et après, il a été trop tard pour revenir en arrière. Même un peu. Tu comprends?

— Oui, dit Laura lentement. Je crois que oui. Et je crois que tu as bien fait. Au moins, tu as su accepter une situation impossible et préserver une sorte de vie pour toi-même.

— Oh! je ne me suis pas mal débrouillée, en effet.

— Qu'as-tu fait après avoir terminé l'école?

— Maman voulait que j'entre à l'université. Mais j'ai refusé. Nous avons eu une vraie dispute et, pour une fois, je n'ai pas cédé. J'ai obtenu ce que je voulais, aller étudier les beaux-arts à Washington.

— Fascinant!

— Oui, c'était formidable. J'avais un petit appartement, une voiture et, quand je le voulais, je pouvais retourner pour le week-end en Virginie avec mes amis. Maman ne les aimait pas beaucoup — ils votaient démocrate et portaient les cheveux longs — mais enfin, à part ça, les choses se sont bien passées. Pendant un moment, du moins...

— Pourquoi?

Gabriela soupira et attaqua de nouveau la pelouse de Gerald.

— J'ignore si tu as entendu parler de Strickland Whiteside? fit-elle.

— Non. Alec ne m'a jamais parlé de lui. Je dois dire qu'il parle rarement de ta mère.

— Après mes années d'école... rien ne s'est passé, en fait, mais je sentais souvent Strickland qui m'observait. Je n'aimais pas ça, et j'ai commencé à l'éviter. C'est une des raisons qui m'ont déterminée à partir pour Washington. Mais bien sûr, à la fin, une fois mon diplôme obtenu, j'ai dû rentrer. Le soir de mon retour, ma mère est allée se coucher tôt. Et là Strickland a commencé à se montrer pressant avec moi, d'une manière violente... Il avait bu et je crois qu'il se sentait un peu excité... C'était horrible.

— Oh! Gabriela!

— Je savais que je ne pouvais plus rester. Le lendemain, j'ai dit à ma mère que je partais à New York chez une de mes anciennes amies de pensionnat. Elle n'a pas montré beaucoup de résistance. Peut-être se doutait-elle de ce qui se passait chez ce salaud de Strickland. En tout cas, elle ne m'en a rien dit. Elle a toujours eu beaucoup de sang-froid. Je ne l'ai jamais vue perdre le contrôle d'une situation... J'ai donc appelé mon amie, j'ai fait mes bagages et je suis partie à New York. J'espérais trouver un travail, mais New York n'est pas fait pour moi. Le premier matin, j'étais là, sur la Cinquième Avenue, à regarder mon reflet dans les vitrines et à me demander ce que je faisais dans cette ville. Deux jours plus tard, je n'avais guère avancé, mais cela n'avait plus d'importance, parce que c'est alors que nous avons été à une soirée à Greenwich Village où j'ai rencontré un homme. Un Anglais, drôle et gentil. Nous parlions le même langage, nous étions sur la même longueur d'onde. Oh! la joie de me retrouver avec quelqu'un qui riait aux mêmes choses que moi... Il m'a emmenée dîner et il m'a dit qu'il avait son yacht ancré aux îles Vierges. Il avait invité quelques amis et il m'a demandé de me joindre à eux. J'y suis allée. Ç'a été formidable. Un yacht sublime, des excursions de rêve et toutes ces petites îles romantiques avec du sable blanc et des palmiers... Deux semaines plus tard, ses invités sont repartis. Lui restait. Et moi aussi. Nous avons vécu ensemble six mois. Et puis je lui ai dit adieu il y a deux jours, et j'ai l'impression que c'était il y a deux ans.

— Mais qui était-ce donc?

— Je suppose qu'on pourrait dire que c'était un riche armateur. Un Anglais. Il a fait l'armée. Je crois qu'il a une femme quelque part. Sûrement beaucoup d'argent aussi, parce qu'il ne travaillait pas et que cela coûte une fortune d'entretenir un quinze mètres aux îles Vierges.

— Tu étais heureuse avec lui?

— Oh! oui. Nous nous sommes bien amusés.

— Comment s'appelle-t-il?

— Je ne te le dirai pas. Cela ne compte plus.

— Mais si tu étais heureuse, pourquoi être revenue en Angleterre?

— Parce que je suis enceinte, dit Gabriela.

Il y eut un silence.

— Oh! Gabriela.

— Je ne le sais que depuis une semaine.

— Tu as vu un médecin?

— Non, mais j'en suis absolument sûre. Et je savais, si jamais je décidais de ne pas garder cet enfant, si je choisissais de me faire avorter, qu'il fallait que je m'éloigne au plus vite. Mais ce n'est pas la seule raison de mon retour à Londres. En fait, je voulais voir mon père. Voilà tout. J'avais besoin de lui. J'avais besoin de lui dire, de lui parler, d'entendre son avis et... d'être avec lui, c'est tout, Laura. Alors quand j'ai vu qu'il n'était pas à Londres, j'ai pensé qu'il ne me restait qu'à te retrouver et te parler, à toi.

— Mais tu ne me connaissais même pas!

— Il fallait que je parle à quelqu'un.

Les yeux de Laura se remplirent de larmes, qu'elle essuya vivement, avec un sentiment de honte.

— Je n'ai jamais eu d'opinion précise sur l'avortement, dit-elle. Je n'ai jamais fait campagne pour un camp ou pour l'autre. Mais en t'entendant prononcer ce mot avec tant de répugnance... Oh! Gabriela, je crois qu'il ne faut pas.

Gabriela sourit.

— Ne te fais pas de souci. J'ai déjà décidé que je ne me ferais pas avorter. J'ai pris cette décision ce matin, en bavardant avec Drusilla, pendant que vous dormiez tous. Quand j'ai vu son bébé, j'ai immédiatement compris que c'était ça que je voulais.

— Est-ce que le père est au courant?

— Non, je n'ai rien dit.

— Oh! chérie. (Les larmes se remirent à couler.) C'est si bête de pleurer, mais je ne peux pas m'en empêcher. Peut-être ne le devrais-je pas, mais je suis si heureuse pour toi...

— Tu ne crois pas que mon père va tomber à la renverse en apprenant cette nouvelle?

— Qui peut le dire?

— Ce que j'aimerais, dit Gabriela, c'est retourner à Londres avec vous deux... et rester peut-être jusqu'à la naissance du bébé.

— Tu resteras aussi longtemps que tu le désireras.

— Nous serons un peu serrés dans cette petite maison...

— Nous demanderons à Alec d'en acheter une plus grande avec un jardin.

Elles éclatèrent de rire — deux femmes conspirant gentiment contre l'homme qu'elles aimaient.

— C'est ce que j'ai toujours voulu... dit Laura. Pas une maison plus grande, mais un bébé. J'ai trente-sept ans, maintenant, et de temps en temps j'ai des problèmes de santé. C'est pour cela que j'ai été opérée. C'est pour cela que je suis ici et que je ne suis pas allée à Glenshandra ni à New York avec Alec. Mais si je ne peux pas avoir d'enfant, alors, le tien...

— Ce sera mieux que rien.

— Non. Ce n'est pas du tout ce que je voulais dire.

Elles s'aperçurent qu'on bougeait dans la maison. Levant la tête, elles virent Gerald qui sortait sur la terrasse. Il se mit à rassembler les fauteuils de jardin autour de la table en fer forgé. Puis il ramassa quelque chose — une allumette, sans doute — et se baissa pour arracher une mauvaise herbe entre deux dalles de pierre. Puis, apparemment satisfait de son œuvre, il disparut dans le salon.

— Quel type merveilleux! observa Gabriela.

— Oui, merveilleux. Il a toujours été un héros pour Alec. Célibataire pendant soixante ans, et le voilà parmi une maisonnée pleine de femmes. Nous sommes si nombreuses, et des femmes seules, sans homme. La vieille May, en haut dans sa chambre, qui reprise des chaussettes, avec sa vie derrière elle. Drusilla, sans personne sinon son bébé. Silvia Marten, l'amie d'Eve, qui va et vient en quémandant de la compagnie. Elle est probablement la plus seule d'entre nous. Et toi. Et moi.

— Toi? Seule? Mais Laura, tu as Alec.

— Oui, j'ai Alec. Et tout jusqu'ici a été presque parfait.

— Mais que manquait-il?

— Rien... Sauf une autre vie.

— Tu veux dire à cause de ma mère? Et Deepbrook? Et moi?

— Toi par-dessus tout. Alec ne me parlait jamais de toi. C'était comme une barrière entre nous et je n'ai jamais eu le courage ou la résolution de la briser.

— Tu étais jalouse de moi?

— Non, ce n'est pas ce que je voulais dire. (Elle s'étira, tentant

470

de trouver les mots les plus justes.) Je crois que j'étais seule pour les mêmes raisons qu'Alec. Tu n'étais pas une barrière, Gabriela, tu étais un vide. Tu aurais dû être avec nous, mais tu n'y étais pas.

— Eh bien, j'y suis maintenant, dit Gabriela en souriant.

— Et Erica? Elle ne va pas se faire du souci pour toi?

— Non. Elle me croit toujours en croisière dans les mers chaudes avec un groupe d'Américains d'un bon milieu. Quand mon père sera rentré et que l'avenir se sera un peu éclairci, je lui écrirai.

— Tu vas lui manquer.

— J'en doute.

— Est-elle toujours seule? Je veux dire : appartient-elle au groupe des solitaires?

— Elle n'est jamais seule. Et puis elle a ses chevaux.

Quelques instants plus tard, Laura regarda sa montre, s'étira de nouveau et se leva.

— Où vas-tu? demanda Gabriela.

— J'ai trop négligé Eve, je dois aller l'aider. Nous sommes si nombreux, et elle fait la cuisine elle-même.

— Puis-je venir? Je suis une spécialiste de l'épluchage de pommes de terre.

— Non, tu restes. Tu es autorisée à paresser pour ta première matinée. Je t'appellerai quand il sera l'heure de déjeuner.

Gabriela la regarda s'éloigner; la brise soulevait sa robe en coton rose et ses longs cheveux bruns. Puis la jeune fille roula sur le dos et posa sa tête sur un coussin.

Son bébé était là. Il allait naître. Elle posa la main sur son abdomen. Une petite graine qui allait pousser. Une entité. La nuit précédente, elle n'avait pratiquement pas dormi dans le train. Etait-ce à cause du décalage horaire? Elle avait été prise de nausées... Elle ferma les yeux et abandonna son visage au soleil.

Un peu plus tard, elle s'étira. La conscience lui revenait tranquillement. Il y avait une autre sensation, quelque chose qui remontait à l'enfance. La sécurité, comme une couverture chaude, une présence.

Elle ouvrit les yeux. Ivan était assis auprès d'elle, jambes croisées, et sa présence lui parut tellement naturelle qu'elle ne ressentit aucun embarras à avoir été surprise endormie.

— Bonjour, dit-il.

Gabriela lança la première chose qui lui vint à l'esprit.

— Vous n'avez pas eu d'aventure avec Laura?

— Non, répondit-il en secouant la tête.

Elle fronça les sourcils, essayant de comprendre pourquoi elle avait dit cela. Comme s'il se doutait de ce qui se passait dans la tête de la jeune fille, il ajouta :

— Gerald m'a montré la lettre. Il est monté à Carnellow pour que je la lise. Je suis navré. Navré que ce torchon ait été écrit, mais plus navré encore que ce soit vous qui l'ayez lu.

— Je l'ai ouverte parce que je voulais retrouver Laura. En fait, ça a été une chance. Cette lettre aurait pu être si dangereuse, Ivan! Si Alec l'avait lue avant de partir à New York...

— Cela n'a pas dû faciliter votre première rencontre avec Laura.

— En effet. Mais on dirait que j'ai fait pas mal de choses difficiles, ces derniers temps...

— Je déteste l'idée que vous ayez pu nous soupçonner. Même si ça n'a duré qu'une journée.

— Ce n'était pas votre faute.

— Ce n'est pas la première lettre. Gerald vous l'a dit?

— Oui, il me l'a dit. Mais, comme il a ajouté, c'était aussi un tissu de mensonges. Et ce n'est plus mon problème. (Elle s'étira, bâilla et s'assit. Le jardin resplendissait sous le soleil et l'air embaumait.) J'ai dormi longtemps?

— Je ne sais pas. Il est midi et demi. On m'a envoyé pour vous dire que nous allons bientôt déjeuner.

Il portait une chemise bleu pâle au col ouvert et les manches étaient relevées sur ses poignets. Elle aperçut dans l'encolure une chaîne en argent contre son torse bronzé. Ses mains — elle avait déjà décidé qu'elles étaient belles — étaient posées nonchalamment entre ses genoux. Elle vit aussi sa montre avec son gros bracelet en or.

— Vous avez faim? demanda-t-il.

— Et vous, vous rentrez toujours pour déjeuner?

— Non, mais d'une pause j'ai fait aujourd'hui un moment de repos.

— Pardon?

— J'ai pris mon après-midi.

— Je vois... Et qu'allez-vous en faire?

— Rien, je crois. Et vous?

472

— C'est une bonne idée...

Il sourit et se redressa, puis tendit la main pour aider Gabriela à se lever.

— Dans ce cas, dit-il, nous ne ferons rien ensemble.

Ils étaient tous assis autour de la table de la cuisine à prendre un verre avant le déjeuner. Ils attendaient May. Quand elle apparut, ils comprirent immédiatement que quelque chose n'allait pas.

— May, que se passe-t-il? demanda Eve.

May croisa les mains sur son ventre, grimaça et le leur dit. La porte de la chambre de Laura était restée entrouverte. Lucy avait quitté son panier et avait été dans la chambre de May. Et là, elle avait été très malade, au beau milieu du tapis.

A cinq heures, cet après-midi-là, Laura descendait seule au village, transportant un petit panier de tomates. Elle les avait ramassées avec Eve. Avec le soleil, les serres de Tremenheere étaient pleines de légumes. Les deux femmes avaient eu beau passer l'après-midi à confectionner des soupes et des purées, il en restait des kilos. Drusilla en avait accepté avec reconnaissance et l'on avait préparé un panier pour la femme du vicaire... mais il en restait encore.

— Pourquoi faut-il qu'elles poussent toutes en même temps? avait demandé Eve, le visage rougi par ses efforts culinaires. Je ne supporte pas le gâchis... Je sais, nous allons les donner à Silvia.

— Elle n'en cultive pas?

— Non, je sais qu'elle n'a pas de tomates. Je vais l'appeler.

Elle était revenue avec un air triomphant.

— Elle est ravie. Elle les achète d'habitude à l'épicerie, où elles sont stupidement chères. Nous les lui apporterons tout à l'heure.

— Je le ferai, si vous voulez.

— Vraiment? Justement, vous n'avez jamais vu son jardin. C'est un rêve et elle est toujours enchantée de bavarder. Peut-être voudra-t-elle venir avec nous demain? (Eve avait réussi à convaincre son mari qu'un pique-nique était une bonne idée et que sa présence s'imposait.) Si elle accepte, dites-lui que nous nous chargeons de la nourriture. L'un de nous ira la chercher. Il nous faudra deux voitures, de toute façon.

En sortant de la maison, Laura avait aperçu Ivan et Gabriela assis en tailleur à l'autre bout de la pelouse. Ils y avaient passé tout l'après-midi, apparemment plongés dans le récit de leurs vies respectives. On aurait dit deux très vieilles relations qui se retrouvaient. Laura était heureuse qu'il n'ait pas emmené la jeune fille pour l'une de ses épuisantes expéditions... Elle se sentait aussi protectrice qu'une mère vis-à-vis de Gabriela.

Elle n'était jamais allée chez Silvia, mais sa maison n'était pas difficile à trouver. Laura traversa la petite cour recouverte de gravier et entra.

— Silvia?

Il n'y eut pas de réponse. La porte du salon était ouverte et, de là, une porte vitrée donnait dans le jardin. Laura vit Silvia, à genoux, en train de désherber la bordure de sa pelouse.

— Silvia...

— Bonjour.

Silvia s'assit sur les talons et garda sa binette à la main. Elle portait un vieux jean, un chemisier à carreaux et son visage était, comme d'habitude, dissimulé derrière ses énormes lunettes de soleil.

— Je vous ai apporté les tomates, dit Laura.

— Oh! vous êtes un ange.

Elle reposa la binette et ôta ses gants pleins de terre.

— Ne vous arrêtez pas pour moi.

— J'en ai assez. J'ai fait cela tout l'après-midi. (Elle se releva.) Allons prendre un verre.

— Il n'est que cinq heures.

— Pas besoin que ce soit de l'alcool. Je vais faire du thé, si vous préférez, ou une citronnade.

— Une citronnade me conviendrait tout à fait.

— Parfait. (Elle prit le panier des mains de Laura.) Je vais vous l'apporter. Pendant ce temps, vous pouvez visiter mon jardin et lâcher des petits cris d'admiration... Quand je reviendrai, vous pourrez me dire combien il est réussi.

— Je ne m'y connais pas beaucoup en jardins.

— Encore mieux, l'admiration d'un amateur!

Obéissante, Laura fit le tour des superbes parterres de fleurs. Ils formaient comme une masse qui déclinait toutes les teintes de rose, de bleu et de mauve. Pas de rouge, ni d'orange, ni de jaune. Les pieds-d'alouette avaient la taille d'un homme et les lupins saturaient l'air de leur parfum d'été. Quant aux roses, elles étaient presque indécentes de couleurs et de dimension.

— Comment faites-vous pour obtenir des roses pareilles? demanda Laura à Silvia lorsqu'elles se furent retrouvées dans le petit patio.

— Je les nourris. Avec du fumier de cheval. Le fermier en haut de la route m'en procure.

— Mais vous devez aussi les asperger avec toutes sortes de choses.

— Oh! oui. Comme une folle, autrement les insectes n'en font qu'une bouchée.

— Je n'y connais rien en jardinage. A Londres, nous n'avons qu'une sorte de cour avec quelques pots de fleurs.

— Ne me dites pas que Gerald ne vous a pas fait désherber? Il est excellent pour organiser le travail.

— Non, on ne m'a rien demandé, si ce n'est de cueillir quelques fruits. J'ai été traitée comme une invitée particulièrement importante.

— Eh bien, dit Silvia en tournant ses lunettes noires vers Laura, le procédé a bien marché. Vous êtes superbe. Mieux chaque jour. Et aujourd'hui vous semblez particulièrement en forme. Vous avez perdu cette... cette expression un peu anxieuse.

— Peut-être ne suis-je plus anxieuse.

Silvia avait terminé sa citronnade. Elle tendit la main vers la carafe et remplit son verre à nouveau.

— Il y aurait une raison particulière?

— Oui, très particulière. Gabriela est parmi nous. La fille d'Alec. Elle est arrivée ce matin par le train de nuit.

Silvia reposa la carafe sur le plateau.

— Gabriela? Mais elle vit en Virginie, non?

— Elle est rentrée. Personne ne l'attendait, c'est une surprise extraordinaire.

— Je croyais qu'elle n'était jamais venue voir son père.

— En effet, mais là, elle est venue. Pour rester. Elle va vivre avec nous, elle ne repartira pas.

Laura s'aperçut que le bonheur était une affaire étrange, aussi incontrôlable que la peine. Depuis ce matin, elle avait l'impression de marcher sur un nuage et maintenant, elle était envahie par le besoin de faire partager ce bonheur, celui de se confier. Et pourquoi pas à Silvia, qui connaissait Alec depuis l'enfance et qui l'avait vu si seul à Tremenheere?

— Nous serons une famille, reprit-elle. Et je viens de découvrir que c'est ce que j'ai toujours voulu. C'est ce qui m'a tant manqué.

— Même depuis votre mariage ?

— Oui, admit Laura. Epouser un homme qui a déjà été marié assez longtemps à une autre femme, ce n'est pas toujours très simple. Il y a de grands morceaux de sa vie qui vous sont étrangers, un peu comme une chambre qui vous serait interdite. Mais maintenant que Gabriela est de retour, les choses vont être différentes. C'est comme si elle était la clé qui ouvre cette porte. (Elle sourit.) Je suis navrée, je m'exprime bien mal... Que dire, sinon que je suis persuadée que maintenant les choses vont être merveilleuses.

— Eh bien, j'espère que vous avez raison, dit Silvia. Mais ne soyez pas trop euphorique. Vous ne connaissez cette fille que depuis une journée. Après un mois de cohabitation avec elle, vous serez probablement soulagée de la voir tourner les talons. Elle cherchera un appartement. Ils font *tous ça*, les jeunes.

— Non, je ne crois pas. Ou tout au moins, pas pour le moment.

— Et pourquoi en êtes-vous si sûre ?

Laura inspira profondément, mais ne répondit pas.

— Vous avez un air coupable, dit Silvia. Comme si vous cachiez un secret.

— En effet. Et je n'en ai même pas parlé à Eve.

— Laura, je suis une tombe.

— D'accord. Mais ne le répétez pas. (Elle sourit, parce que le fait de le dire, à voix haute, l'emplissait de joie.) Elle va avoir un bébé.

— Gabriela est... ?

— Cela ne devrait pas... ne doit pas vous choquer.

— Elle va se marier ?

— Non. C'est pour cela qu'elle revient à Londres avec nous.

— Et qu'est-ce qu'Alec va dire ?

— Je pense qu'il va être tellement content de la revoir que le fait qu'elle soit enceinte n'aura aucune importance.

— Je ne vous comprends pas. On dirait que c'est vous qui allez avoir un enfant, vous êtes radieuse.

— Peut-être, dit Laura, que c'est un peu ce que je ressens. Je suis heureuse pour Gabriela et Alec, mais avant tout, je suis heureuse pour moi-même. C'est un peu égoïste, évidemment. Mais vous voyez, Silvia, à partir de maintenant, nous allons tous être ensemble.

A cause de son excitation, Laura ne se souvint qu'au moment de prendre congé du message qu'elle avait à transmettre à Silvia.

— J'allais oublier... Nous allons tous pique-niquer demain à Gwenvoe et Eve se demandait si vous voudriez nous accompagner.

— Demain, samedi? (Silvia, à la manière de Gerald, se baissa et arracha une mauvaise herbe.) Oh! quelle barbe, mais je ne peux pas. Une de mes vieilles amies est descendue à l'hôtel du Château à Porthkerris et je lui ai promis d'aller la voir. Je préférerais vous accompagner à Gwenvoe, mais je ne peux pas la laisser tomber.

— C'est vraiment dommage, mais j'expliquerai à Eve.

— J'avais bien l'impression que quelque chose manquait... fit Silvia soudainement. Où est votre petite chienne? Vous l'avez toujours avec vous d'habitude.

— Elle ne se porte pas bien. Et May n'adresse plus la parole à personne depuis que Lucy a été malade sur son tapis...

— Que lui arrive-t-il, à la chienne, je veux dire?

— Je pense qu'elle a avalé une saleté.

— Les plages commencent à être sales à cette époque de l'année.

— Je n'y avais pas pensé. Je ne l'emmènerai peut-être pas à Gwenvoe demain. Et puis elle a trop chaud sur le sable. Quant à la mer, elle ne la supporte pas.

— Comme un chat.

— Oui, exactement. Comme un chat, répéta Laura en souriant. Silvia, il faut que je m'en aille.

— Merci d'avoir apporté ces tomates.

— Et merci pour la citronnade.

Laura s'éloigna après un dernier signe de la main. Silvia resta un moment devant sa porte. Elle baissa les yeux et aperçut une autre mauvaise herbe, qu'elle arracha. Les fragiles racines de la plante étaient couvertes d'une terre brune qui se répandit sur ses mains.

Gerald était assis à l'abri d'un rocher. Il regardait sa famille nager. Une famille bien composite : sa femme, sa petite-nièce, la belle-mère de celle-ci et son beau-fils. Il était cinq heures et demie et il était prêt à rentrer. Ils étaient là depuis midi et, bien qu'ils eussent toute la place pour eux seuls, Gerald rêvait d'une bonne douche, d'un gin-tonic, de la fraîcheur de son bureau et du journal du soir. Alors qu'il allait exprimer son désir de partir, Eve et les autres décidèrent de se baigner de nouveau.

Ils étaient à Gwenvoe, mais pas à la plage. Ils avaient suivi un chemin qui descendait depuis une falaise et rejoignait un amoncellement de rochers. La mer avait d'abord été haute. Les vagues avaient alors grignoté les rochers jusqu'à remplir une sorte de piscine naturelle, sur le promontoire où ils avaient pique-niqué, en contrebas de la falaise. L'eau y était turquoise, claire et brillante sous le soleil de fin d'après-midi. Personne ne pouvait y résister.

Sauf Gerald, qui en avait assez et préférait rester à surveiller... Eve, sa chère Eve qui nageait parfaitement mais qui était la seule personne qu'il connaissait à pouvoir se mouvoir dans l'eau presque à la verticale. Gerald n'avait jamais réussi à résoudre ce problème de physique. Laura avait une nage plus classique, se contentant de la brasse, et Gabriela nageait comme un garçon, ses bras bronzés glissant sous l'eau dans un crawl impeccable. De temps en temps, elle grimpait avec Ivan sur un bloc rocheux et ils plongeaient. C'est ce qu'elle faisait maintenant, perchée sur le rocher, vêtue du plus petit bikini que Gerald eût jamais vu, son corps brun scintillant de gouttelettes.

Eve et Laura revinrent enfin s'asseoir auprès de lui. Elles séchaient leurs cheveux dans des serviettes. Des gouttes d'eau tachaient le rocher.

— Ne pourrions-nous pas rentrer? demanda Gerald avec mélancolie.

— Oh! mon chéri, fit Eve en lui donnant un baiser salé et mouillé, bien sûr. Tu as été très gentil, pas la moindre plainte. Et j'en ai moi-même assez... quoiqu'il soit toujours dommage d'interrompre un moment aussi parfait.

— On doit toujours quitter une fête avant qu'elle ne vous pèse.

— En tout cas, je dois rentrer m'occuper du dîner. Le temps que nous rassemblions les affaires et que nous retournions à la voiture... Et toi, Laura? ajouta-t-elle en enfilant une sortie-de-bain.

— Je viens avec vous.

— Et les autres?

Ils se tournèrent en direction d'Ivan et de Gabriela. Gabriela était dans l'eau, tête levée vers Ivan qui se préparait à plonger.

— Ivan! appela Gerald.

— Oui?...

— Nous partons. Que voulez-vous faire?

— Rester un peu, je crois...

— D'accord. A tout à l'heure.

— Laissez-moi des choses à porter.

— Parfait, conclut Gerald.

Quand ils se garèrent dans la cour de Tremenheere, ils virent Drusilla et son fils en train de jouer avec une balle en caoutchouc. Joshua courait à quatre pattes pour la rattraper. Il ne portait qu'un maillot d'un vert douteux.

— Vous avez passé une bonne journée? leur demanda Drusilla.

— Parfaite, dit Eve. Et vous?

— Nous avons été dans le potager et j'ai tourné le tuyau d'arrosage sur Josh... Vous ne m'en voulez pas?

— Quelle bonne idée! Il a aimé?

— Il était fou de joie. Il ne pouvait pas s'arrêter de rire.

Ils emportèrent les paniers de pique-nique dans la cuisine. Il y faisait merveilleusement frais.

— Je crois, dit Laura, que je vais monter voir Lucy. Elle aura besoin d'une promenade dans le jardin.

— Nous avons bien fait de ne pas l'emmener avec nous, dit Eve. Elle aurait détesté avoir si chaud.

Laura fila vers l'escalier de service et Eve commença à défaire les paniers. Elle n'aimait pas cela et, en conséquence, elle le faisait toujours le plus vite possible. Gerald la rejoignit bientôt. Il apportait le panier qui avait contenu les bouteilles de vin et la Thermos pour le café.

— C'est vraiment gentil à toi, chéri, d'avoir bien voulu venir avec nous, dit Eve en souriant. Ça n'aurait pas été la même chose sans toi. Allons... laisse ça et va prendre une douche, tu en meurs d'envie.

— Comment as-tu deviné?

— A ton air. Laisse-moi faire ici, ça ne sera pas long. Je vais tout mettre dans la machine...

— Eve!

C'était Laura qui appelait du premier.

— Eve!

Ils reconnurent la panique dans sa voix. Quelque chose d'aigu. Quelque chose qui appelait à l'aide. Ils se regardèrent. D'un même mouvement, ils se hâtèrent vers l'escalier. Eve apparut la première à la porte de la chambre de Laura. La jeune femme se tenait au milieu de la pièce, sa chienne dans les bras. Le petit bol de lait que Laura avait laissé avant de partir était vide. La chienne avait dû tenter de gagner la porte, car il y avait des taches de vomissure un peu partout sur le tapis. L'odeur était épouvantable.

— Laura!

Le corps habituellement souple de la chienne était étrangement raide, sa fourrure si soyeuse terne, et ses pattes arrière pendaient lamentablement. Ses yeux étaient ouverts, d'une fixité de glace. Ses babines étaient tirées sur ses dents comme dans une grimace d'agonie.

Elle était morte.

— Laura! Oh! Laura.

D'instinct, Eve aurait voulu embrasser, toucher, réconforter, mais elle ne put s'y résoudre. Elle posa la main sur la tête de Lucy.

— Elle devait être plus malade que nous l'avons tous cru. Pauvre petite chose...

Elle se mit à pleurer, se détestant de succomber aux larmes, mais elle ne pouvait contrôler sa détresse.

— Oh! Gerald.

Laura ne pleurait pas. Son regard passait doucement du visage de Gerald à celui d'Eve. Gerald vit la profonde tristesse qui l'avait envahie.

— Je... je veux Alec, finit-elle par lui dire.

Il vint à son côté et desserra l'emprise de ses doigts sur le corps de la chienne. Il prit Lucy et sortit de la chambre, laissant les deux femmes ensemble. Dans la cuisine, il mit le corps dans un carton d'emballage qu'il alla déposer dans une remise. Plus tard, il l'enterrerait dans le jardin. Mais pour l'heure, il y avait plus urgent.

Les choses sont toujours plus compliquées le samedi... Il put enfin obtenir le numéro personnel du patron d'Alec chez Sandberg Harpers et il l'appela. Par la plus grande des chances, cette éminente personne était chez elle. Gerald lui donna quelques vagues indications sur son problème et il obtint en retour un numéro où l'on pouvait joindre Alec à New York.

Il était maintenant six heures et demie. Une heure et demie à New York. Il téléphona et il lui fut répondu qu'il y aurait un délai. On le priait de patienter, on le rappellerait. Gerald reposa le récepteur et se prépara à attendre.

C'est à ce moment-là qu'Eve entra dans son bureau.

— Comment va Laura? demanda-t-il.

— Elle est très choquée. Elle n'a pas pleuré, mais elle frissonne. Je l'ai mise au lit et j'ai branché la couverture électrique. Je lui ai donné aussi un cachet pour dormir.

Elle s'approcha de lui et il passa les bras autour d'elle. Ils ne dirent rien pendant un moment, heureux de pouvoir se réconforter sans l'aide de la parole. Puis elle s'éloigna et alla s'asseoir dans le grand fauteuil. Elle avait l'air terriblement fatiguée, songea-t-il.

— Que fais-tu? demanda-t-elle.

— J'attends de parler à Alec. On doit me rappeler de New York.

— Quelle heure est-il là-bas? dit-elle en regardant sa montre.

— Une heure et demie.

— Il sera là?

— J'espère.

— Que vas-tu lui dire?

— De prendre le premier avion et de rentrer.

Eve fronça les sourcils.

— Tu vas lui demander de rentrer? Mais Alec...

— Il le faut. C'est trop grave.

— Je ne comprends pas.

— Je ne voulais pas te le dire. Mais il y a eu une autre lettre anonyme. Et Lucy n'est pas morte de mort naturelle, Eve. Elle a été empoisonnée.

8

ROSKENWYN

L'aube. Dimanche matin. Le grand avion glissa dans le ciel au-dessus de Londres, fit un tour et se mit en position pour atterrir.

La maison.

Alec Haverstock n'avait qu'un léger bagage à main. Il traversa l'immigration et la douane et sortit du terminal. Il retrouva la douceur, l'humidité grise d'une matinée d'été en Angleterre.

Il aperçut sa voiture. Sa BMW rouge sombre avec Rogerson, le chauffeur du bureau, à son côté. Rogerson était quelqu'un de strict et, bien que ce fût dimanche — son jour de repos —, il était venu à l'aéroport en grand uniforme : casquette, gants de cuir et tout le reste.

— Bonjour, monsieur Haverstock. Vous avez fait bon voyage?

— Oui, merci. (En fait, il n'avait pu dormir.) Merci d'avoir amené la voiture.

— Ce n'est rien, monsieur. (Il prit le bagage d'Alec et le mit dans le coffre.) J'ai fait le plein. Vous ne devriez pas avoir à vous arrêter.

— Comment rentrez-vous en ville?

— Par le métro, monsieur.

— Je suis désolé de vous avoir causé tant de dérangement un dimanche. Je vous en remercie.

— Quand vous voudrez, monsieur. (Sa main gantée reçut le billet de cinq livres qu'Alec lui donnait discrètement.) Merci beaucoup, monsieur.

Il roulait et le paysage s'éclairait autour de lui. De chaque côté de l'autoroute, des petits villages s'éveillaient lentement à la vie. Quand il fut dans le Devon, il entendit les cloches des églises sonner. Lorsqu'il traversa le pont au-dessus de la Tamar, le soleil était déjà haut dans le ciel et le trafic s'était gonflé des promeneurs du dimanche.

Les kilomètres filaient. Il était maintenant à cent kilomètres de Tremenheere, à quatre-vingts, à soixante... Il arriva au sommet d'une crête puis la route se mit à descendre en direction des estuaires du nord, des dunes de sable et de la mer. Il reconnaissait les petites collines avec leurs monolithes et leurs tumulus de granit qui se tenaient là depuis le début des temps... La route tourna vers le sud, vers le soleil. Il vit l'autre mer qui scintillait avec des reflets argentés, les petits bateaux et les plages étroites pleines de touristes.

Penvarloe. Il remonta la colline et roula enfin sur les routes calmes et familières, aussi calmes et familières que les grilles qui se dressèrent bientôt devant lui.

Il était midi et demi.

Il la reconnut tout de suite. Assise sur le seuil de la maison de Tremenheere, les genoux rassemblés sous son menton. Elle l'attendait. Il se demanda combien de temps elle était restée là. Il arrêta le moteur et la vit qui se redressait doucement.

Il ôta sa ceinture de sécurité, sortit de la voiture. Il demeura là à la regarder. Reconnut les beaux yeux gris, la meilleure chose que lui avait léguée sa mère. Elle avait grandi et gagné de longues jambes, mais elle n'avait pas changé. Ses cheveux avaient été longs et bruns et ils étaient maintenant courts et de la couleur de la paille. Mais elle n'avait pas changé.

— Tu prends ton temps, dit-elle, mais la dureté de ces mots était contredite par le tremblement de sa voix.

Alec claqua la portière et ouvrit les bras.

— Oh! papa! lui dit sa fille en éclatant en sanglots et en courant se jeter dans ses bras.

Plus tard, il partit à la recherche de sa femme. Il la trouva dans leur chambre, assise devant sa coiffeuse. La pièce était nette, aérée et le lit était fait. Le panier de Lucy n'était plus là. Leurs yeux se rencontrèrent dans le miroir.

— Chéri!

Laura reposa sa brosse à cheveux et se lova dans les bras d'Alec. Ils restèrent un moment enlacés. Alec sentait battre le cœur de Laura. Il l'embrassa et passa les doigts dans ses cheveux.

— Laura... ma chérie...

Elle avait posé la tête contre son épaule et les mots qu'elle disait lui parvenaient comme assourdis.

— Je... je ne suis pas descendue parce que je voulais que tu voies Gabriela d'abord. Je voulais qu'elle soit la première à te voir.

— Elle m'attendait, en effet, dit-il. Je suis navré pour Lucy.

Il sentit qu'elle secouait la tête. Elle ne voulait pas en parler.

Et il ne lui dirait pas : « Je t'en achèterai une autre. » Cette chienne avait été pour elle plus qu'un animal de compagnie. Presque un enfant. Il n'y aurait pas pour Laura de nouvelle Lucy.

Alec écarta doucement Laura de sa poitrine. Il voulait contempler son visage. Elle était bronzée et avait une mine superbe malgré son air triste. Il posa les mains de chaque côté de sa tête et ses pouces effleurèrent les ombres sous ses yeux, comme pour les gommer.

— Tu as parlé à Gabriela? dit-elle.

— Oui.

— Elle t'a dit?

— Oui.

— Pour le bébé? (Il acquiesça.) Elle est revenue pour toi, Alec. C'est pour ça qu'elle est revenue, pour être avec toi.

— Je sais.

— Elle peut vivre avec nous?

— Bien sûr.

— Elle a connu de durs moments, tu sais.

— Elle y a survécu.

— Elle est adorable.

Il sourit.

— C'est aussi ce qu'elle m'a dit de toi.

— Tu ne parlais jamais d'elle, Alec. Pourquoi ne m'en parlais-tu pas?

— Cela t'a fait beaucoup de peine?

— Oui. J'avais l'impression que tu pensais que je ne t'aimais pas assez. Comme si je n'avais pas eu assez d'amour pour laisser Gabriela faire partie de notre vie à tous les deux.

Il réfléchit.

— Ecoute, dit-il, tout cela est bien compliqué...

Prenant la main de Laura, il la conduisit vers un vieux sofa près d'une fenêtre. Il s'y assit et attira la jeune femme près de lui.

— Il faut me comprendre, poursuivit-il. Je ne parlais pas de Gabriela parce que je pensais que ce ne serait pas juste pour toi. Ma vie avec Erica s'était terminée bien des années plus tôt et Gabriela était partie... En vérité, quand je t'ai épousée, j'avais perdu tout espoir de la revoir. Alors, je ne pouvais pas, comprends-tu, je ne pouvais pas parler d'elle. C'est aussi simple que ça. L'avoir perdue, l'avoir vue s'en aller, c'est la pire chose qui me soit arrivée. Alors, j'ai cadenassé ma mémoire, comme quelqu'un referme une boîte et l'entoure d'une ficelle bien serrée. C'était la seule possibilité que j'avais de supporter ce drame.

— Mais maintenant, tu peux ouvrir la boîte.

— Gabriela l'a ouverte elle-même. Elle s'est échappée. Elle est libre. Elle est de retour.

— Oh! Alec.

Il l'embrassa.

— Tu sais, dit-il, tu m'as tant manqué! Sans toi auprès de moi, Glenshandra avait perdu toute sa magie. J'attendais impatiemment que les vacances se terminent pour te retrouver. Et à New York, je n'arrêtais pas de croire que je te voyais, dans les restaurants ou au coin d'un trottoir. Alors j'écarquillais les yeux, et la fille se retournait... Elle ne te ressemblait pas. Mon imagination ne cessait de me jouer des tours.

— Ça a dû être un problème d'interrompre ton voyage d'affaires? Quand... Lucy est morte, j'ai dit à Gerald que j'avais besoin de toi, mais je ne voulais pas créer tant de dérangement.

— Tom est là-bas et il est tout à fait capable de terminer le travail.

— Tu as reçu ma lettre?

Il secoua la tête.

— Tu as écrit?

— Oui. Je voulais te dire combien je regrettais de n'être pas partie avec toi.

— Je comprends, dit-il.

— Je déteste le téléphone.

— Moi aussi. Je l'utilise tout le temps, mais il ne sert à rien quand on veut se faire comprendre intimement de quelqu'un.

— Alec, en fait ce n'est pas que je ne voulais pas prendre

l'avion, ou que je me sentais mal. Je... (Elle hésita.) Je ne pouvais supporter l'idée de passer une semaine à New York avec Daphné Boulderstone.

Alec garda le silence pendant quelques secondes. Il paraissait ébahi.

— Je croyais que tu allais me dire quelque chose d'horrible, fit-il.

— N'est-ce pas assez horrible?

— Quoi? Etre mené par le bout du nez par Daphné Boulderstone? Ma chérie, c'est ce qui nous arrive à tous, constamment. C'est ce qui arrive à son mari. C'est la femme la plus folle que je connaisse...

— Alec, ce n'est pas ça. C'est que... Elle... elle me fait constamment passer pour une idiote. Comme si je ne savais rien. Le jour où elle est venue me voir, elle a parlé d'Erica, des rideaux d'Erica et ainsi de suite. Comment elle avait été la meilleure amie d'Erica, combien les choses se sont altérées depuis la vente de Deepbrook, combien elle était ton amie, avant même de connaître Tom, et combien les premières amours ont de l'importance, et...

Alec posa la main sur sa bouche. Elle leva les yeux et croisa son regard, qui pétillait d'amusement.

— C'est la chose la plus absurde que j'aie entendue de ma vie, fit-il en retirant sa main. Mais je comprends. (Il l'embrassa sur la bouche.) Et je suis désolé. C'était stupide de ma part de croire que tu aurais aimé passer une semaine avec Daphné. Seulement, j'avais tellement envie d'être avec toi...

— Ils sont comme un club, les Boulderstone et les Anstey. Un club auquel je ne suis pas admise...

— Je sais. J'ai manqué de finesse. J'oublie parfois que nous sommes bien plus âgés que toi. Je les connais depuis si longtemps que j'en oublie parfois l'essentiel.

— Comme quoi?

— Oh! je ne sais pas. Comme le fait d'avoir une jolie femme et une jolie fille...

— Et un beau petit-fils, bientôt.

— Ça aussi, dit-il en souriant.

— Nous serons un peu à l'étroit à Abigail Crescent.

— Nous y avons déjà trop vécu. Quand nous rentrerons à Londres, nous nous mettrons à la recherche d'une plus grande maison, avec un jardin, et là nous vivrons heureux.

— Quand partons-nous?

— Demain matin.

— Je veux rentrer à la maison, dit Laura. Eve et Gerald ont été incroyablement gentils, mais je veux rentrer à la maison.

— Cela me rappelle qu'ils ont quelque chose à me dire, fit-il en regardant sa montre. Le déjeuner est à une heure trente, tu as faim?

— Je crois que je suis trop heureuse pour avoir faim.

— Impossible, dit Alec en se levant et en obligeant Laura à l'imiter. Regarde-moi... Je meurs d'envie de croquer les pommes de terre nouvelles d'Eve et son rosbif froid.

— ... Voilà la situation. Quand Silvia a reçu cette première lettre, nous étions à peu près persuadés que c'était cette pauvre vieille May, dans un moment de quasi-folie. Il lui arrive malheureusement d'avoir un comportement plus qu'excentrique... Mais quand Gabriela nous a montré la seconde lettre, celle qui t'était adressée, Ivan a suggéré que ce pourrait être Drusilla. C'est apparemment quelqu'un de gentil, mais, comme Ivan me l'a fait remarquer, elle reste un mystère pour nous tous. Elle n'est venue vivre ici que parce qu'elle n'avait pas d'autre solution. Et je crois, ajouta Gerald en haussant les épaules, qu'elle n'est pas insensible au charme d'Ivan. Je ne sais pas, Alec, vraiment, je ne sais pas.

— Et maintenant Lucy!

— Oui. Et cette horreur me laisse sans voix. Même si elle commence à perdre les pédales, May ne ferait jamais, jamais une chose pareille. Quant à Drusilla, elle est beaucoup trop du genre « retour à la terre », je la vois mal s'en prenant à un animal.

— Vous êtes sûr que la chienne a été empoisonnée?

— Sans aucun doute. C'est pour ça qu'il fallait que tu rentres. Dès que j'ai vu la chienne, j'ai commencé à me faire du souci pour Laura.

Il était trois heures de l'après-midi, Gerald et Alec étaient enfermés dans la bibliothèque depuis le déjeuner. Ils avaient examiné toute l'affaire. La lettre et l'enveloppe étaient posées sur le bureau, entre eux deux. Alec reprit la lettre et la relut. Il s'en souvenait d'une manière presque photographique, mais ressentait néanmoins le besoin de la relire.

— Et la première lettre? demanda-t-il.

— Silvia l'a gardée. Elle ne voulait pas que je l'emporte. Je lui ai demandé de ne pas la détruire.

— Peut-être devrais-je la voir avant que nous prenions de nouvelles décisions. Et puis... nous risquons d'en avoir besoin... comme preuve. Je crois que je vais aller voir Silvia. Vous pensez qu'elle sera chez elle?

— Appelle-la, dit Gerald.

Il prit le téléphone, composa le numéro et passa le récepteur à Alec.

— Oui?

C'était la voix gaie et chaleureuse de Silvia.

— C'est Alec, Silvia.

— Alec! (Elle avait l'air ravie.) Bonjour! Alors, tu es de retour?

— Je me demandais si tu allais être chez toi dans l'heure qui vient.

— Mon Dieu, oui.

— Je pensais venir te voir.

— Formidable. Je serai dans le jardin, mais je laisserai la porte d'entrée ouverte. A tout à l'heure.

La chaleur de ce dimanche ensommeillé était tempérée par une brise fraîche qui soufflait de la mer. Tout était calme. Tremenheere était désert. Ivan était parti en promenade avec Gabriela. Eve et Laura, qui semblaient toutes deux épuisées, avaient été persuadées par leurs maris d'aller se mettre au lit.

Même Drusilla et Joshua avaient disparu. Ivan avait remarqué, dans la matinée, qu'une très vieille décapotable était entrée en grinçant dans la cour. L'un des mystérieux amis de Drusilla en était sorti, un homme qui pouvait s'enorgueillir d'une barbe de prophète... Un énorme étui à violoncelle était posé sur le siège arrière de la voiture, comme un étrange passager. L'inconnu avait échangé quelques mots avec Drusilla et ils étaient tous partis ensemble, Josh sur les genoux de sa mère, le violoncelle et l'inconnu. Elle avait pris sa flûte et l'on pouvait présumer qu'il allaient se lancer dans quelque invraisemblable concert. Ivan avait regardé la scène et l'avait rapportée aux autres pendant le déjeuner.

— C'est peut-être le début d'un nouvel amour pour Drusilla, avait dit Eve, très excitée.

— Je ne crois pas, avait rétorqué Ivan. Ils ont l'air bizarres, peut-être, mais tout à fait calmes. Je parie qu'ils vont simplement faire de la belle musique ensemble, et pas celle à laquelle tu penses.

— Mais...

— A ta place, je laisserais ça de côté. J'ai l'impression que la dernière chose dont ait besoin Gerald, c'est d'un violoncelliste barbu emménageant à Tremenheere.

Voilà pour Drusilla... Alec sortit de la propriété et s'engagea sur la route du village. Il n'y avait pratiquement pas de circulation. Il entendit un chien aboyer. Au-dessus de lui, les branches de arbres frissonnaient au vent.

Il trouva Silvia, comme elle le lui avait dit, au milieu du son jardin. Elle travaillait à ses roses. En s'avançant vers elle et en observant sa silhouette élancée, ses bras bronzés et ses cheveux gris bouclés, Alec se dit qu'elle ressemblait à une publicité pour une compagnie d'assurances. Investissez chez nous et votre retraite se passera sans souci... Il ne manquait que le mari à cheveux blancs et à l'élégance discrète, souriant en traitant ses rosiers.

Certes cela manquait... Il se souvint de Tom. Mais Tom n'avait pas été bien élégant. Et ses cheveux n'étaient pas blancs. La dernière fois qu'Alec l'avait vu, il titubait. Son visage était rouge tomate et ses mains tremblaient quand elles ne serraient pas fermement un verre d'alcool.

— Silvia!

Elle se retourna. Elle portait des lunettes de soleil. S'il ne put apercevoir ses yeux, il remarqua que tout dans son visage et son sourire exprimait la joie de le voir.

— Alec!

Elle quitta son parterre de roses et s'approcha. Il l'embrassa.

— Quelle surprise délicieuse! Je ne savais pas que tu étais rentré de New York, et je t'ai à peine vu quand tu es venu pour accompagner Laura.

— J'étais en train de penser à Tom... Je crois que je ne t'ai même pas écrit quand il est mort, et je n'avais guère le temps l'autre soir de te dire quoi que ce soit. Mais j'ai été désolé, tu sais.

— Oh! ne t'inquiète pas. Pauvre vieux Tom. C'était étrange sans lui, au début. Mais je suppose que je commence à m'habituer.

— Ton jardin est fantastique, comme d'habitude.

Des outils étaient posés sur l'herbe. Un râteau et une binette, des ciseaux et une petite fourche. Une brouette était pleine de mauvaises herbes et de roses mortes.

— Tu travailles comme une folle.

— Ça m'occupe. Ça me donne quelque chose à faire. Mais je vais m'arrêter, et nous allons bavarder. Je vais aller me laver les mains tout d'abord. Que veux-tu boire? Une tasse de thé? Un verre?

— Non. Je n'ai besoin de rien. Dis-moi, que vas-tu faire avec tout ça? Laisse-moi débarrasser.

— Tu es un ange. Tu peux aller ranger les outils dans la remise. (Elle partit vers la maison.) J'en ai pour un instant.

Alec rassembla les outils et les emporta dans la petite remise qui occupait un coin du jardin. Un treillis couvert de clématites la dissimulait aux regards. Il y avait, derrière, un tas de compost et les restes d'un feu de mauvaises herbes. Alec retourna chercher la brouette qu'il rapporta et déchargea sur le tas.

Ses mains étaient pleines de terre. Il sortit son mouchoir pour les essuyer. Faisant cela, il baissa les yeux et s'aperçut que le feu n'avait pas brûlé que des mauvaises herbes mais aussi de vieux cartons, des journaux et des lettres. Des morceaux de papier à demi carbonisés étaient encore visibles parmi les cendres. Il se baissa pour en ramasser un, en forme de triangle.

Il retourna dans la remise. Les outils y étaient disposés bien en ordre contre les murs. Il y avait aussi quantité de boîtes, de sacs de graines, de bulbes, d'engrais, d'insecticides. Ainsi qu'une grosse bouteille verte avec une capsule blanche. Du gin Gordon. Songeant à ce pauvre Tom, Alec lut l'étiquette qui était collée sur le verre. La bouteille était à moitié vide. Il la reposa sur son étagère, sortit de la remise et remonta lentement vers la maison.

Il entra dans le salon au même moment que Silvia. Elle n'avait pas ôté ses lunettes de soleil, mais elle s'était coiffée et parfumée. La pièce était saturée d'une odeur musquée.

— C'est tellement agréable de te revoir! dit-elle.

— Ce n'est pas seulement une visite amicale, Silvia... Je viens au sujet de la lettre que tu as reçue.

— La lettre?

— Cette lettre anonyme. Tu sais, j'en ai reçu une moi aussi.

— Tu... (Elle eut l'air horrifiée.) Alec!

— Gerald m'a dit que tu as conservé la tienne. J'aimerais la voir.

— Bien sûr. Gerald m'a dit de la garder... Autrement, j'aurais brûlé cette horreur. (Elle s'approcha de son bureau.) C'est là, quelque part.

Elle ouvrit un tiroir, sortit la lettre et la tendit à Alec.

Il la déplia, l'approcha de celle qu'il avait reçue. Il tenait les deux lettres comme deux cartes à jouer.

— Mais ce sont les mêmes ! fit Silvia. Du papier à lettres pour gamins.

— Tout comme ceci.

Alec sortit le morceau de papier qu'il avait trouvé derrière la remise.

— Qu'est-ce que c'est ? dit Silvia d'une voix aiguë, presque indignée.

— Je l'ai trouvé à l'endroit où tu fais ton feu. J'ai vu ça quand j'ai vidé la brouette.

— Je ne t'avais pas demandé de la vider.

— Ça vient d'où ?

— Je n'en ai pas la moindre idée.

— C'est le même papier, Silvia.

— Et alors ?

Elle s'approcha du dessus de la cheminée pour y chercher une cigarette. Elle l'alluma et jeta l'allumette dans le foyer. Ses mains tremblaient. Elle prit une longue bouffée et souffla un nuage de fumée. Puis elle se tourna vers Alec, les bras croisés sur la poitrine, comme si elle se concentrait pour tenter de ne pas partir en morceaux.

— Et alors ? répéta-t-elle. Je ne sais pas d'où ça vient.

— Je crois que tu t'es adressé la première lettre à toi-même, dit Alec. Comme ça, tu pouvais m'envoyer la deuxième et personne ne te soupçonnerait.

— C'est faux !

— Tu as dû acheter un paquet de ce papier à lettres. Tu n'avais besoin que de trois feuilles, alors tu as brûlé le reste.

— Je ne sais pas de quoi tu parles !

— Tu voulais que tout le monde croie que c'était May... Tu as posté la première lettre ici. Mais pour la deuxième, tu as été à Truro, le jour où May s'y rendait. La lettre est arrivée le lendemain à Londres. Mais j'étais déjà parti pour New York. C'est Gabriela qui l'a trouvée. Elle l'a ouverte parce qu'elle voulait savoir l'adresse de Laura. Evidemment, grâce à toi, elle a appris un tas de choses sur Laura... pas très agréables à lire.

— Tu ne peux rien prouver.

— Je n'ai pas besoin de prouver quoi que ce soit. J'essaie seulement de comprendre. Je croyais que nous étions amis. Pourquoi m'envoyer une pareille cochonnerie?

— Cochonnerie? Qu'en sais-tu? Tu n'étais pas là, à les voir sortir ensemble.

Silvia ressemblait soudain à la May des mauvais jours.

— Mais pourquoi voulais-tu te placer entre ma femme et moi? Elle ne t'a fait aucun mal.

Silvia avait terminé sa cigarette. Elle l'écrasa brutalement, la jeta dans l'âtre et en prit une autre.

— Elle a tout, dit-elle.

— Laura?

Elle alluma la cigarette.

— Oui. Laura.

Elle commença à aller et venir dans son petit salon. On aurait dit une tigresse en cage.

— Tu faisais partie de ma vie, Alec, partie de mon enfance. Te souviens-tu, quand nous étions gamins, toi, moi et Brian, quand nous jouions au cricket sur la plage, grimpions sur les collines, nagions ensemble? Et te rappelles-tu? Tu m'as embrassée, une fois. C'était la première fois qu'un homme m'embrassait.

— Je n'étais pas un homme, j'étais un adolescent.

— Et puis, je ne t'ai plus vu pendant des années et des années. Mais tu es revenu à Tremenheere et ton premier mariage était brisé... et nous nous sommes revus. Rappelle-toi, nous avons été dîner ensemble. Toi, Eve, Gerald, Tom et moi... Tom s'est saoulé plus que d'habitude et tu es rentré avec moi... et tu m'as aidée à le mettre au lit...

Il se souvenait, et c'était un épisode dont il n'était pas fier. Il avait accompagné Silvia parce qu'il était évident qu'elle ne pouvait se charger seule d'un type d'un mètre quatre-vingts, ivre au point de risquer de mourir ou d'être très gravement malade. Ils étaient parvenus à le coucher, puis ils s'étaient assis dans le salon, ils avaient pris un verre et bavardé un peu.

— .. Tu as été si gentil avec moi, ce soir-là! Et c'était la première fois que je pensais à la mort de Tom. C'était la première fois que je comprenais qu'il ne s'en remettrait pas, qu'il n'irait jamais mieux. Il ne le voulait pas. La mort était tout ce qui lui restait. Alors, j'ai pensé : « Si Tom meurt, quand Tom mourra, Alec sera là. Alec prendra soin de moi. » Ce n'était qu'un rêve, un fantasme. Mais quand tu m'as laissée ce soir-là, tu m'as embrassée avec une telle tendresse que cela m'a semblé possible tout à coup... possible et raisonnable.

Il ne se souvenait pas de l'avoir embrassée, mais cela devait être vrai.

— Mais Tom n'est pas mort. Il s'est écoulé un an avant qu'il meure. A la fin, c'était comme vivre avec une ombre, un non-être. Une sorte de déchet dont le seul but dans la vie était de mettre la main sur une bouteille de whisky. Et quand il est mort, toi tu t'es remarié, et quand j'ai vu Laura, j'ai compris. Elle a tout, répéta Silvia, avec un accent de rage envieuse. Elle est plus jeune que moi et elle est belle. Elle a une voiture luxueuse et des vêtements luxueux et des bijoux que toute femme rêverait d'avoir. Elle peut se permettre d'acheter des cadeaux somptueux. Des cadeaux pour Eve, et Eve est mon amie. Je ne pourrai jamais offrir rien de pareil à Eve. Tom m'a laissée sur la paille et je peux à peine joindre les deux bouts, alors des cadeaux... Et tout le monde qui parle et parle d'elle, comme si elle était une sorte de sainte. Ivan aussi. Ivan surtout. Avant, Ivan passait me voir ou m'invitait à prendre un verre. Mais quand Laura est arrivée, ç'a été fini. Il n'avait de temps que pour elle. Ils ont été se promener ensemble, le sais-tu, Alec? Dieu sait ce qu'ils ont pu faire, mais ils sont rentrés à Tremenheere en riant, et ta femme avait l'air d'une chatte tout excitée. C'est vrai, ce que je te dis. C'est vrai... Ils ont sûrement couché ensemble. Epanouie, voilà comment elle était soudain. Je sais. Je peux le dire. Epanouie.

Alec ne dit rien. Il se sentait plein de pitié et de tristesse devant ce spectacle pathétique, devant ce cri de désespoir.

— Sais-tu ce que c'est d'être seule, Alec? Vraiment seule? Tu as été sans Erica pendant cinq ans, mais tu n'imagines pas ce qu'est la vraie, l'absolue solitude. C'est comme si ta tristesse devenait contagieuse. Les gens te fuient. Quand Tom vivait, il y avait toujours des amis qui venaient, même quand à la fin il était devenu impossible. On venait... pour me voir. Mais après sa mort, ils ne sont plus revenus. Ils m'ont laissée toute seule. Ils avaient peur des conséquences, ils avaient peur d'une femme sans attaches. Les dernières années de sa vie, Tom ne m'était plus rien... mais je m'arrangeais. Je n'avais pas honte, d'ailleurs; il y avait toujours une sorte d'amour, d'énergie physique qui me soutenait. Après sa mort... Tout le monde était navré pour moi. Ils parlaient de la maison vide, du fauteuil vide près de la cheminée... Ils étaient trop délicats pour mentionner le lit vide, et ça, c'était un vrai cauchemar.

Alec commençait à se demander si elle n'était pas un peu folle.

— Pourquoi as-tu tué la chienne de Laura? demanda-t-il.

— Elle a tout... répéta encore Silvia. Elle t'a, toi, et maintenant elle a Gabriela. Quand elle m'a parlé de Gabriela, j'ai su que je t'avais perdu pour toujours. Tu aurais pu te débarrasser d'elle, mais tu n'aurais pas abandonné ta fille...

— Mais pourquoi la petite chienne?

— La chienne était malade. Elle est morte.

— Elle a été empoisonnée.

— C'est un mensonge!

— J'ai trouvé une bouteille de gin Gordon dans ta remise.

Silvia sembla sur le point d'éclater de rire.

— L'héritage de Tom... Il en cachait un peu partout. Je continue d'en trouver dans des endroits invraisemblables.

— Celle-ci ne contient pas du gin. Il y a une étiquette : Paraquat.

— Qu'est-ce que c'est, le Paraquat?

— Un puissant désherbant. L'un des pires poisons qui soient. On ne peut pas l'acheter comme ça dans un magasin. Il faut donner son identité.

— Ça devait être Tom. Je n'utilise pas de désherbant. Je ne sais rien de tout ça.

— Je crois que si, au contraire.

— Je ne sais rien! (Elle jeta sa cigarette par la fenêtre.) Je te le répète, rien, rien!

On aurait dit qu'elle s'apprêtait à se jeter sur Alec. Il l'attrapa par les coudes, mais elle se dégagea d'un bond. Ses lunettes de soleil glissèrent et tombèrent, révélant ses yeux aux couleurs si étranges. Ses pupilles étaient terriblement dilatées mais il n'y avait ni vie, ni expression dans son regard. C'était presque effrayant. Ce regard ressemblait à un miroir qui n'aurait rien reflété.

— Tu as tué la chienne! s'exclama Alec. Hier, quand ils étaient tous à Gwenvoe. Tu t'es introduite dans la maison. May devait être dans sa chambre et Drusilla quelque part dans le parc. Personne ne t'a vue. Il t'a suffi de monter dans notre chambre, tu as versé une petite goutte de Paraquat dans le lait de Lucy, c'était suffisant. Elle n'est pas morte sur-le-champ, mais quand Laura est rentrée, c'était fait. Croyais-tu vraiment, Silvia, croyais-tu vraiment que l'on soupçonnerait May?

— Elle détestait la chienne. Lucy avait vomi sur son tapis.

— Et as-tu la moindre idée de l'angoisse qu'Eve a vécue? Personne ne pourrait avoir une amie aussi gentille, aussi fidèle qu'Eve... mais si tu avais réussi, Eve n'aurait pas pu protéger May. Tu les aurais crucifiées toutes les deux... et tout cela pour satisfaire je ne sais quel fantasme, quel délire de ton imagination...

— Ce n'est pas vrai... Toi et moi...

— Jamais!

— Mais je t'aime... Je l'ai fait pour toi, Alec...

Elle hurlait maintenant, essayant de passer les bras autour du cou d'Alec. Son visage était grimaçant, tordu par la passion et sa bouche pendait, affamée, gonflée par un désir pathétique.

— Tu ne comprends pas, imbécile... J'ai fait ça pour toi!

Il y avait quelque chose de dément dans l'effort qu'elle faisait pour l'enlacer. Mais il était plus vigoureux qu'elle et cette lutte piteuse se termina vite. Il sentit soudain qu'elle s'affaissait. Elle se mit à pleurer dans ses bras. C'étaient des sanglots convulsifs, violents, incontrôlables. Alec parvint à l'attirer vers le sofa et à l'y allonger. Elle continuait à sangloter, à grogner et à marmonner des phrases indistinctes. Il approcha une chaise et s'assit en face d'elle, pour attendre que la crise d'hystérie se calme. Les sanglots s'espacèrent enfin. Silvia gisait, les yeux fermés, la respiration lourde. Elle ressemblait à une malade qui sort lentement du coma.

Il lui prit la main.

— Silvia.

Sa main semblait sans vie.

— Silvia, il faut appeler un médecin. Qui est ton médecin?

Elle inspira profondément et tourna son visage ravagé par les larmes vers Alec. Mais elle ne répondit pas.

— Je vais l'appeler, fit-il. Son nom?

— Dr Williams, murmura-t-elle.

Il courut dans le vestibule et chercha le numéro dans le répertoire de Silvia. Il le trouva, écrit d'une écriture nette et ferme. Il se surprit à prier pour que le Dr Williams soit là.

Sa prière fut exaucée. Alec fit un rapport aussi court et aussi clair que possible de l'incident.

— Que fait-elle maintenant? demanda le médecin quand il eut terminé.

— Elle s'est calmée. Elle est allongée, mais je crois qu'elle est... très malade.

— Oui, dit le médecin. J'ai toujours craint que quelque chose de ce genre n'arrive. Je la suis depuis la mort de son mari. Elle a été très déprimée et il ne fallait pas grand-chose pour qu'elle flanche.

— Pouvez-vous venir?

— Oui, j'arrive tout de suite. Pouvez-vous rester auprès d'elle d'ici là? Je vais faire vite.

— Pas de problème.

Alec retourna dans le salon. Silvia paraissait dormir. Il prit une couverture qui traînait sur une chaise et l'étendit sur elle. Il considéra son visage inconscient, ses rides profondes, son rictus inquiet. Elle semblait aussi vieille que May. Plus vieille même, car May, elle, n'avait jamais perdu son innocence.

Quand il entendit la voiture du médecin, il se dirigea vers le vestibule. Le médecin était venu avec une infirmière, une femme à l'air efficace dans son uniforme blanc.

— Je suis navré, dit Alec.

— Moi aussi. Vous avez bien fait d'appeler. Et c'est gentil d'être resté. Si je veux vous contacter, où puis-je vous trouver?

— A Tremenheere. Mais je dois rentrer demain matin à Londres.

— Si besoin est, je m'adresserai à l'amiral. Je ne crois pas que vous puissiez faire plus. Nous nous chargeons d'elle, maintenant.

— Elle s'en sortira?

— Ecoutez, j'ai commandé une ambulance... Comme je vous l'ai dit, nous allons nous en occuper.

Alec remonta lentement la route qui menait à Tremenheere. Il se souvenait de ce temps lointain où Brian et lui étaient des gamins qui demeuraient chez leur extraordinaire oncle Gerald. Des gamins qui goûtaient aux premières joies de la vie d'adulte.. Cette façon de se souvenir était peut-être ce qui caractérisait les personnes âgées. Ainsi May, qui se souvenait du moindre détail des pique-niques du dimanche de son enfance, des Noëls sous la neige, mais ne pouvait se rappeler ce qu'elle avait fait la veille. Les artères qui durcissent... disent les médecins, mais l'explication était sans doute plus profonde que cela. Peut-être était-ce une forme de mise en retrait, un rejet de la réalité. Les yeux, les oreilles n'en peuvent plus, les jambes flageolent et les mains tremblent.

Ainsi, Silvia avait en ce moment quatorze ans dans sa mémoire. Il voyait une adolescente qui s'éveillait aux charmes du sexe opposé. Elle avait de longues jambes minces et bronzées, une petite gorge encore enfantine et, sous la masse de ses cheveux roux, un visage qui promettait d'être beau. Ils avaient joué au cricket, couru sur les falaises avec l'innocence des jeunes de leur âge... mais se baigner ensemble ouvrait d'autres horizons, comme si la mer salée et froide balayait leurs inhibitions. Leurs corps se touchaient. Quand ils plongeaient, leurs mains se serraient, leurs joues se frôlaient. Et quand Alec avait eu enfin le courage de l'embrasser, elle avait tourné son visage pour que ses lèvres ouvertes rencontrent les siennes. Elle lui avait beaucoup appris. Elle avait tant à donner.

Alec ressentit soudain une grande lassitude. Alors qu'il n'était guère porté sur la boisson, il mourait d'envie d'avaler une double ration d'alcool. Mais cela attendrait. Dans le hall de Tremenheere, il s'arrêta pour écouter. Ni voix ni bruit. Il s'engagea dans le grand escalier en bois ciré et se dirigea vers sa chambre. Il ouvrit la porte. Les rideaux étaient tirés et masquaient la lumière. Laura dormait toujours dans le grand lit.

Il la contempla un moment, avec ses cheveux bruns répandus sur l'oreiller, et se sentit envahi par la tendresse et l'amour. Son mariage avec Laura était la chose la plus importante de sa vie. L'idée de perdre cette femme le remplit soudain d'angoisse. Peut-être avaient-ils tous deux commis des erreurs? Ils avaient été trop réservés, trop respectueux de la vie privée de l'autre. Il se promit que, dorénavant, ils partageaient tout ce qui se présenterait sur leur chemin, le bon comme le mauvais.

Le visage endormi de Laura était détendu et innocent, et elle semblait bien plus jeune que son âge. Il lui apparut tout à coup, comme une révélation qui le remplissait de gratitude, qu'en effet elle *était* innocente.

De tous, elle était celle qui ne savait rien de ces méchantes lettres. Elle ne savait pas davantage que Lucy était morte empoisonnée. Il était important qu'elle ne le sache jamais, mais ce serait le dernier secret qu'il garderait pour lui. Elle bougea, mais ne se réveilla pas. Alec quitta doucement la pièce et ferma la porte derrière lui.

Eve et Gerald n'étaient pas dans la maison. Alec passa par la cuisine et sortit dans la cour. Il aperçut Drusilla et son ami qui étaient revenus de leur sortie. La voiture du jeune homme ressemblait à une machine à coudre sur roues qu'on aurait maintenue en état grâce à des bouts de ficelle et du sparadrap... Joshua était avec eux, devant la maison. L'homme se balançait dans un rocking-chair et il ressemblait bien à un vieux prophète de jadis. Drusilla, assise sur le seuil, jouait de la flûte.

Alec s'arrêta pour observer et écouter. La musique perçait l'air avec la clarté et la précision d'une eau qui s'égoutte dans une fontaine. Il reconnut *L'Alouette dans le ciel clair*, une vieille chanson des provinces du Nord, que Drusilla devait connaître depuis son enfance. C'était un accompagnement parfait pour cette soirée d'été. L'ami de la jeune femme, qui se balançait toujours, la regardait intensément. Quant à Joshua, fatigué de traîner autour d'eux, il s'agrippait au pantalon de l'homme et tentait de se relever. Le « prophète » se pencha et mit l'enfant sur ses genoux.

Ivan avait peut-être tort. Drusilla et son ami faisaient peut-être plus que de la belle musique ensemble... Lui avait l'air d'être un type bien et Alec leur souhaita silencieusement tout le bonheur du monde.

La dernière note de musique s'éteignit. Drusilla abaissa sa flûte et l'aperçut.

— Bravo, c'était très beau, dit-il.

— Vous cherchez Eve?

— Oui.

— Elle est en train de ramasser des framboises dans le jardin.

Alec se sentit ragaillardi par cet intermède. Tremenheere n'avait rien perdu de sa magie. Toutefois, alors qu'il s'avançait vers le mur du jardin, il sentit son cœur lourd des nouvelles qu'il venait apporter. Quand il s'approcha, Eve et Gerald cessèrent leur cueillette et se retournèrent vers lui. Alec avait l'impression qu'une éternité le séparait de leur dernière rencontre. Pourtant il ne lui fallut que quelques instants pour raconter les sombres détails de son après-midi chez Silvia. Il voyait Eve et Gerald debout devant lui, au milieu de leur jardin ensoleillé, écoutant les phrases courtes et sèches par lesquelles il rapportait le drame.

Puis ce fut fini. Le silence. Et ils étaient toujours ensemble. Leur amitié avait survécu à tous ces événements et cela parut à Alec presque miraculeux.

Eve, bien entendu, ne pensait qu'à Silvia.

— ... Une ambulance? une infirmière? Oh! mon Dieu, Alec, que vont-ils lui faire?

— Je pense qu'ils vont l'emmener à l'hôpital. Elle a besoin d'être soignée, Eve.

— Je dois aller la voir... je le dois.

— Ma chérie, fit Gerald en posant la main sur son bras. Laisse faire le temps. Pour l'instant, laisse faire. Tu n'y peux rien.

— Mais nous ne pouvons pas l'abandonner. Quoi qu'elle ait fait, elle n'a personne vers qui se tourner. Nous ne pouvons pas l'abandonner!

— Nous ne l'abandonnerons pas.

Eve se tourna vers Alec comme pour lui demander de la soutenir.

— Elle est malade, dit Alec. Elle fait une dépression nerveuse.

Eve ne comprenait pas.

— Mais...

Gerald abandonna les euphémismes.

— Ma chérie, elle est devenue folle!

— Mais c'est horrible... tragique...

— Il faut que tu l'acceptes. C'est tout ce que tu peux faire. Tu n'as qu'une solution, et ce pourrait être pire encore. Nous avons soupçonné Drusilla et May... deux personnes innocentes qui auraient pu être blâmées pour une chose qu'elles n'ont pas faite. Et c'est ce que voulait Silvia. Non seulement détruire le mariage d'Alec et de Laura, mais détruire May elle aussi, et...

— Oh! Gerald... (Eve posa la main sur la bouche de son mari, ses yeux bleus étaient pleins de larmes.) May... May, ma chérie...

Elle laissa son panier de fruits et courut en direction de la maison. Son départ fut si soudain qu'Alec, instinctivement, faillit partir à sa poursuite. Gerald posa la main sur son épaule.

— Laisse-la. Tout ira bien.

May était assise à sa table et collait des images dans son album. Elle avait adoré le petit air que Drusilla avait joué. Drôle de fille. Elle avait un nouvel admirateur... May pour sa part n'était pas portée sur les barbus... Elle soupira. Elle avait trouvé de fort belles photos dans les journaux du dimanche. L'une de la reine mère avec un joli chapeau bleu. Elle avait toujours son beau sourire. Et puis une autre photo, celle d'un petit chat dans une cruche avec un nœud papillon autour du cou. Triste, cette affaire de la chienne de Mme Alec. C'était une bonne petite bête, même si elle avait vomi partout.

A cause de sa surdité elle n'entendit pas Eve qui s'approchait. Il fallut que la porte s'ouvre en grand et qu'Eve surgisse pour qu'elle comprenne. Elle jeta un regard courroucé par-dessus ses lunettes, mais, avant qu'elle ait pu proférer une parole, Eve avait traversé la pièce et s'était jetée à ses genoux.

— Oh! May...

Elle pleurait abondamment et entourait de ses bras la maigre taille de sa nourrice.

— Oh! May, ma chérie...

— Eh bien, que se passe-t-il? demanda May en retrouvant la voix qu'elle avait quand Eve était toute petite et qu'elle s'était écorché le genou ou avait cassé sa poupée... Mon Dieu, qu'est-ce que c'est? Toutes ces larmes. Et tout cela pour rien. Allons, calme-toi. (Elle passa sa main tordue par l'arthrose dans les cheveux d'Eve. Des cheveux qui avaient été si blonds et qui étaient presque blancs aujourd'hui.) Allons, allons. (Eh bien, songeait May, aucune de nous ne rajeunit.) Voilà, il n'y a pas de raison de pleurer comme ça. May est là.

Elle ne comprenait pas le pourquoi de cette scène. Elle ne le saurait jamais... Elle ne posa aucune question, et personne ne la renseigna.

9

CHEZ SOI

Laura, seule dans sa chambre, finissait les valises : elle vidait les tiroirs, passait en revue sa garde-robe, essayait de se rappeler où elle avait mis sa ceinture de cuir rouge (à moins qu'elle l'ait déjà rangée...). Elle avait laissé Alec et Gabriela à la table du petit déjeuner, où ils prenaient une deuxième tasse de café. Dès qu'ils auraient terminé et rassemblé leurs affaires, tous trois partiraient. La voiture attendait devant l'entrée principale. L'épisode Tremenheere touchait à sa fin.

Elle était en train de ranger ses affaires de toilette dans la salle-de-bains quand on frappa à la porte.

— Oui? répondit-elle.

— Laura?

C'était Gabriela. Laura sortit de la salle-de-bains.

— Oh! chérie... J'en ai pour une minute. C'est Alec qui s'impatiente? J'ai presque terminé. Ta valise est dans la voiture... Et j'ai une bouteille d'Elizabeth Arden quelque part... Où l'ai-je donc mise?

— Laura...

Laura regarda Gabriela.

— Ecoute-moi, dit celle-ci en souriant.

— Je t'écoute, chérie. (Elle posa ses affaires sur le lit.) De quoi s'agit-il?

— Voilà... Est-ce que vous m'en voudriez beaucoup, Alec et toi, si je ne rentrais pas avec vous... si je restais ici?

Laura faillit tressaillir de surprise, mais tenta de le dissimuler.

— Mais non, bien sûr. Rien ne presse. Si tu veux rester un

peu, pourquoi pas... C'est une bonne idée. J'aurais dû y penser moi-même. Tu pourras nous rejoindre plus tard.

— Ce n'est pas ça, Laura. Ce que j'essaie de te dire, c'est... Je crois que je ne vais pas revenir à Londres du tout... Après tout, ajouta-t-elle curieusement.

— Tu...? (Les idées se pressaient dans la tête de Laura.) Tu... et le bébé?

— Je l'aurai probablement ici.

— Tu veux dire que tu vas rester ici, chez Eve?

— Non! fit Gabriela en éclatant de rire. Ecoute, Laura, tu le fais exprès? Tu ne me facilites pas les choses... Je vais rester avec Ivan.

— Avec...?

Laura se sentit faiblir et dut s'asseoir sur le lit. Elle vit aussi, avec surprise, que Gabriela était devenue toute rouge.

— Gabriela!

— Cela t'horrifie?

— Non, bien sûr que non. Mais c'est un peu surprenant... Tu viens juste de le rencontrer. Tu le connais à peine.

— C'est pour ça que je veux rester ici, auprès de lui. Pour que nous nous connaissions bien.

— Tu es sûre que c'est ce que tu veux faire?

— Oui, sûre et certaine. Et lui aussi en est sûr.

Laura ne répliqua pas. Gabriela vint s'asseoir près d'elle.

— Nous sommes tombés amoureux, Laura. Enfin, c'est ce que je crois. Ça ne m'était encore jamais arrivé. Je n'avais jamais cru en l'amour jusqu'ici. Et quant au coup de foudre, j'avais toujours pris ça pour une ânerie sentimentale.

— Ça ne l'est pas, fit Laura. Je le sais parce que c'est ce qui m'est arrivé avec ton père. Avant même de savoir qui il était.

— Alors, tu comprends? Tu ne penses pas que je me conduis comme une idiote? Tu ne penses pas que ce n'est qu'une folie de mon imagination ou un problème de dérèglement hormonal?

— Non, je ne crois pas.

— Je suis si heureuse, Laura!

— Tu crois que tu vas l'épouser?

— J'espère. Un jour. Nous marcherons probablement vers l'église du village, tous les deux, et à notre retour, nous serons mari et femme... Tu ne m'en voudrais pas de faire ça? De laisser de côté tout le tralala d'un mariage en famille?

— Ce n'est pas à moi qu'il faut demander ça, c'est plutôt à Alec.

— Ivan est en bas... en train de lui dire ce que je te dis. Nous avons pensé que ce serait plus simple ainsi. Pour tout le monde.

— Il sait pour le bébé?

— Bien sûr.

— Et ça ne lui pose pas de problème?

— Pas du tout. Il m'a dit d'une façon amusante que cela le rendait plus sûr encore de ce qu'il voulait.

— Oh! Gabriela? (Laura passa les bras autour de sa belle-fille et elles s'embrassèrent pour la première fois, avec une tendre et sincère affection.) C'est quelqu'un de merveilleux, tu sais. Comme toi. Vous méritez tous deux tout le bonheur du monde.

Gabriela se dégagea.

— Tu viendras à Tremenheere quand le bébé sera né? demanda-t-elle. J'aurai tant besoin de toi!

— Rien ne m'en empêchera.

— Et tu ne m'en veux pas de ne pas retourner à Londres avec vous?

— C'est ta vie. Tu dois suivre ta route. Sache seulement que ton père sera toujours là quand tu auras besoin de lui... Tu ne l'avais pas compris auparavant, mais cela a toujours été le cas.

— Je suppose que oui, fit Gabriela en souriant.

Laura finissait toujours ses valises lorsque Alec entra. Quand il ouvrit la porte, elle se redressa, une brosse à cheveux dans une main et la bouteille d'Elizabeth Arden dans l'autre. Ils se dévisagèrent pendant un long moment sans dire un mot. Non qu'ils n'aient rien à dire, mais parce que les mots n'étaient pas nécessaires. Puis Alec ferma assez brutalement la porte derrière lui. L'expression de son visage était sévère et sa bouche serrée. Ses yeux pétillants d'ironie démentaient toutefois l'apparence qu'il voulait se donner. Et Laura sut immédiatement qu'il se retenait de rire. Non pas de Gabriela et d'Ivan, mais du couple qu'ils formaient tous deux, dans cette pièce. Ce fut lui qui brisa le silence :

— Nous avons l'air de deux vieux parents épuisés d'avoir tenté de comprendre la sottise de la jeune génération!

Laura éclata de rire.

— Chéri, tu auras beau faire, tu ne ressembleras jamais à un père victorien.

— Je voudrais quand même que tu saches que je suis fou de rage.

— Eh bien, tu n'arrives pas à me convaincre... Tu m'en veux?

— Ça alors, c'est la réplique de l'année! Je suis couvert de bleus, titubant sous les coups... la plupart donnés sous la ceinture... Ivan et Gabriela, fit-il en relevant un sourcil. Qu'en penses-tu?

— Je pense, dit Laura en rangeant la brosse et la bouteille avant de fermer la valise, je pense qu'ils ont besoin l'un de l'autre. (Elle fit claquer les fermoirs.) Je pense qu'ils s'aiment... mais aussi qu'ils se respectent, et qu'ils ont beaucoup de points communs.

— Ils ne se connaissent pas.

— Mais si. Ils sont devenus immédiatement amis. Et ils ont été constamment ensemble durant ces deux derniers jours. Ivan est quelqu'un de très gentil et Gabriela, bien qu'elle ait l'air très indépendante, a besoin de gentillesse, de douceur. Surtout avec le bébé qui vient.

— Ça, c'est plus extravagant encore! Il se fiche de cette histoire de bébé. Ça le rend plus sûr encore de vouloir passer le reste de sa vie avec elle!

— Il l'aime, Alec.

Alec fut obligé de sourire à cette remarque. Il secoua la tête.

— Laura, ma chérie, tu es si romantique...

— Je crois que c'est aussi le cas de Gabriela... même si elle ne veut pas l'admettre.

Il réfléchit à ce qu'elle venait de dire et lança soudain :

— Enfin, il y a une bonne chose dans tout cela : je n'ai pas à me mettre en chasse pour une nouvelle maison.

— Ne compte pas là-dessus...

— Que veux-tu dire?

— Je vais revenir à Tremenheere quand Gabriela aura eu son bébé. C'est dans huit mois... Et peut-être serai-je moi-même enceinte alors, on ne sait jamais.

Alec sourit, les yeux brillants d'amour.

— C'est vrai... «on ne sait jamais». (Il l'embrassa.) Maintenant, es-tu prête? Ils nous attendent tous dans le hall. Mon père disait toujours : si tu dois partir, alors pars. Ne les faisons pas attendre.

Il se dirigea vers la porte, ployant sous les paquets, mais Laura resta un instant à musarder dans la chambre. Le panier de Lucy avait disparu. Gerald l'avait brûlé. Et Lucy était enterrée ici, dans le jardin de Tremenheere. Gerald lui avait proposé de poser une petite pierre tombale, mais Laura n'avait pas aimé cette idée. Eve avait alors promis d'y planter quelques roses. Des roses anciennes. *Perpétue* et *Félicité* [1], peut-être. De ravissantes petites fleurs rose pâle. Parfaites pour Lucy.

Perpétue et *Félicité*. Laura revit Lucy qui traversait la pelouse pour la rejoindre, les yeux brillants, les oreilles dressées et la queue remuant de plaisir... C'était une bonne façon de se souvenir d'elle. Et *félicité* ne signifiait-il pas « bonheur »? Ses yeux étaient pleins de larmes — elle ne pouvait songer à Lucy sans pleurer —, mais elle les essuya vivement et rejoignit son mari.

Derrière elle, la grande chambre vide avait retrouvé son calme et la douce brise de ce matin d'été agitait lentement les rideaux.

---

1. En français dans le texte. (*N.d.T.*)

Table des matières

Achevé d'imprimer en janvier 2000
sur presse Cameron
*par **Bussière Camedan Imprimeries***
à Saint-Amand-Montrond (Cher)

Nᵒ d'édition : 6773. Nᵒ d'impression : 000391/1.
Dépôt légal : octobre 1999.
Imprimé en France